Onvoltooide zomer

Van dezelfde auteur

Stille blik
Nachtlicht
Tegenstroom
Zondeval
Verdronken verleden
Kil als het graf
Nasleep
Drijfzand

Peter Robinson

Onvoltooide zomer

A.W. Bruna Uitgevers B.V., Utrecht

Oorspronkelijke titel
The Summer that Never Was

Vertaling
Valérie Janssen
Omslagontwerp
Wil Immink Design

ISBN 978 90 229 9373 6
NUR 305

Hun jeugdigheid en liefde hadden hun glans verloren,
En beiden beseften dat ze een droom hadden gedroomd;

Die als alle dromen boven hun hoofd bleef zweven:
Maar wie ziet een droom nog voor waarheid aan?

– Robert Browning, *The Statue and the Bust*

1

Trevor Dickinson verscheen die maandagochtend met een flinke kater en een bar slecht humeur op zijn werk. Zijn mond smaakte als het zaagsel op de bodem van een vogelkooi, zijn hoofd bonkte als luidsprekers tijdens een heavy metal-concert en zijn maag schommelde heen en weer als een auto met een smerige carburator. Hij had al een halve fles magnesiumoxide geslikt en vier extra sterke paracetamoltabletten, maar dat had helemaal niets geholpen.

Toen hij op het bouwterrein aankwam, ontdekte Trevor dat hij moest wachten tot de politie de laatste demonstranten had verwijderd voordat hij aan het werk kon. Er waren er nog vijf over, die allemaal in kleermakerszit op het veld zaten. Milieuactivisten. Een van hen was een oud, grijs dametje. Ze zou zich moeten schamen, vond Trevor, een vrouw die op haar leeftijd nog met al die godvergeten communistische flikkers en natuurdebielen op het gras zat.

Hij keek om zich heen en begreep niet waarom iemand in vredesnaam nu net dit stukje grond zou willen redden. De velden waren van een boer die onlangs failliet was gegaan door de combinatie van gekkekoeienziekte en mond- en klauwzeer. Voorzover Trevor wist, bevonden zich geen zeldzame rozegespikkelde, fliererefluitende drijfsijsjes in het gebied die nergens anders naartoe konden; ook zaten er geen met sierblad begroeide leeuweriksdrollen in de heggen verborgen. Er waren zelfs niet eens bomen, tenzij je dat zielige rijtje onvolgroeide en jarenlang door uitlaatgassen verstikte populieren meetelde dat tussen de akkers en de A1-snelweg stond.

De politie slaagde er uiteindelijk in om de demonstranten van het terrein te verwijderen door hen allemaal, inclusief het oude dametje, een voor een op te tillen en naar het bestelbusje te dragen dat vlak bij het veld stond en toen kregen Trevor en zijn ploeggenoten dan toch het teken dat ze aan de slag konden. De regen die dat weekend was gevallen, had de grond in een modderpoel veranderd waardoor het moeilijker manoeuvreren was dan anders, maar Trevor was een ervaren bestuurder en had met de laadschop van de graafmachine binnen de kortste keren de bovenste laag grond afgegraven, waarna hij de lading hoog in de lucht tilde en in de gereedstaande vrachtwagen dumpte. Hij bediende de hendels met een aangeboren behendigheid, bestuurde het ingewikkelde systeem van pedalen, versnellingen, assen en takels als een dirigent, schepte zoveel op als de laadschop aankon en zorgde er vervolgens voor dat deze in balans bleef zodat er niets uit zou vallen wanneer hij hem omhoogtilde en boven de vrachtwagen schoof.

Trevor was al meer dan twee uur bezig toen hij meende dat er iets uit de aarde stak.

Hij boog zich naar voren in zijn stoel, veegde de condens aan de binnenkant van het raam in de cabine weg en keek speurend naar buiten; toen hij zag wat het was, stokte de adem in zijn keel. Hij staarde naar een menselijke schedel en wat het nog erger maakte, was dat de schedel ook naar hem leek te staren.

Alan Banks had geen last van een kater, maar toen hij zag dat hij de televisie had laten aanstaan, wist hij wel dat hij de vorige avond te veel ouzo had gedronken. De enige zenders die hij kon ontvangen, waren Grieks en wanneer hij nuchter was, keek hij er nooit naar.

Banks kreunde, rekte zich uit en zette wat van de sterke Griekse koffie waaraan hij al tijdens zijn eerste week op het eiland verslaafd was geraakt. Toen de koffie stond te pruttelen, zette hij een cd op met aria's van Mozart, waarna hij een van de ongelezen kranten van de vorige week van de stapel greep en het balkon opliep. Hij had weliswaar zijn discman meegenomen, maar tot zijn grote vreugde was er een ministereo met cd-speler in de kleine timeshare-flat aanwezig. Hij had een flinke stapel van zijn favoriete cd's meegebracht, waaronder die van Billy Holiday, John Coltrane, Schubert, Walton, The Grateful Dead en Led Zeppelin.

Hij bleef bij de ijzeren reling staan luisteren naar *Parto, ma tu, ben mio* en keek neer op de zee die zich uitstrekte achter de chaotische verzameling daken en muren, een kubistische compositie van samenkomende blauwe en witte vlakken. De zon stond stralend aan een prachtige blauwe lucht, zoals ze dat elke dag had gedaan sinds hij hier was aangekomen. Hij rook wilde lavendel en rozemarijn. Een cruiseschip was net voor anker gegaan en de eerste motorsloepen van die dag brachten hun lading opgewonden toeristen met camera's om hun nek naar de haven, met krijsende zeemeeuwen in hun kielzog.

Banks schonk binnen een kop koffie voor zichzelf in, nam deze mee naar buiten en ging zitten. Zijn witte houten stoel schraapte over de terra-

cotta tegels en een klein hagedisachtig wezentje dat lui genietend in de ochtendzon had gelegen, schrok op van het lawaai en vluchtte weg.
Nadat hij de krant had gelezen en misschien een stukje in Homerus' *Odyssee*, zou hij naar het dorp wandelen voor een lange, uitgebreide lunch, misschien een of twee glazen wijn drinken, vers brood, olijven en geitenkaas kopen en dan terugkomen voor een middagdutje en wat muziek. Daarna zou hij de avond doorbrengen in de taveerne aan de kade waar hij een potje schaak zou spelen met Alexandros, zoals hij sinds de tweede dag dat hij hier was elke avond had gedaan.
In de krant stond maar weinig wat hem interesseerde, behalve het sportnieuws en de kunstpagina's. Door de regen was de derde oefeninterland op Old Trafford gestaakt, maar dat kon nauwelijks nieuws worden genoemd; Engeland had een belangrijke kwalificatiewedstrijd voor de World Cup gewonnen; en er waren die dag geen boek- of muziekrecensies. Wel werd zijn aandacht getrokken door een kort artikeltje over een skelet dat door een bouwvakker was gevonden tijdens graafwerkzaamheden op het terrein van een nieuw winkelcentrum langs de A1 dicht bij Peterborough. Zijn oog viel erop, omdat hij een groot deel van zijn jeugd in Peterborough had doorgebracht en zijn ouders er nog steeds woonden.
Hij legde de krant weg en keek naar de zeemeeuwen die sierlijke duikvluchten uitvoerden en uitgelaten rondvlogen. Het leek net of ze op de golven van Mozarts muziek zweefden. Doelloos rondzwalkten, net als hij. Hij dacht terug aan zijn tweede gesprek met Alexandros. Tijdens hun schaakspel had Alex plotseling opgekeken, Banks serieus bestudeerd en gezegd: 'Je lijkt me een man met veel geheimen, Alan, een erg droevige man. Waar ben je voor op de vlucht?'
Banks had er lang en veel over nagedacht. Was hij op de vlucht? Ja, in zekere zin wel. Op de vlucht voor een mislukt huwelijk en een stukgelopen affaire, voor een baan die hem bijna voor de tweede keer een zenuwinstorting had bezorgd door de tegenstrijdige eisen die aan hem werden gesteld, door de gewelddadige dood van de slachtoffers waarmee hij steeds werd geconfronteerd en alles wat slecht was in de mens. Hij was inderdaad op de vlucht, ook al was het misschien maar tijdelijk.
Of zat het toch dieper? Was hij misschien op de vlucht voor zichzelf, voor wat hij was of was geworden? Hij had lang over Alexandros' vraag nagedacht en uiteindelijk slechts geantwoord: 'Wist ik het maar', waarna hij haastig een ondoordachte zet had gedaan en zijn koningin in gevaar had gebracht.
Hij was er tijdens zijn korte verblijf in geslaagd niet verstrikt te raken in

liefdesavontuurtjes. Andrea, de serveerster van Philippes taveerne, had wel met hem geflirt, maar daar was het bij gebleven. Een enkele keer had een van de vrouwen van de cruiseschepen hem een smachtende blik toegeworpen die slechts naar één ding zou leiden als je het toestond, maar hij had het niet toegestaan. Hij had een plek gevonden waar hij niet dagelijks met misdaad werd geconfronteerd, een plek bovendien waar hij geen kelders hoefde in te gaan die vol lichamen van verkrachte tienermeisjes lagen, een beeld uit de laatste zaak waaraan hij had gewerkt dat hem in zijn dromen nog steeds achtervolgde, ook hier op dit vredige eiland.

Hij had dus zijn doel bereikt: hij was gevlucht voor zijn smerige, chaotische leven en had een soort paradijs gevonden. Waarom voelde hij zich dan toch zo verdomd rusteloos?

Inspecteur Michelle Hart van het politiekorps van Cambridgeshire, de noordelijke divisie, liep de afdeling forensische antropologie van het streekziekenhuis binnen. Ze keek uit naar deze ochtend. Gewoonlijk vond ze bij lijkschouwingen het snijden en peuteren zelf minder erg dan het contrast tussen de lichte, reflecterende oppervlaktes van de praktische tegels en staal aan de ene kant en de wanordelijke brij van de maaginhoud en de stroompjes zwartachtig bloed die in de glimmend gepoetste goten verdwenen aan de andere kant, het contrast tussen de geur van ontsmettingsmiddelen en de stank van een doorboorde darm. Vanochtend zouden ze daar echter niet mee te maken krijgen. Vanochtend zou dr. Wendy Cooper, de forensisch antropoloog, alleen maar botten onderzoeken.

Michelle had een maand geleden ook met haar gewerkt, aan de eerste zaak in haar nieuwe baan: overblijfselen die van Angelsaksische afkomst bleken te zijn, niet ongebruikelijk in deze streek, en ze hadden het goed met elkaar kunnen vinden. Het enige wat ze minder geslaagd vond, was dr. Coopers voorkeur voor countrymuziek, die tijdens haar werk voortdurend op de achtergrond klonk. Ze zei dat het haar hielp zich te concentreren, maar op Michelle had Loretta Lynn precies het tegenovergestelde effect.

Dr. Cooper en haar assistent, postdoctoraal student David Roberts, stonden over een deel van een skelet gebogen en waren bezig de botjes van handen en voeten op de juiste plek te leggen. Dat dit een moeilijke opgave was, had Michelle wel begrepen uit de korte anatomiecursus die ze had gevolgd en ze had nog steeds geen flauw idee hoe je het onderscheid kon zien tussen de ene rib en de andere, de ene knokkel en de andere. Dr. Cooper leek hier echter geen enkele moeite mee te hebben. Ze

was begin vijftig, had een vrij stevig postuur, heel kort grijs haar, een bril met een zilverkleurig montuur en een no-nonsense houding.
'Weet je hoeveel botten er in een menselijke hand zitten?' vroeg dr. Cooper zonder haar ogen van het skelet af te wenden.
'Heel veel?' antwoordde Michelle.
'Zesentwintig,' zei dr. Cooper. 'Zesentwintig. En het is verrekte lastig om die kleine rotdingen te herkennen, sommige tenminste.'
'Heb je al iets voor me?' Michelle haalde haar opschrijfboekje tevoorschijn.
'Nog niet veel. Zoals je kunt zien, zijn we nog steeds bezig hem in elkaar te zetten.'
'Hem?'
'Ja zeker. Dat staat vast. De schedel en het schaambeen wijzen duidelijk in die richting. Noord-Europeaan, zou ik ook zeggen.' Ze draaide de schedel opzij. 'Zie je dat rechte profiel van het gezicht en de smalle opening van de neus? Allemaal duidelijke tekens. Er zijn er natuurlijk nog meer: de hoge hersenschedel, de oogkassen. Maar je bent hier niet voor een les in etnische antropologie, denk ik.'
'Eigenlijk niet, nee,' zei Michelle, die het onderwerp juist erg boeiend vond. Soms dacht ze wel eens dat ze misschien het verkeerde beroep had gekozen en antropoloog had moeten worden. Of anders misschien arts. 'Hij was niet echt lang, hè?'
Dr. Cooper wierp een blik op de botten die op de stalen behandeltafel lagen. 'Lang genoeg voor zijn leeftijd, zou ik zeggen.'
'Ga me nu niet wijsmaken dat je weet hoe oud hij was.'
'Natuurlijk wel. Een ruwe schatting, maar toch. We hebben het pijpbeen opgemeten en de juiste formule toegepast en volgens ons moet hij ongeveer 1 meter 68 zijn geweest.'
'Een kind nog, dus?'
Dr. Cooper knikte instemmend en wees met haar pen naar de schouder. 'De clavicula, het sleutelbeen voor jou, is de laatste epifyse in het lichaam die vastgroeit, wat gewoonlijk halverwege de twintig gebeurt, hoewel het in feite op elk tijdstip tussen het vijftiende en tweeëndertigste levensjaar kan plaatsvinden. Die van hem is nog niet vastgegroeid. Ook heb ik de ribben en de wervelkolom onderzocht. Bij een ouder iemand verwacht je niet alleen slijtageplekken, maar ook scherpere randen en uitstulpingen op de ribben. Zijn ribben zijn aan de uiteinden vlak en glad afgerond, slechts een licht golvende rand, en de wervelkolom vertoont in het geheel geen epifysaire ringen. Verder bevindt het vastgroeien van het darmbeen, zitbeen en schaambeen zich pas in het

beginstadium. Dat proces vindt gewoonlijk plaats tussen het twaalfde en zeventiende levensjaar.'
'Hoe oud was hij dan, denk je?'
'In mijn vakgebied is het niet verstandig om in dergelijke zaken je nek uit te steken, maar ik zou zeggen: tussen de twaalf en vijftien. Hou voor de zekerheid een marge van een paar jaar aan beide kanten aan. De databases waar we deze cijfers uit halen, zijn niet altijd compleet en soms zijn ze zelfs al achterhaald.'
'Verder nog iets?'
'De tanden. Je zult uiteraard een tandheelkundige naar de wortels moeten laten kijken en de hoeveelheid fluoride moeten laten vaststellen, als je dat al aantreft, want ik kan je bij dezen vast vertellen dat dat hier pas in 1959 aan onze tandpasta werd toegevoegd; ik kan je nu echter al drie dingen melden. Om te beginnen hebben we geen melktanden meer aangetroffen en bovendien is de maalkies van het vaste gebit al doorgebroken. Dat betekent dat hij rond de twaalf moet zijn geweest, opnieuw met een marge van een paar jaar, en afgaande op het overige bewijsmateriaal zou ik wel durven beweren dat hij eerder ouder dan jonger is geweest.'
'En het derde?'
'Iets minder wetenschappelijk van aard, helaas, maar afgaande op de algehele staat van zijn tanden en de aanwezigheid van al die metalen vullingen in de achterste kiezen zou ik zeggen: overduidelijk een cliënt van een schooltandarts.'
'Hoe lang geleden is hij begraven?'
'Kan ik met geen mogelijkheid zeggen. Er zijn geen zachte weefselresten of bindweefsel over, de botten zijn verkleurd en beginnen al te schilferen, dus ik zou zeggen meer dan twee decennia geleden, maar ik zal eerst uitgebreidere tests moeten doen voordat daar een definitief antwoord op te geven is.'
'Is er iets wat erop wijst wat de doodsoorzaak is geweest?'
'Nog niet. Ik moet eerst de botten schoonmaken. Soms kun je bijvoorbeeld beschadigingen door messteken niet zien vanwege de lagen vuil.'
'En dat gat in de schedel?'
Dr. Cooper liet een vinger langs de gekartelde rand glijden. 'Moet tijdens de opgraving zijn aangebracht. Stamt in elk geval van na het overlijden.'
'Hoe weet je dat?'
'Als hij was aangebracht voordat de dood was ingetreden, zouden er sporen van genezing moeten zijn. Dit is een schone breuk.'

'Maar stel dat het de oorzaak van het overlijden is geweest?'
Dr. Cooper zuchtte vermoeid, alsof ze met een hersenloze doctoraalstudent sprak. Michelle zag dat David Roberts grinnikte en hij begon te blozen toen hij merkte dat ze naar hem keek. 'Als dat het geval was geweest,' vervolgde dr. Cooper haar verhaal, 'dan zou je een heel andere vorm verwachten. Jonge botten breken heel anders dan oude botten. En kijk daar eens naar.' Ze wees naar het gat. 'Wat zie je?'
Michelle bekeek de botten van heel dichtbij. 'De randen,' zei ze. 'Ze hebben niet dezelfde kleur als het bot eromheen.'
'Heel goed. Dat betekent dat de breuk recent heeft plaatsgevonden. Als het rond het tijdstip van overlijden was gebeurd, zou je immers mogen verwachten dat de randen op dezelfde wijze waren verkleurd als de rest van de schedel.'
'Dat moet haast wel,' zei Michelle. 'Het klinkt heel eenvoudig.'
'Dat is het ook, zolang je weet waar je op moet letten. In de rechterarm zit een gebroken opperarmbeen, maar die is genezen, dus ik zou zeggen dat dat is gebeurd toen hij nog leefde. Zie je dit?' Ze wees op de linkerarm. 'Deze is iets langer dan zijn rechterarm, wat erop zou kunnen duiden dat hij linkshandig was. Het zou natuurlijk ook veroorzaakt kunnen zijn door de botbreuk, maar dat betwijfel ik. Er zijn verschillen in de schouderbladen die mijn theorie ondersteunen.'
Michelle maakte een paar aantekeningen en wendde zich vervolgens weer tot dr. Cooper. 'We weten dat hij hoogstwaarschijnlijk is begraven op de plek waar we hem hebben gevonden,' zei ze, 'aangezien de overblijfselen ongeveer een meter onder de grond lagen, maar is er een mogelijkheid om erachter te komen of hij daar ook is gestorven of dat hij op een later tijdstip daarnaartoe is gebracht?'
Dr. Cooper schudde haar hoofd. 'Als daar al bewijsmateriaal voor was, dan is dat op dezelfde manier vernield als de schedel en een paar botten die zijn beschadigd. Door de bulldozer.'
'Waar zijn de spullen die samen met het lichaam zijn opgegraven?'
Dr. Cooper gebaarde naar de werkbank die langs de muur tegenover hen stond en richtte haar aandacht weer op de botten. David Roberts deed eindelijk ook zijn mond open. Hij maakte er een gewoonte van om met gebogen hoofd te praten wanneer hij iets tegen Michelle zei en mompelde erg binnensmonds, zodat ze niet altijd verstond wat hij zei. Hij leek verlegen in haar aanwezigheid, alsof hij verliefd op haar was. Ze wist dat de combinatie van blond haar en groene ogen een sterke aantrekkingskracht uitoefende op mannen, maar dit was belachelijk. Michelle was net veertig geworden en David kon niet ouder zijn dan tweeëntwintig.

Ze liep achter hem aan naar de werktafel, waar hij haar een aantal nauwelijks herkenbare voorwerpen aanwees. 'We weten niet zeker of ze echt van hem waren,' zei hij, 'maar ze zijn allemaal in de nabijheid van het lichaam aangetroffen.' Toen ze wat beter keek, meende Michelle een paar materiaalsoorten en voorwerpen te herkennen: enkele stukken stof van kleding, een gesp van een riem, munten, een zakmes, een plastic schijf, een schoenveter en enkele ronde voorwerpen. 'Wat zijn dat?' vroeg ze.

'Knikkers.' David wreef een ervan schoon met een doek en gaf hem aan haar.

Hij voelde glad aan en in de zware glazen vorm was een spiraal in twee kleuren blauw zichtbaar. 'Zomer, dus,' zei ze in zichzelf.

'Pardon?'

Ze keek David aan. 'O, sorry. Zomer. Jongens knikkerden gewoonlijk in de zomer. Buiten, wanneer het weer goed was. En die munten?'

'Een paar losse penny's, een halve crown, een drie-penny-munt.'

'Allemaal oude munten dus?'

'In elk geval uit de tijd voordat we op het decimale stelsel zijn overgestapt.'

'Voor 1971 dus.' Ze pakte een plat, driehoekig voorwerp met afgeronde randen op. 'Wat is dit?'

David poetste het ergste vuil weg en onthulde iets wat op een stuk schild van een schildpad leek. 'Ik denk dat het een plectrum is,' zei hij. 'U weet wel, voor een gitaar.'

'Een muzikant?' Michelle pakte een soort armband op, helemaal verroest en verteerd, met een platte, uitgerekte ovaal in het midden waar iets in was gegraveerd.

Dr. Cooper kwam bij hen staan. 'Ja, dat vond ik ook interessant,' zei ze. 'Weet je wat het is?'

'Een soort armband?'

'Ja. Ik denk dat het een naamplaatje is. Die waren halverwege de jaren zestig erg populair bij tieners. Ik weet nog dat mijn broer er een had. David heeft deze zo goed mogelijk schoongemaakt. Het zilverlaagje is er natuurlijk helemaal afgesleten, maar de boor van de graveur is gelukkig dieper gegaan en ook in de legering eronder terechtgekomen. Als je goed kijkt, kun je een deel van de naam ontcijferen. Hier, gebruik dit maar.' Ze reikte Michelle een vergrootglas aan. Michelle tuurde erdoorheen en kon de vage randen onderscheiden van een paar gegraveerde letters: GR-HA-. .

'Graham, denk ik,' zei dr. Cooper.

Michelle keek naar de verzameling botten en probeerde zich het warme, levende en ademende mens voor te stellen van wie ze ooit deel moesten hebben uitgemaakt. Een jongen. 'Graham,' fluisterde ze zachtjes. 'Jammer dat hij zijn achternaam er niet ook in heeft laten graveren. Dat zou ons werk er een stuk gemakkelijker op maken.'
Dr. Cooper zette haar handen in haar zij en lachte. 'Als ik zo vrij mag zijn, lieve meid,' zei ze, 'dan denk ik dat het je al bijzonder gemakkelijk wordt gemaakt. Als ik tot zover inderdaad gelijk heb, dan ben je op zoek naar een linkshandige jongen die naar de naam Graham luisterde, tussen laten we zeggen de twaalf en vijftien jaar was, ooit zijn rechterarm heeft gebroken en minstens twintig tot dertig jaar geleden is verdwenen, waarschijnlijk in de zomer. O, ja, en hij knikkerde en speelde gitaar. Vergeet ik nu nog iets? Ik denk dat er in jullie dossiers niet al te veel mensen zijn die aan die beschrijving voldoen.'

Banks liep elke avond rond een uur of zeven langs de heuvel naar beneden en wandelde door de kronkelende straatjes van het dorp. Hij genoot van het licht op dat tijdstip van de dag, de gloed die van de witte huisjes met hun kleurrijke trapjes leek af te stralen en de bloemen, een enorme zee van paars, roze en rood, die het schijnsel leken te weerkaatsen. De geur van gardenia's vermengde zich met die van tijm en oregano. Onder hem strekte de zee zich als een donkere wijnvlek helemaal uit tot aan het vasteland, net als in de dagen van Homerus. De zee had echter niet overal de tint van donkere wijn, merkte Banks op. Sommige delen dichter bij land waren donkerblauw of -groen en pas veel verder in zee nam het water de paarse kleur van jonge Griekse wijn aan.
Een paar winkeliers begroetten hem toen hij langsliep. Hij was inmiddels iets langer dan twee weken op het eiland, langer dan de meeste toeristen, en hoewel hij nog niet echt werd geaccepteerd, werd zijn aanwezigheid in elk geval ook niet langer genegeerd. Het was net als elk willekeurige dorpje in Yorkshire, waar je een nieuweling bleef tot je er een aantal winters had overleefd. Misschien zou hij hier lang genoeg kunnen blijven om de taal te leren, een geheimzinnige kluizenaar te worden en opgenomen te worden in het leven op het eiland. Hij zag er zelfs een beetje als een Griek uit, met zijn magere lijf, kortgeknipte zwarte haar en gebruinde huid.
Hij haalde de Engelse kranten van twee dagen oud op die met de laatste boot van de dag werden gebracht en nam ze mee naar Philippes taveerne aan de kade, waar hij de meeste avonden doorbracht aan een van de tafeltjes die buiten stonden en uitkeken op de haven. Hij zou als aperitief

ouzo nemen, rustig beslissen wat hij wilde eten en bij de maaltijd retsina drinken. Hij had gemerkt dat hij de vreemde, olieachtige smaak van de plaatselijk geresineerde wijn had leren waarderen.
Banks stak een sigaret op en sloeg de toeristen gade die in de motorsloep stapten die hen weer naar het cruiseschip zou brengen voor een avond vol entertainment, hoogstwaarschijnlijk gebracht door Cheryl uit Cheadle Hulme die de dans van de zeven sluiers zou uitvoeren of een groepje beatle-imitators uit Heckmondwike of een ander gat. Morgen zouden ze bij een ander eiland van boord gaan, waar ze te duur geprijsde snuisterijen zouden kopen en foto's zouden maken die ze hooguit nog één keer bekeken. Een groep Duitse toeristen die ongetwijfeld bleef overnachten in een van de hotelletjes op het eiland, nam plaats aan een tafel aan de andere kant van het terras en bestelde bier. Ze waren de enige anderen die buiten zaten.
Banks dronk ouzo, at een paar olijven en dolmades en besloot een Griekse visschotel en een salade te nemen. De laatste toeristen waren inmiddels teruggekeerd naar het cruiseschip en zodra hij zijn voorraad had opgeborgen, zou Alex langskomen voor een partijtje schaak. In de tussentijd las Banks de krant.
Zijn aandacht werd getrokken door een artikel rechts onderaan de voorpagina met de kop: DNA BEVESTIGT IDENTITEIT VAN LANG GELEDEN BEGRAVEN LICHAAM. Banks las verder:

Een week geleden werd het skelet van een jongen opgegraven door bouwvakkers tijdens graafwerkzaamheden voor de fundering van een nieuw winkelcentrum langs de A1 ten westen van Peterborough in Cambridgeshire. Gegevens afkomstig van de vindplaats en uit onderzoek door forensisch antropoloog Wendy Cooper hebben een zeer korte lijst van mogelijke namen opgeleverd. 'We hebben eigenlijk niet veel hoeven doen,' zei dr. Cooper tegen onze verslaggever. 'Gewoonlijk geven oude botten niet zoveel prijs, maar in dit geval wisten we vrijwel vanaf het begin dat het om een jonge jongen ging die ooit zijn rechterarm had gebroken en waarschijnlijk linkshandig was.' Een armband met naamplaatje, halverwege de jaren zestig immens populair bij jongens, is in de omgeving aangetroffen en onthulde een deel van een naam. Inspecteur Michelle Hart van het politiekorps van Cambridgeshire: 'Dr. Cooper heeft ons veel informatie kunnen verschaffen. Aan de hand daarvan konden we heel eenvoudig de dossiers erop naslaan en het aantal mogelijkheden beperken.' Toen bij de politie het sterke vermoeden rees dat het mogelijk Graham Marshall betrof, werden de ouders benaderd voor een DNA-test en het resultaat bleek positief. 'Het is een enorme opluchting om te weten dat ze onze Graham na al die jaren hebben gevonden,' vertelde mevrouw Marshall. 'Hoewel we natuurlijk altijd zijn blijven hopen dat hij nog leefde.' Graham Marshall verdween op zondag 22 augustus 1965 op veertienjarige leeftijd tijdens het lopen van zijn vaste krantenwijk in de buurt van zijn ouderlijk huis in Peterborough. Tot voor kort was er nooit een spoor van hem gevonden. 'De politie heeft indertijd alle mogelijke aanwijzingen nagetrokken,' meldde inspecteur Hart aan onze verslaggever, 'maar er bestaat altijd een kans dat deze ontdekking nieuwe aanwijzingen oplevert.' Op de vraag of deze zaak mogelijk wordt heropend, kon inspecteur Hart slechts vertellen dat 'vermiste personen nooit helemaal worden opgegeven totdat ze terecht zijn en als er een mogelijkheid bestaat dat het een misdaad betreft, dan moeten we proberen het recht te laten zegevieren'. Tot op heden zijn er geen aanwijzingen gevonden die duiden op de doodsoorzaak, hoewel dr. Cooper er wel op wees dat het onmogelijk is dat de jongen zichzelf een meter onder de grond heeft begraven.

Banks voelde zijn maag ineenkrimpen. Hij legde de krant neer en staarde naar de zee en de zon, die roze stofdeeltjes over de horizon uitstrooide. Om hem heen begon alles te glanzen en hij kreeg een onwerkelijk gevoel. Plotseling zette het bandje met Griekse muziek zoals elke avond 'Zorba's dans' in. De taveerne, de haven, het zachte gelach: alles leek in de verte te verdwijnen en alleen Banks bleef achter met zijn herinneringen en de grimmige woorden in de krant.
'Alan? Jij bent ver weg met je gedachten.'
Banks keek op en zag het donkere, gedrongen lichaam van Alex, dat boven hem uittorende. 'Alex. Sorry. Fijn je te zien. Ga zitten.'
Alex ging met een bezorgde blik zitten. 'Je ziet eruit alsof je net slecht nieuws hebt gekregen.'
'Dat zou je wel kunnen zeggen.' Banks stak een sigaret op en staarde in gedachten verzonken naar de donker kleurende zee. Hij rook het zout en een vleugje stank van rotte vis. Alex gebaarde naar Andrea en binnen enkele ogenblikken stond er een fles ouzo voor hen op tafel, met nog een bord olijven en dolmades. Philippe stak de lantaarns aan die buiten rond het terras hingen en deze wiegden zachtjes heen en weer in de bries en wierpen vluchtige schaduwen op de tafels. Alex haalde zijn reisschaakspel uit de leren hoes tevoorschijn en zette de stukken op het bord.
Banks wist dat Alex niet zou aandringen. Het was een van de eigenschappen die hem zo aanspraken in zijn nieuwe vriend. Alex was op het eiland geboren en had na een studie aan de universiteit van Athene over de hele wereld gereisd als directeur van een Grieks scheepvaartbedrijf,

maar had tien jaar geleden op veertigjarige leeftijd besloten dat leventje eraan te geven. Nu leefde hij van de leren riemen die hij zelf maakte en langs de kade aan toeristen verkocht. Alex was een hoogontwikkelde man, had Banks al snel ontdekt, met een passie voor Griekse kunst en architectuur, en zijn Engels was bijna volmaakt. Hij bezat ook wat Banks omschreef als een diepgewortelde zelfkennis en een tevredenheid met zijn eenvoudige leven die Banks zelf ook graag zou willen bezitten. Hij had Alex uiteraard niet verteld wat zijn beroep was, alleen maar dat hij in dienst was van de overheid. Hij had gemerkt dat het vervreemdend werkte wanneer je onbekenden die je tijdens vakanties ontmoette, vertelde dat je bij de politie werkte. Dat, of anders hadden ze wel een geheimzinnige zaak die je moest oplossen, zoals mensen ook altijd vragen hebben over de meest uiteenlopende, onbekende ziektes wanneer ze aan een arts werden voorgesteld.

'Misschien is dit vanavond niet zo'n goed idee,' zei Alex, en Banks zag dat hij het schaakspel weer opborg. Het spel had toch al voornamelijk gediend als achtergrond voor hun gesprekken, aangezien geen van beiden een goede speler was.

'Het spijt me,' zei Banks. 'Ik ben niet zo in de stemming. Ik zou alleen maar verliezen.'

'Dat doe je meestal. Maar het geeft niet, mijn vriend. Blijkbaar zit je iets dwars.' Alex stond op en wilde vertrekken, maar Banks stak zijn hand uit en raakte even zijn arm aan. Vreemd genoeg wilde hij het juist graag aan iemand vertellen. 'Nee, blijf alsjeblieft,' zei hij, en hij schonk voor hen beiden een flink glas ouzo in. Alex keek hem een ogenblik zwijgend aan met zijn grote, ernstige bruine ogen en ging toen weer zitten.

'Toen ik veertien was,' begon Banks, terwijl hij naar de lichten in de haven staarde en luisterde naar het geratel van de touwen op de vissersboten, 'verdween een goede vriend van me. Niemand heeft hem ooit nog gezien. Niemand wist wat er met hem was gebeurd. Er was geen enkel spoor.' Hij glimlachte, draaide zich om en keek Alex aan. 'Vreemd genoeg werd deze muziek toen heel vaak gedraaid: "Zorba's dans". Het was toen een grote hit in Engeland. Marcello Minerbi. Grappig dat je zulke kleine dingen onthoudt.'

Alex knikte. 'Het geheugen volgt inderdaad een wonderlijk proces.'

'Niet iets om altijd op te vertrouwen.'

'Dat is waar; het is alsof de dingen die erin opgesloten liggen op een of andere onverklaarbare manier een... metamorfose ondergaan.'

'Een prachtig Grieks woord: metamorfose.'

'Ja. Men denkt natuurlijk onmiddellijk aan Ovidius.'

'Is dat echter niet precies wat er met het verleden gebeurt? Met onze herinneringen?'
'Ja.'
'Hoe dan ook,' vervolgde Banks zijn verhaal, 'men ging er indertijd van uit dat mijn vriend, Graham heette hij, was ontvoerd en vermoord door een pedofiel... Ook een Grieks woord, maar niet zo prachtig.'
'Dat lijkt een voor de hand liggende conclusie, wanneer je de manier van leven in de grote stad in aanmerking neemt. Maar kan hij niet gewoon van huis zijn weggelopen?'
'Dat was een van de andere theorieën, maar voorzover iedereen wist had hij daar geen reden toe. Hij was gelukkig en had het nooit over weglopen gehad. Hoe dan ook,' ging Banks verder, 'alle pogingen om hem te vinden liepen op niets uit en hij bleef spoorloos. Toevallig had ik een maand of twee daarvoor een keer bij de rivier gespeeld en toen was er een man opgedoken die me had vastgegrepen en had geprobeerd me in het water te duwen.'
'Hoe is dat afgelopen?'
'Ik was erg lenig en handig, dus ik wist me los te wringen en ben ervandoor gegaan.'
'Je hebt het voorval zeker niet bij de politie gemeld.'
'Ik heb het zelfs mijn ouders nooit verteld.'
'Waarom niet?'
'Ach, je weet hoe kinderen zijn, Alex. Om te beginnen had ik daar helemaal niet mogen spelen. Het was erg ver van huis. Bovendien was ik aan het spijbelen. Ik had eigenlijk op school moeten zitten. En ik vond het geloof ik mijn eigen schuld. Ik wilde gewoon niet in de problemen komen.'
Alex schonk nog wat ouzo in. 'Dus toen je vriend verdween, nam je aan dat het dezelfde man was geweest?'
'Ja.'
'En die schuld draag je al die jaren met je mee?'
'Ja, waarschijnlijk wel. Ik heb het eigenlijk nooit zo gezien, maar af en toe, wanneer ik eraan denk, heb ik het gevoel dat... het is net een oude wond die nooit helemaal geneest. Beter kan ik het niet uitleggen. Ik denk dat dat een van de redenen is geweest waarom ik...'
'Ja?'
'Laat maar zitten.'
'Waarom je politieagent bent geworden?'
Banks keek hem verbaasd aan. 'Hoe weet je dat?'
Alex glimlachte. 'Ik ben in mijn leven heel wat politiemensen tegenge-

komen. Dan leer je wel hoe je de signalen kunt herkennen.'
'Zoals?'
'Och, de waakzaamheid, de nieuwsgierigheid, een bepaalde manier van lopen en zitten. Kleine dingen.'
Banks lachte. 'Je zou zelf ook een uitstekende politieman zijn, Alex.'
'Ach, nee. Dat denk ik niet.'
'Waarom niet?'
'Ik denk niet dat ik ooit helemaal zeker zou weten dat ik aan de goede kant stond.'
'En nu wel?'
'Ik probeer het wel, ja.'
'Ik ook,' zei Banks.
'Ik ben ervan overtuigd dat je een goede politieman bent. Je moet echter wel bedenken dat wij hier in Griekenland... wij hebben onze portie regimes wel gehad. Maar ga verder.'
Banks tikte op de opgevouwen krant. 'Ze hebben hem gevonden,' zei hij. 'Hij was begraven aan de kant van de weg, zo'n 13 kilometer van de plek waar hij verdween.'
Alex luisterde aandachtig.
'De doodsoorzaak is nog niet bekend,' ging Banks verder, 'maar hij is daar natuurlijk niet uit eigen beweging terechtgekomen.'
'Die eerste theorie klopte dus waarschijnlijk?'
'Ja.'
'En nu voel jij je weer net zo schuldig als toen.'
'Enorm schuldig. Stel dat ik verantwoordelijk was, Alex? Stel dat het inderdaad dezelfde man is geweest? Als ik toen iets had gezegd...'
'Zelfs als je had gemeld wat jou was overkomen, dan betekent dat nog niet dat hij ook was opgepakt. Dat soort mannen is heel sluw, dat heb je de afgelopen jaren ongetwijfeld zelf ook wel ontdekt.' Alex schudde zijn hoofd. 'Ik ben echter niet zo dom dat ik geloof dat ik een man van zijn schuldgevoel kan afhelpen wanneer hij zich per se schuldig wil blijven voelen. Geloof je in het lot?'
'Dat weet ik eigenlijk niet.'
'Wij Grieken hebben een rotsvast geloof in het lot, het noodlot.'
'Maar wat heb je eraan?'
'Het zuivert je van alle blaam. Snap je dat niet? Het is net de katholieke kerk die je je zonden vergeeft. Als het was voorbestemd door het lot, dan was het de bedoeling dat je het zou overleven en aan niemand zou vertellen en dan was het het lot van je vriend dat hij zou worden ontvoerd en vermoord en dat zijn lichaam zoveel jaren later werd ontdekt.'

'Dan geloof ik zéker niet in het lot.'
'Ach, het was het proberen waard,' zei Alex. 'Wat ga je nu doen?'
'Dat weet ik nog niet. Ik kan eigenlijk helemaal niets doen. De plaatselijke politie zal de zaak onderzoeken en misschien ontdekt ze wat er is gebeurd, maar misschien ook niet. Ik denk zelf eerlijk gezegd dat ze na al die jaren niets meer te weten zal komen.'
Alex speelde even zwijgend met zijn ouzoglas, nam een flinke teug en zuchtte.
'Wat is er?' vroeg Banks.
'Ik vermoed dat ik je zal missen, mijn vriend.'
'Hoezo? Ik ga nergens naartoe.'
'Je weet dat de Duitsers dit eiland tijdens de oorlog hebben bezet, nietwaar?'
'Natuurlijk,' zei Banks, verbaasd omdat Alex zo onverwacht van onderwerp veranderde. 'Ik heb de oude forten bezichtigd. Dat weet je toch? We hebben het er nog over gehad. Het was niet direct *De kanonnen van Navarone,* maar ik was wel onder de indruk.'
Alex maakte met zijn hand een wegwerpgebaar. 'Jij en ik kunnen ons alleen in onze verbeelding een voorstelling maken van het leven tijdens de nazi-bezetting,' zei hij, 'maar mijn vader heeft het echt meegemaakt. Hij heeft me ooit een verhaal verteld uit zijn jeugd, hij was toen niet veel ouder dan je vriend en jij indertijd. De Duitse officier die de leiding over het eiland had, heette Von Braun en iedereen dacht dat hij wel een ongelooflijke mislukking moest zijn, omdat hij naar zo'n afgelegen plek als deze was gestuurd. Zoals jij zegt, mijn vriend: niet direct *De kanonnen van Navarone*, niet bepaald de meest strategische positie in het Middellandse-Zeegebied. Toch moest iemand een oogje houden op de bevolking en daar werd Von Braun voor aangewezen. Het was geen veeleisende taak en ik ben ervan overtuigd dat de soldaten die hier gestationeerd waren, steken lieten vallen.
Op een dag hadden mijn vader en drie van zijn vrienden een Duitse jeep gepikt. De wegen waren slecht, dat kun je zelfs nu nog zien, en ze konden uiteraard niet rijden, kenden hooguit een paar grondbeginselen, dus ze waren al tegen een rots gebotst voordat ze meer dan een kilometer hadden gereden. Gelukkig waren ze niet gewond en ze wisten te ontkomen voordat de soldaten ontdekten wat er was gebeurd, maar één soldaat had hen blijkbaar toch gezien en had aan Von Braun doorgegeven dat het vier kinderen waren geweest.' Alex zweeg even en stak een van zijn Turkse sigaretten op. Banks had hem eens gevraagd of het wel politiek correct was om als Griek een Turkse sigaret te roken, maar

hij had slechts geantwoord dat ze beter smaakten.
'Goed,' vervolgde Alex zijn verhaal en hij blies een rookpluim uit, 'Von Braun nam zelf de taak op zich om een vergeldingsactie op touw te zetten, een voorbeeld te stellen zoals de nazi's dat in heel veel bezette dorpen deden. Waarschijnlijk wilde hij gewoon bewijzen dat hij geen gevoelige, incompetente sul was die naar een met kranten dichtgeplakt gebied was gestuurd om hem zo ver mogelijk uit de buurt van gewichtige zaken te houden. Hij liet vier tieners oppakken, precies het aantal dat de soldaat had geteld, en liet hen dáár neerschieten.' Alex wees naar de plek waar de hoofdstraat en de kade bij elkaar kwamen. 'Twee van hen waren daadwerkelijk bij de diefstal betrokken geweest; de andere twee waren onschuldig. Geen van hen was mijn vader.'
De Duitse toeristen lachten om iets wat een van de vrouwen had gezegd en bestelden bij Andrea meer bier. Banks had de indruk dat ze al tamelijk dronken waren en er is niets ergers dan een dronken Duitser, behalve dan een dronken Engelse voetbalsupporter.
Alex negeerde hen en ging verder. 'Mijn vader en zijn vriend voelden zich enorm schuldig omdat ze niets hadden gezegd, maar wat hadden ze kunnen doen? De nazi's hadden hen waarschijnlijk samen met de vier anderen neergeschoten. Die schaamte en dat schuldgevoel heeft mijn vader de rest van zijn leven met zich meegetorst.'
'Leeft hij nog?'
'Hij is een aantal jaren geleden overleden. Het punt is echter dat Von Braun een van die onbeduidende oorlogsmisdadigers was die na de oorlog werden berecht. Mijn vader is naar die rechtszaak gegaan. Hij was zijn hele leven niet van het eiland af geweest, behalve dan die ene keer dat hij naar Athene moest om zijn blindedarm te laten verwijderen, maar hij moest en zou ernaartoe. Om getuige te zijn.'
Banks voelde zich in het nauw gedreven door Alex' verhaal en de zware last van de geschiedenis, en had het gevoel dat wat hij ook zou zeggen misplaatst luchthartig zou zijn. Ten slotte vond hij zijn stem terug. 'Probeer je me soms duidelijk te maken dat je vindt dat ik terug moet gaan?'
Alex keek hem aan en glimlachte droevig. 'Ik ben niet degene die vindt dat je terug moet gaan.'
'Ach, shit.' Banks stak een sigaret op en hield de fles ouzo tegen het licht. Hij was bijna leeg.
'Heb ik gelijk?' hield Alex vol.
Banks keek naar de zee, die nu donker was en het licht dat op de glimmende oppervlakte weerkaatste in grillige vormen verwrong, en knikte. Vanavond kon hij natuurlijk niets meer doen, maar Alex had gelijk; hij

móést gaan. Hij had zijn schuldgevoel en geheimen nu al zo lang met zich meegedragen dat ze deel van hem waren gaan uitmaken en hij kon de ontdekking van Graham Marshalls botten net zomin uit zijn hoofd zetten als al die andere dingen waarvan hij had gedacht dat hij ze achter zich had gelaten: Sandra en haar zwangerschap, Annie Cabbot, zijn werk.

Hij keek naar een jong, verliefd stelletje dat met de armen om elkaar geslagen langs de kade slenterde en voelde een diepe droefheid omdat hij besefte dat zijn korte verblijf in het paradijs voorbij was en dat dit de laatste keer was dat Alex en hij als vrienden de avond doorbrachten in de Griekse warme lucht, terwijl de golven tegen de eeuwenoude stenen kade spoelden en de geur van Turkse tabak en zout en rozemarijn in de lucht hing. Hij wist dat hij morgenvroeg naar de haven zou gaan, de veerboot naar Piraeus zou nemen en de eerste vlucht naar huis zou halen. Hij wenste uit de grond van zijn hart dat het anders was.

2

Twee dagen later in Yorkshire was de hemel verre van onbewolkt en de zon scheen beslist niet. De zon had in feite niet meer geschenen sinds Banks naar Griekenland was vertrokken, bedacht inspecteur Annie Cabbot peinzend en ze duwde een nieuwe stapel papierwerk opzij en legde haar voeten op het bureau. Het was net of die vent alle zonneschijn had meegenomen toen hij wegging. Alleen maar kille regen, grijze luchten en nog meer regen. En het was nog wel augustus. Waar was de zomer?

Annie moest toegeven dat ze Banks miste. Ze had hun relatie zelf beëindigd, maar er was momenteel niemand anders in haar leven en ze genoot van zijn gezelschap en zijn ervaring en intelligentie. In haar zwakkere momenten wilde ze soms ook wel dat hun relatie stand had gehouden, maar dat had niet gekund gezien zijn achtergrond en haar hernieuwde belangstelling voor haar carrière. Naar bed gaan met je baas maakte alles nodeloos ingewikkeld. Het voordeel was dat ze nu veel meer tijd had om te schilderen en zelfs tijd had gevonden om met meditatie en yoga te beginnen.

Niet dat ze niet begreep waarom Banks was weggegaan. Die arme vent had er gewoon genoeg van gehad. Hij moest bijtanken en aansterken voordat hij zich weer in de strijd kon mengen. Een maand zou genoeg moeten zijn, daar had assistent-hoofdcommissaris Ron McLaughlin van harte mee ingestemd en Banks had meer dan genoeg verlofdagen tegoed gehad. Dus was hij ervandoor naar Griekenland en had hij het laatste restje zon ook nog meegenomen. Geluksvogel.

Banks' tijdelijke afwezigheid hield gelukkig wel in dat Annie sneller dan verwacht werd overgeplaatst van het Bureau Intern Onderzoek naar een plekje bij de CID als inspecteur, iets waar ze al een tijdje geleden haar zinnen op had gezet. Ze had nu echter niet langer een eigen kantoor, maar alleen nog een door een scherm afgescheiden hoekje in de gemeenschappelijke werkruimte van de agenten, samen met brigadier Hatchley en zes agenten, onder wie Winsome Jackman, Kevin Templeton en Gavin Rickerd, maar ze had het ervoor over gehad, alles om maar weg te kunnen bij die dikke, seksistische engerd van een hoofdinspecteur Chambers en bovendien ook een welkome afwisseling van het soort vervelende, saaie klusjes dat ze onder zijn leiderschap toegeschoven had gekregen.

Er was de laatste tijd net zo weinig misdaad in de westelijke divisie geweest als zonneschijn, behalve uitgerekend in Harrogate, waar een geheimzinnige epidemie van gooien met eieren was losgebroken. Jongeren leken verslaafd te zijn geraakt aan het gooien van eieren naar voorbijrijdende auto's, de ramen van bejaardenwoningen en zelfs politiebureaus. Dat was echter in Harrogate, niet in Eastvale zelf. Wat ook de reden was waarom Annie, die zich stierlijk verveelde bij het lezen van verslagen, memo's, circulaires en kostenbesparende voorstellen, haar oren spitste toen ze het getik van de wandelstok van hoofdinspecteur Gristhorpe de deur van de kantoorruimte hoorde naderen. Ze haalde haar voeten van het bureau, zodat Gristhorpe haar enkelhoge laarsjes van rode suède vooral niet zou zien, stopte haar golvende kastanjebruine haren achter haar oren en deed net alsof ze verdiept was in haar papierwerk.

Gristhorpe kwam naast haar bureau staan. Hij was aardig wat gewicht kwijtgeraakt sinds hij zijn enkel had verbrijzeld, maar hij zag er nog altijd vrij stevig uit. Desondanks ging het gerucht dat hij het onderwerp pensioen had aangestipt. 'Iets interessants, Annie?' vroeg hij.

Annie gebaarde naar de papieren waarmee haar bureau bezaaid was. 'Niet echt.'

'Er wordt een jongen vermist. Schooljongen, vijftien jaar.'

'Hoe lang al?'

'Hij is gisteravond niet thuisgekomen.' Gristhorpe legde het meldingsformulier voor vermiste personen voor haar neer. 'De ouders bellen ons al sinds gisteravond aan een stuk door.'

Annie keek hem verbaasd aan. 'Eén beetje vroeg om ons er al bij te betrekken, is het niet? Er worden voortdurend kinderen vermist. Vooral vijftienjarigen.'

Gristhorpe wreef over zijn kin. 'Maar die heten niet allemaal Luke Armitage.'

'Luke Armitage? Toch niet...?'

'Jawel. De zoon van Martin Armitage. Stiefzoon, om precies te zijn.'

'Shit.' Martin Armitage was een voormalig profvoetballer die in zijn gloriedagen een van de beste spitsen in de Premier League was geweest. Nadat hij zich had teruggetrokken uit de topsport, was hij een soort landheer geworden. Hij woonde met zijn vrouw en stiefzoon Luke in Swainsdale Hall, een prachtig landhuis boven in het dal ten noorden van Fortford.

Armitage stond bekend als een salonsocialist, omdat hij zich voor liet staan op linkse sympathieën, regelmatig bedragen aan goede doelen schonk, vooral wanneer die sportactiviteiten voor kinderen steunden en promootten, en had ervoor gekozen om zijn zoon naar de scholengemeenschap in Eastvale te sturen in plaats van naar een privé-school.
Zijn vrouw, Robin Fetherling, was ooit een gevierd model geweest, in haar wereld net zo bekend als Martin Armitage in de zijne, en haar verleden, dat onder andere drugsgebruik, wilde feesten en stormachtige affaires met een grote verscheidenheid van popsterren omvatte, had een jaar of twintig geleden, toen Annie nog een tiener was, de nodige opschudding veroorzaakt. Robin Fetherling en Neil Byrd waren indertijd, toen Annie aan de universiteit van Exeter studeerde, het mooiste jonge stel in de spotlights geweest. Ze had in haar studentenflat zelfs naar Neil Byrds platen geluisterd, maar ze had zijn naam of zijn muziek al in jaren niet meer gehoord, wat nauwelijks verbazing wekte, aangezien ze tegenwoordig noch de tijd noch de zin had om bij te blijven op het gebied van popmuziek. Ze herinnerde zich nog wel dat ze ooit had gelezen dat Robin en Neil een jaar of vijftien geleden een kind hadden gekregen, hoewel ze niet getrouwd waren. Luke. Vervolgens waren ze uit elkaar gegaan en Neil Byrd had zelfmoord gepleegd toen de jongen nog heel klein was.
'Dat is inderdaad shit,' zei Gristhorpe. 'Ik ga er altijd graag van uit dat we de rijken en beroemdheden onder onze burgers dezelfde service verlenen als de armen, Annie, maar misschien kun jij in dit geval toch proberen of je de ouders gerust kunt stellen. De jongen is waarschijnlijk op stap met zijn kornuiten, naar Londen of iets dergelijks, maar je weet hoe groot de fantasie van sommige mensen kan zijn.'
'Waar is hij het laatst gezien?'
'Dat weten we niet zeker. Hij is gistermiddag de stad in geweest en toen hij niet voor het avondeten thuis was, begonnen ze zich zorgen te maken. In eerste instantie dachten ze nog dat hij misschien een paar vrienden was tegengekomen, maar toen het donker werd en hij nog steeds niet thuis was, werden ze echt ongerust. Vanochtend zijn ze natuurlijk echt in paniek geraakt. De jongen had blijkbaar een mobiele telefoon bij zich, dus zijn ze ervan overtuigd dat hij wel had gebeld als er iets was gebeurd.'
Annie fronste haar wenkbrauwen. 'Dat is inderdaad vreemd. Hebben ze zelf geprobeerd hem te bellen?'
'Geen gehoor. Ze zeggen dat hij het telefoontje niet heeft aanstaan.'
Annie stond op en greep haar paraplu. 'Ik ga nu wel even met hen praten.'

'Annie?'
'Ja?'
'Ik hoef je dit natuurlijk niet te vertellen, maar probeer zo onopvallend mogelijk te werk te gaan. Het laatste wat we willen, is dat de plaatselijke pers hier lucht van krijgt.'
'Ik zal heel voorzichtig zijn.'
Gristhorpe knikte. 'Mooi zo.'
Annie liep naar de deur.
'Mooie laarzen,' merkte Gristhorpe achter haar op.

De dagen rond de verdwijning van Graham Marshall stonden hem levendiger voor de geest dan de meeste andere dagen die zo ver in het verleden lagen, besefte Banks en hij leunde met gesloten ogen achterover in zijn vliegtuigstoel, hoewel hem ook was opgevallen dat het geheugen eerder achteloos dan zorgvuldig met het verleden omsprong; het schoof verschillende herinneringen ineen, vatte ze samen en herschikte ze naar willekeur. Een metamorfose, zoals Alex het gisteravond had uitgedrukt. Weken, maanden en jaren trokken aan zijn geestesoog voorbij, maar niet per se in chronologische volgorde. Het leek zo gemakkelijk om gevoelens en gebeurtenissen te plaatsen en in je herinnering op te roepen, maar net als bij politiewerk moest je vertrouwen op bewijsmateriaal van buitenaf om de ware volgorde te kunnen achterhalen. Hij kon zich bijvoorbeeld niet herinneren of hij nu in 1963 of 1965 was betrapt op winkeldiefstal bij Woolworth's, hoewel hij zich wel nog duidelijk het gevoel van angst en hulpeloosheid kon herinneren die hem in hun greep hadden gehouden in dat kleine, driehoekige kamertje onder de trap, de weeïge geur van Old Spice-aftershave en de manier waarop de twee in donkere pakken gestoken beveiligingsmedewerkers van de winkel hadden gelachen toen ze hem voor zich uit duwden en hem opdroegen zijn zakken leeg te halen. Toen hij er even over nadacht, wist hij zich echter ook te herinneren dat het dezelfde dag was geweest waarop hij de gloednieuwe *With the Beatles*-elpee had gekocht, die eind november 1963 was uitgebracht.
Zo ging het wel vaker. Je herinnert je iets kleins, een geur, een muziekfragment, het weer, een flard van een gesprek; je denkt er goed over na, bekijkt het van alle mogelijke kanten en voordat je het weet, duikt er een stukje informatie op waarvan je dacht dat je het was vergeten. Op de voet gevolgd door een andere. Het lukte niet altijd, maar een enkele keer kwam het voor dat Banks op deze manier uiteindelijk een hele film van zijn eigen verleden creëerde, een film die hij zelf bekeek, maar waarin hij

tegelijkertijd ook acteerde. Hij zag welke kleding hij had gedragen, wist wat hij had gevoeld, wat andere mensen hadden gezegd, hoe warm of koud het was geweest. Soms was de harde realiteit van de herinnering angstaanjagend en moest hij zich er klam van het zweet uit losrukken.

Een week nadat hij met de familie Banks van een vakantie uit Blackpool was teruggekomen, was Graham Marshall tijdens het rondbrengen van de zondagochtendkrant voor de tijdschriftenwinkel van Donald Bradford aan de overkant van de hoofdweg verdwenen, een baantje dat hij sinds een maand of zes had en een die Banks ongeveer een jaar eerder had gehad toen de winkel nog van meneer Thackeray was geweest. Aanvankelijk wist natuurlijk niemand dat er iets was gebeurd, behalve dan meneer en mevrouw Marshall en de politie.

Banks leunde met gesloten ogen achterover in zijn stoel en probeerde zich die bewuste zondag weer voor de geest te halen. De dag moest net als elke andere zondag zijn begonnen. In de weekenden bleef Banks normaalgesproken tot de lunch in bed liggen, totdat zijn moeder hem voor de warme lunch naar beneden riep. Tijdens de lunch luisterden ze naar de komische hoorspelen op de luchtige zender van de radio: *The Navy Lark* en *Round the Horne*, tot *The Billy Cotton Band Show* Banks uit het huis verdreef en hij ergens in de buurt zijn vrienden ontmoette.

Soms gingen ze met z'n vijven in het park in de buurt wandelen: Banks, Graham, Steve Hill, Paul Major en Dave Grenfell, en dan zochten ze een grasveldje vlak bij de speeltuin op, waar ze naar Alan Freemans *Pick of the Pops* luisterden op Pauls transistorradiootje en naar de meisjes keken die voorbijliepen. Soms bood Steve hen brutaal een paar sigaretten aan als ze hem wilden aftrekken, maar meestal sloegen ze hen slechts verlangend vanuit de verte gade.

Op andere zondagen kwamen ze bij het huis van Pauls ouders bij elkaar en luisterden ze naar platen, wat ze inderdaad ook hadden gedaan op de dag dat Graham verdween, herinnerde Banks zich nu. Bij Paul was het het leukst, omdat hij een nieuwe Dansette had die hij bij mooi weer buiten op de stoep neerzette. Ze draaiden de muziek niet al te hard, dus niemand zei er iets van. Wanneer Pauls vader en moeder weg waren, rookten ze ook stiekem een sigaretje. Die zondag was iedereen er geweest, behalve Graham, en niemand wist waarom hij ontbrak, misschien omdat zijn ouders hem om een of andere reden binnenshuis hielden. Ze konden streng zijn, Grahams ouders, vooral zijn vader. Wat ook de reden was geweest: hij was er niet bij geweest en niemand had er lang bij stilgestaan.

Daar zaten ze dan op de drempel, met hun strakke broeken met smalle pijpen, strakke shirts en puntschoenen, en hun haar zo lang als maar mogelijk was zonder dat hun ouders een bezoekje voorschreven aan gekke Freddy, de buurtkapper. Ongetwijfeld draaiden ze ook andere muziek, maar de hoogtepunten van die dag, wist Banks, waren Steve's gloednieuwe exemplaar van Bob Dylans nieuwste lp, *Bringing It All Back Home*, en Banks' *Help!* geweest.

Naast zijn fascinatie voor masturbatie had Steve Hill ook een vrij bizarre smaak gehad wat betreft muziek. Andere jongeren hielden misschien van Sandie Shaw, Cliff Richards en Cilla Black, maar voor Steve ging er niets boven The Animals, The Who en Bob Dylan. Banks en Graham waren het grotendeels met hem eens, hoewel Banks ook van de wat traditionelere popmuziek van bijvoorbeeld Dusty Springfield en Gene Pitney hield en Dave en Paul conservatiever waren en het hielden bij Roy Orbison en Elvis. Uiteraard had iedereen de pest aan Val Doonican, Jim Reeves en The Bachelors.

Die bewuste dag hadden nummers als *Subterranean Homesick Blues* en *Maggie's Farm* Banks naar plaatsen getransporteerd waarvan hij het bestaan nooit had vermoed en de mysterieuze liefdesliedjes *Love Minus Zero/No Limit* en *She Belongs To Me* bleven hem dagenlang bij. Hoewel Banks moest toegeven dat hij absoluut niet begreep waarover Dylan zong, was er iets magisch aan de nummers geweest, haast iets angstaanjagends, als een prachtige droom waarin iemand plotseling wartaal begint uit te slaan. Misschien was dit echter slechts wijsheid achteraf. Dat was pas het begin geweest. Hij werd pas echt een Dylan-fan bij *Like a Rolling Stone* dat een maand of twee later een overweldigende indruk op hem maakte, maar zelfs vandaag de dag zou hij nog steeds niet durven beweren dat hij altijd wist waar Dylan het over had.

De meisjes van verderop uit de straat waren zoals altijd op een bepaald moment voorbijgelopen, heel erg Mod in hun minirokken en met hun Mary Quant-kapsels met boblijn, pony en haarband, veel te dikke lagen oogmake-up, de lippen bleek en roze en de neus hoog in de lucht gestoken. Ze waren zestien geweest, veel te oud voor Banks en zijn vrienden en ze hadden allemaal een vriendje van achttien gehad met een Vespa of een Lambretta.

Dave was vroeg weggegaan, zei dat hij met zijn ouders bij zijn grootouders in Ely moest gaan eten, maar Banks had gedacht dat hij gewoon zijn buik vol had van Dylan. Steve was een paar minuten later vertrokken en had zijn lp meegenomen. Banks kon zich niet het precieze tijdstip herinneren, maar hij wist nog wel zeker dat Paul en hij naar *Everyone's Gone To the Moon* hadden liggen luisteren, toen ze een Ford Zephyr

langzaam door de straat zagen rijden. Het kon niet de eerste zijn geweest, want Graham werd al sinds die ochtend vermist, maar het was wel de eerste die hen was opgevallen. Paul had ernaar gewezen en de themamuziek van een politieserie op tv gefloten. In hun buurt waren politieauto's beslist geen zeldzaamheid geweest, maar een bezoek kwam nog altijd zo sporadisch voor dat het hen was opgevallen. De auto was voor nummer 58, Grahams huis, stil blijven staan en twee agenten in uniform waren uitgestapt en hadden op de deur geklopt.
Banks herinnerde zich nog hoe hij naar mevrouw Marshall had zitten kijken die de deur had opengedaan, met een vestje dat strak om haar lichaam was getrokken hoewel het die dag vrij warm was geweest, en de twee politieagenten hadden hun pet afgezet en waren achter haar aan naar binnen gelopen. Daarna was er iets onherroepelijk veranderd in de buurt.
Terug in de 21e eeuw deed Banks zijn ogen weer open en hij wreef er met zijn hand over. De herinnering had hem uitgeput. Hij had de dag ervoor met de grootst mogelijke moeite Athene bereikt en toen hij daar eindelijk was aanbeland, was hij tot de ontdekking gekomen dat hij pas de volgende ochtend een vlucht naar huis kon boeken. Hij had de nacht moeten doorbrengen in een goedkoop hotel en had slecht geslapen, omringd door het lawaai en de drukte van een grote stad die hem deden verlangen naar de vredige rust van zijn schuilplaats op het eiland.
Inmiddels vloog het vliegtuig boven de Adriatische Zee tussen Italië en voormalig Joegoslavië. Banks zat aan de linkerkant en omdat er werkelijk niet één wolkje aan de lucht stond, meende hij dat hij onder zich heel Italië kon zien liggen, in groene en blauwe en bruine tinten, van de Adriatische Zee tot aan de Middellandse Zee: bergen, de krater van een vulkaan, wijngaarden, een klein opeengehoopt dorpje en de uitgestrekte wijken van een grote stad. Over niet al te lange tijd zou hij in Manchester voet aan land zetten en binnenkort zou zijn speurtocht in alle ernst beginnen. Graham Marshalls botten waren gevonden en Banks zou niet rusten voordat hij wist hoe en waarom ze op die plek waren terechtgekomen.

Annie verliet de B-weg tussen Fortford en Relton en reed de graveloprit van Swainsdale Hall op. Het landschap was bezaaid met iepen, platanen en essen en de bomen belemmerden tot de laatste bocht het zicht op de Hall zelf, waarna het gebouw in al zijn pracht werd onthuld. De Hall was een in de zeventiende eeuw uit de voor de streek zo typerende kalksteen opgetrokken lang, symmetrisch stenen gebouw met twee verdiepingen, in het midden een rij schoorstenen en ramen met verticale stenen spijlen. Het rijkste geslacht in de vallei, de Blackwoods, had er gewoond tot de familie was uitgestorven op de manier waarop zoveel oude aristocratische families waren uitgestorven: door geldgebrek en het ontbreken van geschikte erfgenamen. Hoewel Martin Armitage het landhuis voor een luttel bedrag had gekocht, zo wilde het gerucht, waren de kosten van het onderhoud torenhoog en toen Annie het gebouw naderde, kon ze zien dat delen van het met flagstones bedekte dak in verval waren geraakt.

Annie parkeerde haar auto voor de Hall en wierp door de striemende regen een blik op de vallei. Het was een prachtig uitzicht. Achter de lage aarden wallen in een lagergelegen veld, een oud Keltisch verdedigingsbolwerk tegen de oprukkende Romeinen, zag ze de hele groene vallei voor zich liggen, vanaf de kronkelende rivier de Swain helemaal tot aan de grijze kalkstenen littekens aan de overkant, die als de tanden in een skelet leken te grijnzen. Ze kon de donkere, stompe ruïne van Devraulx Abbey ongeveer halverwege de valleiwand aan de andere kant nog net ontwaren, net als het dorpje Lyndgarth met zijn vierkante kerktoren en de rook die opsteeg uit schoorstenen die uitstaken boven de door de regen donker gekleurde daken.

Toen Annie de deur naderde, begon er ergens in het huis een hond te blaffen. Ze hield zelf meer van katten en had een hekel aan de manier waarop honden kwamen aanrennen wanneer er bezoekers kwamen en luidkeels blaften en tegen je opsprongen, kwijlden en in je kruis snuffelden, en een enorme chaos creëerden in de gang waar de verontschuldigende eigenaar probeerde het enthousiasme van het beest te temperen en uit te leggen hoe vriendelijk het welkom eigenlijk was bedoeld.

Deze keer vormde geen uitzondering. De jonge vrouw die de deur opendeed, wist de hond echter stevig bij zijn halsband te grijpen voordat hij op Annies rok kon kwijlen en achter haar verscheen nog een vrouw. 'Miata!' riep ze. 'Koest! Josie, zou je Miata willen meenemen naar de bijkeuken?'

'Ja, mevrouw.' Josie verdween en sleurde de gefrustreerde dobermann met zich mee.

'Het spijt me,' zei de vrouw. 'Ze is altijd erg opgewonden wanneer we bezoek krijgen. Ze bedoelt het niet kwaad.'

'Miata. Mooie naam,' zei Annie en ze stelde zichzelf voor.

'Dank u wel.' De vrouw stak haar hand uit. 'Ik ben Robin Armitage. Komt u binnen.'

Annie liep achter Robin aan door de gang en volgde haar naar binnen door een deur aan de rechterkant. De kamer was enorm en deed denken aan de ontvangsthal in een oud kasteel, met antieke meubels die rond een prachtig Perzisch tapijt midden in de ruimte gegroepeerd stonden, een vleugel en een stenen haard die groter was dan Annies hele cottage. Aan de muur boven de schoorsteenmantel hing voorzover Annies geoefende oog dat kon zien een echte Matisse.

De man die door een van de ramen over een grasveld ter grootte van een golfcourse naar buiten had staan staren, draaide zich om toen Annie binnenkwam. Net als zijn vrouw zag hij eruit alsof hij de hele nacht geen oog had dichtgedaan. Hij stelde zichzelf voor als Martin Armitage en gaf haar een hand. Zijn greep was stevig en kort.

Martin Armitage was ruim 1 meter 80 lang, knap op een robuuste, atletische manier, en zijn haar was heel kort geschoren zoals zoveel voetballers dat hadden. Hij was slank, had lange benen en zag er fit uit, typisch een voormalig atleet, en zelfs zijn vrijetijdskleding, bestaande uit een spijkerbroek en een ruime, met de hand gebreide trui, zag eruit alsof ze meer had gekost dan Annies maandsalaris. Hij wierp een blik op Annies laarzen en ze wilde nu maar dat ze die ochtend iets conservatievers had aangetrokken.

'Hoofdinspecteur Gristhorpe heeft me over Luke verteld,' zei Annie.

'Ja.' Robin Armitage probeerde te glimlachen, maar de vermoeide grimas deed eerder denken aan de zoveelste opname voor een reclamespotje. 'Wacht, ik zal Josie thee laten serveren, of koffie, als u dat liever hebt?'

'Thee is uitstekend, dank u wel,' zei Annie en ze ging voorzichtig op het randje van een antieke stoel zitten. Een van de beschaafdste dingen die bij het beroep van inspecteur kwamen kijken, bedacht ze, vooral wanneer je in burgerkleding werkte, was dat de mensen die je opzocht, getuigen, slachtoffers of daders, dat maakte niets uit, je altijd iets te drinken aanboden. Gewoonlijk thee. Net zo Engels als *fish&chips*. Na alles wat ze had gelezen of op televisie had gezien, kon ze zich niet voorstellen dat zoiets ergens anders in de wereld ook zou gebeuren. Maar misschien boden Fransen een gendarme die hen bezocht wel een glas wijn aan, dat wist ze natuurlijk niet.

'Ik besef hoe verontrustend een gebeurtenis als deze kan zijn,' zei Annie, 'maar in 99 procent van de gevallen is er absoluut niets om zich zorgen over te maken.'

Robin trok een keurig in vorm geëpileerde wenkbrauw op. 'Meent u dat? U zegt dit niet alleen om ons gerust te stellen?'

'Nee, u zou er verbaasd van staan hoeveel vermiste personen er bij ons worden aangemeld en de meesten van hen komen weer veilig en ongedeerd boven water.'

'De méésten van hen?' herhaalde Martin Armitage.
'Ik wil alleen maar zeggen dat het statistisch gezien...'
'Statistisch gezien? Wat voor soort...'
'Martin! Rustig. Ze probeert alleen maar te helpen.' Robin keek Annie aan. 'Het spijt me,' zei ze, 'maar we hebben allebei slecht geslapen. Luke heeft nog niet eerder zoiets gedaan en we zijn buiten onszelf van bezorgdheid. Het enige wat daar iets aan kan veranderen, is dat we Luke weer veilig en wel voor ons zien. Vertelt u ons alstublieft waar hij volgens u kan zijn.'
'Kon ik daar maar antwoord op geven,' zei Annie. Ze haalde haar opschrijfboekje tevoorschijn. 'Zou u me wat informatie kunnen geven?'
Martin Armitage liet een hand over zijn hoofd glijden, zuchtte diep en liet zich weer op de bank vallen. 'Ja, uiteraard,' zei hij. 'En ik wil u graag mijn verontschuldigingen aanbieden. Ik heb mijn zenuwen gewoon niet helemaal in bedwang.' Toen hij haar aankeek, zag ze de bezorgdheid in zijn ogen en ze herkende eveneens de onbuigzame blik van een man die gewend was te krijgen wat hij wilde. Josie kwam binnen met de thee, die op een zilveren dienblad werd geserveerd. Annie geneerde zich een beetje, zoals ze altijd deed bij bedienden.
Martin Armitages lippen krulden zich tot een glimlach, alsof hij had opgemerkt dat ze zich slecht op haar gemak voelde. 'Een beetje pretentieus, nietwaar?' zei hij. 'Ik neem aan dat u zich nu afvraagt wat een door de wol geverfde socialist als ik met een dienstmeisje moet? Ik weet heus wel hoe ik zelf een kop thee moet zetten. Ik ben opgegroeid in een gezin met zes broers in een mijnstadje in West-Yorkshire dat zo klein was dat het niemand opviel toen Maggie Thatcher het van de aardbodem veegde. Brood met reuzel voor ontbijt, als we tenminste mazzel hadden. Zo'n leven. Robin is op een kleine boerderij in Devon opgegroeid.'
En hoeveel miljoenen ponden hebben jullie sindsdien verdiend, vroeg Annie zich af, maar ze was hier niet gekomen om hun levensstijl te bespreken. 'Het zijn werkelijk mijn zaken niet,' zei ze. 'Ik kan me voorstellen dat u het beiden erg druk hebt en de hulp goed kunt gebruiken.' Ze zweeg even. 'Zolang u maar niet verwacht dat ik mijn pink in de lucht steek wanneer ik een slokje thee neem.'
Martin glimlachte zwakjes. 'Ik sop altijd graag met mijn biscuittjes in de mijne.' Toen boog hij zich naar voren en keek hij weer ernstig. 'Deze afleiding is leuk, maar ik voel me er niet beter door. Wat kunnen we doen? Waar moeten we zoeken? Waar moeten we beginnen?'
'Het zoeken doen wij. Daar zijn we voor. Wanneer precies dacht u voor het eerst dat er iets aan de hand was?'

Martin keek zijn vrouw aan. 'Wanneer was dat, liefje? Na de maaltijd, begin van de avond?'
Robin knikte. 'Hij is altijd op tijd thuis voor het eten. Toen hij na zeven uur nog niet thuis was en we ook niets van hem hadden gehoord, werden we ongerust.'
'Wat hebt u toen gedaan?'
'We hebben geprobeerd hem op zijn mobiele telefoon te bereiken,' zei Martin.
'Maar u kreeg geen gehoor?'
'Hij stond uit.'
'En toen?'
'Rond een uur of acht,' zei Robin, 'is Martin hem gaan zoeken.'
'Waar bent u geweest, meneer Armitage?'
'Ik ben gewoon heel Eastvale doorgereden. Een beetje doelloos eigenlijk. Maar ik moest iets doen. Robin is thuisgebleven voor het geval hij zou bellen of toch kwam opdagen.'
'Hoe lang bent u weggeweest?'
'Niet zo lang. Ik was rond een uur of tien terug.'
Robin knikte instemmend.
'Hebt u een recente foto van Luke?' vroeg Annie. 'Eentje die we kunnen laten rondgaan?'
Robin liep naar een van de lage, glimmend gepoetste tafeltjes en pakte een stapeltje foto's op. Ze bladerde er vluchtig doorheen en gaf er toen een aan Annie. 'Deze is afgelopen Pasen genomen. We zijn met Luke naar Parijs geweest. Is deze goed?' Annie bekeek de foto. Er stond een lange, magere jongen op, met donker haar dat rond zijn oren en over zijn voorhoofd krulde, en hij zag er ouder uit dan zijn vijftien jaar, zoveel ouder zelfs dat hij al de vlassige beginselen vertoonde van een sikje. Hij stond peinzend met een broeierige blik bij een graf op een oude begraafplaats, met zijn gezicht naar het licht gekeerd, en de close-up was scherp genoeg om voor identificatiedoeleinden te kunnen worden gebruikt.
'Hij stond erop dat we de Père Lachaise-begraafplaats bezochten,' legde Robin uit. 'Dat is waar al die beroemdheden begraven liggen. Chopin, Balzac, Proust, Edith Piaf, Colette. Luke staat daar bij het graf van Jim Morrison. Kent u Jim Morrison?'
'Ik heb wel eens van hem gehoord,' zei Annie, en ze dacht aan de vrienden van haar vader die nog vele jaren na Morrisons dood keihard platen van The Doors draaiden. Met name *Light My Fire* en *The End* hadden zich stevig ergens in haar herinneringen uit die tijd genesteld.

'Grappig genoeg,' zei Robin, 'waren de meeste mensen die tegenwoordig een pelgrimstocht naar dat graf maken nog niet eens geboren toen hij op het hoogtepunt van zijn roem was. Ik was zelf ook nog maar een klein kind toen The Doors doorbraken.'
Dat hield in dat ze begin veertig moest zijn, gokte Annie, en ze had nog steeds een uitstekend figuur. Robin Armitages gouden lokken vielen op haar smalle schouders en waren in het echt even glanzend als in de advertenties in tijdschriften voor shampoo. Ondanks de zichtbare spanning en bezorgdheid werd haar gladde, bleke huid nauwelijks door rimpels getekend. Hoewel Robin minder lang was dan Annie had verwacht, was haar lichaam net zo slank als op alle posters die Annie ooit van haar had gezien en haar lippen, die een aantal jaren geleden zo verleidelijk vetvrij ijs van een lepel hadden gezogen in een beroemd reclamespotje op televisie, waren nog steeds vol en roze. Zelfs de schoonheidsvlek waarvan Annie altijd had gedacht dat hij nep was, zat nog steeds bij haar mondhoek en van dichtbij zag hij er echt uit.
Inderdaad, Robin Armitage zag er nog net zo mooi uit als twintig jaar geleden. Annie bedacht dat ze ter plekke een hekel aan de vrouw zou moeten krijgen, maar dat deed ze niet. Niet eens alleen vanwege de vermiste zoon, maar ook omdat ze achter het bijzonder fraaie uiterlijk van het voormalige model iets intens menselijks vermoedde.
'Deze is prima,' zei Annie, en ze liet de foto in haar attachékoffertje glijden. 'Ik zal hem laten circuleren zodra ik terug ben. Wat had hij aan?'
'Zwart T-shirt en zwarte spijkerbroek,' zei Robin. 'Zoals altijd.'
'Betekent dat dat hij altijd zwarte kleding draagt?'
'Het is een fase,' zei Martin Armitage. 'Dat is tenminste wat zijn moeder steeds tegen me zegt.'
'Het is echt zo, Martin. Wacht maar: hij groeit er vanzelf overheen. Als we hem ooit nog terugzien.'
'Maakt u zich maar geen zorgen, mevrouw Armitage. Hij komt wel weer boven water. In de tussentijd zou ik graag iets meer informatie over Luke zelf willen hebben, alles wat u me kunt vertellen over zijn vrienden, hobby's of kennissen, zodat we kunnen uitzoeken waar hij kan zijn. Om te beginnen zou ik graag weten of alles tussen u en hem goed ging. Is er recentelijk ruzie geweest?'
'Voorzover ik me kan herinneren niet,' antwoordde Robin. 'Niets ernstigs, bedoel ik. Onze relatie was uitstekend. Luke heeft alles wat zijn hartje begeerde.'
'Ik weet uit ervaring,' zei Annie, 'dat niemand ooit werkelijk alles heeft wat zijn hart begeert, ook al denkt iemand die veel van hem houdt dat

dat wel zo is. De behoeftes van de mens kunnen soms erg uiteenlopend zijn en moeilijk te definiëren.'
'Ik bedoelde niet alleen materiële zaken,' zei Robin. 'In feite is Luke helemaal niet zo geïnteresseerd in zaken die met geld gekocht kunnen worden, behalve dan elektronische apparatuur en boeken.' Haar door lange wimpers omkranste blauwe ogen vulden zich met tranen. 'Ik bedoelde dat hij alle liefde krijgt die we hem kunnen geven.'
'Daar twijfel ik niet aan,' zei Annie. 'Waar ik echter aan zat te denken, was dat er misschien iets was wat hij wilde hebben en u hem niet wilde geven.'
'Wat dan?' vroeg Robin.
'Iets wat u niet goedkeurde bijvoorbeeld. Een popconcert waar hij naartoe wilde. Vrienden met wie hij van u niet mocht omgaan. Dat soort dingen.'
'O, ik begrijp wat u bedoelt. Maar ik kan niets verzinnen. Jij wel, lieverd?'
Martin Armitage schudde ontkennend zijn hoofd. 'Als ouders zijn we, denk ik, vrij ruimdenkend,' zei hij. 'We zijn ons er terdege van bewust dat kinderen tegenwoordig heel snel volwassen worden. Ik ben zelf ook snel volwassen geworden. En Luke is een slimme knul. Ik kan geen enkele film bedenken die hij van mij niet zou mogen zien, met uitzondering van pornografie natuurlijk. Bovendien is hij een rustige, wat verlegen jongen, niet iemand die op zijn gemak is in grote groepen. Hij is tamelijk op zichzelf.'
'Hij is erg creatief,' voegde Robin eraan toe. 'Hij is dol op lezen en hij schrijft korte verhalen en gedichten. Toen we in Frankrijk waren, verslond hij de werken van Rimbaud, Verlaine en Baudelaire.'
Annie had van haar vader wel over deze dichters gehoord, had zelfs werk van een paar van hen gelezen. Ze dacht dat het tamelijk hoog gegrepen was voor een jongen van vijftien, maar toen schoot het haar te binnen dat Rimbaud was begonnen met het schrijven van gedichten toen hij vijftien was en er op zijn negentiende mee was opgehouden.
'Vriendinnetjes?' vroeg Annie.
'Hij heeft het nooit over iemand in het bijzonder gehad,' zei Robin.
'Misschien was hij te verlegen om het u te vertellen?' vroeg Annie.
'Ik ben ervan overtuigd dat we het zouden hebben geweten.'
Annie veranderde van onderwerp en maakte voor zichzelf een aantekening dat ze eventueel op een later tijdstip Luke's liefdesleven of het ontbreken daarvan nader moest onderzoeken. 'Ik weet niet hoe ik dit tactvol moet brengen,' ging ze verder, 'maar ik heb begrepen dat u niet

Luke's biologische vader bent, meneer Armitage.'
'Dat klopt. Hij is mijn stiefzoon. Ik heb hem echter altijd als mijn eigen kind beschouwd. Robin en ik zijn inmiddels tien jaar getrouwd. Luke draagt mijn achternaam.'
'Wat kunt u me over Luke's vader vertellen, mevrouw Armitage?'
Robin wierp een blik op haar man.
'Het geeft niet, lieveling,' zei Martin Armitage. 'Wat mij betreft kun je over hem praten, ook al zie ik het nut er niet van in.'
Robin keerde zich weer naar Annie. 'Eigenlijk verbaast het me dat u het nog niet weet, gezien de buitensporige aandacht die de roddelbladen indertijd aan de affaire hebben besteed. Zijn vader is Neil Byrd. Ik dacht dat de meeste mensen wel van mijn relatie met Neil op de hoogte waren.'
'O, ik weet ook wel wie hij was en wat er is gebeurd. Ik weet alleen de details niet meer. Hij was toch popzanger?'
'Popzanger? Hij zou het afschuwelijk hebben gevonden als hij had gehoord dat u hem zo noemde. Hij beschouwde zichzelf meer als een moderne troubadour, een dichter eigenlijk.'
Van een singer-songwriter naar een voetballer, dacht Annie, zoals Marilyn Monroe van een honkbalspeler naar een toneelschrijver overstapte. Blijkbaar was Robin Armitage niet zo oppervlakkig als op het eerste gezicht leek. 'Neemt u me mijn onwetendheid alstublieft niet kwalijk; misschien kunt u mijn geheugen iets opfrissen?' zei ze.
Robin keek door het raam naar buiten, waar een flinke lijster op het grasveld een worm had ontdekt, en ging toen naast haar man zitten. Hij greep haar hand stevig vast. 'U vindt het waarschijnlijk een vreemde combinatie,' zei ze. 'Neil was echter de eerste man die me niet als een volslagen onmondige idioot behandelde puur vanwege mijn uiterlijk. Het is moeilijk om te zijn wat ik... nou ja, om eruit te zien zoals ik. De meeste mannen durven je niet te benaderen of denken dat ze je gemakkelijk het bed in kunnen krijgen. Neil was heel anders.'
'Hoe lang zijn jullie samen geweest?'
'Ongeveer vijf jaar. Luke was pas twee toen Neil ons in de steek liet. Zomaar. Zonder aankondiging. Hij zei dat hij zijn rust nodig had en het zich niet langer kon veroorloven om gebukt te gaan onder een gezinsleven. Dat is letterlijk zoals hij het zelf zei: gebukt te gaan.'
'Wat erg,' zei Annie. 'Wat gebeurde er toen? Had het invloed op uw carrière?'
'Ik was 25 toen we elkaar leerden kennen en werkte al sinds mijn veertiende als model. Het viel natuurlijk niet mee om mijn slanke figuur weer terug te krijgen na Luke en ik ben nooit meer helemaal precies de-

zelfde geworden, maar ik had nog steeds werk, voornamelijk reclamespots voor televisie, een keer een kleine, weinig indrukwekkende rol in een bijzonder bloederige film, deel vijftien van een of andere serie. Waarom wilt u dit eigenlijk allemaal weten? Het kan toch niets te maken hebben met Luke's verdwijning? Neil is al twaalf jaar geleden gestorven.'
'Ik ben het helemaal met mijn vrouw eens,' zei Martin. 'Zoals ik al zei, ik zie het nut hier niet van in.'
'Ik probeer slechts zo veel mogelijk achtergrondinformatie te krijgen,' legde Annie uit. 'Je weet nooit wat belangrijk kan zijn wanneer er iemand wordt vermist, wat mogelijk hun drijfveren zijn. Weet Luke wie zijn vader was?'
'Jazeker. Hij kan zich Neil natuurlijk niet meer herinneren, maar ik heb het hem wel verteld. Ik wilde geen geheimen voor hem hebben.'
'Hoe lang weet hij het al?'
'Ik heb het hem verteld toen hij twaalf werd.'
'En daarvoor?'
'Martin is de enige vader die hij ooit heeft gekend.'
Annie rekende snel na: zeven jaar lang had Luke Martin Armitage dus als zijn echte vader beschouwd, totdat zijn moeder hem plotseling overviel met het schokkende bericht over Neil Byrd. 'Hoe reageerde hij toen u het hem vertelde?' vroeg ze.
'Hij was natuurlijk in de war,' zei Robin. 'En hij stelde veel vragen. Maar verder… Dat weet ik eigenlijk niet. Hij heeft het er nooit met zoveel woorden meer over gehad.'
Annie maakte een paar aantekeningen en dacht na. Ze vermoedde dat er meer moest hebben gespeeld dan Robin nu prijsgaf, maar het hoefde niet per se. Kinderen kunnen verbazingwekkend veerkrachtig zijn. Maar ook onverwacht gevoelig.
'Hebt u nog contact met vrienden of familie van Neil Byrd?' vroeg Annie.
'Lieve hemel, nee. Neils ouders zijn jong gestorven, dat was een van de dingen die als een zware last op hem drukten; en ik verkeer al heel lang niet meer in die kringen.'
'Zou ik Luke's kamer mogen zien?'
'Natuurlijk.' Robin ging Annie voor naar de gang en een trap met versleten stenen treden op naar de eerste verdieping, waar ze linksaf sloeg en de zware eikenhouten deur opende van de tweede kamer aan de overloop.
Annie deed de lamp op het nachtkastje aan. Het duurde even voordat het tot haar doordrong dat de kamer volledig zwart was, behalve de

vloerbedekking. Hij lag op het noorden, waardoor er maar weinig zonlicht binnendrong en ondanks het licht van het lampje op het nachtkastje, de enige lamp in de kamer, zag het er somber uit. Het was er wel netter dan ze had verwacht en de inrichting was bijna Spartaans.
Luke of iemand anders had op het plafond een zonnestelsel en sterren geschilderd. Een van de muren hing vol met posters van rocksterren en toen Annie dichterbij ging staan, kon ze de namen lezen: Kurt Cobain, Nick Drake, Jeff Buckley, Ian Curtis, Jim Morrison. De meesten van hen kwamen haar tenminste nog enigszins bekend voor, maar ze dacht dat Banks wellicht meer over hen zou weten dan zij. Geen sporthelden, merkte ze op. Op de tegenoverliggende muur waren met zilverkleurige verf de volgende woorden gespoten: LE POËTE SE FAIT VOYANT PAR UN LONG, IMMENSE ET RAISONNÉ DÉRÈGLEMENT DE TOUS LES SENS. De woorden kwamen haar vaag bekend voor, maar ze kon ze niet precies plaatsen en haar kennis van het Frans was niet toereikend om haar een goede vertaling te verschaffen. 'Weet u wat dit betekent?' vroeg ze.
'Nee,' zei Robin, 'ik ben nooit goed geweest in Frans.'
Annie noteerde de woorden in haar opschrijfboekje. Onder het raam met de verticale spijlen stond een elektrische gitaar naast een kleine versterker; op het bureau stond een computer en naast de kledingkast een ministereo met een stapel cd's. Ze maakte de vioolkist open die op de ladekast lag en zag dat deze inderdaad ook een viool bevatte.
Annie liet haar blik vluchtig langs de stapel cd's glijden. Van de meeste bands, zoals Incubus, System of a Down en Slipknot, had ze nog nooit gehoord, maar ze herkende een paar ouwetjes, waaronder Nirvana en R.E.M. Er was zelfs een oude Bob Dylan. Hoewel Annie vrijwel niets af wist van de smaak van vijftienjarigen wanneer het op hedendaagse muziek aankwam, wist ze wel zeker dat Bob Dylan daar gewoonlijk niet onder viel.
Niets van Neil Byrd. Weer verlangde Annie naar de aanwezigheid van Banks; hij zou hier vast het nodige uit hebben kunnen afleiden. De laatste cd die ze zelf had gekocht, bevatte gezangen van Tibetaanse monniken voor haar yoga en meditatie.
Annie wierp snel een blik op de boekenkast: veel romans, waaronder *Zonen en minnaars*, *De vanger in het graan* en *Le Grand Meaulnes*, maar ook de traditionelere boeken voor jongeren van Philip Pullman, de verzamelde korte verhalen van Ray Bradbury en H.P. Lovecraft, een aantal poëziebundels, een enorm boek over prerafaëlitische kunst en dat was het wel zo'n beetje.
Verder gaf de kamer opmerkelijk weinig prijs. Er lag geen adressenboek,

tenminste niet voorzover Annie had ontdekt, en behalve de boeken, kleding en cd's lag er bijzonder weinig. Robin vertelde haar dat Luke altijd een versleten leren schoudertas meezeulde, overal waar hij naartoe ging, en alles wat hij belangrijk vond, moest daarin zitten, ook zijn vederlichte laptop.

In een lade ontdekte Annie een paar geprinte manuscripten, korte verhalen en gedichten, de meest recente van een jaar geleden, en ze vroeg of ze deze mocht lenen om later te bekijken. Ze merkte dat Robin niet toeschietelijk was, voornamelijk, zo leek het, vanwege Luke's privacy, maar ook hier verrichtte een zetje in de goede richting wonderen. Niet dat ze verwachtte dat het creatieve werk haar veel zou vertellen, maar misschien leverde het wat meer inzicht op in Luke's karakter.

Er was hier boven verder niets meer te vinden en de zwarte muren benauwden haar, dus ze zei tegen Robin dat ze voldoende had gezien. Ze liepen terug naar beneden, waar Martin Armitage nog steeds op de bank zat.

'Ik heb begrepen dat u Luke naar de scholengemeenschap in Eastvale hebt gestuurd, in plaats van naar een privé-school zoals Braughtmore,' zei Annie.

'We hebben geen vertrouwen in privé-scholen,' zei Martin, en zijn West-Yorkshire accent stak nu duidelijk de kop op. 'Dat zijn slechts kweekscholen voor slappe ambtenaren. Er is helemaal niets mis met een opleiding aan een gewone scholengemeenschap.' Hij zweeg en glimlachte. Annie kreeg de indruk dat dit gedrag hem in de media goede diensten had bezorgd, een onverwachte charme die met een druk op de knop kon worden ingeschakeld. 'Ach, er zal heus wel het nodige op aan te merken zijn, ik ben echt niet doof voor de kritiek die er regelmatig op wordt geleverd, maar ik heb er zelf baat bij gehad en dat geldt voor heel veel kinderen. Luke is intelligent en werkt hard. Hij zal zich prima redden.'

Afgaande op de lichaamstaal die haar over elkaar geslagen armen en samengeperste lippen uitstraalden, had Annie het gevoel dat Robin het niet met hem eens was en dat Luke's opleiding het onderwerp was geweest van verhitte discussies.

'Heeft hij het op school naar zijn zin?' vroeg ze.

'Hij heeft nooit geklaagd,' zei Martin. 'Niet meer dan andere kinderen. U kent het wel: hij heeft de pest aan zijn leraar aardrijkskunde, heeft het land aan gym en vindt algebra te moeilijk. Dat soort dingen.'

'Hij houdt niet van sporten?'

'Helaas niet, nee,' zei Martin. 'Ik heb geprobeerd hem ervoor te interesseren, maar...' Hij haalde zijn schouders op.

'En de andere jongens op school? Zelfs als hij, zoals u zegt, een beetje een solist is, zal hij toch af en toe wel contact hebben met zijn klasgenoten?'
'Ik neem aan van wel, maar ik heb er nooit iets van gemerkt.'
'Neemt hij nooit vrienden mee naar huis?'
'Nooit.'
'Heeft hij wel eens gevraagd of hij met hen mee naar huis mocht?'
'Nee.'
'Gaat hij vaak uit?'
'Niet meer dan andere jongens van die leeftijd,' zei Martin. 'Misschien zelfs wel minder.'
'We willen dat Luke een gewoon leven leidt,' zei Robin. 'Het is moeilijk om te beslissen wat wel en wat niet mag. Het is moeilijk om te bepalen hoe streng je moet zijn. Als je te weinig toegeeft, wil het kind uit de band springen en daar krijgen de ouders de schuld van. Als je hem te veel onder de duim houdt, ontwikkelt hij zich niet gewoon en zal hij je er later van beschuldigen dat je zijn leven hebt verknoeid. We doen ons best om goede ouders te zijn en een goede balans te vinden.'
Annie was zelf op school een buitenbeentje geweest omdat ze in een kunstenaarscommune woonde, ze werd door de andere kinderen als die 'hippiemeid' gezien, en juist daarom begreep ze maar al te goed hoe anders Luke zich moest voelen, ook al hadden zijn ouders niets verkeerd gedaan. Om te beginnen woonden ze in het van de bewoonde wereld afgezonderde, maar desalniettemin indrukwekkende Swainsdale Hall; verder waren ze beiden een nationale beroemdheid, hoe laag in de hiërarchie ook; en ten slotte leek hij ook nog een erg in zichzelf gekeerde jongen.
'Daar ben ik van overtuigd,' zei ze. 'Wat heeft hij gisteren gedaan?' vroeg ze.
'Hij is naar het centrum gegaan.'
'Hoe komt hij daar?'
'Met de bus. Er is hier een goede dienstregeling, tot na etenstijd tenminste.'
'Had hij een bijzondere reden om gisteren naar Eastvale te gaan?'
'Niets bijzonders,' antwoordde Robin. 'Hij snuffelt graag tussen tweedehands boeken en hij wilde ook naar een of ander nieuw onderdeel voor zijn computer kijken.'
'Meer niet?'
'Nee, voorzover ik weet. Ik had niet de indruk dat er iets bijzonders aan de hand was.'
'Is hij wel eens eerder een hele nacht weggebleven?'

'Nee,' zei Robin, en ze legde haar hand op haar keel. 'Nog nooit. Daarom maken we ons ook zoveel zorgen. Hij zou ons dit nooit aandoen, tenzij... tenzij er iets verschrikkelijks is gebeurd.'
Ze begon te huilen en haar man sloeg zijn armen om haar heen en streelde haar zijdezachte, goudblonde haar. 'Stil maar, lieveling, stil maar. Maak je maar geen zorgen. Ze vinden hem heus wel.' Zijn intense ogen staarden onafgebroken naar Annie, alsof hij haar wilde uitdagen om hem tegen te spreken. Niet dat ze dat van plan was. Een man die gewend was zijn zin te krijgen. Een man ook die voor geen kleintje vervaard was, daar was Annie van overtuigd, en een man die gewend was om met de bal aan zijn voet naar voren te stormen en hem achter in het net te jagen.
'En de rest van de familie: ooms, tantes, grootouders?' vroeg ze. 'Had hij met iemand van hen een bijzondere band?'
'Robins familie woont helemaal in Devon,' zei Martin. 'Mijn ouders zijn overleden, maar ik heb een zus die met haar man in Dorset woont en een broer in Cardiff. We hebben natuurlijk iedereen gebeld die we konden bedenken, maar niemand heeft hem gezien.'
'Had hij geld bij zich?'
'Niet veel. Een paar pond. Moet u horen, inspecteur,' zei hij, 'ik begrijp waarom u dit allemaal vraagt, maar u zit op een verkeerd spoor. Luke heeft een mobiele telefoon. Als hij ergens naartoe had willen gaan of iets had willen doen waardoor hij niet thuis zou komen of waardoor hij te laat zou zijn, dan had hij ons daar toch mee kunnen bellen?'
'Tenzij het iets was wat u niet mocht weten.'
'Maar hij is pas vijftien,' zei Martin. 'Wat zou hij in vredesnaam kunnen uitspoken dat zo geheim is dat zijn ouders het niet mogen weten?'
Weet u waar uw kinderen zijn? Weet u wat uw kinderen op dit moment doen? Annie wist uit ervaring, geput uit zowel haar eigen herinneringen als haar werk als politieagent, dat niemand zijn geheimen zo zorgvuldig koesterde als tieners, vooral gevoelige, eenzame tieners, maar het was overduidelijk dat Luke's ouders dit niet inzagen. Hadden ze het dan zelf niet meegemaakt? Of waren er sinds hun eigen jeugd zoveel andere dingen gebeurd dat ze waren vergeten hoe het was om een tiener te zijn?
Er konden verschillende redenen zijn waarom Luke er misschien behoefte aan had om er een tijdje tussenuit te gaan zonder het zijn ouders te vertellen: kinderen zijn vaak egoïstisch en houden niet snel rekening met anderen; blijkbaar konden zij echter geen enkele reden verzinnen. Het was echter niet de eerste keer dat Annie op zo'n verbazingwekkende kloof stuitte tussen de waarneming van ouders en de realiteit. Veel vaker

dan ze had verwacht kreeg ze te maken met ouders van een vermist kind die zeiden dat ze eenvoudigweg geen idee hadden waar hun jonge Sally naartoe zou kunnen zijn gegaan of waarom ze waar dan ook maar naartoe zou willen gaan en hen zoveel verdriet wilde bezorgen.
'Heeft iemand u ooit bedreigd?' vroeg ze.
'Nee,' zei Martin. 'Waarom vraagt u dat?'
'Beroemdheden trekken vaak het verkeerde soort aandacht.'
Martin snoof minachtend. 'We zijn nou niet bepaald Beckham en Posh Spice. Tegenwoordig staan we niet meer zo in de publiciteit. Al een jaar of vijf niet meer, sinds we hiernaartoe zijn verhuisd. We treden allebei niet meer zo op de voorgrond.'
'Is het bij u opgekomen dat iemand misschien heeft bedacht dat het de moeite waard zou zijn om Luke te kidnappen?' vroeg ze.
'Weet u,' zei Martin, 'we zijn eerlijk gezegd niet zo rijk.' Hij gebaarde om zich heen. 'Om te beginnen alleen dit huis al... het vreet geld. Neemt u maar van mij aan dat er voor een kidnapper bij ons bar weinig te halen valt.'
'Dat beseft de kidnapper misschien niet.'
Robin en Martin keken elkaar aan. Ten slotte zei Robin: 'Nee, dat geloof ik niet. Zoals ik eerder al zei, we wilden dat Luke een gewoon leven zou leiden, niet zo'n leven als ik. We wilden niet dat hij omringd zou worden door bodyguards en beveiligingsmensen. Dat was misschien dom van ons, onrealistisch, maar tot nu toe is het gelukt. Er is hem nooit iets ergs overkomen.'
'En ik weet zeker dat dat nu evenmin het geval is,' zei Annie. 'Luister, ik besef dat u dit waarschijnlijk uit gewoonte al doet, maar mocht de pers komen rondneuzen en vragen stellen...'
'Maakt u zich maar geen zorgen,' zei Martin Armitage. 'Dan krijgen ze met mij te maken.'
'Uitstekend, meneer. En zouden we voor alle zekerheid uw telefoon ook mogen aftappen?'
'Waarom?' vroeg Robin.
'Voor het geval er losgeld wordt geëist.'
Ze sloeg haar handen voor haar gezicht. 'U denkt toch niet...?'
'Een voorzorgsmaatregel, meer niet.'
'We hebben een geheim nummer,' zei Martin.
'Desondanks...'
Hij staarde Annie een paar tellen zwijgend aan en knikte toen. 'Goed dan. Als u er echt op staat.'
'Dank u wel. Ik zal ervoor zorgen dat er vanochtend nog iemand langs-

komt om het te regelen. Hebt u ook een zakenadres?'
'Nee,' zei Martin. 'Momenteel niet.'
'Dus u hebt ook geen zakelijk telefoonnummer?'
'Nee.' Hij zweeg even, alsof hij impliciete kritiek had opgevangen in Annies stem of houding en ging daarom verder: 'Hoort u eens, ik ben dan misschien alleen maar een voetballer geweest, maar dat betekent niet dat ik achterlijk ben.'
'Dat wilde ik niet...'
'Ik heb mijn diploma van de middelbare school, heb aan de hogeschool van Leeds gestudeerd, toen die nog zo heette tenminste, en heb een businessdiploma behaald.'
Wat zegt dat dan helemaal over jou,' vroeg Annie, die niet onder de indruk was, zich af: dat je meer dan het speeltje van de hoogopgeleide vrouw wil zijn? 'Het spijt me als u de indruk hebt gekregen dat ik dat dacht,' vervolgde ze. 'Ik wil er alleen maar zeker van zijn dat we alle mogelijkheden hebben gedekt.'
'Sorry,' zei Martin. 'Ik ben erg gespannen. Maar omdat... nou ja, omdat Robin en ik nu eenmaal zijn wie we zijn, maken we dat zo vaak mee. Mensen hebben de neiging om ons neerbuigend te bejegenen.'
'Ik begrijp het,' zei Annie en ze stond op om te vertrekken. 'Ik zal u niet langer ophouden.' Ze gaf haar kaartje aan Robin, die het dichtst bij haar stond. 'Het nummer van mijn mobiele telefoon staat er ook op.' Ze glimlachte en voegde eraan toe: 'Of u er iets aan hebt, is natuurlijk een tweede.' De ontvangst voor mobiele telefoons in de vallei was op zijn zachtst gezegd wisselvallig. 'Als u ook maar iets hoort, belt u me dan alstublieft.'
'Ja, natuurlijk,' zei Robin. 'Dat spreekt voor zich. En als u...'
'Dan bent u de eerste die het hoort. Maakt u zich geen zorgen, we gaan naar hem op zoek, daar kan ik u van verzekeren. We zijn echt heel goed in dit soort zaken.'
'Als er iets is wat ik kan doen...,' zei Martin.
'Uiteraard.' Annie schonk hun bij haar vertrek haar mooiste glimlach, een die blonk van zelfvertrouwen, maar ze voelde zich veel minder zelfverzekerd dan ze eruitzag.

3

Inspecteur Michelle Hart deed het portier van haar donkergrijze Peugeot, die ze voor de deur van Hazel Crescent 58 had geparkeerd, op slot en nam de omgeving nauwgezet in zich op. Ze was hier twee keer eerder geweest: eenmaal voor het onderzoek naar een reeks inbraken en eenmaal vanwege vandalisme. Voor een wijk met goedkope, sociale woningbouw was het met de Hazels, zoals de bewoners hem noemden, in vergelijking met andere dergelijke wijken tegenwoordig, nog niet eens zo heel erg slecht gesteld. De wijk stamde uit het begin van de jaren zestig, voordat de nieuwe, grootse stadsuitbreiding werd opgezet, en de rijen praktische bakstenen huizen achter lage muren en ligusterhagen werden tegenwoordig bewoond door een bont gezelschap van werklozen, tienermoeders, bejaarden die het zich niet konden veroorloven om te verhuizen en een groeiende groep Aziaten, met name uit Pakistan en Bangladesh. Er woonden zelfs een paar asielzoekers. Net als in vergelijkbare wijken werd ook de Hazels geteisterd door groepen doelloos rondzwervende hooligans die zich enorm vermaakten met het vernielen van andermans bezittingen, het stelen van auto's en het bekladden van muren met graffiti.
Het regende nog steeds en in de dichte, grijze wolkenlaag was geen gat te bekennen. De saaie straat die door het hart van de wijk slingerde, was verlaten; alle kinderen speelden binnenshuis computerspelletjes of surften over het web, terwijl hun moeder hoopte dat de zon elk moment zou doorbreken en haar een moment van rust en stilte zou gunnen.
Michelle klopte op de donkergroene deur. Mevrouw Marshall, een breekbaar uitziende vrouw met een bochel, grijze haren en zorgelijke rimpels in haar gezicht, deed open, ging haar voor naar de kleine zitkamer en liet haar plaatsnemen op een met paarse velours beklede leunstoel. Michelle had de Marshalls al eerder ontmoet, toen het lichaam moest worden geïdentificeerd, maar was nog niet eerder bij hen thuis geweest. De kamer was zo keurig opgeruimd en schoon, dat ze even met een schuldgevoel terugdacht aan haar eigen onafgewassen ontbijtspullen, het onopgemaakte bed en de stofnesten in de hoeken van de kamer.

Wie anders dan zij zou ze echter te zien krijgen?
Bill Marshall was na een beroerte grotendeels verlamd geraakt en nu zat hij met een deken over zijn knieën en een wandelstok naast zich in een stoel en staarde hij met een openhangende mond, waar speeksel zich in een mondhoek had verzameld, en een scheefgetrokken gezicht alsof hij als een Dali-klok was gesmolten, naar Michelle. Het was duidelijk dat hij ooit een flinke kerel moest zijn geweest, maar nu was zijn lichaam aangetast door de ziekte en ineengeschrompeld. Zijn ogen stonden echter onverwacht fel, het wit wat troebel, maar de grijze irissen oplettend en waakzaam. Michelle begroette hem en meende heel even te zien dat hij zijn hoofd een klein stukje bewoog ter begroeting. Hoewel hij niet kon praten, had mevrouw Marshall Michelle ervan verzekerd dat hij alles wat werd gezegd begreep.
Tussen de ingelijste foto's op de schoorsteen boven de elektrische kachel stond er een van een jonge jongen, een jaar of dertien, veertien, met een beatlekapsel dat aan het begin van de jaren zestig erg populair was geweest en in een zwarte coltrui op een boulevard met op de achtergrond de zee en aan een kant een lange pier. Hij was knap, zag Michelle, misschien een tikje vrouwelijk met zijn zachte, tere trekken, maar desondanks zou hij ongetwijfeld tot een echte hartenbreker zijn opgegroeid.
Mevrouw Marshall merkte haar blik op. 'Ja, dat is onze Graham. Die is gemaakt tijdens de laatste vakantie. We konden dat jaar zelf niet weg, omdat Bill een opdracht moest afmaken, dus toen heeft de familie Banks hem meegenomen naar Blackpool. Hun zoon Alan was een goede vriend van hem. Meneer Banks heeft die foto gemaakt en aan ons gegeven toen ze terugkwamen.' Ze zweeg even. 'Nog geen week later was Graham voorgoed verdwenen.'
'Hij lijkt me een lieve jongen,' zei Michelle.
Mevrouw Marshall knikte en snufte.
'Ik zal u niet lang lastigvallen,' zei Michelle, 'maar u kunt zich ongetwijfeld voorstellen dat het voor ons ook een enorme schok is dat we uw zoon na zo'n lange tijd hebben gevonden. Ik zou u graag nog een paar vragen willen stellen, als het mag.'
'U doet gewoon uw werk. Maakt u zich over ons maar geen zorgen. We hebben onze rouwperiode jaren geleden al afgesloten. Grotendeels, tenminste.' Ze plukte aan de kraag van haar jurk. 'Toch vreemd dat het net lijkt alsof het gisteren is gebeurd, nu jullie hem hebben gevonden.'
'Ik heb de verslagen nog niet gelezen, maar ik heb begrepen dat er een grootscheeps onderzoek heeft plaatsgevonden in 1965, toen Graham net was verdwenen.'

'Dat klopt. En ik zal de politie niets verwijten. Ze hebben hun best gedaan. Werkelijk overal gezocht. Jet Harris had zelf de leiding, moet u weten. Was ten einde raad, toen al hun moeite niets opleverde. Hij is zelfs persoonlijk hier in huis naar aanwijzingen komen zoeken.'
Hoofdinspecteur Harris, bijgenaamd Jet vanwege zijn snelheid en de treffende gelijkenis met de bassist van The Shadows, was op het hoofdbureau van de divisie nog steeds een legende. Zelfs Michelle had het dunne biografische foldertje gelezen dat door een korpsagent met literaire neigingen was gepubliceerd en ze was onder de indruk geweest: van zijn geboorte in de sloppenwijken van Glasgow in 1920 tot zijn medaille wegens voorbeeldig gedrag van de Royal Naval Commando's tijdens de Tweede Wereldoorlog, de manier waarop hij via de ladder was opgeklommen tot hoofdinspecteur, en het legendarische feest wegens zijn pensionering in 1985. Zijn ingelijste foto hing aan de muur bij de hoofdingang en zijn geëerbiedigde naam werd slechts op fluistertoon en met het nodige ontzag geuit. Michelle kon zich voorstellen dat het hem had dwarsgezeten dat hij er niet in was geslaagd de zaak-Graham Marshall op te lossen. Harris had de reputatie dat hij zaken niet alleen snel wist af te sluiten, maar ook niet opgaf tot de dader was veroordeeld. Na zijn overlijden door kanker acht jaar geleden werd hij alleen nog maar met meer eerbied en ontzag herdacht. 'Dan kan er niets op aan te merken zijn geweest,' zei ze. 'Ik weet niet wat ik moet zeggen. Soms glipt er nu eenmaal wel eens een door de mazen van het net.'
'U hoeft u niet te verontschuldigen. Mij hoort u niet klagen. Ze hebben in elk hoekje en gaatje gekeken, maar wie had er nu kunnen bedenken dat ze daar moesten gaan graven, bijna 13 kilometer hiervandaan? Ze konden moeilijk het hele graafschap omspitten, zo is het toch ook nog eens een keer?'
'Nee, daar hebt u gelijk in,' zei Michelle instemmend.
'En dan waren er ook nog die vermiste kinderen in de buurt van Manchester,' ging mevrouw Marshall verder. 'Wat ze later de Moors-moorden hebben genoemd. Pas een paar maanden nadat Graham verdween werden die Brady en Hindley opgepakt en toen kwam het natuurlijk uitgebreid in het nieuws.'
Michelle kende Ian Brady en Myra Hindley, de Moors-moordenaars, ook al was ze indertijd zelf nog een kind geweest. Net als Jack the Ripper, Reginald Christie en de Yorkshire Ripper stonden hun afschrikwekkende daden in het bewustzijn van toekomstige generaties gegrift. Ze had echter niet beseft dat hun misdaden in chronologisch opzicht zo nauw verbonden waren met Graham Marshalls verdwijning. Het was

logisch geweest wanneer hoofdinspecteur Harris ervan uit was gegaan dat er mogelijk een verband bestond tussen Grahams verdwijning en de slachtoffers van Brady en Hindley. Aan de andere kant lag Peterborough meer dan 200 kilometer bij Manchester vandaan en Brady en Hindley hadden zich voornamelijk tot hun eigen omgeving beperkt.
Voordat Michelle haar volgende vraag kon stellen, kwam er een vrouw de kamer binnenlopen. Ze leek sprekend op de jongen op de foto, dezelfde kleine, rechte neus, ovale kin en scherpe jukbeenderen, alleen waren de vrouwelijke aspecten in haar trekken prominenter. Haar met grijs doorspikkelde haar was lang en in een paardenstaart gebonden en ze droeg informele kleding, een donkerblauw T-shirt en een spijkerbroek. Ze was wat aan de magere kant, dacht Michelle, maar misschien was ze gewoon jaloers omdat ze altijd het idee had dat ze zelf een paar kilo te zwaar was, en de spanning van de recente gebeurtenissen stond op haar gezicht te lezen, net als bij mevrouw Marshall.
'Dit is Joan, mijn dochter,' zei mevrouw Marshall.
Michelle stond op en schudde Joans slappe hand.
'Ze woont in Folkestone en geeft les op een scholengemeenschap,' vertelde mevrouw Marshall zichtbaar trots. 'Ze zou net met vakantie gaan, maar toen ze hoorde wat er... nou ja, toen wilde ze bij ons zijn.'
'Dat begrijp ik,' zei Michelle. 'Konden Graham en jij goed met elkaar overweg, Joan?'
'Zo goed als iedere broer en zus met twee jaar leeftijdsverschil in hun tienerjaren met elkaar overweg kunnen,' antwoordde Joan met een bedroefde glimlach. Ze ging in kleermakerszit voor de televisie op de vloer zitten. 'Maar dat is niet helemaal eerlijk. Graham was anders dan de meeste jongens van zijn leeftijd. Hij nam zelfs wel eens cadeautjes voor me mee. Hij heeft me nooit gepest of pijn gedaan. Hij nam me juist in bescherming.'
'Waartegen?'
'Sorry?'
'Waar nam hij je dan tegen in bescherming?'
'Ach, ik bedoelde niets speciaals. Meer in het algemeen. Als iemand me zat te pesten of zo.'
'Jongens?'
'Tja, ik was pas twaalf toen hij verdween, maar ja, er waren inderdaad een paar straalverliefde jongens in het dorp die hij heeft weggejaagd.'
'Was Graham een rouwdouw?'
'Niet echt,' zei mevrouw Marshall. 'Niet dat hij ooit een vechtpartij uit de weg is gegaan, hoor. Toen we net waren verhuisd en hij voor het eerst hier naar school moest, werd hij wel gepest, u kent dat wel: ze proberen nieuwe

klasgenoten altijd uit, maar in de eerste week op zijn nieuwe school nam Graham het op tegen de grootste pestkop van de school. Hij verloor weliswaar, maar hij heeft flink geknokt en hem een blauw oog en een bloedneus bezorgd, dus van toen af aan hebben ze hem met rust gelaten.'

Michelle vroeg zich af hoe moeilijk het voor iemand kon zijn geweest om Graham te ontvoeren en te vermoorden als hij inderdaad flink kon knokken. Waren er misschien twee mensen bij betrokken geweest? Had hij misschien eerst iets toegediend gekregen of was hij eerst bewusteloos geslagen? Of was het iemand geweest die hij kende en was hij uit zichzelf met deze persoon meegegaan? 'U zei dat u net was verhuisd,' pakte Michelle de draad weer op. 'Kwam u toen vanuit East End?'

'Is dat nog steeds te horen, na al die jaren? Eens een cockney, altijd een cockney, zullen we maar denken. Niet dat ik me ervoor schaam, hoor. Ja, we kwamen uit Bethnal Green. We verhuisden regelmatig vanwege Bills werk. Hij is metselaar. Wás metselaar. We woonden hier pas een jaar toen het gebeurde. Graham was net overgegaan van de derde naar de vierde klas op de middelbare school hier in de buurt.'

'Toch bent u hier blijven wonen.'

'Ja. Er was hier veel werk, zeker met al die nieuwe bedrijven in de stad. Er werd veel gebouwd. En we hebben het hier naar onze zin. We voelen ons hier thuis.'

'Mevrouw Marshall,' zei Michelle, 'ik weet dat het lang geleden is, maar kunt u me vertellen wat Grahams hobby's waren?'

'Hobby's? Ach, gewone jongensdingen. Voetbal. Cricket. En popmuziek. Hij was helemaal gek van popmuziek. Zijn oude gitaar staat nog steeds boven. Hij kon urenlang akkoorden zitten oefenen. Maar hij las ook veel, hoor. Graham was een jongen die zich best in zijn eentje kon vermaken. Hij hoefde niet altijd iemand anders om zich heen te hebben om hem bezig te houden. Was dol op boeken over de ruimte. U weet wel, sciencefiction, raketten naar Mars, monsters met groene ogen. Gek op de ruimte was hij.' Ze keek naar de foto en er trok een afwezige uitdrukking over haar gezicht. 'De dag voordat hij... Er werd een raket gelanceerd in Amerika en hij was helemaal opgewonden toen hij het op televisie zag.'

'Had hij veel vrienden?'

'Hij was hier met een paar jongens bevriend geraakt,' antwoordde Joan. Ze keek naar haar moeder. 'Wie waren het ook alweer allemaal, mam?'

'Even nadenken. Die jongen van Banks natuurlijk, daar was hij heel goed mee bevriend, en David Grenfell, en Paul Major. En Steven Hill. Er waren er misschien nog wel een paar, maar deze vier woonden allemaal bij ons in de buurt, dus liepen ze samen naar school, speelden vaak

cricket of voetbal met elkaar in het park, luisterden samen naar muziek en leenden platen van elkaar. Dat soort dingen. Sommigen van hun ouders wonen nog steeds hier. Degenen die nog leven dan.'
'Was Graham populair?'
'Ja, dat denk ik wel,' zei mevrouw Marshall. 'Hij was heel open. Ik kan me niet voorstellen dat hij ooit iemand heeft beledigd. Ik wil heus niet beweren dat hij volmaakt was, hoor. Hij was een gewone tiener en hij heeft heus wel de nodige streken uitgehaald.'
'Was hij intelligent?'
'Hij kon goed leren, hè, mam?' zei Joan.
'Dat klopt. Hij zou net als zijn zus gemakkelijk naar de universiteit hebben gekund.'
'Wat wilde hij later worden?'
'Astronaut of popster, maar ik weet zeker dat hij nog wel van gedachten was veranderd. Hij was goed in natuurkunde en scheikunde. Hij had waarschijnlijk een heel goede onderwijzer kunnen worden.' Ze zweeg even. 'Mag ik vragen wat er nu gaat gebeuren, mevrouw Hart? Ik bedoel, het is allemaal zo lang geleden gebeurd. U denkt toch niet dat u degene die dit op zijn geweten heeft nog kunt opsporen? Na al die tijd?'
'Ik durf het u niet te zeggen,' zei Michelle. 'Ik wil liever geen beloftes doen die ik niet kan waarmaken. Wanneer er echter zoiets als dit gebeurt, doen we ons uiterste best om alles nogmaals aan een onderzoek te onderwerpen en bekijken we of iemand de eerste keer wellicht iets over het hoofd heeft gezien. Een nieuwe invalshoek. Soms werpt het vruchten af. Om eerlijk te zijn moet ik erbij vertellen dat we deze zaak echter geen hoge prioriteit geven en er dus ook niet veel mensen op kunnen zetten.'
'Neemt u maar van mij aan dat er hier zoveel criminaliteit heerst dat de politie het druk genoeg heeft en haar tijd wel beter kan gebruiken dan in het verleden te graven.' Ze zweeg even. 'Het is alleen... ach, ik denk dat ik het gewoon graag zeker zou willen weten, zelfs na al die tijd. Ik heb er lang over nagedacht toen ze een paar dagen geleden de resultaten van het DNA-onderzoek binnenkregen en ons vertelden dat het inderdaad onze Graham was. Ik dacht echt dat ik me erbij had neergelegd dat we het nooit te weten zouden komen, maar nu, nu weet ik dat niet meer zo zeker. Ik bedoel, als jullie er alleen maar achter zouden kunnen komen wat er met hem is gebeurd en waarom...' Ze wierp een blik op haar man. 'Ik weet dat hij graag gerustgesteld zou willen worden voordat... nou ja, u snapt wel wat ik bedoel.'
Michelle borg haar opschrijfboekje op in haar koffertje. 'Ja, ik denk dat ik wel snap wat u bedoelt,' zei ze. 'En ik beloof u dat ik mijn best zal doen.'

‘Er is één vraag die ik nog zou willen stellen,’ zei mevrouw Marshall.
‘Ga uw gang.’
‘Omdat de dingen indertijd zo zijn gelopen, hebben we nooit... Onze Graham heeft nooit een behoorlijke begrafenis gekregen. Denkt u dat we dat nu nog kunnen regelen? Zijn botten, snapt u wel...’
Michelle dacht even na. ‘Het kan zijn dat we ze nog een paar dagen nodig hebben,’ zei ze, ‘voor een paar tests en dergelijke. Daarna moet het volgens mij toch mogelijk zijn. Ik zal het met de forensisch antropoloog bespreken. Ik ben ervan overtuigd dat ze bereid is om de overblijfselen zo snel mogelijk vrij te geven.’
‘Meent u dat? Echt? O, dank u wel, mevrouw Hart. U weet niet hoeveel dat voor ons zou betekenen. Hebt u zelf kinderen?’
Michelle voelde de spanning in haar lichaam sluipen, zoals altijd wanneer mensen haar die vraag stelden. Ten slotte wist ze met moeite uit te brengen: ‘Nee. Nee, ik heb geen kinderen.’
Mevrouw Marshall liep met haar mee naar de deur. ‘Als ik u verder nog ergens mee kan helpen,’ zei ze, ‘vraagt u het dan gerust.’
‘Dat zal ik doen,’ zei Michelle. ‘Dank u wel.’ Ze liep in de regen over het pad terug naar haar auto en ademde een paar keer diep in en uit, diep geschokt door de stroom aan herinneringen die ze had buitengesloten en die haar nu overspoelde, herinneringen aan Melissa en Ted. Graham Marshall was nu voor haar niet langer slechts een hoopje botten op een metalen tafelblad; hij was een intelligente, vriendelijke knul met een beatlekapsel die astronaut of popster wilde worden. Als ze maar eenmaal wist waar ze moest beginnen.

Banks en Annie ontmoetten elkaar bij The Woolpack, een rustige pub in het kleine dorpje Maltham, dat ongeveer halverwege Gratly en Harksmere lag. Op de terugweg van het vliegveld in Manchester had hij getobd over de vraag of hij haar moest bellen en uiteindelijk was hij tot de conclusie gekomen dat dat een goed idee was. Hij wilde met iemand praten over wat hij zojuist te weten was gekomen en Annie was de enige die hij ooit had verteld over het incident met de enge man bij de rivier. Met een schok was hij tot de ontdekking gekomen dat hij het er zelfs nooit met zijn ex-vrouw Sandra over had gehad, hoewel ze toch meer dan twintig jaar getrouwd waren geweest.
Het miezerde toen hij even voor negen uur die avond de parkeerplaats op het marktplein opdraaide. Annies paarse Astra was nergens te bekennen. Hij gehoorzaamde braaf het bevel op het bord en stapte met beide voeten op de desinfecterende mat voordat hij de pub binnenging. Hoe-

wel er in de directe omgeving van Maltham geen zieke beesten waren gevonden, waren er op verschillende plaatsen in de streek gevallen van mond- en klauwzeer aangetroffen, met als gevolg dat het ministerie strenge en soms uiterst onpopulaire maatregelen had voorgeschreven. Vele voetpaden waren gesloten en toegang tot het platteland was tot een minimum beperkt. Daarnaast hadden de eigenaren van vele pubs en winkels in het dorp desinfecterende matten voor hun deur gelegd, omdat er regelmatig boeren uit de omgeving kwamen.
Maltham zelf stelde niet zoveel voor, hoewel er een fraaie Normandische kerk stond en The Woolpack was een van de pubs waar de zaken vooral goed liepen omdat hij gelegen was aan een drukke weg waaraan diverse bestemmingen voor toeristen lagen. Dat hield in dat de meeste klanten op doortocht waren en de pub vooral overdag op hun klandizie kon rekenen, dus toen Banks binnenkwam, draaiden de paar grijsharige dorpsbewoners die aan de bar stonden zich als één man om om hem aan te staren. Dat deden ze altijd. Een van hen had hem waarschijnlijk herkend en iets gezegd, want al snel verschoof hun aandacht weer naar hun bier en letten ze verder niet meer op hen. Banks bestelde een glas Black Sheep bitter en een zakje cheese onion-chips en zocht een plaatsje in de buurt van de deur, zo ver mogelijk bij de bar vandaan. Enkele andere tafels waren bezet, zo te zien door toeristen die waarschijnlijk een cottage in het dorp hadden gehuurd. Arme zielen: die zouden zich wel stierlijk vervelen nu alle wandelpaden voor hen gesloten bleven.
Jezus, wat leek Griekenland alweer ver weg, dacht Banks. Moeilijk te geloven dat hij twee avonden geleden rond dit tijdstip met Alex ouzo had zitten drinken en dolmades had zitten eten in Philippes taveerne. Ze hadden tot in de kleine uurtjes doorgedronken in de wetenschap dat dit hun laatste avond samen zou worden; ze hadden verhalen verteld, de geurige warmte van de lucht opgesnoven en het ritme van de zee die tegen de kade naast hen klotste in zich opgenomen. De volgende ochtend had Banks bij de haven naar zijn vriend uitgekeken om afscheid te nemen voordat hij met de eerste veerboot van die dag naar Piraeus zou vertrekken, maar hij was nergens te bekennen geweest. Ongetwijfeld het resultaat van een kater, dacht Banks, die zich bewust was van het bonkende gedreun in zijn eigen hoofd.
De deur ging open en de mannen staarden opnieuw, deze keer echter met iets meer belangstelling, want Annie kwam binnen, gekleed in een strakke spijkerbroek en een mouwloos lichtblauw topje, met een tas over haar schouder. Ze gaf Banks een vederlichte kus op zijn wang en ging zitten. Door de geur van haar naar grapefruit ruikende shampoo en zeep en

de aanblik van de vaag onder het dunne katoen zichtbare tepels voelde Banks heel even een golf van verlangen, maar hij wist zichzelf te beheersen. Dat gedeelte van hun relatie was voorbij; er was nu iets anders voor in de plaats gekomen. Hij liep naar de bar om een biertje voor haar te halen.
'Moet je die bruine kleur nu eens zien,' zei Annie toen hij weer was gaan zitten en haar gezicht vertoonde lachrimpeltjes. 'Sommige mensen hebben ook altijd mazzel.'
'Ik weet zeker dat je nog wel een weekje naar Blackpool kunt voordat de zomer voorbij is,' zei Banks.
'En dan? Een dansje op de muziek van de Wurlitzer in de Tower Ballroom? Een ritje op een ezel op het strand in de stromende regen? Een suikerspin kopen op de boulevard en een zomerhoedje? Was het maar al zover!' Ze boog zich naar voren en tikte hem op zijn arm. 'Fijn dat je er weer bent, Alan.'
'Ik ben ook blij om jou weer te zien.'
'Toe dan. Vertel eens. Hoe was Griekenland?'
'Magnifiek. Magisch. Paradijselijk.'
'Wat doe je dan verdomme nu alweer in Yorkshire? Je hebt aan de telefoon niet bepaald veel losgelaten.'
'Jarenlange ervaring.'
Annie leunde achterover in haar stoel en strekte als altijd haar benen voor zich uit, met de slanke enkels over elkaar geslagen en het dunne gouden kettinkje zichtbaar, waarna ze een slokje bier nam en bijna begon te spinnen. Banks had nog nooit iemand anders ontmoet die zo comfortabel en op zijn gemak leek in zo'n harde stoel.
'Nou ja,' zei ze. 'Je ziet er patent uit. Minder gespannen. Zelfs een halve vakantie lijkt vruchten af te werpen.'
Banks dacht hier even over na en kwam toen tot de slotsom dat hij zich veel beter voelde dan toen hij vertrok. 'Ik zie de dingen nu in het juiste perspectief,' zei hij. 'En jij?'
'Gesmeerd. Bloeiend. Op het werk gaat het uitstekend. Ik ben weer begonnen met yoga en meditatie. En ik heb ook weer wat geschilderd.'
'Heb ik je daar van afgehouden?'
Annie lachte. 'Ach, je hebt het me niet direct verboden of onmogelijk gemaakt, maar wanneer je zo weinig tijd hebt als mensen in ons beroep nu eenmaal hebben, dan is het onvermijdelijk dat sommige dingen op een laag pitje worden gezet.'
Banks wilde net sarcastisch opmerken dat hij deze keer blijkbaar een van die dingen was, maar hij slikte zijn woorden in. Twee weken geleden was dat hem niet gelukt. De vakantie had hem beslist goed gedaan. 'Mooi,'

zei hij, 'ik ben blij dat je gelukkig bent. Dat meen ik, Annie.'
Annie raakte vluchtig zijn hand aan. 'Ik weet dat je het meent. Dus waarom ben je nu zo snel weer terug? Ik hoop dat het niets ernstigs is.'
'Ergens wel.' Banks stak een sigaret op en vertelde haar vervolgens over de ontdekking van Graham Marshalls botten.
Annie fronste haar voorhoofd en luisterde aandachtig. Toen Banks uitgesproken was, zei ze: 'Ik kan me voorstellen dat je je er druk over maakt, maar wat kun je doen?'
'Dat weet ik niet,' zei Banks. 'Misschien niets. Als ik de plaatselijke politie was, zou ik ook niet willen dat een buitenstaander zich ermee bemoeide, maar toen ik het las, voelde ik dat ik gewoon... Ik weet het niet. Het was een ingrijpende gebeurtenis in mijn tienerjaren, Annie, dat Graham zomaar verdween, en ik denk dat het nog steeds belangrijk voor me is, ook altijd is geweest. Ik kan het niet uitleggen, het is gewoon zo. Ik heb je toch verteld over die man bij de rivier, die probeerde me erin te duwen?'
'Ja.'
'Als hij de dader is, kan ik misschien helpen hem op te sporen, als hij tenminste nog leeft. Ik herinner me nog hoe hij eruitzag. Er bestaat een kansje dat er een foto van hem in een politiedossier is terechtgekomen.'
'En stel dat hij het niet is geweest? Wat dan? Komt dit voort uit dat schuldgevoel waar je het eerder over had?'
'Deels,' zei Banks. 'Ik had het toen moeten vertellen, maar dat is niet het enige. Zelfs als het niets te maken heeft met die man bij de rivier, dan nog heeft iemand Graham vermoord en zijn lichaam begraven. Misschien kan ik me nog iets herinneren, misschien was er wel iets wat ik toen over het hoofd heb gezien, omdat ik zelf nog een kind was. Als ik nog eens goed terugdenk aan die tijd... Nog eentje?'
Annie keek met een schuin oog naar haar glas. Halfvol. En ze was met de auto. 'Nee,' zei ze. 'Voor mij niet.'
'Maak je geen zorgen,' zei Banks, die de bezorgde uitdrukking op haar gezicht opving toen hij naar de bar liep. 'Dit is mijn laatste vanavond.'
'Wanneer ga je ernaartoe?' vroeg Annie toen hij terugkwam.
'Morgenochtend vroeg.'
'En wat ben je precies van plan? Jezelf voorstellen bij het bureau in het dorp en aanbieden om hen te helpen de zaak op te lossen?'
'Iets in die geest, ja. Ik heb het nog niet helemaal uitgestippeld. Dit zal bij de plaatselijke politie geen hoge prioriteit krijgen. Bovendien zullen ze heus wel belangstelling hebben voor iemand die in die tijd in de omgeving woonde. Ze hebben me indertijd ook verhoord, weet je. Ik kan het me nog levendig herinneren.'

'Tja, je zei zelf al dat ze je waarschijnlijk niet direct met open armen zullen ontvangen, helemaal niet als je in de hoedanigheid van agent gaat en hun vertelt hoe ze volgens jou hun werk moeten doen.'
'Ik zal nederigheid betrachten.'
Annie proestte. 'Wees alsjeblieft voorzichtig,' zei ze toen. 'Misschien sta je wel op hun verdachtenlijst.'
'Het zou me niets verbazen.'
'Jammer dat je niet hier in de buurt blijft trouwens. We zouden je hulp best goed kunnen gebruiken.'
'Hoe dat zo?'
'Vermiste tiener.'
'Hier ook al?'
'Deze is iets recentelijker verdwenen dan jouw vriend Graham.'
'Jongen of meisje?'
'Doet dat ertoe?'
'Jij weet net zo goed als ik dat dat er wel degelijk toe doet, Annie. Er worden beduidend meer meisjes ontvoerd, verkracht en vermoord dan jongens.'
'Een jongen.'
'Leeftijd?'
'Vijftien.'
Graham was ook bijna vijftien geweest toen hij verdween, dacht Banks.
'Dan is de kans vrij groot dat hij ongedeerd opduikt,' zei hij, hoewel dat in Grahams geval niet zo was geweest.
'Dat heb ik zijn ouders ook verteld.'
Banks nam een slokje bier. Terug zijn in Yorkshire had ook zijn voordelen, bedacht hij peinzend, en hij keek rond in de rustige, gezellige pub, met op de achtergrond het getik van regen op de ramen, de smaak van Black Sheep in zijn mond en de aanblik van Annie naast hem, die op haar stoel heen en weer schoof en probeerde haar zorgen onder woorden te brengen.
'Het is een beetje een vreemde knul,' zei ze. 'Een solist. Schrijft gedichten. Houdt niet van sport. Zijn kamer is helemaal zwart geverfd.'
'Wat waren de omstandigheden?'
Annie somde een aantal punten op. 'En dan is er nog iets.'
'Wat dan?'
'Hij heet Luke Armitage.'
'De zoon van Robin? Van Neil Byrd?'
'De stiefzoon van Martin Armitage. Ken je hem?'
'Martin Armitage? Niet echt. Ik heb hem een of twee keer zien spelen,

meer niet. Ik moet zeggen dat ik altijd heb gedacht dat hij werd overgewaardeerd. Ik heb een paar cd's van Neil Byrd. Drie of vier jaar geleden is er een compilatie gemaakt en niet zo lang geleden hebben ze een verzameling fragmenten en liveoptredens uitgebracht. Hij was echt heel goed. Heb je het supermodel ook ontmoet?'

'Robin? Ja.'

'Was een mooie meid, als ik me het goed herinner.'

'Nog steeds, hoor,' zei Annie chagrijnig. 'Als je van het type houdt.'

'Type?'

'Ach, je weet wel... mager, zonder gebreken, beeldschoon.'

Banks grijnsde. 'Wat is dan het probleem?'

'Ach, niets. Het ligt aan mij. Waarschijnlijk komt hij veilig en ongedeerd weer boven water.'

'Je maakt je ergens zorgen over?'

'Een beetje.'

'Ontvoering?'

'De gedachte is inderdaad bij me opgekomen, ja, maar tot nu toe is er geen losgeld geëist. We hebben natuurlijk het hele huis doorzocht, voor het geval dat, maar niets wijst erop dat hij weer thuis is geweest.'

'We hebben met de Armitages een gesprek gehad over beveiliging toen ze net naar Swainsdale Hall waren verhuisd,' zei Banks. 'Ze hebben het gebruikelijke inbraakalarm laten installeren en zo, maar verder wilden ze juist een zo normaal mogelijk leven leiden, zeiden ze. We konden hen niet op andere gedachten brengen.'

'Nee, dat zal wel niet,' zei Annie. Ze haalde haar opschrijfboekje tevoorschijn en liet Banks de Franse woorden zien die ze had overgeschreven van de muur in Luke's kamer. 'Zegt dit je iets? Het komt me ontzettend bekend voor, maar het wil me maar niet te binnen schieten.'

Banks tuurde naar de tekst. Het kwam hem eveneens bekend voor, maar ook hij herkende de woorden niet onmiddellijk. LE POËTE SE FAIT VOYANT PAR UN LONG, IMMENSE ET RAISONNÉ DÉRÈGLEMENT DE TOUS LES SENS. Hij probeerde de zin woord voor woord te ontcijferen en moest diep in zijn geheugen graven naar het Frans van de middelbare school. Het was nu moeilijk te geloven dat hij er ooit vrij goed in was geweest en zelfs een hoog cijfer had gehaald voor zijn eindexamen. Toen wist hij het plotseling weer. 'Volgens mij is het van Rimbaud. De Franse dichter. Iets over de totale wanorde van de zintuigen.'

'Ach, natuurlijk!' zei Annie. 'Ik kan mezelf wel voor het hoofd slaan. Robin Armitage heeft me verteld dat Luke erg geïnteresseerd was in Rimbaud, Baudelaire en Verlaine en dat soort zaken. En deze?' Ze

somde de namen op van Luke's posters. 'Een paar ervan ken ik wel, Nick Drake bijvoorbeeld, en ik weet dat Kurt Cobain van Nirvana is en zelfmoord heeft gepleegd, maar die anderen dan?'
Banks fronste zijn wenkbrauwen. 'Het zijn allemaal zangers. Ian Curtis zong vroeger bij Joy Division. Jeff Buckley was de zoon van Tim Buckley.'
'Zong? Was? De verleden tijd in al deze zinnen voorspelt niet veel goeds, vermoed ik.'
'Dat klopt,' zei Banks. 'Ze hebben allemaal zelfmoord gepleegd of zijn onder mysterieuze omstandigheden aan hun eind gekomen.'
'Interessant.' Annies mobiele telefoontje begon te rinkelen. Ze verontschuldigde zich en liep naar de buitendeur voordat ze het ding uit haar schoudertas viste en naar buiten stapte. Twee minuten later kwam ze in gedachten terug.
'Toch geen slecht nieuws?' vroeg Banks.
'Nee, juist niet. Integendeel zelfs.'
'Vertel.'
'Dat was Robin. Robin Armitage. Blijkbaar heeft Luke hen zojuist gebeld.'
'En?'
'Hij beweert dat hij gewoon wat ruimte nodig had en dat hij morgen weer naar huis komt.'
'Heeft hij gezegd waar hij is?'
'Dat wilde hij niet zeggen.'
'Wat ga je nu doen?'
Annie dronk haar glas leeg. 'Ik denk dat ik maar beter naar het bureau kan gaan om een aantal mensen terug te roepen van de zoektocht. Je weet hoe duur zoiets is. Ik heb geen zin in een preek van Rooie Ron over verspilling van onze tijd en geld.'
'Maar je gaat een aantal mensen terugroepen; waarom niet iedereen?'
'Ja. Misschien vind je me wat achterdochtig, maar ik zet het onderzoek pas volledig stop wanneer ik Luke Armitage met eigen ogen hoog en droog thuis heb gezien.'
'Dat zou ik niet achterdochtig noemen,' zei Banks. 'Dat zou ik juist bijzonder verstandig vinden.'
Annie boog zich naar voren en gaf Banks opnieuw een lichte kus op zijn wang. 'Het is echt fijn je weer te hebben gesproken, Alan. We moeten contact houden.'
'Doen we,' zei Banks, en hij keek haar na toen ze de deur uitliep, een vleugje van de grapefruitzeep van The Body Shop achterlatend in de lucht en de zachte aanraking van haar kus die op zijn wang bleef tintelen.

4

Aanvankelijk had het een eenvoudige vraag geleken: waar waren de dossiers over Graham Marshall? In werkelijkheid leek het op de zoektocht naar de Heilige Graal en het had Michelle en de agent die haar was toegewezen, Nat Collins, bijna twee dagen gekost.
Nadat ze eerst een poging hadden gewaagd in Bridge Street, het bureau in het centrum dat als hoofdbureau voor de divisie had gediend totdat in 1979 Thorpe Wood was geopend, waren Michelle en Collins kriskras door heel de noordelijke divisie van bureau naar bureau gereden, Bretton, Orton, Werrington, Yaxley, Hampton, waar ze tot de ontdekking kwamen dat een aantal ervan relatief nieuw was en dat de gebouwen die in 1965 in gebruik waren, al lang geleden waren gesloopt en inmiddels verborgen gingen onder nieuwe woonwijken of winkelcentra. Wat de zaak nog verder bemoeilijkte was het feit dat de oorspronkelijke politieteams van Cambridge, Peterborough, Ely en Huntingdon in 1965 allemaal waren opgegaan in het Mid-Anglia-korps, waarvoor een omvangrijke revisie en herstructurering noodzakelijk waren geweest en dat in 1974 was opgegaan in het huidige politiekorps van Cambridgeshire.
Toen de ene hulpvaardige dienstdoende agent na de andere met allerlei mogelijke suggesties op de proppen kwam, vroeg Michelle zich wanhopig af of ze de oude dossiers ooit nog zouden vinden. Gelukkig was het weer die ochtend opgeklaard en baande de zon zich langzaam een weg door de grauwe wolkenflarden. Daardoor werd de lucht echter vochtig en rond lunchtijd had Michelle het zó gehad dat ze de handdoek in de ring wilde gooien. Ze had de vorige avond ook te veel wijn gedronken, iets wat de laatste tijd veel te vaak voorkwam, en het feit dat ze zich niet helemaal honderd procent voelde, deed de zaak weinig goed.
Nadat ze ten einde raad agent Collins naar Cambridge had gestuurd om navraag te doen, wist ze de mappen echter ten slotte zelf te traceren en ze had zich wel voor het hoofd kunnen slaan. Diep in de ingewanden van het hoofdbureau van de divisie, op nog geen 10 meter onder haar kantoortje, vond ze die, en de archivaris, mevrouw Metcalfe, bleek een ware

bron van informatie te zijn die haar na ondertekening van het logboek een paar mappen had laten meenemen. Waarom had Michelle er niet meteen aan gedacht om hier te gaan kijken? Het antwoord op die vraag lag voor de hand. Ze werkte nog niet zo heel lang in Thorpe Wood en niemand had haar ooit een uitgebreide rondleiding door het gebouw gegeven; daarom wist ze niet dat de kelder als opslagplaats diende voor het overgrote deel van de oude dossiers van het korps van het graafschap.

De gemeenschappelijk werkruimte van het team was erg rumoerig, met rinkelende telefoons, mannen die brulden van het lachen om elkaars vieze moppen en deuren die voortdurend open en dicht werden gedaan. Michelle was echter in staat om zich helemaal af te sluiten en ze zette haar leesbril op en sloeg de eerste map open, waarin plattegrondjes en foto's zaten van de Hazels en een samenvatting van de bijbehorende getuigenverklaringen die hadden geholpen om vast te leggen waar Graham op de ochtend van 22 augustus 1965 was geweest.

Een overzichtelijke, met de hand geschetste, gedetailleerde kaart toonde aan welke route Graham in zijn krantenwijk had gevolgd en bevatte tevens een lijst met alle huizen waar hij kranten bezorgde en voor alle volledigheid ook welke kranten er moesten worden bezorgd. De arme knul moest een loodzware last te torsen hebben gehad, want veel van de zondagskranten bevatten de nodige bijlagen en tijdschriften.

Aan de oostelijke kant van de wijk vormde Wilmer Road een afscheiding tussen de Hazels en een wijk met oudere huizen die op het punt stonden te worden gesloopt. Op de T-splitsing tussen Wilmer en Hazel Crescent had Graham zijn laatste krant bezorgd, een *News of the World*, bij meneer en mevrouw Halloran die in het hoekhuis woonden.

De volgende krant had bij een van de huizen aan de andere kant van de weg moeten worden bezorgd, maar de Lintons die daar woonden hadden verklaard dat ze de *Observer* die dag niet hadden ontvangen. Geen enkele van de bewoners aan die kant van Wilmer Road had die ochtend overigens zijn krant gekregen.

De anonieme kaartmaker had eveneens uitgerekend dat als Graham om zes uur aan de slag was gegaan, hij rond halfzeven dat bewuste punt op zijn route moest hebben bereikt, een tijdstip waarop het in dat jaargetijde al licht was, maar nog steeds wat aan de vroege kant voor verkeer of voetgangers. Het was tenslotte zondag, een dag waarop de meeste bewoners altijd uitsliepen na de uitspattingen van de zaterdagavond en vrijwel alle ondervraagden vertelden dan ook dat ze nog in bed hadden gelegen toen de kranten werden bezorgd.

Michelle bekeek de oude zwartwitfoto's. De afbeeldingen waren heel anders dan de plek die ze gisteren had bezocht nadat ze bij de Marshalls was geweest. In 1965 had er aan de overkant van Wilmer Road een sombere rij oude winkels gestaan, stuk voor stuk met planken dichtgespijkerd en in afwachting van de sloophamer, maar tegenwoordig stond er naast de nieuwbouwwijk die in de plaats was gekomen van de oude huizen een moderne doe-het-zelfzaak. De vervallen winkels zagen eruit als een plek waar een kind graag op onderzoek zou willen gaan. Michelle keek in het dossier om te zien of ze indertijd waren doorzocht. Dat was inderdaad het geval geweest. Met honden zelfs. Geen enkel spoor.

Michelle streek een paar plukjes blond haar die op haar wang kriebelden achter haar oren en las kauwend op het uiteinde van haar pen de transcripties van de eerste gesprekken. Op enkele teksten die met de hand waren geschreven na, was vrijwel alles natuurlijk getypt en de verslagen zagen er slordig uit door de ongelijke aanslagen op de toetsen en hier en daar een vlek van een misvormde e of g. Dergelijke kenmerkende eigenschappen waren indertijd heel handig geweest bij het bepalen op welke typemachine een briefje was getikt, bedacht Michelle peinzend, voordat laserprinters een schrijver volledige anonimiteit konden garanderen. Enkele documenten bestonden slechts uit carbonkopieën, vaag en vaak moeilijk te ontcijferen. Een enkele keer waren er met pen of potlood onleesbare aanvullingen tussen de regels gekrabbeld en waren de oorspronkelijke woorden doorgekrast. Alles bij elkaar beloofde het niet veel goeds.

Hoofdinspecteur Benjamin Shaw, inmiddels een van de hoogsten in rang in Thorpe Wood, werd een of twee keer bij naam genoemd omdat hij als beginnend agent aan de zaak had meegewerkt. Michelle wist dat Shaw zijn carrière in Peterborough was begonnen en dat hij onlangs was teruggekeerd nadat hij zes jaar bij het korps van Lincolnshire had gewerkt, maar het was toch vreemd om zijn naam tegen te komen in verband met iets wat zich zo lang geleden had afgespeeld. Misschien moest ze hem eens vragen of hij theorieën had gehad die niet in de dossiers stonden vermeld.

Blijkbaar was Graham Marshalls baas Donald Bradford, de eigenaar van de tijdschriftenzaak, de eerste geweest die zich had afgevraagd waar hij was. Bradford woonde niet in de buurt van de winkel en betaalde een buurtbewoonster om de zaak 's ochtends te openen, omdat hijzelf pas om acht uur arriveerde. Bradford had verklaard dat hij de hele wijk rond Wilmer Road had doorkruist om naar Graham te zoeken, nadat deze die zondag om kwart over acht, een halfuur nadat hij aan de tweede ronde in een aangrenzende wijk had moeten beginnen, nog niet was teruggekeerd. Hij had niets gevonden. Ook Grahams kranten en fietstassen waren verdwenen. Michelle durfde er alles onder te verwedden dat tussen die stukjes stof die bij de botten waren aangetroffen, zich ook enkele bevonden die afkomstig waren van Grahams krantenfietstas.

Daarna was Donald Bradford bij Graham thuis langsgegaan om te zien of de knul soms ziek was geworden en zonder het bij de winkel te melden naar huis was gegaan. Dat was niet het geval. Grahams ouders begonnen zich nu ook zorgen te maken en doorzochten eveneens de hele wijk, maar zonder resultaat. Omdat de berichten over de ontvoeringen van kinderen in Manchester nog vers in het geheugen van de bevolking lagen, leidde de ongerustheid van Bradford en de Marshalls er al snel toe dat ze de politie inlichtten en direct na hun telefoontje ging het officiële onderzoek van start. Nadat in de directe omgeving inleidende gesprekken waren gevoerd en een dag later bleek dat er nog steeds geen spoor van Graham was gevonden, werd hoofdinspecteur Harris als leidinggevende aangewezen en kwam het logge, maar efficiënte onderzoeksproces kreunend en steunend op gang.

Michelle rekte zich uit en probeerde tevergeefs haar stijve nek los te masseren. Het was bloedheet in het kantoortje en ze had spijt als haren op haar hoofd dat ze vanochtend een panty had aangetrokken. Agent Collins, die net was teruggekomen uit Cambridgeshire, kreeg medelijden met haar en zei: 'Ik wilde net naar de kantine gaan. Kan ik iets voor u meenemen?'

'Een cola light, graag,' zei Michelle. 'En misschien een plak chocoladecake, als ze die nog hebben.' Ze strekte haar hand uit naar haar tas.

'Dat is wel goed,' zei Collins. 'Geeft u me het geld maar wanneer ik terug ben.'

Michelle bedankte hem, trok zo onopvallend mogelijk onder haar bureau haar panty recht en concentreerde zich weer op de dossiermappen. Voorzover ze uit een snelle eerste lezing kon opmaken, waren er helemaal geen aanwijzingen geweest. De politie had iedereen langs de route in Grahams krantenwijk ondervraagd, en ook al zijn vrienden, familie en onderwijzers. Het had nergens toe geleid. Graham werd onder andere omschreven als een slimme, brutale, rustige, beleefde, onbeleefde, lieve, grofgebekte, getalenteerde en zwijgzame jongen. Blijkbaar dus een jongen met vele gezichten.

Geen enkele bewoner aan Wilmer Road had die ochtend iets ongebruikelijks gezien of gehoord: geen geschreeuw of gekrijs, geen geluiden die op een gevecht duidden, hoewel iemand vertelde dat hij rond een uur of halfzeven een autoportier had horen dichtslaan. Er waren helaas geen mensen die met hun hond hadden gewandeld en zelfs de meest toegewijde kerkgangers, voornamelijk bezoekers van de methodisten- of anglicaanse kerk in de buurt, hadden nog in dromenland verkeerd. Al het bewijs, inclusief de ontbrekende krantentas, duidde erop dat Graham zeer waarschijnlijk vrijwillig in de auto was gestapt, bij iemand die hij kende dus, iemand uit de buurt. Maar wie? En waarom?

Collins kwam terug met Michelles cola light. 'Geen cake helaas,' zei hij, 'dus ik heb in plaats daarvan een roombroodje voor u meegebracht.'

'Dank je wel,' zei Michelle, die niet van roombroodjes hield, maar ze gaf hem toch het geld, waarna ze een paar hapjes nam, de rest in haar prullenbak mikte en de mappen weer oppakte. Het colablikje was koud en vochtig, en ze hield het afwisselend tegen haar roodgloeiende wangen en voorhoofd en genoot van de ijskoude verkoeling.

Het was de politie indertijd niet ontgaan dat de mogelijkheid bestond dat Graham er op eigen houtje vandoor was gegaan, de tas met kranten ergens had gedumpt en net als zoveel andere jonge knullen halverwege de jaren zestig de verlokkingen van Londen had opgezocht, maar ook voor deze theorie werden geen bewijzen gevonden. Hij had tamelijk tevreden geleken met zijn leventje en geen van zijn vrienden kon vertellen dat hij ooit had gezegd dat hij van huis wilde weglopen. Ook werd de krantentas nooit teruggevonden. Toch werd een melding van zijn vermissing door het hele land verspreid en de gebruikelijke berichten dat hij ergens was gezien, stroomden binnen, maar het leverde allemaal niets op.

Ook de gesprekken brachten niets aan het licht en het onderzoek van de politie naar het strafblad van verschillende buurtbewoners bleek eveneens op een dood spoor te zijn beland. Michelle las tussen de regels door dat er sprake was van enige opwinding toen de politie erachter kwam dat een van de adressen op Grahams route toebehoorde aan een man die een gevangenisstraf had uitgezeten voor potloodventen in een park in de buurt. De daaropvolgende verhoren, die, als je de toen gangbare politiemethodes en Jet Harris' reputatie als ruwe bonk in aanmerking nam, ongetwijfeld vergezeld waren gegaan van een tamelijk ruwe behandeling, leidden echter tot niets en de man werd op vrije voeten gesteld.

Michelle zette haar leesbril af en wreef over haar vermoeide ogen. Ze moest toegeven dat het er op het eerste gezicht veel van weg had dat Graham Marshall in het luchtledige was opgelost. Zij wist nu echter iets wat de politie in 1965 niet had geweten. Ze had zijn botten gezien en wist dat Graham was vermoord.

Annie Cabbot reed halverwege de ochtend richting Swainsdale Hall om nog een paar dingen te vragen aan de Armitages. De zon had de heuvels van Yorkshire eindelijk gevonden en flarden mist stegen op vanuit de berm en de velden die zich langs de heuvelzijdes uitstrekten. Na al die regen was het gras felgroen en de grijze kalkstenen muren en gebouwen waren weer blinkend schoon. De aanblik van de voorgevel van Swainsdale Hall was adembenemend en Annie zag dat de blauwe lucht zich tot voorbij Fremlington Edge uitstrekte, met slechts een paar dunne schapenwolkjes die door de bries werden voortgedreven.

De Armitages zullen wel opgelucht zijn, dacht Annie toen ze uit de auto stapte. Natuurlijk zou hun geluk pas compleet zijn wanneer Luke weer eenmaal thuis was, maar ze wisten nu tenminste dat hij gezond en wel was.

Josie deed de deur open en leek verbaasd haar te zien. Deze keer geen teken van Miata, maar Annie hoorde het geblaf van de hond aan de achterkant van het huis.

'Het spijt me dat ik niet eerst even heb gebeld,' zei Annie. 'Zijn ze thuis?'

Josie deed een pas opzij en Annie stapte naar binnen en liep naar de grote woonkamer waar ze een dag eerder ook was geweest. Deze keer was alleen Robin Armitage er en ze zat op de bank in een exemplaar van *Vogue* te bladeren. Toen Annie binnenkwam, sprong ze overeind en ze streek haar rok glad. 'U weer. Wat is er gebeurd? Is er iets aan de hand?'

'Rustig maar, mevrouw Armitage,' zei Annie. 'Er is niets gebeurd. Ik kwam vragen of alles in orde is met u.'

'In orde? Ja, natuurlijk is alles in orde. Waarom zou het níét in orde zijn? Luke komt immers weer thuis.'

'Is het goed als ik even ga zitten?'

'Ga uw gang.'

Annie ging zitten, maar Robin Armitage bleef staan en begon te ijsberen.

'Ik had gedacht dat u wel opgelucht zou zijn,' zei Annie.

'Dat ben ik ook,' zei Robin. 'Natuurlijk ben ik opgelucht. Maar... Nou ja, ik zou een stuk geruster zijn wanneer Luke echt veilig en wel thuis is. Dat zult u zeker wel begrijpen.'

'Heeft hij verder nog iets van zich laten horen?'

'Nee. Alleen die ene keer.'

'En hij zei dat hij beslist vandaag weer thuis zou komen?'

'Dat klopt.'

'Als u er geen bezwaar tegen hebt, zou ik hem graag even spreken wanneer hij weer terug is.'

'Ja, natuurlijk. Mag ik weten waarom?'

'In dit soort zaken willen we graag het dossier naar alle tevredenheid kunnen afsluiten. Een kwestie van routine.'
Robin sloeg haar armen over elkaar, een gebaar dat duidelijk bedoeld was om Annie te laten weten dat ze wilde dat ze vertrok. 'Zodra hij terug is, laat ik het u weten.'
Annie bleef zitten waar ze zat. 'Mevrouw Armitage, u hebt me gisteren verteld dat Luke tegen u had gezegd dat hij wat ruimte nodig had. Weet u ook waarom?'
'Waarom?'
'Ja. U hebt me verteld dat hij een heel gewone tiener is en dat er geen problemen zijn in uw gezin, dus waarom zou hij er dan zomaar vandoor gaan zonder erbij stil te staan dat u zich zorgen om hem zal maken?'
'Ik denk niet dat dat er nu nog iets toe doet, inspecteur Cabbot.' Annie draaide zich om en zag dat Martin Armitage met een attachékoffertje in de hand in de deuropening stond. 'Wat doet u hier? Wat is er?' Ondanks zijn imponerende gestalte wekte hij de indruk dat hij net als zijn vrouw gespannen was en hij schuifelde van zijn ene voet op zijn andere, alsof hij naar de wc moest.
'Niets,' zei ze. 'Gewoon een vriendschappelijk bezoekje.'
'O, oké. Nu, bedankt voor de moeite en uw bezorgdheid. We waarderen het heus wel, maar ik zie er het nut niet van in dat u ons blijft lastigvallen met nog meer vragen nu Luke veilig en wel terugkomt.'
Interessante woordkeuze, dat 'lastigvallen', vond Annie. De meeste ouders zouden er heel anders over denken wanneer hun zoon werd vermist.
Hij wierp een blik op zijn horloge. 'Ik heb haast, een vergadering. Het was prettig u weer te hebben gesproken, inspecteur, en nogmaals onze hartelijke dank.'
'Ja, dank u wel,' zei ook Robin.
Met andere woorden: u kunt wel gaan. Annie wist wanneer ze was verslagen. 'Ik wilde net weggaan,' zei ze. 'Ik wilde alleen zeker weten dat alles in orde is. Het was niet mijn bedoeling u te beledigen.'
'Zoals u met eigen ogen kunt zien,' zei Martin, 'maken wij het hier uitstekend. Vanavond is Luke weer thuis en dan is het net alsof dit nooit is gebeurd.'
Annie glimlachte. 'Wees maar niet te streng voor hem.'
Martin glimlachte heel kort, maar zijn ogen stonden kil. 'Ik ben ook ooit jong geweest, inspecteur Cabbot. Ik weet hoe het is.'
'O, nog één ding.' Annie bleef in de deuropening staan.
'Ja?'
'U zei dat Luke u gisteravond heeft gebeld.'

'Dat klopt. Mijn vrouw heeft u daarna onmiddellijk gebeld.'
Annie wierp even een blik op Robin en keek toen Martin weer aan. 'Ja, dat waardeer ik enorm,' zei ze. 'Ik vroeg me alleen af waarom Luke's telefoontje niet door ons is onderschept. Onze technicus had tenslotte alle apparatuur geïnstalleerd en het telefoontje van uw vrouw naar ons toe hebben we wel opgevangen.'
'Dat is gemakkelijk te verklaren,' zei Martin. 'Hij heeft me op mijn mobiele telefoon gebeld.'
'Doet hij dat wel vaker?'
'Het was de bedoeling dat we gisteravond uiteten zouden gaan,' verklaarde Martin. 'Zoals de zaken er echter voorstonden, hebben we de reservering natuurlijk afgezegd, maar dat wist Luke niet.'
'Op die manier,' zei Annie. 'Dan wens ik u een goedendag.'
Ze beantwoordden beiden plichtmatig haar afscheidsgroet en ze vertrok. Aan het einde van de oprit sloeg ze rechts af richting Relton en parkeerde ze haar auto vlak bij de oprit van de Armitages op een parkeerplekje om de hoek, waar ze haar mobiele telefoontje tevoorschijn haalde en uitprobeerde of er in dit gebied mobiel kon worden gebeld. Dat kon. Dus Martin Armitage had wat dat betreft tenminste de waarheid gesproken. Wat had haar dan het onmiskenbare gevoel gegeven dat er iets mis was? Annie bleef een paar minuten in haar auto zitten nadenken over de betekenis van de spanning die ze in die kamer had gevoeld, niet alleen tussen Robin en haarzelf, maar ook tussen Robin en Martin. Er was iets aan de hand; Annie wilde maar dat ze wist wat. Robin en Martin hadden zich geen van tweeën gedragen als ouders die een tijd lang bang waren geweest dat hun zoon om het leven was gekomen, maar net hadden gehoord dat hij gezond en wel was, en op weg naar huis.
Toen Martin Armitages Beemer een minuut of twee daarna zo snel van de oprit kwam afscheuren dat het grind in een hoge boog achter hem opspatte, kreeg Annie een ingeving. Ze kreeg maar zelden een kans om spontaan te reageren, aangezien het werk van een agent grotendeels werd gereguleerd door voorschriften, regels en vaste procedures, maar deze ochtend maakte een roekeloosheid zich meester van Annie en ze voelde dat de hele situatie schreeuwde om eigen initiatief.
Voorzover ze wist had Martin Armitage geen idee wat het merk of de kleur van haar auto was, dus zou hij waarschijnlijk helemaal niet merken dat een paarse Astra hem op veilige afstand volgde.

Banks reed via de A1 door een landschap vol glanzende nieuwe winkelcentra, warenhuizen met elektronica en nieuwbouwwijken, die in de plaats waren gekomen van de oude kolenmijnen, mijnschachten en sintelhopen in West-Yorkshire, en dacht na over de veranderingen die het land had ondergaan sinds de verdwijning van Graham.

1965. De begrafenis van Winston Churchill. Het Wilson-tijdperk. De afschaffing van de doodstraf. Het Kray-proces. Carnaby Street. The Moors-moorden. De eerste ruimtewandeling door de Amerikanen. *Help!* Mods en Rockers. Het was een tijd geweest waarin alles mogelijk leek, vol hoop voor de toekomst, de spil van de jaren zestig. Slechts een paar weken na Grahams verdwijning had de sexy, in leer gehulde Emma Peel haar opwachting gemaakt in *De wrekers*, had Jeremy Sandfords documentaireachtige televisiestuk over een dakloze moeder en haar kinderen, *Cathy Come Home*, voor de nodige opschudding gezorgd en zong The Who over *'My Generation'*.

Kort daarna zouden jonge mensen de straat opgaan om te demonstreren tegen oorlog, honger en wat ze verder nog konden bedenken, riepen ze *'Make love, not war'*, rookten ze hasj en slikten ze LSD. De tijd leek rijp voor een nieuw soort orde en Graham, die altijd zo op de toekomst was georiënteerd, in zoveel opzichten zo cool was geweest, had erbij moeten zijn, maar had het niet mee mogen maken.

Wat was er tussen het Groot-Brittannië van toen en dat van Blair allemaal gebeurd? Voornamelijk de greep naar de macht van Margaret Thatcher, die de hele productie-industrie om zeep had geholpen, de vakbonden had uitgekleed, de arbeider had gedemoraliseerd en vooral van het noorden een spookland had gemaakt vol leegstaande fabrieken, uitdragerijen en in verval geraakte woonwijken, waar de jongeren die er opgroeiden geen uitzicht hadden op werk. In die wereld, waarin iedereen nutteloos leek en alles hopeloos, wendden velen zich tot de misdaad en het vandalisme; autodiefstal was aan de orde van de dag; en de politie werd volksvijand nummer één. Tegenwoordig was Groot-Brittannië ongetwijfeld toegeeflijker, meegaander, gematigder en bovendien ook veel Amerikaanser, met ontelbare filialen van McDonald's en Pizza Hut, en winkelcentra die overal de kop opstaken. De meeste mensen leken alles te hebben wat ze zich hadden gewenst, maar hun wensen waren voornamelijk materialistisch van aard: een nieuwe auto, een dvd-speler, een paar Nike sportschoenen, en er werden mensen overvallen en zelfs vermoord voor hun mobiele telefoontje.

Was alles halverwege de jaren zestig echt wel zo anders geweest, vroeg Banks zich af. Was de consumptiedrang toen niet ook zo wijdverspreid geweest? Die maandagavond in augustus in 1965, toen er op hun deur werd geklopt, zat het gezin Banks net voor hun gloednieuwe televisie,

pas de week ervoor op huurbasis gekocht, om naar *Coronation Street* te kijken. Banks' vader had een vaste baan bij de metaalfabriek en als iemand toen had voorspeld dat hij zeventien jaar later zou worden ontslagen, zou hij diegene recht in zijn gezicht hebben uitgelachen.
Coronation Street was een van de vaste rituelen op de maandag- en woensdagavond: na het eten, de afwas, het huiswerk van de kinderen en andere klusjes ging het hele gezin gezamenlijk televisie zitten kijken. Toen er iemand op de deur klopte, verstoorde dit onverwachte bezoek dan ook hun hele routine. Dat deed namelijk niemand. Voorzover de familie Banks wist, keek iedereen die zij kenden in de straat naar *Coronation Street* en niemand zou het in zijn hoofd halen om die gebeurtenis te verstoren tenzij... Ida Banks had er geen woorden voor. Arthur Banks deed de deur open, vast van plan om de handelsreiziger en zijn koffer vol waren weg te sturen.
Waar niemand aan dacht toen hij dit deed, juist omdat het hun normale routine zo in de war schopte, was dat Joey, Banks' tamme parkietje, uit zijn kooi was gelaten en zijn gebruikelijk avondrondje vloog, en toen Arthur Banks de voordeur opendeed om de twee agenten binnen te laten, liet hij de deur van de woonkamer openstaan. Joey maakte van de gelegenheid gebruik en vloog naar buiten. Ongetwijfeld dacht hij dat hij de vrijheid tegemoetvloog, maar Banks wist, hoe jong hij ook was, dat zo'n mooi gekleurd wezentje het nog geen dag zou overleven tussen de gevleugelde roofdieren daar buiten. Toen ze doorkregen wat er was gebeurd, rende iedereen de tuin in om te zien waar hij naartoe was gevlogen, maar er was geen spoor meer van hem te bekennen. Joey was verdwenen en zou nooit meer terugkomen.
Als de bezoekers niet in het middelpunt van ieders ademloze belangstelling hadden gestaan, was er waarschijnlijk meer drukte gemaakt over Joeys ontsnapping. De mannen waren echter de eerste agenten in burger die ooit bij het gezin Banks in huis waren geweest en zelfs de jonge Banks was Joey tijdelijk vergeten. Nu hij eraan terugdacht leek het hem een slecht voorteken, maar toentertijd had hij er niet meer in gezien dan slechts het verlies van een huisdier.
Beide mannen droegen een pak met stropdas, herinnerde Banks zich, maar geen hoed. Een van hen, degene die het woord voerde, was ongeveer even oud als zijn vader, met achterovergekamd donker haar, een lange neus, een welwillende uitdrukking op zijn gezicht en glimmende oogjes, een soort vriendelijke oom die je misschien wat geld zou toestoppen om naar de film te gaan en je de munten met een knipoog zou overhandigen. De ander was jonger en minder opvallend. Banks kon zich

nauwelijks iets van hem herinneren, behalve dat hij rood haar, sproeten en flaporen had. Hoe ze heetten was hij vergeten, als hij dat al ooit had geweten.
Banks' vader zette de televisie uit. Roy van negen zat de mannen met open mond aan te staren. De agenten verontschuldigden zich niet voor het feit dat ze de familie stoorden. Ze gingen gespannen en stijfjes op het randje van hun stoel zitten, waar de vriendelijke oom zijn vragen stelde en de ander aantekeningen maakte. Banks kon zich de precieze woorden na al die jaren niet meer herinneren, maar dacht dat het ongeveer als volgt moest zijn gegaan.
'Je weet zeker wel waarom we hier zijn, hè?'
'Gaat het over Graham?'
'Dat klopt. Jij bent toch een goede vriend van hem?'
'Ja.'
'Heb je enig idee waar hij naartoe kan zijn gegaan?'
'Nee.'
'Wanneer heb je hem voor het laatst gezien?'
'Zaterdagmiddag.'
'Heeft hij toen iets vreemds gezegd of gedaan?'
'Nee.'
'Wat hebben jullie die middag gedaan?'
'Naar de stad geweest.'
'Wat hebben jullie gekocht?'
'Een paar platen.'
'Hoe gedroeg Graham zich?'
'Gewoon.'
'Zat hem iets dwars?'
'Hij was hetzelfde als altijd.'
'Heeft hij wel eens iets gezegd over van huis weglopen?'
'Nee.'
'Enig idee waar hij naartoe zou gaan als hij wel was weggelopen? Heeft hij het wel eens over bepaalde plaatsen gehad?'
'Nee. Maar hij kwam uit Londen. Hij is vorig jaar met zijn ouders vanuit Londen hiernaartoe verhuisd.'
'Dat weten we al. We vroegen ons gewoon af of hij het wel eens over een andere stad of zo heeft gehad.'
'Volgens mij niet.'
'Had hij geheime bergplaatsen?' De agent knipoogde toen hij dit zei. 'Ik weet heus wel dat iedere jongen geheime bergplaatsen heeft.'
'Nee.' Banks was niet van plan hun te vertellen over de grote boom in het

park met zijn stekelige bladeren en takken die tot op de grond hingen, waarvan hij dacht dat het hulst was. Als je je een weg baande door die takken, kon je je in het midden verstoppen tussen het dichte gebladerte en de stam, als in een wigwam. Hij wist dat Graham werd vermist en dat het belangrijk was, maar hij was niet van plan de geheimen van hun groepje te verraden. Hij zou later zelf in de boom gaan kijken om er zeker van te zijn dat Graham daar niet was.
'Weet jij of Graham misschien in moeilijkheden zat? Maakte hij zich ergens zorgen over?'
'Nee.'
'School?'
'We hebben vakantie.'
'Dat weet ik, maar ik bedoelde meer in het algemeen. Het is toch een nieuwe school voor hem? Hij zit er pas een jaar. Had hij problemen met andere jongens?'
'Nee, niet echt. Hij heeft wel eens gevochten met Mick de Matter, maar dat is gewoon een vervelende pestkop. Hij vecht altijd met alle nieuwe kinderen.'
'Verder niets?'
'Nee.'
'Heb je de laatste tijd onbekende mannen in de buurt zien rondhangen?'
'Nee.' Banks had waarschijnlijk bij deze leugen gebloosd. Hij had in elk geval het gevoel gehad alsof zijn wangen brandden.
'Helemaal niemand?'
'Nee.'
'Heeft Graham wel eens gezegd dat iemand hem lastigviel?'
'Nee.'
'Goed, knul, dat is het voorlopig. Als je nog iets bedenkt, dan weet je waar je ons kunt vinden.'
'Ja.'
'En het spijt me van je parkietje, echt.'
'Dank u wel.'
Ze waren blijkbaar klaar en stonden op. Vlak voordat ze weggingen stelden ze Roy en Banks' ouders nog een paar algemene vragen en dat was het. Toen ze de deur achter zich dichttrokken, bleef iedereen stil. Er waren nog tien minuten van *Coronation Street* te gaan, maar niemand kwam op de gedachte om de televisie weer aan te zetten. Banks herinnerde zich dat hij naar Joeys kooitje had gekeken en dat de tranen hem in de ogen waren gesprongen.

Annie wachtte tot Martin Armitages Beemer een flinke voorsprong had, liet een bestelbusje van een bedrijfje in de buurt tussen hen in komen en zette toen de achtervolging in. Het was op dat tijdstip in de ochtend erg rustig op de weg, maar dat was eerlijk gezegd meestal het geval, en ze moest ervoor zorgen dat ze niet te veel opviel. Bij het dorp Relton sloeg hij rechts af en hij vervolgde zijn route via de B-weg die halverwege de zijde van het dal liep.

Ze reden door het kleine Mortsett, waar niet eens een pub of supermarktje was, en Annie moest wachten toen het bestelbusje stopte om iets af te leveren bij een van de cottages. De weg was niet breed genoeg om erlangs te kunnen.

Ze stapte uit en stond op het punt om haar pasje tevoorschijn te halen en de bestuurder te vragen om door te rijden naar een plek ongeveer 20 meter verderop waar ze hem kon passeren, toen ze zag dat Armitage een paar honderd meter buiten het dorp afremde en de wagen aan de kant van de weg zette. Ze had onbelemmerd zicht op de weg die zich voor haar uitstrekte, dus haalde ze de verrekijker tevoorschijn die altijd in het dashboardkastje lag en hield ze hem nauwlettend in het oog.

Armitage stapte met het koffertje in de hand uit de auto, keek om zich heen en liep vervolgens over het gras naar een lage stenen herdershut die een meter of tachtig van de weg af tegen de helling van de heuvel was gebouwd; hij was zenuwachtig, zag ze, maar dat kwam volgens haar niet omdat hij de mond- en klauwzeerregels van de overheid met voeten trad. Eenmaal bij de hut aangekomen, dook hij snel naar binnen en toen hij weer naar buiten kwam, had hij het koffertje niet meer bij zich. Annie hield hem in de gaten toen hij terugliep naar zijn auto. Hij struikelde een keer over het oneffen terrein, wierp nogmaals schichtig een blik om zich heen en reed vervolgens weg in de richting van Gratly.

'Vogels zeker?' vroeg iemand, en Annie keek geschrokken op.

'Wat?' Ze draaide zich om en keek de bestuurder van het busje aan, een onbeschaamde jongeling met een gelkuif en een slecht gebit.

'De verrekijker,' verduidelijkte hij. 'Vogels kijken. Begrijp er zelf geen hout van. Stomvervelend. Je kunt er natuurlijk ook andere dingen mee bekijken, meiden bijvoorbeeld...'

Annie schoof hem haar pasje onder de neus en zei: 'Uit de weg met dat busje en laat me erlangs.'

'Goed, goed,' zei hij. 'Nergens voor nodig om zo nijdig te worden. Er is toch niemand thuis. Er is hier in dit godvergeten gat nooit iemand thuis.'

Hij reed weg en Annie stapte weer in haar auto. Tegen de tijd dat ze de

plek bereikte waar Armitage had geparkeerd, was deze allang uit het zicht verdwenen en afgezien van het bestelbusje, dat met duizelingwekkende snelheid in de verte verdween, was er verder geen auto te zien.
Nu was Annie degene die zenuwachtig was. Hield iemand haar ook met een verrekijker in de gaten, zoals zij dat bij Armitage had gedaan? Ze hoopte van niet. Als dit was wat ze dacht dat het was, dan was het onverstandig om te laten merken dat de politie belangstelling toonde. Het was windstil, de lucht was vochtig en zacht en Annie rook de geur van warm gras na een flinke regenbui. Ergens in de verte reed een tractor ronkend over een veld en toen ze de waarschuwingsborden negeerde en zich een weg baande naar de hut, blaatten schapen vanaf de helling. Binnen rook het muf en zuur. Door de gaten in de stapelmuren scheen licht naar binnen waardoor ze het gebruikte condoom in het vuil zag liggen, het lege sigarettenpakje en de platgedrukte bierblikjes. Ongetwijfeld achtergelaten door een van de knullen uit het dorp die dit beschouwde als een leuk avondje uit met zijn vriendin. Ze zag ook het koffertje staan, een goedkoop geval van nylon.
Annie tilde het op. Het voelde zwaar aan. Ze trok de klittenbandsluitingen los en trof zoals ze al verwacht had bundeltjes bankbiljetten aan, voornamelijk briefjes van tien en twintig pond. Ze had geen idee hoeveel geld het precies was, maar schatte het totaal op een bedrag dat tussen de tien- en vijftienduizend pond lag.
Ze zette het koffertje terug op de plek waar ze het had gevonden en liep terug naar haar auto. Ze kon niet zomaar aan de kant van de weg blijven zitten wachten tot er iets gebeurde, maar ze kon nu evenmin weggaan. Ten slotte reed ze terug naar Mortsett en parkeerde daar haar auto. Het gehucht had geen politiebureau en ze wist dat het geen zin had om hier tussen de heuvels en zo ver overal vandaan haar portofoon te gebruiken. Bovendien had het ding slechts een bereik van enkele kilometers. Ze was met haar eigen auto, wat ze wel vaker deed, en ze was er nog niet aan toe gekomen om een krachtige mobilofoon te laten installeren. Het leek vrij overbodig, aangezien ze geen surveillancediensten meer verrichtte en de auto vaak alleen gebruikte om van en naar haar werk te rijden, of een enkele keer om een getuige te interviewen, zoals ze die ochtend had gedaan. Voordat ze te voet op zoek ging naar een goede plek waarvandaan ze ongezien de hut in de gaten kon houden, pakte Annie haar mobiele telefoon om het bureau te bellen en hoofdinspecteur Gristhorpe op de hoogte te stellen.
Zul je ook altijd zien: die verdomde mobiele telefoon deed het niet. Buiten bereik van de provider. Er was ook altijd wat. Ze had het kunnen we-

ten. Ze was dicht bij Gratly, waar Banks woonde, en daar deed haar mobieltje het ook niet. Er stond een oude rode telefooncel in het dorp, maar het toestel was vernield en de draden waren losgetrokken. Verdomme! Omdat ze de hut niet al te lang uit het oog wilde verliezen, klopte Annie op een aantal deuren, maar de bestuurder van het bestelbusje had gelijk gehad; er leek niemand thuis te zijn en het ene oude dametje dat wel opendeed, zei dat ze geen telefoon had.

Annie vloekte zachtjes; het zag ernaar uit dat ze er voorlopig alleen voor stond. Ze kon de hut niet onbewaakt achterlaten en ze had geen flauw idee hoe lang ze er zou moeten blijven. Hoe eerder ze een goed uitkijkpunt wist te vinden, hoe beter. Nou ja, dacht ze en ze liep in de richting van de heuvel, het was ook haar eigen schuld omdat ze niet had gebeld voordat ze besloot Armitage te volgen. Dat kreeg je ervan wanneer je initiatief toonde.

5

Nick Lowe's *The Convincer* was afgelopen en Banks liet David Grays *White Ladder* in de cassetterecorder glijden. Toen hij de afslag voor Peterborough naderde, vroeg hij zich af wat hij zou doen. Hij had zijn ouders natuurlijk gebeld om te laten weten dat hij zou komen, dus misschien moest hij daar eerst naartoe. Aan de andere kant was hij dichter bij het hoofdbureau van politie en hoe eerder hij zich had voorgesteld aan inspecteur Michelle Hart, hoe beter. Hij reed dus naar het politiebureau dat op een idyllisch plekje langs de Nene Parkway lag, tussen een natuurreservaat en een golfterrein.

Bij de receptie vroeg hij naar de inspecteur die de leiding had over het Graham Marshall-onderzoek en hij stelde zich voor als Alan Banks, een jeugdvriend. Hij wilde zich niet op zijn rang laten voorstaan en zich evenmin als een collega voorstellen, in elk geval niet meteen; hij wachtte liever af tot hij wist wat voor vlees hij in de kuip had. Bovendien was hij nieuwsgierig naar de manier waarop de politie omging met een doodgewone burger die naar hen toe kwam met informatie. Het kon geen kwaad om de situatie uit te buiten.

Nadat hij een minuut of tien had zitten wachten, deed een jonge vrouw de afgegrendelde deur open die toegang gaf tot het eigenlijke bureau en gebaarde dat hij binnen kon komen. Ze was conservatief gekleed in een marineblauw mantelpakje, met een rok die tot over haar knieën viel en een tot aan de hals dichtgeknoopte witte blouse; verder was ze klein en tenger, en ze had blond haar dat tot op haar schouders viel met een scheiding in het midden en losse plukjes die achter haar kleine, fraaie oorschelpen waren weggestopt. Een piekerige pony hing bijna in haar ogen die opvallend groen waren, een kleur die Banks zich nog herinnerde van een plek aan zee in Griekenland. Haar mondhoeken wezen wat omlaag, waardoor ze iets triests had, en ze had een korte, rechte neus. Alles bij elkaar een aantrekkelijke vrouw, vond Banks, maar hij bemerkte een zekere ernst en terughoudendheid in haar houding, er hing een resoluut 'Verboden toegang'-bord en de rimpels die haar verdriet rond haar

kwellende en gekwelde ogen had geëtst, spraken boekdelen.
'Meneer Banks?' vroeg ze, en ze trok haar wenkbrauwen vragend omhoog.
Banks stond op. 'Dat klopt.'
'Ik ben inspecteur Hart. Als u mij wilt volgen?' Ze nam hem mee naar een verhoorkamer. Het was vreemd om aan de andere kant van de tafel te zitten, dacht Banks, en hij kreeg een beetje het idee hoe onbehaaglijk sommigen van de mensen die hij had ondervraagd zich moesten hebben gevoeld. Hij keek om zich heen. Hoewel hij zich in een ander graafschap bevond, was de inrichting precies hetzelfde als alle andere verhoorkamers die hij vanbinnen had gezien: tafel en stoelen waren met bouten aan de vloer vastgezet, het hoge raam was met een traliewerk dichtgemaakt, de muren waren saai groen geverfd en er hing een uit duizenden herkenbare geur van angst.
Hij hoefde zich natuurlijk nergens zorgen over te maken, maar Banks kon niet voorkomen dat hij een tikje nerveus was toen inspecteur Hart haar bril met een zilverkleurig montuur en ovalen leesglazen opzette en door de papieren bladerde die voor haar lagen, zoals hij zelf ook ontelbare keren had gedaan om de spanning iets op te voeren en de druk op de persoon die tegenover hem zat te vergroten. Het oude ontzag uit zijn jeugd voor mensen met macht en autoriteit stak weer even de kop op, ook al besefte hij onmiddellijk dat hij nu zelf deel uitmaakte van die groep. Banks had altijd de ironie van de situatie ingezien, maar een scène benadrukte het nog eens extra.
Bovendien vond hij dat inspecteur Hart geen enkele reden had om hem zo te behandelen en dat ze te veel toneelspeelde. Misschien was dat zijn eigen schuld, omdat hij niet had gezegd wie hij was, maar toch was het wat overdreven om hem in de verhoorkamer te interviewen. Hij was vrijwillig naar hen toe gekomen en hij was getuige noch verdachte. Ze had best een leeg kantoortje kunnen opzoeken en koffie kunnen laten halen. Wat zou hij zelf echter in zo'n situatie hebben gedaan? Waarschijnlijk precies hetzelfde; het was de bekende 'wij tegen zij'-mentaliteit en voorzover zij wist was hij gewoon een burger. Een van de 'zij' dus.
Inspecteur Hart legde de papieren weer op tafel en verbrak de stilte. 'U zegt dat u ons kunt helpen in het Graham Marshall-onderzoek.'
'Misschien wel,' zei Banks. 'Ik heb hem gekend.'
'Hebt u enig idee wat er met hem gebeurd kan zijn?'
'Helaas niet,' zei Banks. Hij was van plan geweest om haar alles te vertellen, maar merkte dat dat zo eenvoudig niet was. Nog niet. 'We waren vaak samen.'

'Wat was hij voor een jongen?'
'Graham? Dat is moeilijk te zeggen,' zei Banks. 'Daar denk je als kind nu eenmaal niet echt over na.'
'Probeert u het eens.'
'Hij was intens, denk ik. In elk geval heel stil. De meeste kinderen haalden altijd allerlei streken uit en deden de stomste dingen, maar Graham was altijd heel serieus, heel teruggetrokken.' Banks zag de kleine, haast geheimzinnige glimlach van Graham weer voor zich, wanneer deze toekeek hoe anderen komische capriolen uithaalden, alsof hij hen absoluut niet grappig vond, maar wist dat van hem werd verwacht dat hij glimlachte. 'Je wist nooit wat er zich in zijn hoofd afspeelde,' voegde hij eraan toe.
'Bedoelt u dat hij geheimen had?'
'Hebben we die niet allemaal?'
'Wat voor geheimen had hij?'
'Als ik dat wist, waren het natuurlijk geen geheimen geweest. Ik probeer u alleen maar een idee te geven van hoe hij was. Hij was erg gesloten.'
'Ga verder.'
Ze raakte geïrriteerd, merkte Banks. Waarschijnlijk een zware dag gehad en bij lange na niet genoeg hulp voorhanden. 'We deden heel gewone dingen samen: voetbal en cricket, naar muziek luisteren, over favoriete televisieprogramma's praten.'
'Hadden jullie een vriendinnetje?'
'Graham was een knappe jongen. Meisjes vonden hem leuk en hij hen ook, maar ik geloof niet dat hij een vaste vriendin had.'
'Haalden jullie wel eens iets uit wat niet mocht?'
'Tja, ik wil mezelf natuurlijk niet in de nesten werken, maar we hebben samen wel eens een paar ramen ingegooid, wat uit een winkel gejat, gespijbeld en een peukje gerookt achter de fietsenstalling op school. Iedere tiener deed dat in die tijd. We hebben echter nooit ergens ingebroken, auto's gejat of oude dametjes overvallen.'
'Drugs?'
'Jezusmina, we hebben het over 1965, hoor.'
'Toen waren er ook al drugs in omloop.'
'Hoe weet u dat nu? U was toen waarschijnlijk nog niet eens geboren.'
Michelle liep rood aan. 'Ik weet ook dat koning Harold tijdens de Slag van Hastings in 1066 een pijl in zijn oog kreeg en toen was ik ook nog niet geboren.'
'Oké. U hebt gelijk. Maar drugs...? Wij in elk geval niet. Sigaretten waren ongeveer het ongezondste wat we in die tijd gebruikten. Het kan

best zijn dat drugs toen al bij de jongere generaties in Londen steeds populairder werden, maar nog lang niet onder de veertienjarigen in ons met kranten dichtgeplakte provinciestadje. Misschien had ik dit trouwens veel eerder moeten doen, maar...' Hij tastte in zijn binnenzak, haalde zijn pas tevoorschijn en legde deze voor haar op de tafel.
Michelle staarde er een minuut lang naar, pakte de pas op om hem van dichtbij te bekijken en schoof hem toen terug naar Banks. Ze zette haar leesbril af en legde hem op tafel. 'Klootzak,' zei ze zachtjes.
'Pardon?'
'U hebt me wel gehoord. Waarom hebt u me niet meteen verteld dat u inspecteur bent, in plaats van een spelletje met me te spelen en me voor de gek te houden, zodat ik volledig voor schut sta?'
'Omdat ik niet de indruk wilde wekken dat ik me met uw werk bemoeide. Ik ben hier alleen als vriend van Graham. Was het trouwens werkelijk nodig om me zo onbehouwen te behandelen? Ik ben hier vrijwillig naartoe gekomen om informatie te verstrekken. En dan stopt u me in een verhoorkamer en gebruikt u dezelfde tactiek die u ook bij een verdachte toepast. Het verbaast me eerlijk gezegd nog dat u me hier niet een uur in mijn sop hebt laten gaarkoken.'
'Had ik dat nu maar gedaan.'
Ze staarden elkaar zonder een woord te zeggen nijdig aan, maar toen zei Banks: 'Het spijt me, werkelijk. Het was niet mijn bedoeling om u voor schut te zetten. En u hoeft u niet zo opgelaten te voelen. Waarom zou u? Ik heb Graham inderdaad gekend. We waren op school goed met elkaar bevriend. We woonden in dezelfde straat. Dit is echter niet mijn onderzoek en ik wil niet dat u denkt dat ik mijn neus overal in steek. Dat is de reden waarom ik niet direct heb verteld wie ik ben. Het spijt me. U hebt gelijk. Ik had u inderdaad meteen moeten zeggen dat ik ook bij de politie werk. Is het zo goed?'
Michelle staarde hem even achterdochtig aan, maar toen vertrok haar mond in een vluchtige glimlach en ze knikte. 'Uw naam is al gevallen toen ik met zijn ouders sprak. Uiteindelijk had ik zelf wel contact met u opgenomen.'
'De hogere machten hebben u waarschijnlijk geen uitgebreide hulptroepen gestuurd?'
Michelle snoof verachtelijk. 'Dat kunt u wel zeggen. Eén agent. Deze zaak heeft geen hoge prioriteit en bovendien ben ik nieuw hier. Die nieuwe meid.'
'Ik begrijp het,' zei Banks. Hij dacht terug aan zijn eerste ontmoeting met Annie Cabbot, die indertijd op een zijspoor was gezet in het lande-

lijke Harkside, terwijl hij zich in het even afgelegen Eastvale bevond, het Siberië van Groot-Brittannië als het op politiewerk aankwam. Ook dat was aanvankelijk een zaak geweest met een lage prioriteit, maar daar was snel verandering in gekomen. Hij voelde mee met inspecteur Hart.
'Nu ja,' vervolgde ze. 'Ik wist niet dat u inspecteur was. Ik neem aan dat ik u nu met uw rang moet gaan aanspreken? Al was het alleen maar omdat u senior in rang bent.'
'Niet nodig. Ik hecht niet zo aan formaliteiten. Bovendien bevind ik me momenteel op uw gebied. U zwaait hier de scepter. Ik heb echter wel een voorstel.'
'Wat dan?'
Banks wierp een blik op zijn horloge. 'Het is één uur. Ik ben vanochtend in een ruk vanuit Eastvale hierheen gereden en heb al die tijd niets gegeten. Waarom laten we deze deprimerende ruimte niet voor wat ze is en zetten we ons gesprek over Graham voort tijdens een lunch? Ik trakteer.'
Michelle trok een wenkbrauw op. 'U vraagt me mee uit voor de lunch?'
'Om de zaak te bespreken. Tijdens een lunch. Ja. Ik heb erge honger. Weet u misschien een paar fatsoenlijke pubs hier in de omgeving?'
Ze staarde hem opnieuw aan, onderzoekend, alsof ze probeerde in te schatten welke bedreiging hij mogelijk voor haar kon zijn. Toen ze blijkbaar niets kon ontdekken, zei ze: 'Goed. Ik weet wel iets. Kom mee. Maar ik betaal zelf.'

Wat een stomme beslissing was het geweest om naar hoger gelegen terrein te klauteren, dacht Annie Cabbot toen ze zwoegend over het tot verboden gebied verklaarde voetpad naar boven klom en vaak tevergeefs probeerde de hoopjes schapenkeutels te omzeilen die werkelijk overal leken te liggen. Hoewel ze altijd had gedacht dat ze een redelijke conditie had, deden haar benen pijn en hijgde ze van de inspanning.
Ze was bovendien niet echt gekleed op een wandeling op het platteland. In de wetenschap dat ze die ochtend de Armitages weer zou moeten opzoeken, had ze een rok en blouse aangetrokken. Ze had zelfs een panty aan. Om nog maar te zwijgen over de donkerblauwe pumps die het haar nog eens extra moeilijk maakten. Het was een bloedhete dag en ze voelde dat het zweet door elke mogelijke geul gutste die het kon vinden. Losgeschoten haarlokken plakten tegen haar wangen en voorhoofd.
Tijdens de klim wierp ze regelmatig een blik achterom in de richting van de herdershut, maar er kwam niemand. Ze kon alleen maar hopen dat niemand haar had gezien, dat de kidnapper, als dat inderdaad was waar dit allemaal om draaide, haar niet vanaf een veilige afstand met een ver-

rekijker in de gaten hield.
Ze vond een plekje dat haar geschikt leek. Een ondiepe kuil in de heuvelflank op een paar meter afstand van het voetpad. Hiervandaan kon ze liggend op haar buik de hut goed in de gaten blijven houden zonder dat ze van beneden kon worden gezien.
Annie voelde het warme, vochtige gras tegen haar lichaam kriebelen en rook de zoete geur, toen ze zich met de verrekijker in de hand plat op haar buik liet zakken. Het voelde weldadig aan en het liefst had ze nu al haar kleren uitgetrokken zodat ze de zon en de aarde tegen haar blote huid kon voelen, maar ze maande zichzelf zich niet aan te stellen en zich op haar werk te concentreren. Ze sloot een compromis met zichzelf en trok wel haar colbertje uit. De zon scheen genadeloos op haar achterhoofd en schouders. Ze had geen zonnebrandcrème bij zich, dus ze drapeerde het jasje over haar nek, ook al was het daar veel te warm voor. Beter zo dan dat ze een zonnesteek opliep.
Toen ze zich op haar plekje genesteld had, lag ze daar maar. Te wachten. Te kijken. Allerlei gedachten dwarrelden door haar hoofd, net als wanneer ze mediteerde, en ze probeerde de meditatietechniek te gebruiken waarbij ze ze weer losliet zonder er te lang bij stil te blijven staan. Het begon als een vorm van vrije associatie, maar verdiepte zich: zonlicht; warmte; huid; pigment; haar vader; Banks; muziek; Luke Armitages zwarte kamer; dode zangers; geheimen; kidnapping; moord.
Vliegen zoemden om haar heen en doorbraken de associatieve reeks... Ze wuifde ze weg. Eén keer voelde ze een torretje of een ander insect in haar beha kruipen en ze raakte bijna in paniek, maar slaagde erin om het weg te vegen voordat het in haar decolleté was verdwenen. Een paar nieuwsgierige konijnen kwamen dichterbij, bewogen trillend hun neusje en vertrokken weer. Annie vroeg zich af of ze ook in Wonderland zou belanden als ze een ervan volgde.
Ze ademde met lange, diepe teugen de naar gras geurende lucht in. De tijd verstreek. Een uur. Twee. Drie. Nog steeds was er niemand gekomen om het koffertje op te halen. De herdershut lag natuurlijk in een gebied dat na de mond- en klauwzeeruitbraak tot verboden terrein was verklaard, net als de rest van het platteland in de omgeving, maar daar had Martin Armitage zich ook niets van aangetrokken en ze was ervan overtuigd dat de kidnapper zich daardoor evenmin uit het veld zou laten slaan. Dat was waarschijnlijk juist de reden geweest waarom die plek was gekozen: de kans dat je iemand zou tegenkomen was klein. De meeste mensen in de streek waren oppassende burgers die zich keurig aan de wetten en regels hielden, omdat ze beseften hoeveel er op het spel stond

en toeristen bleven eveneens weg en gingen in plaats daarvan op vakantie in het buitenland of naar de grote steden. Gewoonlijk hield Annie zich ook altijd aan de borden, maar dit was een noodgeval en ze wist zeker dat ze in geen weken in de buurt van een besmet gebied was geweest. Had ze nu maar iets te eten en te drinken meegenomen. De lunchtijd was allang voorbij en ze rammelde van de honger. Door de hitte had ze ook enorme dorst gekregen. En dan was er nog iets, realiseerde ze zich, een nog sterkere aandrang: ze moest naar de wc.

Nou ja, dacht ze toen ze om zich heen keek en alleen maar schapen zag, dat is eenvoudig op te lossen. Ze liep een paar meter bij haar platgedrukte plekje op de grond vandaan, keek goed of er geen brandnetels en distels in de buurt waren, trok toen haar panty uit, hurkte en plaste. Tijdens surveillance op het platteland kon dat als vrouw gelukkig nog wel, bedacht Annie, en ze grijnsde. Dat was wel anders wanneer je in je auto zat opgesloten in een straat in de stad, zoals ze in het verleden meer dan eens tot haar schade en schande had ondervonden. Voordat ze klaar was, kwamen er twee straaljagers afkomstig van de Amerikaanse luchtbasis in de buurt luidruchtig en heel laag overvliegen, zo te zien niet meer dan zeven meter boven haar hoofd. Ze vroeg zich af of de piloten haar goed hadden kunnen zien. Ze stak naar goed Amerikaans gebruik haar middelvinger op.

Eenmaal terug op haar plekje probeerde ze haar mobiele telefoon nogmaals in de hoop dat het de vorige keer slechts een tijdelijke storing was geweest, maar tevergeefs. Het heideveld was een dode zone.

Hoe lang zou ze moeten wachten, vroeg ze zich af. En waarom was hij niet komen opdagen? Het geld lag daar maar. Wat moest ze doen als hij niet kwam voordat het duister inviel en de geliefden terugkeerden met belangrijker zaken aan hun hoofd dan het mond- en klauwzeer? Na een snelle wip ook nog eens een paar duizend pond vinden zou een onverwachte bonus voor hen zijn.

Met een knorrende maag en een tong die droog tegen haar gehemelte zat geplakt, pakte Annie de verrekijker weer op en richtte hem op de hut.

Michelle reed met Banks naar een pub aan de A1 die ze kende en vroeg zich onderweg verscheidene keren af waarom ze dit eigenlijk deed. Ze kende het antwoord echter al. De gebruikelijke routine verveelde haar, eerst het saaie speurwerk naar de dossiers en toen het dodelijk saaie doorlezen van alle mappen. Ze moest er even tussenuit, de spinnenwebben uit haar hoofd verdrijven, en dit was een gelegenheid om dat te doen en tegelijkertijd door te werken.

Ze moest bovendien toegeven dat de ontmoeting met iemand die bevriend was geweest met Graham Marshall haar intrigeerde, vooral ook omdat deze Banks ondanks een paar grijze plukjes in zijn kortgeknipte zwarte haar niet oud genoeg leek. Hij was slank, misschien een centimeter of tien langer dan haar 1 meter 63, had een hoekig gezicht met levendige blauwe ogen en een lekker kleurtje. Hij leek niet direct modebewust, maar droeg degelijke vrijetijdskleding van Marks&Spencer die hem goed stond: een licht jack, grijze broek en blauw spijkershirt dat bij de hals was losgeknoopt. Sommige mannen van zijn leeftijd zagen er alleen in een pak nog redelijk uit, vond Michelle. In andere kleding kwamen ze slechts over als te jeugdig geklede oude zakken. Sommige oudere mannen leken echter geschapen voor dit soort vrijetijdskleding. Banks was zo'n man.
'Zal ik maar inspecteur Hart blijven zeggen?' vroeg Banks.
Michelle wierp hem een zijdelingse blik toe. 'Je mag me wel Michelle noemen, als je dat wilt.'
'Michelle, dat klinkt een stuk beter. Mooie naam.'
Flirtte hij nu met haar? 'Leuk geprobeerd,' zei Michelle.
'Nee, echt. Ik meen het. Geen enkele reden om te blozen.'
Boos op zichzelf omdat ze had laten merken dat ze zich geneerde, zei Michelle: 'Zolang je maar niet dat oude nummer van de Beatles gaat zingen.'
'Ik zing een vrouw die ik net heb ontmoet nooit toe. Bovendien kan ik me indenken dat je dat al heel vaak hebt moeten aanhoren.'
Michelle schonk hem een glimlach. 'Te vaak om op te noemen.'
De pub had aan de achterkant een eigen parkeerterrein en een enorm pas gemaaid grasveld met witte tafels en stoelen waar mensen in de zon konden zitten. Er zaten al enkele gezinnen, zo te zien vast van plan om er de hele middag te blijven en de kinderen renden rond en speelden op de schommels en de glijbaan die de pub in een klein speeltuintje had geplaatst, maar Michelle en Banks slaagden erin een tamelijk rustig plekje te bemachtigen aan de andere kant van het veldje onder de bomen. Banks liep naar binnen om de drankjes te halen en Michelle keek naar de spelende kinderen. Een van hen was een jaar of zes, zeven, met een hoofdje vol prachtige goudblonde krullen, en ze lachte onbekommerd toen haar schommel steeds hoger zwaaide. Melissa. Michelle had het gevoel dat haar hart in haar borstkas in stukken brak toen ze haar zag. Tot haar grote opluchting kwam Banks terug met een glas bier voor zichzelf en een alcoholvrij bier voor haar en hij legde ook twee menukaarten op de tafel.

'Wat is er?' vroeg hij. 'Je ziet eruit alsof je een spook hebt gezien.'
'Misschien heb ik dat ook wel,' antwoordde ze. 'Op je gezondheid.' Ze klonken met hun glazen. Banks was diplomatiek, merkte ze op, nieuwsgierig naar haar gemoedstoestand, maar gevoelig en hoffelijk genoeg om de zaak te laten rusten en net te doen alsof hij aandachtig de menukaart las. Daar was Michelle blij om. Ze had niet echt trek, maar bestelde een garnalensandwich om te voorkomen dat er vragen werden gesteld over haar gebrek aan eetlust. Als ze eerlijk was, moest ze bekennen dat haar maag nog steeds draaierig aanvoelde van de wijn van gisteravond. Banks had blijkbaar flinke trek, want hij bestelde een enorme yorkshirepudding met worst en jus.

Toen hun bestelling was opgenomen, leunden ze ontspannen achterover in hun stoelen. Ze zaten in de schaduw van een beuk, een plek die nog steeds warm was, maar niet direct in het zonlicht lag. Banks nam een slokje bier en stak een sigaret op. Hij leek in goede conditie te zijn, dacht Michelle, zeker voor iemand die rookte, alcohol dronk en enorme yorkshirepuddings met worst at. Hoe lang zou dat echter nog duren? Als hij werkelijk een tijdgenoot was van Graham Marshall, dan moest hij nu een jaar of vijftig zijn en dat was toch de leeftijd waarop de meeste mannen zich plotseling zorgen gingen maken over hun slagaders en bloeddruk en vooral ook hun prostaat. Maar ach, wie was zij om commentaar te geven? Oké, ze rookte zelf dan wel niet, maar ze dronk te veel en at veel te vaak junkfood.

'Wat kun je me verder vertellen over Graham Marshall?' vroeg ze.

Banks nam een trekje van zijn sigaret en blies de rook langzaam uit. Hij leek ervan te genieten, dacht Michelle, of was het een strategie die hij toepaste om een gesprek naar zijn hand te zetten? Iedereen had een bepaalde strategie, zelfs Michelle, ook al zou ze niet een-twee-drie hebben kunnen uitleggen wat die strategie precies inhield. Ze ging altijd direct op haar doel af, dacht ze zelf. Ten slotte antwoordde hij: 'We waren met elkaar bevriend, op school en daarbuiten. Hij woonde een paar huizen verderop bij mij in de straat en tijdens het jaar dat ik hem heb gekend, vormden we een groepje dat vrijwel onafscheidelijk was.'

'David Grenfell, Paul Major, Steven Hill en jij. Tot nu toe heb ik alleen David en Paul kunnen opsporen en telefonisch met hen gesproken, maar geen van tweeën was in staat om me veel te vertellen. Ga verder.'

'Nadat ik op mijn achttiende naar Londen ben gegaan, heb ik hen geen van allen nog teruggezien.'

'En je bent maar één jaar met Graham omgegaan?'

'Ja. Hij was het jaar ervoor in september bij ons in de klas gekomen, dus

het is niet eens een heel jaar geweest. Zijn ouders waren in juli of augustus vanuit Londen hiernaartoe verhuisd, zoals zoveel mensen in die tijd deden. Dit was nog voor de grote instroom; die kwam pas aan het eind van de jaren zestig, begin jaren zeventig op gang, toen er flink werd gebouwd buiten de grote steden. Toen was jij waarschijnlijk ook nog niet geboren.'
'Ik woonde in elk geval niet hier, nee.'
'Waar wel, als ik vragen mag?'
'Ik ben opgegroeid in Harwick, tegen de Schotse grens. Heb het begin van mijn carrière bij de politie grotendeels doorgebracht in Manchester en omgeving en sindsdien heb ik overal gezeten. Ik ben hier pas een paar maanden geleden terechtgekomen. Ga verder met je verhaal.'
'Dat verklaart het accent.' Banks nam even de tijd om een slokje bier te nemen en een trekje van zijn sigaret. 'Ik ben hier opgegroeid, echt een provinciaaltje. "Waar ik mijn jeugd heb doodgedaan." Graham leek... tja, hoe zal ik het zeggen... zo cool, exotisch, anders. Hij kwam uit Londen en dat was waar alles gebeurde. Wanneer je buiten de grote steden opgroeit, heb je het gevoel dat alles aan je voorbijgaat, dat alles altijd ergens anders plaatsvindt, en Londen was toen een van die hippe plaatsen, net als San Francisco.'
'Wat bedoel je precies met "cool"?'
Banks wreef over het litteken naast zijn rechteroog. Michelle vroeg zich af waar hij dat had opgelopen. 'Ik kan het je niet uitleggen. Hij liet zich door bijna niets uit het veld slaan. Hij liet zelden merken wat hij voelde, reageerde nooit echt ergens op en hij leek veel te wereldwijs voor zijn leeftijd. Begrijp me niet verkeerd; Graham had zijn passies. Hij wist enorm veel over popmuziek, over onbekende B-kantjes en dergelijke. Hij kon vrij goed gitaar spelen. Hij was gek op sciencefiction. En hij had een beatlekapsel. Ik mocht dat van mijn moeder niet. Van achteren heel kort en dan opzij langer.'
'Maar hij was cool?'
'Inderdaad. Ik weet niet precies hoe ik die eigenschap precies moet omschrijven. Hoe zou jij dat doen?'
'Ik geloof dat ik wel weet wat je bedoelt. Ik had een vriendin die zo was. Ze was gewoon... ach, ik weet het ook niet precies... iemand bij wie je je een kluns voelde, iemand die je wilde na-apen misschien. Ik denk niet dat ik het nauwkeuriger kan omschrijven.'
'Nee. Gewoon cool, al voordat het cool werd om cool te zijn.'
'Zijn moeder vertelde me dat hij op school werd gepest.'
'O, dat was alleen toen hij er nog maar net was. Mick de Matter, de pestkop van de school. Hij probeerde echt iedereen uit. Graham was niet

direct een vechter, maar hij gaf nooit op en Parkinson is daarna bij hem uit de buurt gebleven. Iedereen trouwens. Dat was de enige keer dat ik hem heb zien vechten.'
'Ik besef dat het moeilijk is om zo ver terug te gaan,' zei Michelle, 'maar is je in die laatste dagen of weken iets bijzonders aan hem opgevallen?'
'Nee. Hij was niet anders dan anders.'
'Net voordat hij verdween is hij nog met jullie op vakantie geweest, vertelde zijn moeder me.'
'Dat klopt. Zijn ouders konden dat jaar niet, dus mocht hij van hen met ons mee. Het is fijn om iemand van je eigen leeftijd te hebben om mee op te trekken wanneer je een paar weken weg bent. Met alleen je ouders en een jongere broer kon het af en toe best saai zijn.'
Michelle glimlachte. 'Met een jongere zus ook. Wanneer heb je Graham voor het laatst gezien?'
'De dag voordat hij verdween. Zaterdag.'
'Wat hebben jullie toen gedaan?'
Banks tuurde naar de bomen en gaf niet direct antwoord. 'Gedaan? Wat we altijd deden op zaterdag. 's Ochtends zijn we naar The Palace geweest, naar de middagvoorstelling. *Flash Gordon* of *Hopalong Cassidy*, een korte film van de Three Stooges.'
'En 's middags?'
'Naar de stad. In Bridge Street was toen een elektriciteitszaak waar ook elpees werden verkocht. Die is daar al heel lang weg. Soms kropen we met ons drieën of vieren in zo'n hokje om naar de nieuwste singles te luisteren en ons intussen lam te roken.'
'En die avond?'
'Weet ik niet meer. Ik denk dat ik gewoon thuis ben gebleven en televisie heb gekeken. Op zaterdagavond waren er altijd goede programma's. *Juke Box Jury*, *Doctor Who*, *Dixon of Dock Green*. En dan had je ook nog *De wrekers*, maar die serie stond die zomer geloof ik niet geprogrammeerd. Ik kan het me in elk geval niet herinneren.'
'Is er die dag iets vreemds voorgevallen? Is je iets opgevallen aan Graham?'
'Ik kan me werkelijk niets bijzonders herinneren, hoe ik het ook probeer. Ik begin te geloven dat ik hem misschien helemaal niet zo goed kende als ik dacht.'
Michelle kreeg sterk de indruk dat Banks wel degelijk iets wist, dat hij iets voor haar achterhield. Ze wist niet waarom, maar ze was ervan overtuigd dat het zo was.
'Nummer twaalf?' Een jong meisje kwam met twee borden de tuin in

gelopen.
Banks wierp een blik op het nummer dat de barman hem had gegeven. 'Dat zijn wij,' zei hij.
Ze bracht hun de borden. Michelle staarde naar haar garnalensandwich en vroeg zich af of ze in staat zou zijn om hem op te eten. Banks concentreerde zich even volledig op zijn yorkshirepudding met worst en zei toen: 'Voordat Graham kwam, had ik zijn krantenwijk, maar op een gegeven moment werd de winkel door iemand anders overgenomen. Vroeger heette het Thackeray's, totdat de oude Thackeray tbc kreeg en de zaak liet versloffen. Toen heeft Bradford de winkel overgenomen en van de grond af aan opnieuw opgebouwd.'
'Maar jij bent niet voor hem gaan werken?'
'Nee. Ik had inmiddels een baantje voor de zondagochtend bij de champignonkweker aan de andere kant van de volkstuinen. Smerig werk, maar het betaalde goed, voor die tijd tenminste.'
'Ooit moeilijkheden gehad tijdens het kranten rondbrengen?'
'Nee. Daar heb ik onderweg hiernaartoe ook al over nagedacht.'
'Geen onbekenden die je vroegen of je binnen wilde komen?'
'Er was één kerel die in die tijd altijd wat eigenaardig overkwam, maar die was waarschijnlijk totaal ongevaarlijk.'
'O?' Michelle haalde haar opschrijfboekje tevoorschijn en liet de nog altijd onaangeroerde garnalensandwich voor zich staan, waardoor de belangstelling werd gewekt van een voorbijvliegende bromvlieg.
Banks verjoeg de vlieg met een handgebaar. 'Niet te lang laten staan,' zei hij.
'Wie was die kerel over wie je het net had?'
'Ik kan me het huisnummer niet meer herinneren, maar het was ergens aan het einde van Hazel Crescent, voordat je Wilmer Road overstak. Het gekke was dat hij zo'n beetje de enige was die op dat tijdstip altijd wakker was en ik kreeg de indruk dat hij voor die tijd niet naar bed was geweest. Hij deed de deur altijd open in zijn pyjama en vroeg dan of ik zin had om binnen te komen en iets te roken of te drinken of zo, maar ik sloeg dat altijd af.'
'Waarom?'
Banks haalde zijn schouders op. 'Geen idee. Intuïtie. Er was iets aan hem. Een vreemde geur misschien, ik weet het niet. Als kind heb je soms een soort zesde zintuig voor gevaar. Als je geluk hebt, blijft het zintuig altijd alert. Maar goed, het was er zo bij me ingestampt dat ik geen snoep van onbekenden mocht aannemen, dat ik verder ook niets durfde aan te nemen.'
'Harry Chatham,' zei Michelle.
'Wat?'

'Dat moet Harry Chatham zijn geweest. Die lichaamsgeur, dat was een van de opvallende kenmerken.'
'Je hebt je huiswerk uitstekend gedaan.'
'Hij heeft indertijd nog op de verdachtenlijst gestaan, maar is daar uiteindelijk van geschrapt. Je hebt er goed aan gedaan om bij hem uit de buurt te blijven. Hij had een strafblad voor exhibitionistisch gedrag bij jonge jongens. Verder dan dat is hij echter nooit gegaan.'
'De politie was zeker van haar zaak?'
Michelle knikte. 'Hij was op vakantie in Great Yarmouth. Kwam pas zondagavond terug. Getuigen te over. Als je het mij vraagt, heeft Jet Harris hem het vuur aan de schenen gelegd.'
Banks glimlachte. 'Jet Harris. Die naam heb ik in geen jaren gehoord. Weet je, toen ik jong was en hier opgroeide, werd er altijd gedreigd: "Zorg maar dat je geen moeilijkheden veroorzaakt, want anders komt Jet Harris je halen en sluit hij je op." Iedereen was als de dood voor hem, ook al had niemand van ons hem ooit ontmoet.'
Michelle begon te lachen. 'Dat is tegenwoordig niet anders,' zei ze.
'Is hij een tijd terug niet overleden?'
'Acht jaar geleden. Maar de legende leeft onverminderd voort.' Ze pakte haar sandwich en nam een hapje. Het smaakte goed. Ze kwam tot de ontdekking dat ze toch wel trek had en binnen de kortste keren had ze de ene helft verslonden. 'Is er verder nog iets?' vroeg Michelle.
Ze merkte op dat Banks opnieuw aarzelde. Hij had de maaltijd helemaal op en pakte een nieuwe sigaret. Een tijdelijk uitstel. Grappig, ze had de voortekenen al eerder gezien bij misdadigers die ze had verhoord. Deze man had beslist iets wat zwaar op zijn geweten drukte en hij overwoog of hij het haar wel of niet zou vertellen. Michelle besefte dat het geen zin had om aan te dringen, dus keek ze toe hoe hij de sigaret in zijn mond stak en met de aansteker zat te spelen. En ze wachtte.

Annie wenste dat ze niet was gestopt met roken. Dan had ze nu tenminste iets te doen gehad terwijl ze op haar buik in het natte gras de herdershut in de verte in de gaten hield. Ze wierp een blik op haar horloge en liet tot zich doordringen dat ze hier nu al vier uur lag en dat er in al die tijd niemand was gekomen om het geld op te halen.
Annie voelde dat ze onder haar kleding en het colbertje dat haar nek beschermde doorweekt was van het zweet. Ze snakte naar een heerlijk koele douche waar ze een halfuur lang genietend onder zou blijven staan. Wat zou er gebeuren als ze haar plekje verliet? Aan de andere kant: wat zou er gebeuren als ze hier bleef?

Misschien kwam de kidnapper inderdaad opdagen, maar zou Annie dan werkelijk langs de heuvel naar beneden rennen om hem te arresteren? Nee, want hij zou Luke Armitage ongetwijfeld niet bij zich hebben. Zou ze genoeg tijd hebben om haar auto in Mortsett te bereiken en degene die het geld kwam ophalen, wie het ook was, te volgen? Mogelijk, maar ze maakte beslist meer kans als ze zich dan al in haar auto bevond.
Ten slotte besloot Annie om terug te gaan naar Mortsett zonder de hut uit het oog te verliezen en daar net zolang op deuren te kloppen tot ze iemand thuis aantrof die wel een telefoon had, waarna ze in haar auto kon gaan zitten wachten tot er aflossing arriveerde uit Eastvale. Toen ze opstond en de losse grasprieten van haar blouse veegde, deden al haar botten pijn.
Het was tenminste een plan en beslist beter dan hier te blijven liggen in de bloedhete zon.

Nu het moment was aangebroken om alles op te biechten, merkte Banks dat het moeilijker was dan hij zich had voorgesteld. Hij besefte dat hij tijd aan het rekken was, tijd wilde winnen, terwijl hij juist alles eruit zou moeten gooien, maar zijn mond voelde droog aan en de woorden bleven steken in zijn keel. Hij nam een slokje bier. Het hielp niet echt. Zweetdruppels kriebelden in zijn nek en dropen langs zijn rug naar beneden.
'We speelden op een keer bij de rivier,' begon hij, 'niet zo heel ver bij het centrum van de stad vandaan. De stad was toen nog niet zo groot als nu, dus de oever was vrijwel uitgestorven.'
'Wie waren er allemaal?'
'Alleen Paul en Steve.'
'Vertel verder.'
'Het was eigenlijk niets,' zei Banks beschaamd, nu op deze prachtige middag onder een beuk in gezelschap van een knappe vrouw tot hem doordrong hoe onbetekenend de gebeurtenissen waren geweest die hem al die jaren als een nachtmerrie hadden achtervolgd. Hij kon nu echter niet meer terug. 'Stenen in het water gooien, keitjes keilen, dat soort dingen. Toen zijn we iets verder langs de oever van de rivier gelopen en daar vonden we een paar grotere stenen en bakstenen. Die gooiden we in het water om te zien hoe hoog het water opspatte. Ik tenminste. Steve en Paul waren iets verderop. Op een gegeven moment had ik een enorme steen te pakken die ik maar net kon houden en toen zag ik dat een lange, sjofele kerel langs de rivier mijn kant kwam oplopen.'
'Wat deed je toen?'
'Ik hield de steen vast,' zei Banks. 'Zodat ik hem niet zou natspatten. Ik

was echt een keurig en braaf knulletje. Ik weet nog dat ik glimlachte toen hij dichterbij kwam, je weet wel, om te laten zien dat ik de steen vasthield totdat hij voorbij was.' Banks zweeg even en nam een trekje van zijn sigaret. 'Voordat ik besefte wat er gebeurde,' vervolgde hij toen, 'had hij me van achteren vastgegrepen, waardoor ik de steen liet vallen en ons allebei natspatte.'
'Wat gebeurde er toen? Wat deed hij?'
'We vochten. Ik dacht dat hij me in het water wilde duwen, dus ik verzette me uit alle macht. Ik was weliswaar niet zo groot, maar wel lenig en gespierd. Ik denk dat hij niet had verwacht dat ik zou tegenspartelen. Ik herinner me nog dat ik zijn zweet rook en ik geloof dat hij had gedronken. Bier. Ik herinnerde me dat mijn vaders adem soms zo rook wanneer hij terugkwam uit de pub.'
Michelle haalde haar opschrijfboekje tevoorschijn. 'Kun je me een beschrijving geven?'
'Hij had een piekerige donkere baard. Zijn haar was vettig en lang, langer dan indertijd gebruikelijk was. Zwart. Als van Raspoetin. En hij had zo'n legeroverjas aan. Ik weet nog dat ik hem zag aankomen en dacht dat hij het wel warm moest hebben in zo'n dikke overjas.'
'Wanneer was dit?'
'Eind juni. Het was een mooie dag, een beetje zoals vandaag.'
'Wat gebeurde er toen?'
'Hij probeerde me weg te sleuren, naar de bosjes, maar ik wist me los te wringen uit zijn greep, of één arm vrij te wurmen in elk geval, en hij draaide me om, vloekte en stompte me in mijn gezicht. Door het momentum kon ik me losrukken en ik ging ervandoor.'
'Waar waren je vrienden?'
'Die hadden toen de weg al bereikt. Minstens honderd meter verderop. Stonden te kijken.'
'Hebben ze je niet geholpen?'
'Ze waren bang.'
'Ze hebben niet de politie gewaarschuwd?'
'Het gebeurde allemaal zo snel. Toen ik me had losgerukt, ben ik naar hen toe gerend en we hebben niet eenmaal achteromgekeken. We spraken af om niets tegen onze ouders te zeggen, omdat we helemaal niet bij de rivier mochten spelen en bovendien eigenlijk op school hadden moeten zitten. We dachten dat we anders problemen zouden krijgen.'
'Dat kan ik me heel goed voorstellen. Wat zeiden je ouders over je blauwe oog?'
'Ze vonden het niet zo geslaagd. Ik vertelde dat ik op school een beetje

had gevochten. Alles bij elkaar had ik geluk gehad dat ik was ontsnapt. Ik probeerde het zo snel mogelijk te vergeten, maar...'

'Dat lukte niet?'

'Soms beter dan andere keren. Ik heb er vaak helemaal niet aan gedacht.'

'Waarom denk je dat er een verband is met wat er met Graham is gebeurd?'

'Het kon gewoon geen toeval zijn,' zei Banks. 'Eerst die engerd die probeerde me in de rivier te duwen en me toen de bosjes wilde intrekken en toen Graham die spoorloos verdween.'

'Goed,' zei Michelle, en ze dronk haar glas leeg en klapte haar opschrijfboekje dicht, 'dan moet ik maar eens aan de slag en zien of ik die geheimzinnige man van jou kan opsporen, denk je ook niet?'

6

Toen ze gedoucht en in keurig gestreken, schone kleding terugkwam op het bureau, werd Annie die middag op het kantoor van hoofdinspecteur Gristhorpe ontboden. Zijn kamer had iets onverbiddelijks dat aan de kamer van een schoolhoofd deed denken en als altijd voelde ze zich heel klein. Dit kwam deels door de hoge boekenkasten die voornamelijk vol stonden met juridische en forensische boeken, hier en daar doorspekt met klassiekers als *Het grauwe huis* en *Anna Karenina*, boeken die Annie nooit had gelezen, boeken die haar spottend aanstaarden met hun overbekende titel en hun dikke rug. En verder was het Gristhorpes indrukwekkende verschijning die haar intimideerde: groot en fors, met een rood gezicht, een ontembare haardos, een haakneus en een pokdalige huid. Die dag droeg hij een grijze flanellen broek en een tweedjasje met stukken op de ellebogen. Om het beeld te vervolmaken zou hij eigenlijk een pijp moeten roken, maar Annie wist dat hij niet rookte.
'Goed,' zei Gristhorpe toen ze op de aangewezen stoel had plaatsgenomen. 'Vertel me dan nu maar eens wat er verdorie allemaal aan de hand is bij Mortsett.'
Annie voelde dat ze bloosde. 'Ik moest ter plekke een beslissing nemen.'
Gristhorpe zwaaide met zijn grote, harige hand. 'Ik twijfel niet aan je beoordelingsvermogen. Ik wil alleen weten wat er volgens jou gaande is.'
Annie ontspande haar spieren een beetje en sloeg haar benen over elkaar. 'Ik denk dat Luke Armitage is gekidnapt. Iemand heeft gisteravond een eis tot losgeld bij de familie bezorgd en Martin Armitage heeft mij gebeld om de zoektocht naar Luke af te blazen.'
'Maar dat heb je niet gedaan?'
'Nee. Er zat een luchtje aan. Ik vond dat Luke Armitage pas als "gevonden" mocht worden beschouwd wanneer ik hem met mijn eigen ogen had gezien en hem zelf had gesproken.'
'Dat klinkt logisch. Wat is er toen gebeurd?'
'Zoals u weet, heb ik het gezin vanochtend opnieuw bezocht. Ik kreeg sterk de indruk dat ze me liever kwijt dan rijk waren, dat er iets aan de

hand was.' Annie legde uit dat ze Martin Armitage was gevolgd naar de plek waar hij het losgeld had achtergelaten en dat ze zelf urenlang vanaf de heuvel de hut in de gaten had gehouden, totdat ze uiteindelijk naar het dorp was teruggekeerd en daar iemand thuis had aangetroffen die een telefoon had.

'Denk je dat hij je heeft gezien? De kidnapper?'

'Het zou kunnen,' moest Annie toegeven, 'als hij zich ergens in de buurt heeft verstopt en alles met een verrekijker heeft gadegeslagen. Er is daar nauwelijks enige beschutting. Ik denk echter dat hij wacht tot de duisternis is gevallen. Of anders...'

'Denk je dat hij het risico neemt het geld daar de hele dag te laten liggen?'

'Het is geen drukke route. En de meeste mensen nemen de regels van de overheid in acht.'

'En verder?'

'Sorry?'

'Je zei: "Of anders..." Ik neem dus aan dat je nog een andere mogelijkheid ziet. Ik liet je niet uitpraten. Maak je zin maar af. Wat zou er volgens jou nog meer gebeurd kunnen zijn?'

'Misschien is er iets fout gegaan, iets waar wij nog niet van op de hoogte zijn.'

'Bijvoorbeeld?'

Annie slikte iets weg en keek een andere kant op. 'Bijvoorbeeld dat Luke al dood is. Dat komt vaker voor bij ontvoeringen. Stel dat hij heeft geprobeerd te ontsnappen of zich net iets te hevig heeft verzet...'

'Maar de kidnapper kan dan nog steeds gewoon zijn geld ophalen. De Armitages kunnen in dat geval met geen mogelijkheid weten dat hun zoon al dood is, mocht dit inderdaad zo zijn, en het geld ligt daar maar en kan zo worden opgehaald. Als niemand jou heeft gezien, zijn alleen Martin Armitage en de kidnapper op de hoogte van die plek.'

'Dat verbaast mij ook. Het geld. Als een kidnapper losgeld eist, draait het voor hem duidelijk allemaal om geld, of het slachtoffer het nu overleeft of sterft. Misschien is hij gewoon overdreven voorzichtig en wacht hij tot het donker is, zoals ik eerder al opmerkte.'

'Dat zou kunnen.' Gristhorpe keek op zijn horloge. 'Wie surveilleert er nu?'

'Agent Templeton.'

'Zorg dat er een rooster komt. Ik zal toestemming vragen om een elektronisch zendertje in het koffertje te mogen plaatsen. Als dat ding niet voor die tijd is opgehaald, kan iemand er zo'n apparaatje in planten

zodra het donker is.' Gristhorpe snoof. 'Als we er dan toch voor gaan, dan ook helemaal. Assistent-hoofdcommissaris McLaughlin vilt me levend.'
'U kunt mij altijd de schuld geven.'
'Aye, dat zou je wel willen, hè, Annie, zo'n uitgelezen kans om als communistisch rakkertje de strijd aan te binden met de bobo's.'
'Maar, meneer...'
'Het is al goed, meid. Ik plaag je alleen maar. Weet je nu nog niet hoe het er hier in Yorkshire aan toe gaat?'
'Ik denk niet dat ik het ooit zal leren.'
'Geef het nog een paar jaar. Trouwens, het hoort gewoon bij mijn werk. Ik kan de hoge omes wel aan.'
'En de Armitages?'
'Ik geloof dat het verstandig zou zijn dat je nogmaals bij hen langsgaat.'
'Maar stel nu dat hun huis in de gaten wordt gehouden?'
'De kidnapper kent jou niet.' Gristhorpe glimlachte. 'Ik betwijfel of veel mensen in jou een agent in burger zouden herkennen, Annie.'
'En ik dacht nog wel dat ik me superconservatief had gekleed.'
'Als ze je één keer met die rode laarzen hebben gezien, valt er niets meer te redden. Worden hun telefoontjes nog steeds afgeluisterd?'
'Ja.'
'Hoe is het dan in godsnaam mogelijk dat...'
'Daar heb ik me ook al het hoofd over gebroken. Volgens Martin Armitage heeft Luke hem op zijn mobiele nummer gebeld, maar ik ga ervan uit dat hij het over het telefoontje van de kidnapper had.'
'Maar waarom gebruikte hij dan niet gewoon de vaste aansluiting?'
'Armitage vertelde dat Robin en hij die avond uiteten zouden gaan, en dat Luke dus waarschijnlijk heeft gedacht dat ze niet thuis zouden zijn.'
'Dat zou betekenen dat hij verwachtte dat ze toch uiteten zouden gaan, ondanks zijn verdwijning. En dat hij dat ook aan zijn ontvoerder heeft verteld.'
'Ik weet dat het vreemd klinkt. En volgens mij is Martin Armitage wel de laatste die Luke zou bellen.'
'Ach, zit het zo. Tekenen die duiden op gespannen familieverhoudingen?'
'Geheel en al onderhuids, maar beslist aanwezig, zou ik zo zeggen. Luke is duidelijk het kind van zijn moeder en misschien ook wel van zijn biologische vader. Hij is creatief en kunstzinnig, een solist en een dromer. Martin Armitage is vooral een doener, een atleet, een flinke, stoere macho.'
'Wees alsjeblieft voorzichtig, Annie. Het laatste wat je in dat geval wil, is

midden in een grootscheeps familiegevecht terechtkomen.'
'Als ik wil weten wat er aan de hand is, heb ik misschien geen keus.'
'Wees dan op je hoede en dek je aan alle kanten in.'
'Dat zal ik zeker doen.'
'En geef de hoop dat die jongen nog leeft niet op. Alles is nog mogelijk.'
'Begrepen,' zei Annie, ook al was ze er zelf niet van overtuigd.

De oude straat zag er nog bijna net zo uit als toen Banks er van 1962 tot 1969, van *Love Me Do* tot Woodstock, met zijn ouders had gewoond, behalve dan dat alles, het metselwerk, de deuren, de leistenen daken, er net iets armoediger uitzag, en kleine satellietschotels hadden het woud van oude televisieantennes die op vrijwel alle huizen hadden gestaan, verdrongen, ook bij zijn ouders. Dat had hij kunnen weten. Hij kon zich niet voorstellen dat zijn vader zonder Sky Sports zou kunnen.
Vroeger, aan het begin van de jaren zestig, was de wijk net nieuw geweest en Banks' moeder was opgetogen geweest over hun verhuizing van hun krappe rijtjeshuis met een buitentoilet in een stampvolle buurt naar het nieuwe huis dat was voorzien van alle moderne gemakken, zoals dat toen werd genoemd. Wat Banks betrof, bestonden die 'moderne gemakken' vooral uit een wc binnenshuis, een echte badkamer in plaats van de kleine tobbe die ze elke vrijdag met ketels water hadden moeten vullen en een kamer helemaal voor hem alleen. In het oude huis had hij een kamer gedeeld met zijn broer Roy die vijf jaar jonger was en net als in andere gezinnen met kinderen hadden ze vaak ruzie.
Het huis stond aan de westelijke rand van de wijk, dicht bij de hoofdweg, tegenover een verlaten fabriek en een rij winkels, waaronder ook de tijdschriftenzaak. Banks bleef even staan en nam de verweerde rijtjeshuizen in zich op: rijen van vijf, elk met een eigen tuintje, houten hekje, laag muurtje en ligusterhaag. Sommige bewoners hadden kleine verbeteringen aangebracht, zag hij, en één huis had zelfs een overdekte veranda. De eigenaars hadden het huis ongetwijfeld gekocht toen de Conservatieven in de jaren tachtig huurwoningen uit de sociale sector voor een appel en een ei te koop aanboden. Waarschijnlijk was er aan de achterkant een serre gebouwd, dacht Banks, hoewel het waanzin was om in een buurt als deze een uitbouw te plaatsen die vrijwel geheel uit glas was opgetrokken.
Een groepje Aziatische en blanke kinderen dat op weg was van school naar huis stond nu in een verwarde, luidruchtige kluwen midden op straat te roken en nam Banks vanuit hun ooghoeken taxerend op. Buurtbewoners bejegenden nieuwelingen altijd met de nodige achterdocht en

de kinderen hadden natuurlijk geen idee wie hij was, beseften niet dat hij ook hier was opgegroeid. Sommigen van hen droegen laaghangende, slobberende spijkerbroeken en sweatshirts met capuchon. Schurftige honden zwierven over straat, blaften naar alles en iedereen en poepten op de stoep, en keiharde rockmuziek blèrde door een openstaand raam enkele huizen verderop in oostelijke richting.

Banks deed het hek open. Hij zag dat zijn moeder enkele kleurige bloemen had geplant en het kleine grasveldje keurig had gemaaid. Dit was de enige tuin die ze ooit had gehad en ze was altijd erg trots geweest op het stukje grond. Hij liep over het betegelde tuinpad naar de voordeur en klopte aan. Hij zag door het paneel van melkglas dat zijn moeder naar de deur kwam lopen. Ze deed de deur open, wreef haar handen over elkaar alsof ze die afdroogde en omhelsde hem toen. 'Alan,' zei ze. 'Fijn om je weer te zien. Kom gauw binnen.'

Banks zette zijn weekendtas in de gang en liep achter zijn moeder aan naar de woonkamer. Het behang had een patroon van sprieterige herfstblaadjes, de uit drie delen bestaande zithoek was in bijpassende bruine katoenfluweel gehuld en boven het elektrische kacheltje hing een sentimenteel herfstlandschap. Hij kon zich deze inrichting niet herinneren van zijn vorige bezoek, bijna een jaar geleden, maar hij wist evenmin zeker of het er toen echt anders had uitgezien. Niet direct de oplettende politieman en plichtsgetrouwe zoon.

Zijn vader zat in zijn leunstoel, die met het beste zicht op de televisie. Hij stond niet op en gromde slechts: 'Jongen. Hoe gaat het?'

'Niet slecht, pa. En met u?'

'Mag niet klagen.' Arthur Banks had al jaren last van een milde vorm van angina en een reeks minder specifieke chronische aandoeningen, al sinds zijn gedwongen ontslag bij de metaalfabriek, en het verstrijken der jaren leek er geen invloed op uit te oefenen, geen negatieve, maar ook geen positieve. Af en toe slikte hij pillen tegen de pijn in zijn borst. Afgezien daarvan en de schade die het jarenlange gebruik van drank en sigaretten aan zijn lever en longen had toegebracht, was hij altijd zo gezond als een vis geweest. Klein, mager en met een ingevallen borstkas, maar nog steeds met een volle bos donker haar waarin slechts een enkele grijze haar zat. Hij kamde het strak achterover met enorme hoeveelheden Brylcreem.

Banks' moeder, een mollige en nerveuze vrouw met ronde hamsterwangen en een dunne laag blauwgrijs haar die slap over haar schedel hing, zei bezorgd dat Banks veel te mager was geworden. 'Ik neem aan dat je heel slecht eet nu Sandra bij je weg is?' zei ze.

'Ach, u kent het wel,' zei Banks. 'Ik werk af en toe snel een Big Mac en een portie frietjes naar binnen, als ik even wat tijd overheb.'
'Niet zo brutaal. Je moet goed eten. Eet je vanavond thuis?'
'Ik denk het wel,' zei Banks. Hij had niet bedacht wat hij zou gaan doen zodra hij eenmaal thuis was aangekomen. Eigenlijk had hij verwacht dat de plaatselijke politie, in de fraaie gedaante van inspecteur Michelle Hart, zijn aanbod om hen te helpen van onschatbare waarde zou vinden en dat ze hem een kantoortje zouden aanbieden in bureau Thorpe Wood. Dat had echter iets anders uitgepakt. Ook goed, dacht hij; zij had tenslotte de leiding over deze zaak. 'Ik breng even mijn tas naar boven,' zei hij en hij liep naar de trap.
Hoewel Banks niet meer thuis had geslapen sinds hij naar Londen was vertrokken, wist hij op een of andere manier vrij zeker dat zijn kamer onveranderd zou zijn. Hij had gelijk. Bijna. Dezelfde kledingkast, dezelfde kleine boekenkast, hetzelfde smalle bed waarin hij als tiener had geslapen en waarin hij zijn radio onder de dekens had gesmokkeld om stiekem naar Radio Luxembourg te luisteren of een boek had gelezen bij het licht van zijn zaklamp. Het enige wat anders was, was het behang. De sportafbeeldingen uit zijn jeugd waren verdwenen en hadden plaatsgemaakt voor roze en groene strepen. Hij bleef even op de drempel staan om zijn geheugen de kans te geven alle herinneringen weer op te halen en het gevoel dat aan de randen van zijn bewustzijn knaagde vrij spel te geven. Niet echt nostalgie of een gevoel dat er iets verloren was gegaan, eerder iets ertussenin.
Het uitzicht was onveranderd. Banks' slaapkamer was de enige aan de achterkant van het huis, naast de wc en de badkamer, en keek uit over achtertuinen en een steegje, waarachter een kaal veld van een meter of honderd zich uitstrekte tot aan de aangrenzende wijk. Mensen lieten daar hun hond uit en soms verzamelden de buurtkinderen zich er 's avonds.
Banks had dat vroeger ook gedaan, herinnerde hij zich, met Dave, Paul, Steve en Graham, en dan rookten ze samen Woodbines en Park Drives of, als Graham goed bij kas was, die lange Amerikaanse filtersigaretten: Peter Stuyvesant of Pall Mall. Later, na Grahams verdwijning, was Banks er nog wel eens met een vriendinnetje naartoe gegaan. Het veld was niet helemaal vierkant en aan de overkant was een scherpe bocht waar je, als je voorzichtig was, niet vanuit de huizen kon worden gezien. Hij herinnerde zich die eindeloze vrijpartijen met kapotte lippen maar al te goed, leunend tegen het roestige hek van golvende metaalplaten, en de verwoede strijd met behasluitingen, veiligheidsspelden of andere naamloze

vernuftigheden die de meisjes uit de buurt zo onnadenkend gebruikten om alles vast te zetten.
Banks zette zijn tas op het voeteneind van het bed en rekte zich uit. Het was een lange rit geweest en de tijd die hij in de tuin van de pub had doorgebracht in combinatie met het bier dat hij met inspecteur Hart had gedronken, zorgde ervoor dat hij zich doodop voelde. Hij overwoog om even een dutje te doen voordat ze gingen eten, maar besloot dat dat erg onbeleefd zou zijn; het minste wat hij kon doen was naar beneden gaan en even met zijn ouders praten, aangezien hij een hele tijd niets van zich had laten horen.
Eerst pakte hij echter zijn overhemd uit om het in de kledingkast te hangen voordat de kreukels permanent werden. De andere kleding in de kast kwam hem niet bekend voor, maar Banks zag ook een aantal kartonnen dozen op de bodem staan. Hij trok er een tevoorschijn en zag tot zijn verbazing dat deze zijn oude platen bevatte: singletjes, want dat was het enige wat hij zich indertijd had kunnen veroorloven. Natuurlijk had hij voor kerst en met verjaardagen wel elpees gekregen, maar die waren voornamelijk van de Beatles en de Rolling Stones geweest en die had hij meegenomen naar Londen.
Deze platen vertegenwoordigden het begin van zijn muzikale ontwikkeling. Toen hij eenmaal het huis uit was gegaan, was hij al snel overgestapt op Cream, Hendrix en Jefferson Airplane, later gevolgd door jazz en nog later door klassieke muziek, maar deze singles... Banks pakte een stapeltje uit de doos waar hij snel doorheen keek. Daar waren ze dan: Dusty Springfields *Goin' Back*, The Shadows' *The Rise and Fall of Flingel Bunt*, Cilla Blacks *Anyone Who Had a Heart* en *Alfie*, *Nut Rocker* van B. Bumble and the Stingers, Sandie Shaws *Always Something There To Remind Me*, *House of the Rising Sun* van The Animals en *As Tears Go By* van Marianne Faithfull. Er waren er nog veel meer, sommige was hij zelf vergeten en andere waren van in vergetelheid geraakte zangers, zoals Ral Donner en Kenny Lynch, en dan waren er nog covers van hits van Del Shannon en Roy Orbison, door anonieme zangers voor het goedkope Embassy-label van Woolworth's op de plaat gezet. Een ware schatkist aan nostalgie, al die dingen waar hij tussen zijn elfde en zijn zestiende naar had geluisterd. Zijn oude pick-up was allang weg, maar zijn ouders hadden beneden een stereotorentje, dus misschien kon hij een paar oude plaatjes draaien nu hij toch thuis was.
Hij zette de doos weer op zijn plek en haalde een andere tevoorschijn, die vol zat met oud speelgoed. Er zaten modelvliegtuigen in: Spitfires, Wellingtons, Junkers en een Messerschmidt met een kapotte vleugel;

een paar Dinky Toys, een Dan Dare Rocket Gun en een kleine opwindbare blikken robot die zei: 'Vernietig! Vernietig!' en voortrolde als een omgegooid vuilnisvat. Er zaten ook een paar oude jaarboeken in: *The Saint*, *Danger Man* en *The Man From U.N.C.L.E.*, samen met wat ooit zijn grootste trots was geweest: een Philips zakradiootje. Misschien kreeg hij het ding wel weer aan de praat wanneer hij er nieuwe batterijen indeed.

De derde doos die hij openmaakte, zat vol oude schoolrapporten, tijdschriften, brieven en schriften. Hij had zich de afgelopen jaren wel eens afgevraagd wat er met al die spullen was gebeurd en als hij al iets had gedacht, dan was het waarschijnlijk dat zijn ouders alles hadden weggegooid omdat ze meenden dat hij het niet langer nodig had. Het tegendeel was echter waar. De spullen hadden al die tijd allemaal verstopt gezeten in de kledingkast. En daar waren ze dan nu weer: *Beatles Monthly*, *Fabulous*, *Record Song Book* en *The Radio Luxembourg Book of Record Stars*.

Banks haalde er een stapeltje boekjes met harde kaften uit en zag dat het zijn oude agenda's waren. Sommige waren heel saai en kaal, met slechts een kleine gleuf in de rug waar net een potlood in paste, andere hadden een speciaal thema en bevatten illustraties, zoals popsterren, televisie of sport. De agenda die onmiddellijk zijn aandacht trok, was echter de *Photoplay*-agenda met een stug, geplastificeerd omslag en een kleurenfoto van Sean Connery en Honor Blackman uit de uit 1964 daterende Bond-film *Goldfinger* op de voorkant. Binnenin zat tegenover elke pagina met lege vakjes en data een foto van een filmster. De eerste was Brigitte Bardot, bij de week die begon op zondag 27 december 1964, de eerste week van zijn agenda voor 1965, het jaar waarin Graham Marshall verdween.

Michelle zette haar leesbril af en wreef op de brug van haar neus over de plek tussen haar ogen waar ze hoofdpijn voelde opkomen. Ze had tegenwoordig regelmatig last van hoofdpijn en hoewel haar huisarts haar had verzekerd dat er niets ernstigs aan de hand was en ze geen hersentumor of neurologische aandoening had, en haar psychiater haar had verteld dat het waarschijnlijk gewoon door stress werd veroorzaakt en door haar inspanningen om 'het leven het hoofd te bieden', maakte ze zich toch zorgen.

De kwaliteit van de lucht in het archief maakte het er al niet beter op. Michelle had besloten dat ze het materiaal beter ter plekke kon bestuderen dan alle zware dozen mee te nemen naar haar kantoor. De leeskamer bestond slechts uit een met een paar ramen afgeschermd hoekje waarin een tafel en een stoel stonden. Het kamertje lag aan het begin van verschillende parallel aan elkaar lopende gangpaden vol oude dossiers, waarvan de oudste nog dateerden van het eind van de negentiende eeuw. Als de ruimte iets toegankelijker was geweest, zou ze hebben overwogen eens uitgebreid door het archief te snuffelen. Deze bevatte ongetwijfeld fascinerende informatie.

Op dit ogenblik moest ze zich echter op 1965 concentreren. Michelle wilde een algemeen beeld zien te krijgen van de misdaden die werden gepleegd rond de tijd van Grahams verdwijning en kijken of er zo een verband kon worden gelegd met de geheimzinnige vreemdeling van Banks. Mevrouw Metcalfe had haar op de logboeken gewezen waarin alle klachten en de verwerking ervan van dag tot dag waren geïndexeerd en genoteerd. Het was interessant om te lezen, hoewel het meeste niet relevant was voor datgene waarnaar ze op zoek was. Bij de meeste telefoontjes, over vermiste huisdieren en een enkel geval van huiselijk geweld, was geen actie ondernomen, maar ze kreeg door de opsomming een aardig idee hoe een doorsneewerkdag er in die tijd voor een agent moest hebben uitgezien.

In mei was bijvoorbeeld een man gearresteerd in verband met aanranding van een veertienjarig meisje dat bij de A1 een lift van hem had geaccepteerd, maar zijn beschrijving kwam niet overeen met die van Banks' aanvaller bij de rivier. In mei had er eveneens een grote juwelenroof plaatsgevonden in het centrum van de stad, die de dieven 18.000 pond had opgeleverd. In juni was een groep jongeren aan het plunderen geslagen en ze hadden in het centrum de banden van ongeveer dertig auto's doorgesneden; in dezelfde maand was een 21-jarige man buiten The Rose and Crown op Bridge Street neergestoken na een ruzie over een meisje. In augustus waren twee vermeende homoseksuelen ondervraagd in verband met onzedelijkheden in het landhuis van de plaatselijke bobo, Rupert Mandeville, maar de anonieme beller kon niet worden opgespoord en de beschuldigingen werden later ingetrokken wegens gebrek aan bewijs. Moeilijk te geloven dat het in die tijd nog een misdaad was om homoseksueel te zijn, dacht Michelle, maar 1965 behoorde dan ook zo ongeveer tot de donkere Middeleeuwen en was nog eeuwen verwijderd van het jaar 1967 waarin homoseksualiteit werd gelegaliseerd.

Er hadden voor en na Graham Marshalls verdwijning flink wat incidenten plaatsgevonden, ontdekte Michelle al snel, maar geen ervan leek ook maar iets te maken te hebben met Banks' avontuur op de oever van de rivier. Ze las verder. In juli had de politie onderzoek gedaan naar aanleiding van klachten over een bende die zogenaamde protectie had aangeboden in de wijk, een vorm van oplichterij die deed denken aan de praktijken van de Kray-bende in Oost-Londen; de leiding was volgens geruchten in handen van een zekere Carlo Fiorino, maar hij werd nooit in staat van beschuldiging gesteld.

Michelle las stug door en het begon langzaam maar zeker tot haar door te dringen dat de kloof die gaapte tussen 1965 en het heden hemelsbreed was. Ze was zelf in 1961 geboren, maar zou nog liever sterven dan dat aan Banks op te biechten. Haar eigen tienerjaren had ze doorgebracht in wat Banks ongetwijfeld als muzikale woestenij zou bestempelen en werden naast The Bay City Rollers, Elton John en Hot Chocolate vooral bepaald door *Saturday Night Fever* en *Grease*. Toen ze een jaar of vijftien was kwam de punkbeweging opzetten, maar Michelle was veel te behoudend geweest om zich bij die groep aan te sluiten. Eerlijk gezegd had ze punkers met hun gescheurde kleding, piekerige haren en veiligheidsspelden in hun oren maar eng gevonden. En de muziek vond ze maar herrie.

Niet dat Michelle veel tijd had gehad voor popmuziek; ze was een ijverige leerling geweest, die zich altijd beklaagde over het feit dat zij uren over haar huiswerk deed, terwijl anderen allang klaar waren en buiten speelden. Volgens haar moeder was ze een perfectionist die vond dat haar werk nooit af was en misschien was dat inderdaad ook wel zo. IJverig. Perfectionistisch. Deze hokjes had ze leren kennen en haten door toedoen van haar vrienden, familie en leraren. Waarom noemden ze haar niet gewoon alledaags, een ploeteraar, want dat was eigenlijk wat ze bedoelden, had ze zich soms afgevraagd.

Ondanks haar noeste arbeid was ze op school geen uitblinker geweest, maar haar cijferlijst was goed genoeg geweest om te worden toegelaten tot een hogeschool, waar ze business en management had gestudeerd en ook hier had ze tot in de kleine uurtjes zitten zwoegen, terwijl haar medestudenten alle mogelijke concerten en feestjes afliepen, om ten slotte tot de ontdekking te komen dat ze bij de politie wilde. De zeldzame keren dat ze aan het eind van de jaren zeventig wel tijd had gehad om uit te gaan, ging ze het liefst dansen. Haar muzikale voorkeur ging toen uit naar reggae of two-tone: Bob Marley, The Specials, Madness, UB40.

Michelle had altijd een hekel gehad aan nostalgische snobs, zoals ze hen noemde, en ervaring had haar geleerd dat die uit de jaren zestig het ergst waren van allemaal. Ze vermoedde dat Banks tot die laatste categorie behoorde. Als je hen hoorde praten, was het alsof het paradijs verloren was gegaan, alsof het zevende zegel zo ongeveer verbroken was, nu er zoveel grote rockidolen waren overleden of seniel of kinds waren geworden, en

niemand nog kralen en kaftans droeg. En je zou haast gaan denken dat drugsgebruik een heel onschuldige manier was geweest om een paar uur in totale ontspanning door te brengen, een manier om een soort verhoogde spirituele staat te bereiken, en helemaal geen levens had vernield of een onophoudelijke geldbron had gevormd voor slechte, nietsontziende dealers.
Het was stil in de archiefruimte, afgezien van het gebrom van de tl-buizen. Stilte komt slechts sporadisch voor in een politiebureau waar iedereen in een gemeenschappelijke werkruimte wordt samengepropt, maar hierbeneden kon Michelle zelfs haar eigen horloge horen tikken. Na vijven. Het werd tijd om even pauze te houden, misschien een frisse neus te halen en daarna weer aan de slag.
Toen ze de misdaadverslagen van augustus zat te lezen, voelde ze dat iemand naar het kamertje toe kwam, ook al hoorde ze niets, en toen ze opkeek, zag ze dat het hoofdinspecteur Benjamin Shaw was.
Shaws gedrongen lichaam vulde de deuropening en blokkeerde het binnenstromende licht. 'En waar bent u zo druk mee bezig, inspecteur Hart?' vroeg hij.
'Ik bekijk de oude logboeken.'
'Dat zie ik. Waarom? U zult daar heus niets vinden, hoor. Niet na zoveel jaren.'
'Ik wilde gewoon een algemeen beeld krijgen, een soort context zien te vinden voor de zaak-Marshall. Ik vroeg me trouwens af of...'
'Context? Is dat een van die dure termen die ze u op de hogeschool hebben geleerd? Verdomde tijdsverspilling is het.'
'Maar...'
'Doe geen moeite om me tegen te spreken, inspecteur. U verdoet uw tijd. Wat denkt u in die stoffige oude dossiers aan te treffen, behalve dan een "context"?'
'Ik sprak eerder vandaag een van Graham Marshalls vrienden,' zei ze. 'Hij vertelde me dat hij een maand of twee voordat Marshall verdween een onbekende man had gezien aan de oever van de rivier. Ik wilde kijken of er nog meer van dergelijke incidenten zijn gemeld.'
Shaw ging op de rand van de tafel zitten. Het ding kraakte en helde een beetje over. Michelle vroeg zich bezorgd af of het meubelstuk onder zijn gewicht zou bezwijken. 'En?' vroeg hij. 'Dat wil ik wel weten.'
'Tot nu toe niets gevonden. Herinnert u zich misschien iets bijzonders in die geest?'
Shaw fronste zijn wenkbrauwen. 'Nee. Wie is die "vriend" eigenlijk?'
'Hij heet Banks. Alan Banks. Eigenlijk is het inspecteur Banks.'

'Aha. Banks, zegt u? De naam komt me wel bekend voor. Ik neem aan dat hij dat incident indertijd niet heeft gemeld?'
'Nee. Te bang voor wat zijn ouders zouden zeggen.'
'Dat kan ik me wel voorstellen. Luister, wat betreft die Banks,' ging hij verder. 'Ik geloof dat ik wel eens een woordje met hem zou willen wisselen. Kunt u dat regelen?'
'Ik heb zijn telefoonnummer. Maar...' Michelle wilde Shaw net duidelijk maken dat het haar zaak was en dat ze weinig waardering had voor het feit dat hij gesprekken van haar overnam, maar ze bedacht op tijd dat het niet erg diplomatiek zou zijn om zo vroeg in haar carrière in Peterborough een van haar directe bazen tegen zich in het harnas te jagen. Bovendien kon hij haar nog van nut zijn, aangezien hij bij het oorspronkelijke onderzoek betrokken was geweest.
'Wat maar?'
'Niets.'
'Mooi.' Shaw stond op. 'Laat hem dan maar hiernaartoe komen. Zo snel mogelijk.'

'Ik weet dat het vreemd moet klinken na al die tijd,' zei Banks, 'maar ik ben Alan Banks en ik kom u condoleren.'
'Alan Banks! Wat een verrassing!' De achterdochtige blik in de ogen van mevrouw Marshall maakte ogenblikkelijk plaats voor een blij verraste. Ze deed de deur wagenwijd open. 'Kom binnen en doe alsof je thuis bent.'
Het was meer dan 36 jaar geleden dat Banks voor het laatst bij de Marshalls binnen was geweest en hij herinnerde zich vaag dat het meubilair toen van veel donkerder hout was geweest, zwaarder ook en steviger. Het dressoir en het televisiemeubel die er nu stonden, waren zo te zien van grenen. De driedelige zithoek leek veel groter en een enorm televisietoestel nam een hele hoek van de kamer in beslag.
Zelfs al die jaren geleden was hij niet vaak bij Graham thuis geweest, herinnerde hij zich. Sommige ouders openden hun deuren wagenwijd voor de vriendjes van hun kinderen, zoals zijn eigen ouders hadden gedaan en die van Dave en Paul, maar de Marshalls waren altijd wat afstandelijk geweest, afwerend. Graham had ook niet vaak over zijn vader en moeder gesproken, bedacht Banks, maar dat was in die tijd niet zo bijzonder geweest. Dat doen kinderen toch al zelden, tenzij ze wilden klagen omdat ze iets niet mochten of op kattenkwaad waren betrapt en hun zakgeld werd ingehouden. Voorzover Banks wist, was het gezinsleven bij Graham Marshall thuis net zo alledaags geweest als het zijne.

Zijn moeder had hem verteld dat meneer Marshall na een beroerte gedeeltelijk verlamd was geraakt, dus was hij voorbereid op de iele, kwijlende figuur die hem vanuit een leunstoel aanstaarde. Mevrouw Marshall zelf zag er vermoeid en afgetobd uit, wat natuurlijk niet echt verbazingwekkend was, en hij vroeg zich af hoe ze erin slaagde alles zo keurig schoon en opgeruimd te houden. Misschien kreeg ze hulp van de thuiszorg of iets dergelijks, want hij betwijfelde of ze zich een dagelijkse hulp in de huishouding kon veroorloven.
'Kijk eens, Bill. Het is Alan Banks,' zei mevrouw Marshall. 'Je weet wel, een van de vrienden van onze Graham van vroeger.'
Het was moeilijk om aan de verwrongen grimas op meneer Marshalls gezicht een reactie af te lezen, maar zijn ogen leken zich iets te ontspannen toen hij doorkreeg wie de bezoeker was. Banks begroette hem en ging zitten. Hij zag de oude foto van Graham die zijn eigen vader nog met zijn Brownie had gemaakt op de boulevard van Blackpool. Hij had er ook een gemaakt van Banks, die eveneens een zwarte beatlecoltrui had gedragen, maar dan zonder het bijbehorende kapsel.
Meneer Marshall zat op zijn vaste plaats, net als Banks' eigen vader altijd deed. Vroeger had hij in Banks' herinnering altijd zitten roken, maar nu zag hij eruit alsof hij nog geen sigaret naar zijn mond zou kunnen brengen.
'Ik heb gehoord dat je nu een hoge politieman bent,' zei mevrouw Marshall.
'Dat hoge is misschien wat overdreven, maar ik werk inderdaad bij de politie, ja.'
'Je hoeft niet zo bescheiden te zijn. Ik kom je moeder van tijd tot tijd tegen in een van de winkels en ze is heel trots op je.'
Daar merk ik anders weinig van, dacht Banks in zichzelf. 'Ach,' zei hij, 'u weet hoe moeders zijn.'
'Kom je de politie hier helpen met hun onderzoek?'
'Ik weet niet of ze echt iets aan me hebben,' zei Banks. 'Maar als ze mijn hulp kunnen gebruiken, dan doe ik dat natuurlijk.'
'Ze lijkt me heel aardig. Dat meisje dat ze hiernaartoe hebben gestuurd.'
'Ik ben ervan overtuigd dat ze uitstekend werk zal verrichten.'
'Ik heb haar verteld dat ik me niet kan voorstellen dat zij nu nog iets kan doen wat Jet Harris en zijn mannen toen niet al gedaan hebben. Ze zijn heel grondig te werk gegaan.'
'Dat weet ik.'
'Hij was gewoon... spoorloos verdwenen. Al die jaren.'
'Ik heb vaak aan hem gedacht,' zei Banks. 'Ik besef dat ik hem niet eens

zo heel lang heb gekend, maar hij was een goede vriend. Ik miste hem. We misten hem allemaal.'

Mevrouw Marshall snufte. 'Dank je wel. Ik weet dat hij het fijn vond dat jullie hem in de groep hebben opgenomen toen we hier net waren komen wonen. Je weet zelf hoe moeilijk het soms is om nieuwe vrienden te maken. Het is alleen zo moeilijk te geloven dat hij na al die tijd is gevonden.'

'Het gebeurt wel vaker,' zei Banks. 'Geeft u het onderzoek alstublieft een kans. Er komt tegenwoordig veel meer kennis en technologie aan te pas bij politiewerk. Kijkt u maar eens hoe snel ze de overblijfselen hebben weten te identificeren. Dat was hen twintig jaar geleden echt niet gelukt.'

'Kon ik maar iets doen,' zei mevrouw Marshall, 'maar ik herinner me gewoon niet dat er in die tijd iets bijzonders is gebeurd. Het was net alsof de bliksem insloeg. Totaal onverwacht.'

Banks stond op. 'Dat weet ik,' zei hij. 'Als er echter ook maar iets te ontdekken valt, dan zal inspecteur Hart het vinden, daar ben ik van overtuigd.'

'Ga je nu alweer weg?'

'Het is bijna etenstijd,' zei Banks met een glimlach. 'En mijn moeder zou het me nooit vergeven als ik niet op tijd thuis was voor het eten. Ze vindt dat ik wat dikker moet worden.'

Mevrouw Marshall beantwoordde zijn glimlach. 'Ga dan maar gauw. We willen niet dat je moeder boos wordt. Tussen twee haakjes, ze kunnen het stoffelijk overschot nog niet vrijgeven, maar mevrouw Hart heeft gezegd dat ze me zou laten weten wanneer we een begrafenis kunnen regelen. Jij komt toch ook?'

'Natuurlijk,' zei Banks. Toen hij naar meneer Marshall keek om afscheid te nemen, zag hij in een flits de stevige, gespierde man voor zich die hij ooit was geweest, voelde hij weer de fysieke dreiging die van hem was uitgegaan. Banks kwam met een schok tot de ontdekking dat hij vroeger bang was geweest voor Grahams vader. Hij had er nooit een reden voor gehad, maar toch was het zo.

Ze had er allang mee moeten stoppen, besefte Michelle, maar ze had niet graag willen opgeven voordat ze een spoor, hoe klein ook, van Banks' onbekende man had gevonden, als deze tenminste echt had bestaan. Bovendien bood het materiaal zelf een interessant beeld van die tijd en ze merkte dat ze gefascineerd was geraakt door dat alles.

1965 was wat misdaad betreft geen topjaar geweest voor Peterborough,

maar de snel groeiende stad had wel zijn aandeel te verwerken gehad van een aantal actuele landelijke problemen, had Michelle ontdekt. Mods en rockers waren elkaar te lijf gegaan in een aantal pubs in de stad, ondanks Banks' bewering was cannabis hard op weg geweest een plaatsje te veroveren in het leven van de rebelse jeugd en de handel in pornografie was flink gestegen door de enorme hoeveelheden Duitse, Deense en Zweedse tijdschriften die de Engelse markt overspoelden en waarin elke denkbare en zelfs een aantal ondenkbare perversiteiten aan bod kwamen. Waarom eigenlijk geen Noorse of Finse, vroeg Michelle zich af. Deden ze daar niet aan porno? Inbraken en gewapende overvallen waren net als anders met de regelmaat van de klok voorgekomen en het enige wat nieuw leek, was de toename van het aantal autodiefstallen.
In 1965 hadden veel minder mensen een eigen auto, bedacht Michelle, en dat deed haar weer denken aan Banks' verklaring. Banks zei dat hij was aangevallen door een smerige, sjofele, Raspoetin-achtige onbekende man op de oever van de rivier vlak bij het stadscentrum. Graham Marshall was twee maanden later met een zware canvas fietstas vol kranten ontvoerd uit een nieuwbouwwijk enkele kilometers verderop. De aanpak was anders. Niets wees er bijvoorbeeld op dat Graham zich had verzet, wat hij ongetwijfeld net als Banks wel zou hebben gedaan als hij door deze angstaanjagende vreemdeling was aangevallen en hij het idee had gehad dat hij voor zijn leven moest vechten. Bovendien was de man die Banks had aangevallen te voet geweest en Graham was echt niet uit zichzelf helemaal naar de plek gewandeld waar hij was begraven. De kans bestond dat de onbekende man ergens een auto vandaan had gehaald, maar het klonk niet waarschijnlijk. Afgaande op Banks' beschrijving zou Michelle hebben aangenomen dat de man dakloos en arm was, een zwerver wellicht. De zwerver zonder vaste woon- of verblijfplaats. Het bekende cliché uit talloze detectiveverhalen.
Het probleem was dat ze nog steeds geen logisch verband had gevonden tussen de belevenissen die Banks had beschreven en de verdwijning van Graham Marshall. Ze dacht dat Banks' schuldgevoel door de jaren heen zijn beoordelingsvermogen wat deze zaak betreft misschien had aangetast. Dat kwam voor; ze had het al eerder meegemaakt. Of was het toch werkelijk zo gebeurd? Wie was dan die man?
Michelle besefte dat er een gerede kans bestond dat ze in de politiedossiers niets over hem zou aantreffen. In tegenstelling tot wat antipolitiegroeperingen leken te geloven, hield de politie echt niet van iedereen een dossier bij. Ze zou misschien eens in de overlijdensberichten van kranten kunnen spitten of anders in de archieven van de plaatselijke psychia-

trische inrichting. De man leek geestelijk gestoord en de kans bestond dat hij zich op een bepaald moment had laten behandelen. Het was natuurlijk ook heel goed mogelijk dat hij niet uit de omgeving kwam. Michelle had geen idee waar de rivier Nene precies ontsprong, maar ze dacht dat het in de richting van Northampton moest zijn en ze wist dat hij helemaal tot aan The Wash liep. Misschien was de man langs de rivier van stad naar stad gelopen.
Ze bladerde door het ene dossier na het andere en gooide ze toen gefrustreerd aan de kant. Net toen haar ogen oververmoeid begonnen te raken, vond ze eindelijk wat ze zocht.

7

The Coach and Horses honderd meter verderop aan de hoofdstraat was in de tussenliggende jaren veranderd, merkte Banks op, maar minder dan de meeste andere pubs. De lange bar in het algemene gedeelte had altijd onderdak geboden aan een zeer divers publiek van verschillende generaties die vredig samen iets dronken en toonde ook vandaag die vertrouwde aanblik, hoewel de raciale samenstelling van de groep wel was gewijzigd. Tegenwoordig bevonden zich tussen de blanke bezoekers ook Pakistanen en sikhs en, zo vertelde Arthur Banks, werd de pub ook regelmatig bezocht door een groep Kosovaarse asielzoekers die in de wijk waren neergestreken.

Rumoerige automaten met flitsende lampjes hadden de oude biljarttafels van vroeger verdreven, de bekraste houten banken waren vervangen door beklede banken met kussens, waarschijnlijk was zelfs het behang vervangen en de elektriciteit gemoderniseerd, maar daar bleef het bij. De brouwerij had ergens in de jaren tachtig wat geld opgehoest voor deze kleine facelift, zo had Banks' vader hem verteld, in de hoop dat het een jonger, met geld strooiend publiek zou aantrekken. Dat was echter niet gebeurd. Het overgrote deel van de mensen die in The Coach and Horses hun borreltje kwamen drinken, had dat vrijwel hun hele leven al gedaan. En hun vader voor hen. Banks had zelf ook zijn eerste legale biertje daar genuttigd, samen met zijn vader op zijn achttiende verjaardag, ook al had hij sinds zijn zestiende regelmatig met zijn vrienden heel wat biertjes achterovergeslagen in The Wheatsheaf, een kilometer of wat verderop. De laatste keer dat hij in The Coach and Horses was geweest, had hij een van de eerste speciaal voor pubs ontwikkelde videospelletjes gespeeld, dat sullige apparaat waarop je een tennisbal heen en weer liet stuiteren op een lichtgevend groen scherm.

Hoewel er niet veel jonge mensen aanwezig waren, was The Coach and Horses toch een warme, levendige plek, merkte Banks toen hij die avond even na achten met zijn vader naar binnen liep, met de zware vleespastei en custard van zijn moeder (het degelijke voedsel dat hij behoorde te

eten) nog zwaar op de maag. Zijn vader had de wandeling zonder al te veel gesteun en gehijg weten af te leggen, volgens hemzelf omdat hij al twee jaar lang niet meer rookte. Banks had met een schuldige blik de zak van zijn jasje gecontroleerd voordat ze de deur uitgingen.
Dit was Arthur Banks' vaste stek. Hij kwam hier al veertig jaar bijna elke dag, net als zijn vrienden: Harry Finnegan, Jock McFall en Norman Grenfell, Dave's vader. Hier was Arthur een gerespecteerd man. Hier kon hij zich, al was het maar voor een uur of twee, ontworstelen aan de greep van zijn kwaaltjes en aan de schande van zijn vroegtijdig ontslag, onder het genot van een biertje, een sappig verhaal en leugentjes om bestwil met de mannen bij wie hij zich het meest op zijn gemak voelde. The Coach and Horses was vooral een pub voor mannen, ondanks de stelletjes en groepjes vrouwen die de pub af en toe na het werk aandeden. Wanneer Arthur Ida op vrijdag mee uit nam om iets te gaan drinken, gingen ze naar The Duck and Drake of The Duke of Wellington, waar Ida Banks de laatste roddels uit de buurt hoorde, waar ze meededen aan onbeduidende kennisquizjes en lachten om mensen die zichzelf voor schut zetten bij de karaoke.
Niets van dat alles in The Coach and Horses, en de popmuziek uit de jaren zestig die werd gedraaid, stond heel zacht, zodat oude mannen elkaar goed konden verstaan. Op dat moment zongen The Kinks juist *Waterloo Sunset*, een van Banks' lievelingsnummers. Toen Banks en zijn vader een plekje aan de tafel hadden gevonden, hun bier voor hen was neergezet en hij aan iedereen was voorgesteld, opende Arthur Banks het gesprek met een treurzang op de afwezigheid van Jock McFall die wegens een prostaatoperatie in het ziekenhuis was opgenomen, waarna Norman Grenfell de bal aan het rollen bracht.
'We hadden het er net over voordat jullie hier waren, Alan, dat het zo verschrikkelijk is wat er met die jongen van Marshall is gebeurd. Ik weet nog goed dat jij en onze David altijd met hem optrokken.'
'Dat klopt. Hoe gaat het trouwens met Dave?'
'Uitstekend,' zei Norman. 'Ellie en hij wonen nog steeds in Dorchester. De kinderen zijn natuurlijk allang volwassen.'
'Zijn ze nog altijd bij elkaar?' Banks herinnerde zich dat Ellie Hatcher Dave's eerste echte vriendin was geweest; rond 1968 waren ze voor het eerst samen uit geweest.
'Sommige stellen houden het wel met elkaar vol,' mompelde Arthur Banks.
Banks negeerde het commentaar en vroeg Norman om Dave de groeten van hem te doen wanneer hij hem weer sprak. Anders dan Jock en Harry,

die, zo schoot het Banks te binnen, net als Arthur in de metaalfabriek hadden gewerkt, had Norman een baan gehad in een kledingzaak aan Midgate, waar hij een enkele keer had kunnen regelen dat zijn vrienden korting kregen op een winterjas, een spijkerbroek of hippe schoenen. Norman dronk altijd halve pints, nooit hele, en hij rookte pijp, wat hem anders maakte, voornaam haast, in vergelijking met de onbehouwen fabrieksarbeiders. Hij had ook een hobby: hij las en verzamelde alles wat te maken had met stoomtreinen, had zelfs een hele kamer in zijn kleine huis aan opwindbare modellen gewijd, en ook dat veroorzaakte een kleine kloof tussen hem en de groep mannen die niet verder kwamen dan bier, sport en televisie. Toch had Norman Grenfell altijd net zozeer deel uitgemaakt van de groep als Jock, Harry of Arthur zelf, hoewel hij geen deelgenoot was van die onuitsprekelijke band die arbeiders onderling hebben wanneer ze samen hebben gezwoegd onder de vreselijkste omstandigheden voor dezelfde vreselijke baas, dag in dag uit dezelfde gevaren onder ogen hebben gezien voor hetzelfde armzalige loontje. Misschien, dacht Banks peinzend, was Graham ook wel een beetje zo geweest: anders dan de anderen door zijn achtergrond, door zijn status als nieuweling, doordat hij uit Londen kwam en cool was, maar tegelijkertijd wel lid van de groep. De stille van het stel. De George Harrison van hun groep.
'Nu,' zei Banks, en hij hief zijn glas op, 'op Graham. Op de lange termijn is het denk ik maar beter dat ze hem hebben gevonden. Nu kunnen zijn ouders zijn beenderen eindelijk ten ruste leggen.'
'Dat is waar,' beaamde Harry.
'Amen,' zei Norman.
'Kwam Grahams vader hier vroeger niet ook altijd iets drinken?' vroeg Banks.
Arthur Banks begon te lachen. 'Dat klopt. Een vreemde vogel, die Bill Marshall, wat jij, Harry?'
'Een heel vreemde vogel. Als je het mij vraagt, heeft hij ze nooit allemaal op een rijtje gehad.'
Ze lachten allemaal.
'In welk opzicht was hij vreemd?' vroeg Banks.
Harry porde Banks' vader met een elleboog in zijn zij. ''t Is en blijft een politieman, die zoon van jou.'
Arthurs gezicht betrok. Banks wist donders goed dat zijn vader zijn carrièrekeuze nooit had goedgekeurd en hoe goed hij ook presteerde, hoe succesvol hij ook was, zijn vader zou hem altijd beschouwen als een verrader jegens de arbeidersklasse, die de politie volgens traditie bleef

vrezen en verachten. Wat Arthur Banks betreft was zijn zoon in dienst van de midden- en hogere klasse om hun belangen en eigendommen te beschermen. Het maakte voor Arthur geen verschil dat de meeste agenten van zijn eigen generatie afkomstig waren uit de arbeidersklasse en dat velen tegenwoordig uit de middenklasse afkomstig waren en een universitaire opleiding hadden genoten of managementtypes waren. De twee mannen hadden dit probleem nooit uitgesproken en Banks merkte dat Harry Finnegans steek onder water zijn vader dwarszat.

'Graham was mijn vriend,' vervolgde Banks snel, om de spanning te breken. 'Ik vroeg het me gewoon af.'

'Ben je daarom hier ?' vroeg Norman.

'Deels wel, ja.'

Het was de vraag die mevrouw Marshall hem ook had gesteld. Misschien gingen mensen ervan uit dat hij bij deze specifieke zaak zou worden betrokken, omdat hij bij de politie werkte en bevriend was geweest met Graham. 'Ik weet niet of ik mezelf nuttig kan maken,' zei Banks met een zijdelingse blik op zijn vader, die met zijn bier speelde. Hij had zijn ouders nooit verteld wat zich bij de rivier had afgespeeld en hij was ook niet van plan dat alsnog te doen. Als zijn informatie echter ergens toe leidde, zou het wellicht alsnog bekend worden gemaakt, een vooruitzicht dat hem enig inzicht verschafte in de angstgevoelens die de meeste getuigen in hun greep hielden wanneer ze logen om de onthulling van een schandelijk geheim te voorkomen. 'Het komt doordat... Nou ja, ik heb de afgelopen jaren veel nagedacht over Graham en wat er is gebeurd en ik vond dat ik in elk geval hiernaartoe moest komen om mijn hulp aan te bieden.'

'Dat kan ik me voorstellen,' zei Norman, en hij stak zijn pijp opnieuw aan. 'Ik vermoed dat het voor ieder van ons een flinke schok is geweest.'

'Wat zei u net over Grahams vader, pa?'

Arthur Banks staarde naar zijn zoon. 'Zei ik iets over hem dan?'

'U zei dat hij vreemd was. Ik heb hem niet zo goed gekend. Ik heb eigenlijk nooit met hem gesproken.'

'Natuurlijk niet,' zei Arthur. 'Je was nog een kind.'

'Daarom vraag ik het aan u.'

Er viel een korte stilte en toen keek Arthur Banks naar Harry Finnegan. 'Hij was onbetrouwbaar, vond je ook niet, Harry?'

'Ja zeker. Stond altijd klaar om iemand op te lichten en schuwde daarbij de grove middelen niet. Ik vertrouwde hem voor geen meter. Had ook een grote babbel.'

'Hoe bedoelt u dat?' vroeg Banks.

'Ach,' zei zijn vader. 'Je weet toch dat het gezin uit Londen kwam?'

'Ja.'
'Bill Marshall was metselaar en een goede ook, maar wanneer hij een glaasje of twee had gehad, liet hij zich wel eens iets ontvallen over wat hij in Londen had uitgespookt.'
'Ik begrijp het nog steeds niet.'
'Bill was een flinke kerel. Beresterk. Grote handen, krachtig bovenlijf. Dat krijg je als je die aandraagbakken over bouwterreinen moet zeulen.'
'Vocht hij vaak?'
'Dat zou je wel kunnen zeggen.'
'Wat je vader probeert duidelijk te maken,' legde Harry uit, en hij boog zich voorover, 'is dát Bill Marshall heeft verklapt dat hij ook als zware jongen heeft gefungeerd voor gangsters in de "Smoke".'
De Smoke? Die benaming voor Londen had Banks in geen jaren gehoord. 'Is dat zo?' Banks schudde ongelovig zijn hoofd. Het was moeilijk je voor te stellen dat die oude man in zijn leunstoel ooit een soort zware jongen voor gangsters was geweest, maar het verklaarde wel de angst die Banks al die jaren geleden in zijn nabijheid had gevoeld, dat gevoel van dreigend geweld. 'Dat had ik nou nooit...'
'Nee, natuurlijk niet,' onderbrak zijn vader hem. 'Zoals ik al zei, je was nog een kind. Je zou zoiets niet hebben begrepen.'
De muziek was gewijzigd, hoorde Banks. Herb Alpert en die verdomde Tijuana Brass van hem, maar godzijdank bijna afgelopen. Banks had vroeger de pest aan hen gehad en dat was nog steeds zo. Daarna kwamen The Bachelors met *Marie*. Muziek voor zijn ouders. 'Hebben jullie dat indertijd ook aan de politie verteld?' vroeg hij.
De mannen keken elkaar aan en toen wierp Arthur Alan een spottende blik toe. 'Wat denk je zelf?'
'Maar hij had best...'
'Luister. Bill Marshall mag dan een flinke babbel hebben gehad, maar hij had echt niets te maken met de verdwijning van zijn eigen zoon.'
'Hoe weet u dat nou?'
Arthur Banks snoof minachtend. 'Jullie van de politie. Jullie zijn allemaal één pot nat. Omdat een man op een bepaald gebied misschien niet helemaal betrouwbaar is, denken jullie meteen dat je hem alles in de schoenen kunt schuiven.'
'Ik heb nog nooit in mijn leven geprobeerd iemand iets in de schoenen te schuiven,' zei Banks.
'Wat ik bedoel is dat Bill Marshall misschien een beetje een rouwdouw was, maar hij vermoordde geen jonge knullen en al helemaal niet zijn eigen zoon.'

'Ik zei ook niet dat ik dat dacht,' zei Banks, die merkte dat de anderen zijn vader en hem aandachtig gadesloegen, alsof het de hoofdvoorstelling van die avond betrof.
'Wat bedoelde je dan wel?'
'Luister nu eens, pa,' zei Banks, en hij zocht naar een sigaret. Hij had zich voorgenomen om niet te roken in het bijzijn van zijn vader, maar niet roken in The Coach and Horses was net zo zinloos als zwemmen in het verboden-te-plassengedeelte van een zwembad, als zo'n afdeling tenminste ooit had bestaan. 'Als er ook maar een kern van waarheid zat in Bill Marshalls verhalen over zijn criminele achtergrond in Londen, dan is het toch heel goed mogelijk dat iets wat hij daar had uitgehaald hem nu hier parten speelde?'
'Niemand heeft Bill met een vinger aangeraakt.'
'Maakt niet uit, pa. Dit soort mensen heeft veel sluwere manieren om hun vijanden terug te pakken. Neem dat nu maar van mij aan. Ik heb er al heel wat ontmoet tijdens mijn dienstjaren. Heeft hij wel eens namen genoemd?'
'Hoe bedoel je?'
'In Londen, bedoel ik. Mensen voor wie hij had gewerkt. Heeft hij wel eens een naam laten vallen?'
Harry grinnikte zenuwachtig. Arthur wierp hem een blik toe en hij zweeg abrupt. 'Nu je het zegt,' zei Arthur, en hij liet even een dramatische stilte vallen, 'dat heeft hij inderdaad gedaan, ja.'
'Wie?'
'De Tweeling. Reggie en Ronnie Kray.'
'Jezus!'
Arthur Banks' ogen glommen triomfantelijk. 'Begrijp je nu waarom we dachten dat hij een praatjesmaker was?'

Voor de tweede keer die dag reed Annie naar Swainsdale Hall, alleen was ze deze keer een beetje zenuwachtig. Mensen als Martin Armitage waren toch al niet gemakkelijk in de omgang en hij zou niet graag willen horen wat ze te zeggen had. Nu ja, dacht ze, hij mocht dan stoer kunnen bluffen, maar hij had het grootste deel van zijn leven niet veel meer gedaan dan tegen een bal trappen. Robin was een ander verhaal. Annie had de indruk dat de vrouw opgelucht zou zijn wanneer ze haar angst met iemand kon delen en dat er onder haar meegaande uiterlijk en kwetsbare houding een sterke vrouw schuilging die heel goed in staat was om tegen haar man in te gaan.
Zoals gebruikelijk deed Josie de deur open, met een hand achter de hals-

band van een blaffende Miata gestoken. Annie wilde ook met Josie en haar echtgenoot Calvin praten, maar dat kon wel even wachten. Voorlopig was het beter dat zo min mogelijk mensen op de hoogte waren van wat er gaande was. Robin en Martin zaten allebei onder een gestreepte parasol aan een gietijzeren tafel in de tuin. Het was een warme avond en de achtertuin lag op het zuiden, waardoor het honingkleurige zonlicht nog vrij spel had en donkere schaduwen van de boomtakken op het gras wierp. Annie had nu graag haar schetsboek gepakt. Achter de hoge stapelmuur die de grens van de tuin aangaf, strekte de vallei zich uit als een lappendeken van groene velden in alle soorten en maten tot aan de dorre kaalheid van de hogere gelegen hellingen, waar hij nog steiler omhoogrees en samenvloeide met het verwilderde stuk heide dat de afscheiding vormde tussen de verschillende valleien.

Martin en Robin leken geen van beiden echt te genieten van de prachtige avond of de koele drankjes die in hoge glazen voor hen stonden. Ze zagen allebei bleek en gespannen en zaten in gedachten verzonken naast elkaar met de mobiele telefoon als een niet-ontplofte bom voor hen op tafel.

'Wat doet u nu weer hier?' zei Martin Armitage. 'Ik heb u toch verteld dat Luke onderweg is naar huis en dat ik u zou bellen wanneer hij veilig was aangekomen.'

'Ik neem aan dat hij nog niet is gearriveerd?'

'Nee.'

'Heeft hij wel weer iets van zich laten horen?'

'Nee.'

Annie slaakte een zucht en nam ongevraagd plaats op een van de stoelen.

'Ik heb niet gezegd dat u kon gaan...'

Annie hief haar hand op om Martin het zwijgen op te leggen. 'Luister,' zei ze, 'het heeft geen zin meer om spelletjes te spelen. Ik weet wat er gaande is.'

'Ik heb geen flauw idee wat u bedoelt.'

'Ach, kom nu toch, meneer Armitage. Ik ben u gevolgd.'

'Wat?'

'Ik ben u gevolgd. Toen ik vanochtend wegreed, heb ik in de berm op u gewacht en ik ben achter u aan gereden naar de herdershut. Wat had u daar te zoeken?'

'Dat gaat u verdomme geen zak aan. Hoezo, wat was u anders van plan eraan te gaan doen? Me arresteren voor het overtreden van overheidsregels?'

'Ik zal u vertellen wat u daar deed, meneer Armitage. U hebt er een koffer vol geld achtergelaten. Gebruikte biljetten. Voornamelijk briefjes van tien en twintig pond. Ongeveer tienduizend pond, gok ik zo, misschien vijftien.'

Armitage was rood aangelopen. Annie was echter nog niet klaar. 'En ik zal u ook vertellen wat er is gebeurd. Ze hebben u gisteravond op uw mobiele telefoon gebeld, hebben u verteld dat ze Luke hadden en dat u met het geld over de brug moest komen. U hebt gezegd dat u pas aan zoveel geld kon komen wanneer de banken opengingen, dus hebben ze u tot vanochtend de tijd gegeven om het geld achter te laten op de afgesproken plek.' Wat inhield dat ze de streek kenden, besefte Annie nu, of dat ze al een tijd op zoek waren geweest en hadden rondgekeken. Misschien had iemand hen gezien. Onbekenden vielen in deze omgeving meestal op, vooral nu het aantal toeristen zo drastisch was gekelderd. 'Heb ik tot zover gelijk?'

'U hebt een levendige fantasie, dat moet ik u echt nageven.'

'Ze stelden als voorwaarde dat er geen politie zou worden ingeschakeld, wat de reden is waarom mijn komst vanochtend u de stuipen op het lijf joeg.'

'Ik heb u toch al gezegd...'

'Martin.' Voor het eerst zei Robin Armitage iets en hoewel haar stem zacht en vriendelijk klonk, was hij tevens gebiedend genoeg om de aandacht van haar man te trekken. 'Begrijp je het dan niet?' Ze vervolgde: 'Ze weet het. Ik moet toegeven dat ik me nu in elk geval tamelijk opgelucht voel.'

'Maar hij heeft gezegd...'

'Ze weten niet wie ik ben,' zei Annie. 'En ik weet vrij zeker dat ze me vanochtend niet hebben gezien in Mortsett.'

'Vrij zeker?'

Annie keek hem aan. 'Ik zou liegen als ik zei dat ik het honderd procent zeker wist.' De stilte die volgde werd gevuld door de vogels in de bomen en een zacht briesje waaide door Annies haar. Ze hield Martin Armitages blik vast totdat hij begon te weifelen en zich ten slotte gewonnen gaf. Hij liet zijn schouders zakken. Robin boog zich naar voren en sloeg een arm om hem heen. 'Het geeft niet, lieverd,' zei ze. 'De politie weet wel wat ze moet doen. Ze zullen heel voorzichtig zijn.' Robin keek bij deze woorden naar Annie, alsof ze haar uitdaagde om haar tegen te spreken. Annie zweeg. Martin wreef met de rug van zijn beide handen over zijn ogen en knikte.

'Het spijt me dat het zo is gelopen,' zei Annie, 'maar mevrouw Armitage heeft gelijk.'

'Zeg maar Robin. Alsjeblieft. Nu we allemaal zo intensief bij een zaak als deze betrokken zijn, is het minste wat je kunt doen me bij mijn voornaam aanspreken. En mijn man ook.'
'Goed. Robin. Luister, allereerst moet ik jullie vertellen dat ik geen onderhandelaar ben. Ik heb op dat gebied geen ervaring. We hebben mensen die er speciaal voor zijn opgeleid en weten hoe ze moeten omgaan met kidnappers en hun eisen.'
'Maar hij zei dat we de politie niet mochten inschakelen,' herhaalde Martin. 'Hij zei dat hij Luke zou vermoorden als we de politie erbij haalden.'
'Wat heb je toen gezegd?'
'Ik zei dat ik Luke al als vermist had opgegeven.'
'En wat was zijn reactie daarop?'
'Hij was even stil, alsof hij daarover moest nadenken.'
'Of misschien even overlegde met iemand anders?'
'Dat is heel goed mogelijk, maar ik heb niemand anders gehoord. Maar goed, toen hij weer aan de lijn kwam, zei hij dat het geen probleem was, maar dat ik jullie moest vertellen dat Luke had gebeld en had gezegd dat hij naar huis kwam. Dat heb ik toen gedaan.'
'Degene die belde was dus een man?'
'Ja.'
'Hoe laat was dat?'
'Rond halftien. Vlak voordat Robin je belde.'
'Hoeveel wilde hij hebben?'
'Tienduizend.'
'Accent?'
'Nee, niet echt.'
'Klonk hij alsof hij hier uit de omgeving kwam?'
'Dat zou kunnen, maar het was geen opvallend of sterk accent. Meer neutraal.'
'En zijn stem?'
'Hoe bedoel je?'
'Hoog of laag? Hees, schril, iets anders?'
'Heel gewoon. Het spijt me, ik ben niet zo goed in dit soort dingen, vooral niet als het gaat om herkennen van stemmen aan de telefoon.'
Annie schonk hem een glimlach. 'Dat kunnen maar weinig mensen. Denk er nog maar eens over na. Alles wat je je maar over die stem kunt herinneren, zou belangrijk kunnen zijn.'
'Goed. Ik zal erover nadenken.'
'Heeft hij je met Luke laten praten?'

'Nee.'
'Heb je het wel gevraagd?'
'Ja, maar hij zei dat ze Luke ergens anders hadden opgesloten.'
'En hij belde je op je mobiele telefoon?'
'Ja.'
'Wie heeft daar het nummer van?'
'Familie. Goede vrienden. Zakelijke connecties. Ik denk dat het niet moeilijk is om het te achterhalen. Luke, natuurlijk. Hij heeft het nummer in zijn eigen mobieltje geprogrammeerd. In eerste instantie dacht ik ook dat hij het was, omdat zijn naam op het display verscheen toen het ding overging.'
'De kidnapper heeft dus Luke's mobiele telefoon gebruikt om je te bellen?'
'Dat neem ik wel aan. Maakt dat iets uit?'
'Het geeft in elk geval aan dat hij zich in een gebied bevindt waar de telefoon bereik heeft. Of zich daar bevond op het moment dat hij belde. En als hij het telefoontje vaker heeft gebruikt, kunnen we die informatie bovendien van het telefoonbedrijf opvragen. Misschien kunnen we aan de hand daarvan bepalen waar hij zich ongeveer moet ophouden. Het beste voor ons zou natuurlijk zijn als hij de telefoon altijd heeft aanstaan, maar hij zal het ons ongetwijfeld niet zo gemakkelijk willen maken.'
'Vertel me eens,' zei Robin. 'In hoeveel zaken... Hoe vaak brengen de slachtoffers het er...'
'Ik ken de statistieken niet uit mijn hoofd,' bekende Annie. 'Maar weet je, in feite zijn kidnappers vooral zakenlieden. Het gaat hen om het geld, ze doen het niet omdat ze iemand pijn willen doen. Er bestaat een gerede kans dat dit wordt opgelost en jullie Luke veilig en ongedeerd weer thuis krijgen.' Annie had het gevoel dat haar neus begon te groeien zodra de woorden uit haar mond waren. Ze vermoedde dat er al te veel tijd was verstreken om van een goed einde te durven dromen, hoewel ze van harte hoopte dat ze het bij het verkeerde eind had. 'We zullen voorlopig net doen alsof we op zijn eisen ingaan en proberen hem geen schrik aan te jagen, en in de tussentijd doen we er alles aan om ervoor te zorgen dat we Luke veilig thuis krijgen en benutten we bovendien ook elke kans om de identiteit van de kidnapper te achterhalen en hem voor het gerecht te slepen.'
'Kunnen wij iets doen?' vroeg Robin.
'Jullie hoeven niets te doen,' zei Annie. 'Jullie aandeel is afgelopen. Laat de rest maar aan ons over.'
'Misschien hebben jullie hem wel weggejaagd,' zei Martin. 'Luke had allang thuis moeten zijn. Het is al uren geleden.'

'Soms wachten ze heel lang om er zeker van te zijn dat niemand de plek in de gaten houdt. Hij wacht waarschijnlijk tot het donker is.'
'Helemaal zeker weten doe je dat echter niet,' zei Robin.
'In deze wereld is niets ooit helemaal zeker, mevrouw Armitage.'
'Robin graag. Dat heb ik je toch al gezegd. O, wat vreselijk onbeleefd van me!' Ze stond op. 'Ik heb je nog helemaal niet gevraagd of je iets wilt drinken.' Ze had een korte broek van spijkerstof aan, zag Annie, die een groot gedeelte van haar lange, smetteloze benen vrijliet. Er waren trouwens ook maar weinig vrouwen die er op die leeftijd nog zo goed uitzagen in een shirtje dat haar middenrif bloot liet, dacht Annie. Zelf zou ze het niet in haar hoofd halen, ook al was ze pas 34, maar het gedeelte van Robins buik dat ze kon zien, zag er plat en gespierd uit en in haar navel glom een soort ring.
'Nee,' zei ze. 'Echt niet. Ik blijf niet lang.' Annie kon momenteel weinig voor Luke doen behalve afwachten en ze had zichzelf een lekker glas bitter beloofd in de Black Sheep in Relton, waar ze alles nog eens rustig zou kunnen doornemen voordat ze naar huis ging. 'Ik wil alleen zeker weten dat jullie de berichten die jullie wellicht ontvangen in het vervolg direct aan mij doorgeven. Jullie hebben de nummers waarop ik bereikbaar ben?'
Zowel Martin als Robin knikte.
'En uiteraard brengen jullie me onmiddellijk op de hoogte als Luke boven water komt.'
'Dat doen we,' zei Robin. 'Ik hoop en bid dat hij zo snel mogelijk thuiskomt.'
'Ik ook,' zei Annie en ze stond op. 'Er is nog één ding dat ik niet snap.'
'Wat?' vroeg Robin.
'Toen je me gisteravond belde om te vertellen dat je Luke had gesproken, zei je dat hij vanavond weer thuis zou komen.'
'Dat had hij tegen Martin gezegd. De kidnapper. Hij zei dat als we het geld vanochtend achterlieten, Luke vanavond al ongedeerd thuis zou zijn.'
'En je weet dat ik Luke wilde zien en spreken zodra hij terug was?'
'Ja.'
'Hoe had je alles dan willen verklaren?' vroeg Annie. 'Dat vraag ik me af.'
Robin wierp een blik op haar echtgenoot, die antwoordde: 'We hadden Luke willen overhalen om je te vertellen wat wij al eerder aan je hadden gemeld, namelijk dat hij was weggelopen en ons de avond tevoren had gebeld om te zeggen dat hij weer naar huis kwam.'
'Wie heeft dit bedacht?'

'De kidnapper bracht ons op het idee.'
'Klinkt als de perfecte misdaad,' zei Annie. 'Alleen jullie beiden, Luke en de kidnapper zouden weten dat er een misdaad was gepleegd en geen van jullie zou zijn mond voorbij hebben gepraat.'
Martin staarde naar zijn drankje.
'Zou Luke dat ook hebben gedaan?' vervolgde Annie. 'Zou hij echt tegen de politie hebben gelogen?'
'Als ik het hem had gevraagd wel,' zei Robin.
Annie keek haar aan, knikte en vertrok.

De Krays, dacht Banks toen hij die avond in zijn smalle bed lag. Reggie en Ronnie. Hij kon zich de precieze data natuurlijk niet meer herinneren, maar meende dat ze halverwege de jaren zestig op het hoogtepunt van hun roem waren geweest, deel hadden uitgemaakt van de swingende, hippe incrowd in Londen en waren omgegaan met beroemdheden, popsterren en politici.
Het had hem altijd geïntrigeerd dat gangsters beroemdheden werden: Al Capone, Lucky Luciano, John Dillinger, Dutch Schultz, Bugsy Malone. Legendarische figuren. Hij had, toen hij nog in Londen werkte, zelf ook een paar minder bekende gangsters ontmoet en ze gingen vrijwel altijd om met rijke en beroemde mensen, alsof bekendheid het enige was wat telde in die wereld en het niet uitmaakte waardoor je bekend was geworden; alsof moraliteit, fatsoen en eer niet meetelden. Ze hadden nooit gebrek gehad aan mooie vrouwen om zich mee te vertonen, het soort dat zich aangetrokken voelde door gevaar en de sfeer van geweld. Blijkbaar hing er een zekere glamour en mystiek rond mensen die hun geld verdienden als pooier van prostituees en leverancier van drugs, mensen die dreigden iemands leven en werk te verwoesten als hij hen niet betaalde voor zogenaamde protectie, en het was buitengewoon aannemelijk dat de meeste filmsterren, sportmensen en popsterren zo leeghoofdig waren dat ze er en masse voor vielen, voor de glamour die dat geweld omringde. Of was het het geweld dat de glamour omringde?
De Krays vormden geen uitzondering. Ze wisten hoe ze de media moesten manipuleren en beseften dat het steeds onwaarschijnlijker werd dat de waarheid omtrent hun werkelijke activiteiten aan het licht kwam, naarmate ze zich steeds vaker lieten fotograferen met een beroemde actrice, een lid van het Lagerhuis of een van het Hogerhuis. In 1965 was er een rechtszaak geweest, herinnerde Banks zich, maar daar waren ze nog onaantastbaarder uit tevoorschijn gekomen dan ze daarvoor al waren geweest.

Het was echter moeilijk te geloven dat Graham Marshalls vader met hen was omgegaan en Banks moest toegeven dat zijn vader waarschijnlijk gelijk had; de hoeveelheid bier had tot grootse verhalen geleid.
De vraag was alleen: waarom? Waarom een hint geven over zoiets als het geen kern van waarheid bevatte? Misschien was Bill Marshall een ziekelijke leugenaar. In al zijn jaren als politieman had Banks echter geleerd dat het oude cliché 'er is geen rook zonder vuur' niet zonder meer opzij moest worden geschoven. En er waren nog twee dingen: de Marshalls kwamen uit de East End van Londen, dat halverwege de jaren zestig het werkterrein was geweest van de Krays, en daarnaast was het Banks te binnen geschoten dat hij altijd bang was geweest in de nabijheid van meneer Marshall.
Hij wist al het nodige over de Krays, had het meeste opgepikt toen hij jaren geleden bij de Met werkte, maar het kon geen kwaad om eens dieper te graven. Er bestonden talloze boeken over hen, hoewel hij betwijfelde of Bill Marshall daarin werd vermeld. Als hij al klusjes voor hen had opgeknapt en bijvoorbeeld een bezoekje had gebracht aan klanten die hij had gedreigd met fysiek geweld of misschien af en toe een informant of een bedrieger in een donker steegje in elkaar had geramd, dan was dat duidelijk allemaal onderhands gegaan.
Hij moest het wel aan inspecteur Hart melden. Michelle. Ze had een berichtje achtergelaten bij zijn moeder toen hij uit was, waarin ze hem vroeg de volgende ochtend om negen uur langs te komen bij Thorpe Wood. Ze had tenslotte de leiding over deze zaak. Als er inderdaad een verband was, dan zou het hem echter wel verbazen dat dit niet tijdens het oorspronkelijke onderzoek aan het licht was gekomen. Gewoonlijk werden de ouders nauwkeurig onderzocht wanneer het om een vermist kind ging, hoe overmand door verdriet ze ook leken te zijn. Banks had ooit te maken gehad met een jong stel dat volgens hem oprecht had getreurd om het verlies van hun kind, totdat hij erachter kwam dat het arme kind was gewurgd en in de kelder in een vrieskist was verstopt, omdat het te hard had gehuild. Nee, als politieman mocht je nooit vertrouwen op uiterlijk vertoon; je moest graven, al was het maar om er zeker van te zijn dat je niet voor de gek werd gehouden.
Banks pakte zijn oude transistorradio. Hij had eerder die dag een batterij gekocht en vroeg zich nu af of het ding het na al die jaren nog zou doen. Waarschijnlijk niet, maar hij had er graag de aanschaf van een nieuwe batterij voor over om daarachter te komen. Hij trok de achterkant los, drukte de batterij op haar plaats en stopte het oortelefoontje in zijn oor. Het was er maar een, net als bij een oud gehoorapparaat. Radio's hadden

toen nog geen stereogeluid gehad. Toen hij het toestel aanzette, ontdekte hij tot zijn grote vreugde dat het oude radiootje nog werkte. Banks kon het bijna niet geloven. Toen hij aan de knop draaide, werd hij echter al snel overvallen door een gevoel van teleurstelling. De kwaliteit van het geluid was slecht, maar dat was niet het enige. De radio ontving alle plaatselijke stations, Classic FM en Radio 1, 2, 3, 4 en 5 van de BBC, net als moderne apparaten, maar Banks besefte dat hij eigenlijk had verwacht dat hij terug zou gaan in de tijd. Het idee dat dit een magische radio was waarop je nog steeds het Light Programme, Radio Luxembourg en de piraten, Radio Caroline en Radio Londen, kon ontvangen, had zich ergens in zijn hoofd genesteld. Hij had verwacht dat hij John Peels *The Perfumed Garden* te horen zou krijgen, dat hij die paar magische maanden in de lente van 1967 opnieuw zou beleven, toen hij eigenlijk voor zijn eindexamen had moeten studeren, maar in plaats daarvan de halve nacht voor het eerst aan de radio gekluisterd had zitten luisteren naar Captain Beefheart, de Incredible String Band en Tyrannosaurus Rex.

Banks zette de radio uit en richtte zijn aandacht op zijn *Photoplay*-agenda. Hij had nu in elk geval een lampje naast zijn bed en hoefde niet langer met een zaklantaarn onder de dekens te kruipen. Naast elke week werd een hele pagina in beslag genomen door een foto van een acteur of actrice die in die tijd populair was geweest, vaak een actrice of jong sterretje die waarschijnlijk waren uitverkoren vanwege hun knappe uiterlijk en niet zozeer vanwege hun acteertalent, en meestal afgebeeld in een verleidelijke pose: in beha en slipje, onder een zorgvuldig gedrapeerd laken, met een afzakkend schouderbandje. Hij bladerde door de agenda en zag hen allemaal voorbijkomen: Natalie Wood, Catherine Deneuve, Martine Beswick, Ursula Andress. Overal waar je keek, zag je decolletés. De week van 16-22 augustus werd opgesierd door een portret van Shirley Eaton, gekleed in een laag uitgesneden jurkje.

Al bladerend door de agenda kwam Banks tot de ontdekking dat hij niet bepaald breedsprakig of analytisch te werk was gegaan; hij had simpelweg gebeurtenissen, avonturen en excursies opgeschreven, vaak zeer cryptisch. Op een bepaalde manier was het een voorbeeldige voorganger van het opschrijfboekje dat hij later als politieman zou bijhouden. De pagina's waren echter klein en in zeven vlakken verdeeld, met onderaan een kleine ruimte waarin wetenswaardigheidjes over filmgeschiedenis stonden vermeld. Als op een bepaalde dag toevallig een ster jarig was, wat vaak het geval was, werd een deel van de beschikbare ruimte bovendien door de vermelding daarvan in beslag genomen. Ondanks alle be-

perkingen had hij het er echter redelijk goed van afgebracht, vond hij, en hij probeerde zijn pietepeuterige aantekeningen te ontcijferen. Hij had in elk geval heel wat films gezien en ze allemaal in zijn agenda genoteerd, samen met zijn beknopte beoordeling, die varieerde van 'Rotzooi!' en 'Oersaai' tot 'Niet slecht' en 'Super!'. Een doorsneevermelding luidde ongeveer: 'Met Dave en Graham naar het Oden geweest. *Dr. Who and the Daleks*. Niet slecht', 'Cricket gespeeld in het park. 32 not out gescoord' of 'Regen. Thuisgebleven en *Casino Royale* gelezen. Super!'
Hij bladerde naar de zaterdag voor Grahams verdwijning, de 21e. 'Naar de stad geweest met Graham. *Help!* gekocht met het geld van oom Ken'. Dat was ook de elpee geweest waar ze een dag later bij Paul thuis naar hadden zitten luisteren. Meer stond er niet, niets ongebruikelijks over Grahams stemming. Op vrijdag had hij naar The Animals gekeken, een van zijn favoriete bands, die optraden in *Ready, Steady, Go!*
Op zondag had hij, waarschijnlijk 's avonds in bed, opgeschreven: 'Platen gedraaid bij Paul thuis. Nieuwe elpee van Bob Dylan. Zag dat er een politieauto voor Grahams huis stond'. En op maandag: 'Graham is van huis weggelopen. Politie is langs geweest. Joey is ontsnapt'.
Interessant dat hij ervan uit was gegaan dat Graham van huis was weggelopen. Op die leeftijd was dat natuurlijk heel vanzelfsprekend. Wat kon het anders zijn? De alternatieven zouden veel te angstaanjagend zijn om als veertienjarige in overweging te nemen. Hij bladerde terug naar eind juni, rond de tijd dat volgens hem die gebeurtenis bij de rivier had plaatsgevonden. Het was een dinsdag geweest, zag hij. Hij had er weinig woorden aan vuilgemaakt en alleen opgeschreven: 'Vanmiddag van school gespijbeld en bij de rivier gespeeld. Onbekende man probeerde me in het water te duwen'.
Banks legde vermoeid de agenda weg, wreef in zijn ogen en deed het licht uit. Het was vreemd om weer in het bed te liggen waarin hij als tiener had geslapen, het bed waarin hij zijn eerste seksuele ervaring had gehad, met Kay Summerville, op een zaterdag toen zijn ouders op visite waren bij zijn grootouders. Banks en Kay hadden er beiden weinig plezier aan beleefd, maar ze hadden doorgezet en met wat oefening was het een stuk beter gegaan.
Kay Summerville. Hij vroeg zich af waar ze nu was en wat ze deed. Waarschijnlijk getrouwd en kinderen gekregen, net zoals hijzelf tot voor kort. Ze was heel knap geweest, Kay: lang blond haar, smalle taille, lange benen, een mond als die van Marianne Faithfull, stevige borsten met kleine, harde tepels en haar dat als gesponnen goud tussen haar benen glinsterde. Jezus, Banks, zei hij tegen zichzelf, geen puberale fantasieën, ja!

Hij zette de koptelefoon op, zette de discman aan en al luisterend naar Vaughan Williams' *Second String Quartet* zocht hij een gemakkelijk plekje in het bed om verder over Kay Summerville te dagdromen. Toen hij echter op het randje van slaap balanceerde, raakten zijn gedachten in de war en vermengden de herinneringen zich met een droom. Het was koud en donker en Banks en Graham liepen over een rugbyveld, waar de goalpalen als donkere silhouetten in het maanlicht stonden, ze met hun voeten spinnenwebvormige figuren in het ijs achterlieten en hun adem als mist in de lucht bleef hangen. Banks moest iets hebben gezegd over de arrestatie van de Krays, dus misschien was hij in die tijd al geïnteresseerd geweest in misdadigers, en Graham lachte en beweerde dat de sterke arm mensen als hen toch nooit iets kon maken. Banks vroeg hem hoe hij dat wist en Graham vertelde dat hij vroeger bij hen in de buurt had gewoond. 'Het waren koningen,' zei hij.

Geschokt door de herinnering of de droom deed Banks het nachtlampje weer aan en hij pakte de agenda op. Als datgene wat hij zich zojuist had verbeeld ook maar voor een klein deel op de realiteit was gebaseerd, dan moest het zich in de winter hebben afgespeeld. Hij las vluchtig zijn opmerkingen bij januari en februari 1965: Samantha Eggar, Yvonne Romain, Elke Sommer... Geen woord over de Krays tot de negende maart, toen hij had geschreven: 'Vandaag het proces van de Krays. Graham lacht erom en beweert dat ze er met een lichte straf van afkomen'. Graham had het dus wel degelijk over hen gehad. Het was niet veel, maar het was een begin.

Hij deed het licht weer uit en zakte deze keer weg in een diepe slaap zonder verder aan Graham of Kay Summerville te denken.

8

Toen Banks de volgende ochtend bij Thorpe Wood aankwam en naar inspecteur Hart vroeg, kwam er tot zijn verrassing een man naar beneden om hem op te halen. Het telefoontje waar zijn moeder hem van op de hoogte had gesteld toen hij uit de pub terugkwam, was van Michelle geweest.
'Meneer Banks, of moet ik misschien inspecteur Banks zeggen? Zou u zo goed willen zijn om mij te volgen?' Hij deed een stap opzij en gebaarde dat Banks binnen moest komen.
'En u bent?'
'Hoofdinspecteur Shaw. We zullen ons gesprek maar in mijn kantoor houden.'
Shaw kwam hem bekend voor, maar Banks wist niet waarvan hij hem moest kennen. Het was best mogelijk dat ze elkaar ooit tijdens een cursus hadden ontmoet, of misschien zelfs jaren geleden bij een zaak, en dat het hem was ontschoten, maar normaalgesproken herinnerde hij zich gezichten altijd wel.
Ze zwegen tijdens de wandeling naar Shaws kantoor en zodra ze daar waren aangekomen, verdween Shaw met de mededeling dat hij binnen enkele minuten terug zou zijn. Een oud politietrucje, wist Banks. En Shaw wist dat hij dat wist.
Als Shaw er geen been in zag om Banks alleen in zijn kantoor achter te laten, zou er waarschijnlijk niets interessants te ontdekken zijn, maar toch ging hij op onderzoek uit. Aangeboren nieuwsgierigheid. Niet dat hij naar iets speciaals op zoek was, maar hij kon het gewoon niet laten. De dossierkasten waren afgesloten, net als de bureauladen, en voor de computer was een wachtwoord nodig. Het leek er overduidelijk op dat Shaw had verwacht dat Banks wat zou rondneuzen.
Aan de muur hing een interessante ingelijste foto, zo te zien een flink aantal jaren oud, waarop een jonge Shaw en Jet Harris naast een onopvallende Rover stonden en sprekend leken op John Thaw en Dennis Waterman in *The Sweeney*. Of was het Morse en Lewis? Zag Shaw zichzelf misschien als brigadier Lewis, met Harris als inspecteur Morse naast zich?

De boekenkast bevatte vrijwel alleen ringbandmappen en oude jaargangen van de *Police Review*. Ertussenin stonden een paar juridische boeken en een Amerikaans boek getiteld *Practical Homicide Investigation*. Banks stond er net in te bladeren en probeerde de gruwelijke kleurenillustraties te negeren toen Shaw terugkwam, op de voet gevolgd door een beschaamd kijkende inspecteur Hart.

'Sorry,' zei Shaw, en hij nam tegenover Banks plaats. 'Er is even iets tussen gekomen. Dat zal u bekend voorkomen.' Michelle ging schuin naast hem zitten en leek slecht op haar gemak.

'Inderdaad.' Banks legde het boek weg en pakte een sigaret.

'Het is verboden hier te roken,' zei Shaw. 'Er mag tegenwoordig nergens in het gebouw meer worden gerookt en we maken geen uitzonderingen. Wellicht bevinden jullie in Yorkshire je nog steeds in de Middeleeuwen?'

Banks had van tevoren geweten dat hij waarschijnlijk niet mocht roken, ook al had Shaw de typische nicotinevlekken op zijn handen die verraadden dat hij zelf een zware roker was, maar hij had gedacht dat het de moeite van het proberen waard was. Het werd hem echter nu wel duidelijk dat hem de harde aanpak te wachten stond, ook al hadden ze nog net de beleefdheid kunnen opbrengen om het gesprek te laten plaatsvinden in het kantoor van de hoofdinspecteur in plaats van in een smerige verhoorkamer. Hij was niet zenuwachtig, maar wel verbluft en kwaad. Wat was er in 's hemelsnaam aan de hand?

'Wat kan ik voor u doen, hoofdinspecteur Shaw?'

'U herkent me niet, is het wel?'

Shaw staarde Banks doordringend aan en Banks speurde naarstig in zijn voorraad gezichten naar een gelijkenis. Het rossige haar werd bovenop al dunner en een lange lok was vanaf de zijkant over de schedel gekamd om de kale plek te verbergen, maar daar trapte niemand in; vrijwel geen wenkbrauwen; sproeten, waterige blauwe ogen, een bol gezicht met een onderkin; de vlezige, roodbeaderde neus van een stevige drinker. Hij kwam hem bekend voor, maar er was iets aan hem veranderd. Toen schoot het Banks te binnen.

'U hebt uw oren laten opereren,' zei hij. 'De wonderen van de moderne geneeskundige wetenschap.'

Shaw liep rood aan. 'Dus u herkent me wel degelijk.'

'U was die piepjonge agent die bij ons thuis langskwam toen Graham was verdwenen.' Het was moeilijk te geloven, maar Shaw moest in die tijd een jaar of 21 zijn geweest, slechts zeven jaar ouder dan Banks, maar desondanks een volwassene, iemand uit een andere wereld.

'Vertelt u me eens,' zei Shaw, en hij leunde op de tafel, zodat Banks de naar pepermunt geurende adem kon ruiken van een man die zijn ontbijt in vloeibare vorm innam. 'Ik heb het me al die tijd afgevraagd. Hebt u uw parkietje nog teruggekregen?'

Banks leunde achterover in zijn stoel. 'Nu de introducties achter de rug zijn, kunnen we misschien eindelijk beginnen?'

Shaw draaide zijn hoofd geërgerd om naar Michelle, die een foto over de tafel naar Banks schoof. Ze zag er met haar leesbril op bloedserieus uit. En sexy, dacht Banks. 'Is dit de man?' vroeg ze.

Banks tuurde naar de zwartwitfoto en voelde hoe het bloed naar zijn hoofd stroomde, zijn oren begonnen te suizen en zijn ogen troebel werden. Hij beleefde alles opnieuw, die paar angstige, claustrofobische minuten in de greep van de onbekende man, de minuten die hij als zijn laatste op aarde had beschouwd.

'Gaat het?' vroeg Michelle, en op haar gezicht lag een bezorgde uitdrukking.

'Uitstekend,' antwoordde hij.

'Je ziet bleek. Wil je misschien wat water?'

'Nee, bedankt,' zei Banks. 'Dat is hem.'

'Weet je dat zeker?'

'Na al die tijd kan ik er niet meer honderd procent zeker van zijn, maar ik weet het vrij zeker.'

Shaw knikte en Michelle pakte de foto op.

'Hoezo?' vroeg Banks, en hij keek van de een naar de ander. 'Wat is er?'

'James Francis McCallum,' zei Michelle. 'Sinds donderdag 17 juni 1965 vermist uit een psychiatrische inrichting vlak bij Wisbech.'

'Dat kan wel kloppen,' zei Banks.

'McCallum was nog nooit eerder betrokken geweest bij een gewelddadig incident, maar de artsen hebben ons verteld dat de mogelijkheid altijd aanwezig was en dat hij wellicht een gevaar zou kunnen zijn.'

'Wanneer is hij opgepakt?' vroeg Banks.

Michelle wierp een blik op Shaw voordat ze antwoord gaf. Hij knikte kort. 'Dat is het nu juist,' ging ze verder. 'Dat is nooit gebeurd. McCallums lichaam is op 1 juli bij Oundle uit de rivier Nene gevist.'

Banks voelde dat hij zijn mond liet openvallen en weer dichtklapte zonder dat hij een geluid voortbracht. 'Dood?' wist hij ten slotte met moeite uit te brengen.

'Dood,' herhaalde Shaw. Hij tikte met zijn pen op het bureau. 'Bijna twee maanden voordat uw vriend verdween. Dus u begrijpt wel, inspecteur Banks, dat u al die jaren met een illusie hebt geleefd. Waar ik me echter voor interesseer, is de vraag waarom u vanaf het begin tegen

inspecteur Proctor en mij hebt gelogen.'
Banks was verdoofd door de schok die hij zojuist had gekregen. Dood. Al die jaren. Het schuldgevoel. Alles voor niets. De man die hem bij de rivier had aangevallen, kon Graham onmogelijk hebben ontvoerd en vermoord. Eigenlijk zou hij nu opgelucht moeten zijn, maar hij was juist danig in de war. 'Ik heb niet gelogen,' mompelde hij.
'Verzwegen dan. U hebt ons niets verteld over McCallum.'
'Het lijkt mij dat dat niets had uitgemaakt.'
'Waarom hebt u het ons niet verteld?'
'Hoor eens, ik was nog een kind. Ik had niets tegen mijn ouders gezegd, omdat ik bang was voor hun reactie. Ik was van streek en schaamde me voor wat er was gebeurd. Vraag me niet waarom, maar zo voelde ik me. Vies en beschaamd, alsof ik het zelf had uitgelokt.'
'U had het ons moeten vertellen. Het had een aanwijzing kunnen zijn.'
Banks wist dat Shaw gelijk had; hij had zelf onwillige getuigen herhaaldelijk hetzelfde voorgehouden. 'Nu, dat heb ik niet gedaan en blijkbaar heeft het uiteindelijk ook niets uitgemaakt,' snauwde hij. 'Het spijt me. Zo goed?'
Banks had echter door dat Shaw hem niet zo snel met rust zou laten. Hij genoot ervan om zijn gezag te laten gelden. Een geboren pestkop. Hij zag Banks nog steeds als die veertienjarige knul wiens parkiet net door de buitendeur was ontsnapt. 'Wat is er nu echt met uw vriend gebeurd?' vroeg hij.
'Hoe bedoelt u?'
Shaw wreef over zijn kin. 'Ik weet nog dat ik indertijd vermoedde dat u iets wist, dat u iets achterhield. Ik had u toen het liefst meegenomen naar het bureau en een uurtje of wat in een cel laten zitten, maar u was minderjarig en mijn directe chef, Reg Proctor, was als het erop aankwam een beetje een watje. Wat is er toen echt gebeurd?'
'Ik heb geen idee. Graham was gewoon van de aardbodem verdwenen.'
'Weet u zeker dat u en uw vriendjes hem niets hebben aangedaan? Misschien was het wel een ongeluk, zijn jullie net iets te ver gegaan.'
'Waar hebt u het verdomme over?'
'Ik denk dat jullie misschien met jullie drieën om de een of andere reden met Graham Marshall hebben gevochten en hem per ongeluk hebben vermoord. Dat soort dingen gebeurt nu eenmaal wel eens. Toen moesten jullie het lichaam natuurlijk ergens verstoppen.'
Banks sloeg zijn armen over elkaar. 'Leg me dan maar eens uit hoe we dat voor elkaar hebben gekregen.'
'Ik heb geen idee,' gaf Shaw toe. 'Maar dat hoeft ook niet. Misschien hebben jullie ergens een auto gestolen.'

'We konden geen van allen rijden.'
'Dat zegt u nu.'
'Het was toen heel anders dan tegenwoordig; nu kan bijna iedere tienjarige rijden.'
'Is het inderdaad zo gegaan? Hebben jullie gevochten en is Graham toen overleden? Is hij misschien gevallen en op zijn hoofd terechtgekomen of heeft hij zijn nek gebroken? Ik wil heus niet beweren dat jullie van plan waren om hem te doden, maar het is wel gebeurd. Beken het nu maar, Banks. Het zal u goed doen om na al die jaren die last van uw schouders te kunnen lichten.'
'Meneer?'
'Zwijg, inspecteur Hart. Banks? Ik wacht op antwoord.'
Banks stond op. 'Dan kunt u verdomme nog lang wachten. Goedendag.' Hij liep naar de deur. Shaw deed geen enkele poging hem tegen te houden. Toen Banks de deurkruk omlaagduwde, hoorde hij echter dat de hoofdinspecteur iets zei en hij draaide zich om en keek hem aan. Shaw grinnikte. 'Grapje, Banks,' zei hij. Toen verscheen er een ernstige uitdrukking op zijn gezicht. 'Mijn hemel, u bent wel heel fijngevoelig. Wat ik probeer duidelijk te maken, is dat u zich in mijn territorium bevindt en u kunt ons nu blijkbaar evenmin helpen als al die jaren geleden. Ik zou u dan ook adviseren, mijn beste man, om uw hielen te lichten en terug te gaan naar Yorkshire, naai lekker een schaap of twee en zet Graham Marshall uit uw hoofd. Laat hem maar aan de echte professionals over.'
'Die professionals hebben er de vorige keer al een zootje van gemaakt,' zei Banks, en hij liep naar buiten en liet de deur met een harde klap achter zich in het slot vallen, boos op zichzelf omdat hij zich zo had laten kennen, maar niet in staat het te voorkomen. Buiten het bureau aangekomen schopte hij tegen een autoband, waarna hij een sigaret opstak en in zijn auto stapte. Misschien had Shaw gelijk en deed hij er verstandig aan terug te rijden naar het noorden. Hij had nog meer dan een week vakantie, er was van alles te doen in en rond zijn cottage en hier kon hij verder niets uitrichten. Voordat hij wegreed, bleef hij nog even zitten herkauwen wat Michelle en Shaw hem hadden verteld. Hij was dus al die jaren voor niets gebukt gegaan onder zijn schuldgevoel; McCallum was op geen enkele manier verantwoordelijk geweest voor Grahams ontvoering en derhalve Banks dus ook niet. Als hij daarentegen de gebeurtenis wel had gemeld, was er een kansje geweest dat McCallum was opgepakt en in een inrichting was geplaatst en was hij misschien niet verdronken. Een nieuw schuldgevoel?

Banks dacht terug aan die warme middag in juni bij de rivier en vroeg zich nogmaals af of McCallum hem echt zou hebben vermoord. Het antwoord op die vraag, besloot hij uiteindelijk, was ja. Die klootzak kon dus de pot op en zijn schuldgevoel ook. McCallum was een gevaarlijke gek en het was niet Banks' schuld dat hij in die kloterivier was gevallen en was verdronken. Opgeruimd staat netjes.

Creams *CrossRoads* klonk uit de speakers en hij zette het volume harder voordat hij uitdagend de parkeerplaats bij het politiebureau afspurtte, om te zien of een van de patrouillewagens de achtervolging zou inzetten. Dat gebeurde niet.

Iedereen zag er dodelijk vermoeid uit, dacht Annie, toen het Armitage-team zich die ochtend verzamelde in de vergaderkamer van het hoofdbureau van de westelijke divisie. De vergaderkamer werd zo genoemd vanwege de lange, glimmende tafel en de stoelen met hoge rugleuningen die er stonden, en de schilderijen aan de muren van negentiende-eeuwse katoenmagnaten met rode gezichten en ogen die bijna uit hun kassen rolden, waarschijnlijk vanwege de strakke kragen die ze droegen, dacht Annie. De foeilelijke kunstwerken waren niet veel waard, maar hun aanwezigheid verleende de kamer een zekere autoriteit.

Hoofdinspecteur Gristhorpe zat aan het hoofd van de tafel en schonk een glas water voor zichzelf in. Ook aanwezig waren de agenten Templeton, Rickerd en Jackman, en brigadier Jim Hatchley, die nog steeds niet kon verkroppen dat Annie in zijn plaats promotie had gemaakt. Banks had Annie echter verscheidene keren uitgelegd dat Jim Hatchley een geboren brigadier was en een verdraaid goede bovendien. Er was niet veel wat Hatchley niet wist over de duistere kanten van Eastvale. Hij had een netwerk van informanten dat in omvang alleen onderdeed voor zijn netwerk van barmannen en pubeigenaren, die allemaal voor hem een oogje hielden op de criminele handel en wandel, en zijn vermoeidheid werd waarschijnlijk veroorzaakt door het feit dat zijn vrouw een paar weken geleden hun tweede kind had gebaard. De drie agenten waren degenen die de vorige avond het leeuwendeel van de surveillance op zich hadden genomen.

'We zijn dus in feite niet echt opgeschoten,' opende Gristhorpe de vergadering.

'Nee, meneer,' zei Annie, die er gelukkig nog wel in was geslaagd om snel het beloofde biertje in Relton te gaan drinken, waarna ze thuis een bad had genomen en een paar uur had geslapen voordat ze even na zonsopgang weer terug was gekomen naar het bureau. 'Behalve dan dat we contact hebben opgenomen met de telefoonmaatschappij en een overzicht hebben gekregen van Luke's mobiele telefoon. We zullen alle mensen nagaan die hij de afgelopen maand heeft gebeld, maar dat zijn er niet zoveel. Het telefoontje over het losgeld naar Martin Armitage was het enige wat na Luke's verdwijning heeft plaatsgevonden, de enige ook van die dag, en is vanuit de directe omgeving gemaakt. Waar Luke zich ook bevindt, het kan niet ver weg zijn; op dinsdagavond was hij tenminste nog in de omgeving.'

'Verder nog iets?'

'We hebben een redelijk goed overzicht van Luke's bezigheden tot halfzes op de dag dat hij verdween.'

'Ga verder.'

Annie liep naar het witte bord en schreef daar de tijden en plaatsen op die ze opsomde. Ze kende de details uit haar hoofd en hoefde niet één keer haar opschrijfboekje te raadplegen. 'Om kwart voor drie kwam hij aan bij het busstation naast het Swainsdale-winkelcentrum. De buschauffeur en diverse passagiers hebben hem gezien. We hebben een deel van de opnames van de bewakingscamera's bekeken en hij blijkt een tijdje in het centrum te hebben rondgewandeld, is bij de W.H. Smith's en daarna de HMV binnengegaan, maar heeft zo te zien niets gekocht. Dat heeft hem tot halfvier beziggehouden. Om kwart voor vier is hij bij die kleine computerzaak aan North Market Street geweest, wat kan kloppen aangezien hij te voet was. Daar is hij een halfuur gebleven om een paar computerspelletjes uit te proberen en toen is hij naar de muziekwinkel gelopen op de hoek van York Road en Barton Place.'

'Heeft iemand opgemerkt in wat voor stemming hij verkeerde?' vroeg Gristhorpe.

'Nee. Iedereen zegt dat hij heel gewoon leek. Wat om te beginnen al vrij raar was, heb ik begrepen. Niet direct een vrolijke, opgewekte knul.'

'En toen?'

'De winkel in tweedehands boeken op de markt.' Annie liep naar het raam en wees naar buiten. 'Die daarbeneden. Normans.'

'Ik ken die winkel,' zei Gristhorpe. 'Wat heeft hij daar gekocht?'

'*Misdaad en straf* en *Een portret van de kunstenaar als een jongeman*.' Dat was wel iets voor Gristhorpe, dacht Annie.

Gristhorpe floot bewonderend. 'Tamelijk zwaar materiaal voor een vijftienjarige. En verder?'

'Dat was het. Om halfzes is hij uit het zicht van de CCTV-camera's op het marktplein verdwenen en we hebben niemand gevonden die zegt dat hij hem daarna nog heeft gezien. O, ja, iemand heeft hem zien praten met

een groep jongens op het plein, nadat hij uit de boekwinkel kwam. Deze persoon had de indruk dat ze hem pestten. Een van hen greep het pakje boeken uit zijn hand en ze hebben het een tijdje naar elkaar staan overgooien, zodat hij moest proberen het terug te krijgen.'
'Hoe is dat afgelopen?'
'Een van de jongens gooide het uiteindelijk naar hem toe en toen zijn ze er lachend vandoor gegaan.'
'Klasgenoten?'
'Ja. We hebben hen al gesproken. Dat wil zeggen: Templeton.'
'Heeft tot niets geleid,' zei Templeton. 'Ze hebben allemaal een alibi.'
'In welke richting is hij toen gelopen?' vroeg Gristhorpe.
'In zuidelijke richting. Via Market Street.'
Gristhorpe wreef over zijn kin en fronste zijn wenkbrauwen. 'Wat denk jij ervan, Annie?' vroeg hij.
'Tja, hij is nu al drie dagen weg en niemand heeft ook maar het puntje van zijn neus gezien.'
'En de Armitages?'
'Niets.'
'Weet je zeker dat ze je alles hebben verteld?'
'Ze hebben nu geen enkele reden meer om te liegen,' zei Annie. 'En de kidnapper weet dat we Luke als een vermist persoon beschouwen. Hij was overigens degene die de Armitages op het idee bracht om hun verhaal door Luke te laten bevestigen.'
'Daar is het nu een beetje laat voor,' zei Kevin Templeton. 'Hij had immers gisteren al moeten thuiskomen?'
'Dat klopt.'
'Wat is er dan gebeurd?' vroeg Gristhorpe.
'Hij is hoogstwaarschijnlijk dood,' nam agent Winsome Jackman het woord.
'Waarom heeft de kidnapper het geld dan niet opgehaald?'
'Omdat hij weet dat we de plek in de gaten houden,' antwoordde Annie. 'Dat is de enige verklaring. Hij moet me gezien hebben toen ik de hut binnenging om het koffertje te inspecteren.'
Niemand zei iets; er viel niets te zeggen. Annie wist dat ze het met haar eens waren en dat iedereen aanvoelde wat ze zelf ook voelde, die wurgende angst dat zij mogelijk degene was geweest die verantwoordelijk was voor de dood van de jongen, dat alles misschien wel gewoon volgens plan was verlopen als ze zich aan de voorschriften en procedures had gehouden. Ze moest Gristhorpe echter nageven dat hij niets zei, wát hij verder ook dacht.

'Tenzij...' vervolgde Annie.
'Wat wilde je zeggen, meisje?'
'Nou, een paar dingen hebben me vanaf het begin al dwarsgezeten.'
'Ik ben het met je eens dat het niet bepaald een conventionele ontvoeringszaak is,' zei Gristhorpe, 'maar ga verder.'
Annie nam een slokje water. 'Ten eerste,' zei ze, 'waarom wachtte de kidnapper zo lang voordat hij contact opnam met de Armitages om zijn eisen kenbaar te maken? Luke is maandag aan het eind van de middag of begin van de avond verdwenen, voorzover we tot nu toe hebben ontdekt, maar de losgeldeis kwam pas op dinsdag, toen het al donker was.'
'Misschien kreeg de kidnapper hem pas op dinsdag te pakken,' opperde Templeton.
'Je bedoelt dat hij toch van huis was weggelopen en toen toevallig werd onderschept door een kidnapper, voordat hij kans zag om terug te gaan naar huis?'
'Het zou toch kunnen?'
'Wel heel toevallig, zou ik denken.'
'Soms speelt het toeval wel degelijk een rol.'
'Inderdaad, soms wel.'
'Of misschien hield de kidnapper Luke eerst een tijdje in het oog om te zien wat hij zou doen, voordat hij zijn kans schoon zag.'
'Dat klinkt al waarschijnlijker,' zei Gristhorpe. 'Annie?'
'Dat verklaart nog altijd niet waarom er zoveel tijd is verstreken tussen het tijdstip op maandagavond waarop Luke thuis had moeten komen en de eis tot losgeld op dinsdagavond. Dit soort mensen verspilt normaalgesproken geen tijd. Als ze hem op maandag hadden ontvoerd, zouden ze op maandag de Armitages hebben gebeld. Bovendien is dat niet het enige wat me dwarszit.'
'Wat dan nog meer?' vroeg Gristhorpe.
'Martin Armitage heeft me verteld dat hij had gevraagd of hij Luke kon spreken en dat de kidnapper dat weigerde en zei dat Luke niet bij hem was.'
'Ja?' zei Templeton. 'Dat is toch heel goed mogelijk?'
'Maar hij belde met Luke's mobiele telefoon,' wierp Annie tegen.
'Ik snap niet goed waar je naartoe wilt,' zei Templeton. 'Mobiele telefoons zijn nu eenmaal mobiel. Je kunt ze overal mee naartoe nemen. Dat is er nu juist zo handig aan.'
Annie zuchtte. 'Denk nu eens na, Kevin. Als Luke ergens zat opgesloten waar geen telefoon was, had de kidnapper op zoek gemoeten naar een

telefooncel en het is niet waarschijnlijk dat hij Luke dan had meegenomen. De kidnapper gebruikte echter Luke's mobieltje, dus waarom was hij dan niet gewoon bij Luke?'
'Het zou kunnen dat ze de jongen ergens vasthouden waar dat mobieltje niet werkt,' merkte Rickerd op.
'Dat zou kunnen,' gaf Annie toe, en ze herinnerde zich dat haar toestel ook niet had gewerkt. 'Normaalgesproken laten kidnappers toch juist wel de mensen van wie ze geld eisen spreken met degene die ze hebben ontvoerd? Als een aansporing om vooral te betalen? Het bewijs dat hij nog leeft?'
'Goed opgemerkt, Annie,' zei Gristhorpe. 'We hebben dus twee punten waarop de kidnapper afwijkt van de normale routine. Ten eerste de tijd tussen de verdwijning en de losgeldeis en ten tweede de weigering om een levensteken te geven.'
'Ja,' zei Annie. 'En dan die losgeldeis.'
'Wat is daarmee?' vroeg Gristhorpe.
'Het is bij lange na niet hoog genoeg.'
'De Armitages zijn lang niet zo rijk als de meeste mensen denken,' wierp Templeton tegen.
'Dat is nu juist wat ik probeer duidelijk te maken, Kev. Het kost hen aardig wat moeite om Swainsdale Hall te onderhouden en tegelijkertijd de leefstijl waaraan ze gewend zijn te financieren. Dat weten we, omdat ik met hen heb gepraat, maar het was niet overal bekend. Als politie krijgen we heel wat informatie te horen die alleen voor ingewijden is bedoeld. Voor ons is dat van levensbelang. Als jij de zoon van een voormalig beroemd model en een beroemde voetballer zou ontvoeren die in een huis als Swainsdale Hall woonden, zou je dan niet denken dat ze bulkten van het geld? Hoeveel zou jij hun vragen in ruil voor het leven van hun zoon? Tienduizend? Twintigduizend? Vijftig? Ik zou zelf voor honderd gaan, misschien zelfs een kwart miljoen. Laat ze er maar een paar duizend van afpraten. Ik zou zeker niet met tien beginnen.'
'Misschien was de kidnapper ervan op de hoogte dat ze niet zo rijk zijn als de mensen denken,' opperde Templeton. 'Misschien is het een bekende van de familie.'
'Waarom zouden ze dan juist Luke ontvoeren? Waarom kiezen ze dan niet iemand uit een rijkere familie?'
'Misschien hadden ze niet zoveel nodig. Misschien is het gewoon genoeg.'
'Je klampt je vast aan strohalmen, Kev.'
Templeton glimlachte. 'Ik speel slechts de rol van advocaat van de dui-

vel, meer niet. Als u gelijk hebt, zijn ze misschien minder intelligent dan we tot nu toe hebben aangenomen.'
'Oké. Ik begrijp het.' Annie keek naar Gristhorpe. 'Vindt u ook niet dat er een vreemd luchtje aan zit?'
Gristhorpe zweeg en vouwde zijn handen voor zich op de tafel voordat hij antwoord gaf. 'Dat vind ik inderdaad,' zei hij. 'Ik kan niet zeggen dat ik tijdens mijn carrière veel ontvoeringszaken heb meegemaakt, godzijdank niet, want ik beschouw het als een laffe misdaad, maar ik heb er wel een paar afgehandeld en geen daarvan bevatte zoveel anomalieën als deze. Wat is jouw conclusie, Annie?'
'De eerste mogelijkheid is dat het om amateurs gaat,' antwoordde Annie. 'Het betreft een wel heel amateuristische aanpak, bijvoorbeeld een junk die de gelegenheid in de schoot kreeg geworpen om genoeg geld in handen te krijgen voor een aantal shots en nu te bang is om tot het einde toe door te zetten.'
'En de tweede mogelijkheid?'
'Het kan ook iets heel anders zijn. Een valstrik, een afleidingsmanoeuvre, een losgeldeis die is bedoeld om onze aandacht af te leiden, ons in verwarring te brengen, omdat er iets heel anders aan de hand is.'
'Wat dan?' vroeg Gristhorpe.
'Dat weet ik niet,' antwoordde Annie. 'Maar het ziet er in beide scenario's niet best uit voor Luke.'

Het was niet eerlijk, dacht Andrew Naylor van het ministerie, toen hij in de Range Rover van de overheid over de desinfecterende mat bij het begin van de niet-omheinde weg ten noorden van Gratly reed. Hij had niets te maken met de maatregelen die waren getroffen in verband met mond- en klauwzeer, maar in de ogen van de plaatselijke bevolking waren alle overheidsmedewerkers met hetzelfde sop overgoten. Iedereen in het gebied wist wie hij was en voordat de ziekte had toegeslagen, had niemand iets tegen hem gehad. Nu was hij echter de haatdragende blikken die hij kreeg toegeworpen wanneer hij een winkel of pub binnenliep meer dan zat, en de gesprekken die stilvielen, het gefluister dat hij opving, de manier waarop mensen hun woede soms recht in zijn gezicht spuiden. In één pub hadden ze hem zelfs zo vijandig bejegend dat hij bang was geweest dat ze hem in elkaar zouden slaan.
Het haalde niets uit wanneer hij hun vertelde dat hij werkte voor het DEFRA, het departement dat zich bezighield met milieu, voeding en plattelandsaangelegenheden en onder het water- en landdirectoraat viel, of dat hij over het water ging, want dat herinnerde hen alleen maar aan het

waterbedrijf van Yorkshire en de droogte, lekkages, tekorten en beperkingen waardoor ze hun stomme auto's niet mochten wassen en de tuinsproeiers niet konden gebruiken. En dat maakte hen alleen maar nog kwader.

Een van Andrews taken was het verzamelen van watermonsters uit de meren, vijvers, bergmeertjes en reservoirs in de omgeving, die later werden gecontroleerd op de aanwezigheid van verontreinigende stoffen afkomstig uit het Central Science Laboratory. Een aantal van deze waterbekkens werd omgeven door het normaalgesproken voor iedereen toegankelijke natuurlijke landschap. Nu er mond- en klauwzeer heerste, was Andrew een van de weinigen die een speciale vergunning had om ernaartoe te gaan, nadat hij uiteraard de nodige voorzorgsmaatregelen had getroffen.

Die dag was Hallam Tarn de laatste plek op zijn lijst, een van God en iedereen verlaten, uitgeholde schaal water op het hoogste punt van de heidevlakte achter Tetchley Fell. Volgens de overlevering was het ooit een dorpje geweest waar de bewoners zich hadden ingelaten met satanische rituelen, dus had God hen met een vuistslag van de kaart geveegd en was er op de plek van het dorp een bergmeertje ontstaan. Er werd wel beweerd dat je op bepaalde dagen van het jaar de oude huizen en straten onder het wateroppervlak kon zien liggen en het gekrijs van de dorpelingen kon horen. Soms, wanneer het licht op een bepaalde manier op het water weerkaatste en de roep van een wulp over het verlaten heidelandschap galmde, wilde Andrew dit best geloven.

Vandaag scheen echter de zon en de honingzoete lucht was windstil en zacht. Het leek erop dat de zomer dan toch eindelijk was aangebroken en Andrew kon zich op dit moment niet voorstellen dat zich hier zoiets slechts had afgespeeld.

Het diepste gedeelte van het meertje lag dicht bij de weg en een hoge, stevige stapelmuur vormde de afscheiding die kinderen, dronkaards en alle anderen moest tegenhouden die dom genoeg waren om er in het donker rond te wandelen. Om bij het water te komen moest je iets verder rijden, via een trappetje over de muur klimmen en dan het voetpad volgen dat naar de ondiepe waterkant leidde. Voordat de overheid het toegangsverbod had ingesteld, was het een populaire plek geweest voor wandelingen en picknicks, maar dat was tegenwoordig allemaal verboden, met uitzondering van mensen als Andrew. Aan een paal hing een poster van de overheid die mensen erop wees dat ze niet in het water mochten lopen, op straffe van een hoge boete.

Voordat hij met zijn bootje en reageerbuisjes het water op ging, besprenkelde Andrew zijn waterlaarzen met een desinfecterend middel en trok hij beschermende rubberkleding aan. Hij voelde zich net een ruimtevaarder die zich voorbereidde op een wandeling op de maan. Hij had het warm in de beschermende kleding en hij wilde dit zo snel mogelijk afhandelen en dan naar huis voor een bad en een avondje uit met Nancy in Northallerton, misschien naar de film, daarna een etentje en dan ergens wat drinken.

Toen hij ongeveer honderd meter over het smalle, onverharde pad naar de oever van het meertje had gelopen en bij de waterkant neerhurkte om een buisje met water te vullen, voelde hij het zweet langs zijn nek omlaagdruppelen. Het was hier zo stil, dat hij zich bijna kon inbeelden dat hij de enige mens op aarde was. Omdat hij op verschillende dieptes monsters moest nemen, stapte hij in het bootje en hij begon te roeien. Het meer was niet veel groter dan een flinke vijver, misschien een paar honderd meter lang en honderd meter breed, maar op sommige plekken was het erg diep. Andrew voelde zich niet helemaal op zijn gemak omdat hij hier helemaal alleen was en er verder geen levend wezen was te bekennen, en telkens als hij in het water tuurde, meende hij de vorm van een dak of straat te herkennen. Dat was uiteraard een optische illusie die waarschijnlijk werd veroorzaakt door het zonlicht dat op het water scheen, maar het bracht hem desondanks elke keer weer van zijn stuk.

Toen hij de muur naderde, ontwaarde hij een donkerkleurig stoffen voorwerp dat aan de wortels van een oude boom was blijven hangen. De boom was er allang niet meer, maar de knoestige wortels staken nog steeds uit de oever als armen die uit een graf omhoogstaken en iets in hun gebogen, pezige vorm joeg Andrew nog meer angst aan. Hij was echter nieuwsgierig naar het stuk stof, dus vermande hij zich en roeide ernaartoe. Legendes en mythen konden weinig kwaad aanrichten.

Toen hij heel dichtbij was, strekte hij zijn arm uit en hij probeerde de stof los te trekken van de wortel. Het was zwaarder dan hij had verwacht en toen het voorwerp losschoot, helde het bootje over, waardoor Andrew zijn evenwicht verloor en in het meertje viel. Hij kon goed zwemmen en was dan ook niet bang dat hij zou verdrinken, maar zijn bloed stolde in zijn aderen toen hij zag dat het voorwerp dat hij als een verliefde tiener tijdens een schuifelnummer stevig tegen zich aangeklemd hield een lijk was en dat de geopende dode ogen in het grauwe gezicht hem star aanstaarden.

Andrew liet het lijk los en proefde maagzuur in zijn mond. Hij klom moeizaam terug in het bootje, viste zijn riemen uit het water en roeide terug naar de oever, waar hij net lang genoeg bleef stilstaan om over te geven voordat hij met klotsende laarzen terughobbelde naar het bestelbusje en probeerde zijn mobiele telefoon aan te zetten. Tevergeefs. Vloekend gooide hij het ding op de vloer en met trillende handen startte hij de motor. Tijdens de rit terug naar Helmthorpe keek hij regelmatig in zijn achteruitkijkspiegel om zich ervan te vergewissen dat er geen misvormde, bovennatuurlijke beesten uit de diepte van het meer waren opgedoken en achter hem aankwamen.

Banks was nog steeds kwaad toen hij zijn auto met piepende remmen naast het huis van zijn ouders neerzette, maar hij ademde een paar keer diep in voordat hij naar binnen ging, vastbesloten om hun niets te laten merken. Zijn ouders hoefden het niet te weten; die hadden zelf al genoeg problemen. Hij trof zijn vader voor de televisie aan waar een paardenrace aan de gang was en zijn moeder stond in de keuken over een cake gebogen. Hij stak zijn hoofd om de hoek van de keukendeur en zei: 'Ik ga vanmiddag weer naar huis. Dank u wel dat ik hier kon slapen.'
'Er staat hier altijd een bed voor je klaar,' zei zijn moeder. 'Dat weet je, jongen. Ben je klaar met wat je hier kwam doen?'
'Niet echt,' zei Banks, 'maar ik kan verder niets meer uitrichten.'
'Je bent toch politieman. Er moet toch iets zijn wat je kunt doen?'
Banks' moeder sprak het woord 'politieman' iets minder heftig uit dan zijn vader en ook met minder afschuw dan ze vroeger wel had gedaan, maar het scheelde niet veel; dat was ook de reden geweest waarom Banks zo verbaasd had gereageerd toen mevrouw Marshall hem vertelde dat zijn moeder trots op hem was. Banks' moeder had altijd duidelijk laten blijken dat ze vond dat hij zichzelf te kort had gedaan en dat hij de handel had moeten ingaan, waar hij zich had kunnen opwerken tot *managing director* van een groot, internationaal bedrijf. Het maakte blijkbaar niet uit dat hij succesvol was in zijn werk en goede promotiekansen had; zijn moeder bleef zijn beroepskeuze ondermaats vinden en zijn prestaties leken altijd te verbleken in vergelijking met die van zijn broer Roy, de beurshandelaar. Banks had altijd het vermoeden gehad dat Roy niet helemaal zuiver op de graat was, iets wat wel vaker voorkwam in de wereld van financiële speculatie, zo wist hij uit ervaring, maar hij zou dergelijke bedenkingen nooit uiten in het bijzijn van zijn moeder of van Roy zelf. Hij leefde in gespannen afwachting van het telefoontje van zijn broer dat onherroepelijk ooit zou komen: 'Alan, kun je me helpen? Ik heb een beetje een aanvaring gehad met de wet.'
'Ik ga niet over die zaak, mam,' zei hij. 'De plaatselijke politie is heel competent. Ze zullen echt hun uiterste best doen.'

'Wil je dan nog iets eten voordat je vertrekt?'
'Natuurlijk. Weet u waar ik zin in heb?'
'Nou?'
'Fish&chips van de overkant,' zei Banks. 'Ik haal wel. En ik trakteer.'
'Ach, nou ja, misschien een visburger,' zei zijn moeder. 'Je vader heeft er nooit meer iets willen halen sinds het door Chinezen is overgenomen.'
'Kom op, pa,' zei Banks en hij keek de woonkamer in. 'Of moet u zich soms aan uw vetvrije dieet houden?'
'Vetvrij kan de pot op,' zei Arthur Banks. 'Ik wil de specialiteit van de dag met friet. Maar let er wel goed op dat het niet naast die smerige chop suey of zoetzure saus heeft gelegen.' Banks knipoogde naar zijn moeder en liep naar de winkel.
De rij winkels aan de overkant, van de doorgaande weg afgescheiden door een strook asfalt die bestemd was als parkeerplaats voor klanten, had na de tijd dat Banks er nog woonde tientallen veranderingen ondergaan. Banks herinnerde zich de winkels nog die er hadden gezeten toen hij net in de buurt was komen wonen: fish&chipszaak, dameskapper, slager, groenteman en wasserette. Nu waren er een videotheek, een afhaalpizzeria en een tandoori-restaurant dat luisterde naar de naam Caesar's Taj Mahal, een minisupermarkt en een uniseks kapperszaak. De enige die altijd waren gebleven, waren de fish&chipszaak, waar nu ook Chinese afhaalmaaltijden konden worden gekocht, en de tijdschriftenwinkel, die, zo las hij op het uithangbord, nog steeds het eigendom was van de Walkers, die de zaak jaren geleden, in 1966, van Donald Bradford hadden overgenomen. Banks vroeg zich af wat er met Bradford was gebeurd. Het verhaal ging dat hij enorm was geschrokken van Grahams verdwijning. Had de plaatselijke politie hem ooit onder de loep genomen?
Banks stond te wachten tot hij de drukke straat kon oversteken. Links van de winkels stond de in onbruik geraakte kogellagerfabriek, om de een of andere onverklaarbare reden nog onaangetast. In elk geval waarschijnlijk niet omdat het een historisch gebouw was, want het was een oerlelijk geval. De poorten waren met kettingen en hangsloten afgesloten, het geheel werd afgeschermd door hoge metalen hekken met daarbovenop prikkeldraad en de ramen daarachter waren afgezet met roestige roosters. Ondanks alle bewakingsmaatregelen waren de meeste ramen toch gebroken en ging de voorkant van het zwartgeblakerde gebouw schuil onder kleurige graffiti. Banks dacht terug aan de tijd toen de fabriek nog in bedrijf was en de vrachtwagens onophoudelijk af en aan reden, de fabrieksfluit op gezette tijden ging en de arbeiders bij de

bushalte stonden te wachten. Onder hen waren veel jonge vrouwen geweest, nauwelijks meer dan meisjes die regelrecht uit de schoolbanken kwamen en volgens zijn moeder een ongemanierd stel, maar Banks had zijn bezoekjes aan de winkels vaak zo gepland dat de fabriekspoorten net opengingen wanneer hij langskwam, omdat hij een paar meisjes wel zag zitten.

Met name dat ene meisje herinnerde hij zich nog, dat vaak afwezig bij de bushalte had staan roken, met haar sjaal als een tulband om haar hoofd gewikkeld. Haar stevige werkkleding kon de contouren van haar lichaam niet helemaal verhullen en ze had een bleke, gladde huid en leek een beetje op Julie Christie in *Billy Liar*. Wanneer Banks zo nonchalant mogelijk langs de bushalte liep, riepen de andere meisjes altijd plagend schuine opmerkingen naar hem, waardoor hij dan begon te blozen, bedacht Banks toen hij in de rij bij de fish&chipszaak stond te wachten.

'Hé, Mandy,' riep een van hen dan. 'Hier komt die knul weer. Volgens mij heeft hij een oogje op je.'

Dan brulden ze allemaal van het lachen en zei Mandy dat ze hun mond moesten houden, waarop Banks weer bloosde. Eén keer had Mandy met haar hand over zijn hoofd gestreken en hem een sigaret gegeven. Hij had er een week mee gedaan, elke keer een paar trekjes genomen en hem dan snel uitgedrukt om voor later te bewaren. Het laatste stukje smaakte eigenlijk als iets wat hij zo uit de goot zou kunnen hebben opgevist, maar toch rookte hij hem tot het bittere eind op. Na die ene keer glimlachte Mandy soms naar hem wanneer hij voorbijkwam. Ze had een lieve glimlach. Soms piekten plukjes haar onder de tulband vandaan, die dan over haar wang krulden, en soms ook had ze een veeg olie of viezigheid op haar gezicht. Ze moest een jaar of achttien zijn geweest. Een leeftijdsverschil van vier jaar. Geen onoverbrugbare kloof wanneer je iets ouder was, maar op die leeftijd breder dan de Grand Canyon.

Op een goede dag zag hij dat ze een verlovingsring droeg, een paar weken later stond ze ook niet meer met de anderen bij de bushalte en hij had haar daarna nooit meer gezien.

Waar zou Mandy nu zijn, peinsde hij. Als ze nog steeds leefde, zou ze ergens in de vijftig zijn, ouder dan Kay Summerville. Was ze dikker geworden? Was haar haar grijs geworden? Zag ze er oud en afgetobd uit na jaren lang zwoegen en leven in armoede? Was ze bij die man gebleven met wie ze toen was getrouwd? Had ze misschien de loterij gewonnen en was ze naar de Costa del Sol verhuisd? Dacht ze nog wel eens aan die smoorverliefde knul die zijn bezoekjes aan de winkels zo plande dat hij haar bij de bushalte zou tegenkomen? Hij betwijfelde het ten zeerste.

Het leven dat achter ons ligt. Zoveel mensen. Onze paden kruisen zich even, ontmoetingen die soms zo vluchtig zijn als die van hem en Mandy, en we trekken verder. Sommige ontmoetingen staan onuitwisbaar in ons geheugen gegrift, andere verdwijnen stilletjes in een diep gat. Natuurlijk dacht Mandy nooit meer aan hem; voor haar was hij slechts een geintje geweest om de tijd te doden, terwijl zij op haar beurt voeding had gegeven aan zijn tienerdromen over seks. In zijn herinnering zou ze altijd met haar heup tegen het bushokje geleund staan wachten, een afwezige blik in haar ogen, een sigaret rokend en een losse haarlok die zacht op haar wang rustte, eeuwig mooi en eeuwig achttien.
'Tweemaal de specialiteit van de dag met friet en een visburger.'
Banks betaalde voor de fish&chips en liep met de papieren zak terug naar huis. Tegenwoordig geen in kranten gewikkelde fish&chips meer. Onhygiënisch. Ongezond.
'Er heeft iemand voor je gebeld toen je weg was, Alan,' zei zijn moeder toen hij binnenkwam.
'Wie was het?'
'Dezelfde vrouw die gisteravond ook heeft gebeld. Heb je nu al een nieuwe vriendin?'
Nu al. Sandra was al bijna twee jaar bij hem weg, verwachtte inmiddels het kind van een andere man en zou binnenkort met hem trouwen. Hoezo had Banks nu al een nieuwe vriendin?
'Nee, mam,' zei hij. 'Ze werkt hier bij de politie. Dat wist je gisteravond al. Tegenwoordig laten ze ook vrouwen toe bij de politie.'
'Je hoeft niet zo brutaal te zijn, hoor. Eet je fish&chips nou maar op voordat ze koud worden.'
'Wat heeft ze gezegd?'
'Ze vroeg of je haar kunt terugbellen wanneer je tijd hebt. Ik heb het nummer opgeschreven, voor het geval je het was vergeten.'
Banks' moeder slaakte een vermoeide zucht toen Banks van tafel opstond en naar de telefoon liep. Zijn vader merkte niets; hij zat met zijn fish&chips op de krant op zijn schoot en at met zijn handen, zijn aandacht volledig gericht op de race van halftwee op Newmarket en een glas bier gevaarlijk wiebelend op de leuning van zijn stoel.
Het nummer dat op de blocnote naast de telefoon in de gang was gekrabbeld, zei hem niets. Het was niet het nummer van Thorpe Wood. Nieuwsgierig draaide Banks het nummer.
'Inspecteur Hart. Met wie spreek ik?'
'Michelle? Ik ben het. Alan Banks.'
'Ach, inspecteur Banks.'

'Je had een bericht voor me achtergelaten en gevraagd of ik wilde terugbellen. Is dit je mobiele nummer?'
'Inderdaad. Om te beginnen wil ik graag zeggen dat het me spijt van hoofdinspecteur Shaw vanmorgen.'
'Dat geeft niet. Jij kon er niets aan doen.'
'Ik vond dat ik... Nou ja, het verbaast me dat hij zoveel belangstelling toont. Hij heeft niets met de zaak te maken. Ik had het idee dat hij gewoon zijn tijd uitzit tot zijn pensioen, maar nu zit hij me voortdurend op de huid.'
'Waar wilde je me over spreken?'
'Ga je al terug naar huis?'
'Ja.'
'Wanneer?'
'Dat weet ik niet precies. Vanmiddag. Vanavond. Het heeft geen zin om hier te blijven rondhangen als jullie me niet kunnen gebruiken.'
'Geen zelfmedelijden, hoor. Dat past niet bij je. Ik vroeg me alleen af of ik je nog een keer kon spreken voordat je weggaat, als je geen haast hebt tenminste?'
'Zomaar, of heb je een speciale reden?'
'Misschien omdat ik niet degene ben geweest die je als ongewenste vreemdeling heeft behandeld, ondanks de niet echt beleefde introductie van jouw kant.'
'Goed dan. Waarom ook niet?'
'Halfzes bij Starbucks aan Cathedral Square, komt dat gelegen?'
'Is hier dan een Starbucks? In Peterborough?'
'Niet zo verbaasd. We zijn tegenwoordig erg hip. Er is ook een McDonald's, als je dat liever hebt?'
'Nee. Starbucks is uitstekend. Halfzes. Dan heb ik meer dan genoeg tijd om mijn spullen in te pakken en afscheid te nemen. Tot straks.'

Annie en Gristhorpe kwamen net op tijd bij Hallam Tarn aan om te zien hoe twee politieduikers het lichaam uit het water haalden en op de oever trokken. Peter Darby, de politiefotograaf die de plaats delict altijd fotografeerde, zat in een bootje bij hen in de buurt en nam alles op video op. Hij had al verscheidene stills en polaroids gemaakt van de plek waar Andrew Naylor het lichaam het eerst had gezien. Een van de mannen uit Helmthorpe had droge kleding voor Naylor meegenomen en nu stond hij nagelbijtend bij de kleine groep mensen te wachten op de duikers die de oever naderden.
Eenmaal op het droge legden ze het lichaam op het gras voor de voeten

van dokter Burns, de politiearts. Dokter Glendenning, de vaste patholoog van het hoofdbureau, was die dag niet beschikbaar, omdat hij was weggeroepen door een collega in Scarborough, die hulp had verzocht bij een bijzonder moeilijk geval. Brigadier Stefan Nowak, coördinator van de plaats delict, en de technische recherche waren al onderweg.
Ach, dacht Annie enigszins opgelucht, het is tenminste geen drijver. Ze was verschillende keren aanwezig geweest wanneer zo'n opgezwollen, misvormde klomp vlees uit het water werd gehaald en ze keek niet uit naar nog zo'n gebeurtenis. Toen ze eenmaal het gezicht had gezien, wenste ze echter dat het wel een drijver was geweest. Het lichaam was Luke Armitage. Het leed geen twijfel. Hij was gekleed in het zwarte T-shirt en de spijkerbroek die hij volgens Robin had aangehad toen hij naar Eastvale was gegaan en hij had niet zo heel lang in het water gelegen, zodat zijn gelaatstrekken nog niet onherkenbaar waren geworden, ook al was de huid wit en waren er tekens die duidden op *cutis anserina*, beter bekend als kippenvel. Het ooit krullende donkere haar was nu steil en plakte als zeewier tegen zijn schedel en gezicht.
Annie zocht een plekje uit waar ze dokter Burns, die zijn in situ-onderzoek uitvoerde, niet voor de voeten liep. 'Dit zal niet meevallen,' zei hij tegen Annie. 'Gewoonlijk ontbinden lichamen in de open lucht twee keer zo snel als in het water, maar we moeten rekening houden met heel veel variabelen.'
'Bestaat er een kans dat hij is verdronken?'
De arts zocht in Luke's mond naar sporen van schuim en in zijn ogen naar de bekende puntvormige bloedingen die voorkomen bij asfyxie, waartoe verdrinking behoort. Hij schudde zijn hoofd en keek Annie aan. 'Moeilijk om met zekerheid te zeggen. We weten pas meer wanneer dokter Glendenning de longen heeft onderzocht en een diatomische analyse heeft laten uitvoeren.'
Diatomeeën, wist Annie van haar basiscursus forensische wetenschap, waren micro-organismen die in water leefden. Wanneer je verdronk, kreeg je daarvan een flinke hoeveelheid binnen met het water en ze verspreidden zich tot in alle mogelijke en onmogelijke hoeken van je lichaam, zelfs in het beenmerg; wanneer je niet was verdronken, maar wel dood werd aangetroffen in water, zouden er mogelijk enkele diatomeeën in het lichaam worden gevonden, maar niet in zulke grote aantallen en evenmin over het hele lichaam verspreid.
Dokter Burns draaide het lichaam om en wees naar Luke's achterhoofd. Annie zag sporen van een flinke klap. 'Zou dat voldoende zijn geweest om de dood te veroorzaken?' vroeg ze.

'Een harde klap tegen het cerebellum?' zei dokter Burns. 'Ja zeker.' Hij bekeek het lichaam iets nauwkeuriger. 'Hij is koud,' zei hij, 'en er is geen rigor.'
'Wat wil dat zeggen?'
'Normaalgesproken is een lichaam koud wanneer het acht tot tien uur in het water heeft gelegen. Ik zal natuurlijk zijn temperatuur moeten opnemen om dit te bevestigen en we zullen ook de temperatuur van het water moeten weten. Wat betreft de rigor: gezien de overduidelijke effecten van het water op zijn huid moet die al eerder zijn ingetreden en verdwenen.'
'Hoe lang duurt dat?'
'In water? Tussen de twee en vier dagen.'
'Niet eerder?'
'Gewoonlijk niet, nee. Maar ook hiervoor zal ik een aantal temperatuurmetingen moeten verrichten. Het mag dan zomer zijn, maar we hebben de laatste tijd niet echt van de bij het seizoen behorende temperaturen mogen genieten.'
Twee dagen, dacht Annie. Het was nu donderdagmiddag en de losgeldeis stamde van dinsdagavond, dus twee dagen geleden. Was Luke toen al dood geweest? Als dat zo was, dan bestond er geen verband tussen zijn dood en haar overhaaste handelen. Ze kreeg weer een beetje hoop. Als dat inderdaad het geval was, dan probeerde de kidnapper nu munt te slaan uit het feit dat Luke was overleden, ook al was dat om heel andere redenen gebeurd. Vreemd. Ze zou nu op zoek moeten naar een motief.
Het geluid van een naderend bestelbusje verstoorde Annies gedachtegang en ze keek over de muur, waar ze brigadier Nowak en zijn technisch rechercheurs een voor een over het muurtje zag springen, net schapen in hun witte beschermende kleding. Mooi, dacht ze, misschien zouden de experts haar iets meer kunnen vertellen.

Banks kwam een halfuur te vroeg aan voor zijn afspraak met Michelle, zette zijn auto op de parkeerplaats achter het gemeentehuis en liep snel door de overdekte winkelgalerij naar Bridge Street, waar hij bij Waterstone's naar binnen ging en een boek kocht met de titel *The Profession of Violence*, het verhaal van de Kray-tweeling. Tijdens zijn wandeling langs de drukke straat naar het plein verbaasde hij zich over de enorme veranderingen die het stadscentrum had ondergaan sinds de tijd dat hij er had gewoond. Om te beginnen was het een autovrij gebied geworden en waren de drukke straten uit zijn jeugd helemaal verdwenen. Verder leek alles schoner, de gebouwen minder sjofel en niet langer met een roetlaag bedekt. Het was een zonnige middag en toeristen wandelden van de tuin rond de kathedraal naar het plein, waar ze rondsnuffelden in winkels. Banks genoot van de aanblik, in tegenstelling tot wat hij zich van vroeger herinnerde; toen had hij het gevoel gehad dat hij opgesloten had gezeten in een smerig, bekrompen, met kranten dichtgeplakt provinciestadje. Misschien was hijzelf wel degene die nog het meest was veranderd.

Hij vond de Starbucks op de hoek bij de ingang van de kathedraal en dronk bladerend door zijn boek langzaam zijn grande latte.

Michelle kwam vijf minuten te laat aan, kalm en zelfverzekerd in een zwarte broek en een crèmekleurige blouse met daarover een blauwgrijs colbertje. Ze bestelde bij de kassa een cappuccino en nam toen tegenover Banks plaats.

'Dat was zeker een schokkende ervaring voor je, wat er vanochtend is gebeurd?' vroeg ze.

'Dat kun je wel zeggen,' zei Banks. 'Na al die jaren... Ik denk dat ik er echt van overtuigd was dat er een verband moest zijn. Ik heb mezelf gewoon voor de gek gehouden.'

'Dat doet iedereen wel eens.'

'Je bent veel te jong om al zo cynisch te zijn.'

'En jij zou oud en wijs genoeg moeten zijn om te beseffen dat je met gevlei weinig bereikt. Er zit wat schuim op je lip.'

Voordat Banks het kon wegvegen, had Michelle haar vinger uitgestoken en het voor hem gedaan, waarbij haar vingertop langs zijn lip streek.

'Dank je wel,' zei hij.

Michelle bloosde, keek een andere kant op en giechelde even. 'Ik weet niet waarom ik dat heb gedaan,' zei ze. 'Mijn moeder deed dat altijd wanneer ik een milkshake dronk.'

'Ik heb in geen jaren een milkshake gehad,' zei Banks.

'Ik ook niet. Wat ga je nu doen?'

'Naar huis. En jij?'

'Geen idee. Eigenlijk zijn alle aanwijzingen die ik had op niets uitgelopen.'

Banks dacht even na. Hij had Shaw niet op de hoogte gebracht van het mogelijke verband met de Krays, omdat Shaw zich als een onbeschofte hork had gedragen. Bovendien werkte hij niet aan deze zaak. Er was echter geen enkele reden om de informatie niet aan Michelle door te spelen. Het leidde waarschijnlijk tot niets, maar ze zou in elk geval weer iets om handen hebben en haar de illusie geven dat ze vooruitgang boekte.

'Ik heb gehoord dat Graham Marshalls vader in Londen voor de Krays werkte vlak voordat het gezin hierheen verhuisde.'

'Als wat?'
'Zware jongen. Dommekracht. Ik weet niet of het waar is, je weet zelf hoe dergelijke dingen altijd worden overdreven, maar misschien loont het om er wat onderzoek naar te doen.'
'Hoe weet je dit?'
Banks maakte een veelbetekenend gebaar. 'Ik heb zo mijn bronnen.'
'En hoe lang weet je dit al?'
'Ik hoorde het vlak voordat ik hiernaartoe kwam.'
'Ja, ja. Als dat zo is, dan is de paus joods.'
'De vraag is nu: wat ga je ermee doen?'
Michelle roerde met een lepeltje door het schuim in haar kopje. 'Ik geloof niet dat het kwaad kan om hier en daar eens te informeren. Misschien is het zelfs wel een reisje naar Londen waard. Je weet heel zeker dat ik straks niet een enorm figuur sla?'
'Ik kan je niets garanderen. Er zijn natuurlijk altijd bepaalde risico's aan verbonden. Maar alles is beter dan de idioot te zijn die de belangrijkste aanwijzing negeerde.'
'Bedankt. Dat is heel bemoedigend. Ik weet niet veel over de Krays, dat was voor mijn tijd. Ik heb zelfs de film niet gezien. Ik kan me echter nog wel de grootse begrafenis herinneren die ze nog niet zo heel lang geleden voor een van hen in de East End hebben georganiseerd.'
'Dat was voor Reggie. Een paar jaar geleden. De hele East End is toen komen opdagen. Net als voor Ronnie trouwens, die in 1995 is overleden. De Krays waren heel populair bij de East Enders. Dol op hun moeder. Ze waren met z'n drieën, de oudste broer heette Charlie, maar Ronnie en Reggie, de tweeling, waren de twee die het bekendst waren. In de jaren vijftig en zestig heersten ze vrijwel onaantastbaar over de East End en ook over een flink deel van de West End trouwens, tot ze werden opgepakt. Ronnie was de meest gestoorde van de twee. Paranoïde schizofrenie. Hij is uiteindelijk in Broadmoor beland. Reggie is terechtgekomen op de zwaarst bewaakte afdeling van Parkhurst. Met wat goede wil zou je denk ik kunnen stellen dat hij door zijn dominante tweelingbroer het slechte pad is opgesleept.'
'Zouden ze echt achter de verdwijning van en de moord op Graham Marshall kunnen zitten?'
'Waarschijnlijk niet,' zei Banks. 'Ze opereerden niet vaak buiten Londen, met uitzondering misschien van een paar nachtclubs in steden als Birmingham en Leicester. Maar als Bill Marshall echt voor hen heeft gewerkt, bestaat er altijd een kans dat hij hun een reden heeft gegeven om wraak jegens hem te koesteren en de tweeling had tot ver buiten Londen zijn connecties.'

'Maar zouden ze daarom zijn zoon laten vermoorden?'
'Dat kan ik je ook niet zeggen, Michelle. Dat soort mensen heeft een heel andere opvatting over rechtvaardigheid dan wij. Vergeet niet dat Ronnie geestelijk gestoord was. Hij was een seksuele sadist, een ziekelijke gek en dat niet alleen. Hij was ook degene die The Blind Beggar binnenliep en George Cornell precies tussen zijn ogen schoot in een ruimte vol getuigen. Weet je wat er op dat moment op de jukebox speelde?'
'Geen idee.'
'The Walker Brothers met *The Sun Ain't Gonna Shine Anymore*. Er wordt gezegd dat de naald bleef hangen op dat "anymore" toen hij werd neergeschoten.'
'Wat melodramatisch. Ik ken The Walker Brothers niet.'
'Dan ben je niet de enige. Moet ik een paar coupletten voor je zingen?'
'Ik dacht dat je had gezegd dat je vrouwen die je net had ontmoet nooit toezong?'
'Heb ik dat gezegd?'
'Weet je dat niet meer?'
'Jij onthoudt echt alles, hè?'
'Bijna alles. Ik weet ook dat je Philip Larkin leest.'
'Hoe weet je dat?'
'Je hebt hem geciteerd.'
'Ik ben diep onder de indruk. Maar goed, het is onmogelijk om erachter te komen hoe iemand als Ronnie Kray redeneert, als "redeneren" tenminste het juiste woord is. Tegen die tijd zag hij overal vijanden en kwam hij met steeds drastischer manieren op de proppen om mensen af te straffen. Hij vond het leuk om mensen schrik aan te jagen, genoot als ze in hun broek scheten van angst, zelfs zijn eigen mannen. Bovendien was hij een homoseksueel met een voorliefde voor jonge jongens. Ze zouden Graham natuurlijk nooit zelf om het leven hebben gebracht, ze zouden acuut agorafobie hebben gekregen als ze zich zo ver ten noorden van Londen moesten begeven, maar ze kunnen wel iemand anders hebben gestuurd om de klus te klaren. En dat is niet het enige.'
'Wat is er nog meer dan?'
'Als Bill Marshall inderdaad als zware jongen voor de Krays werkte, wat moest hij dan hier? Je weet net zo goed als ik dat niemand zomaar uit die wereld stapt. Het is mogelijk dat hij zijn diensten heeft aangeboden aan iemand hier uit de buurt, de leider van een plaatselijke tak.'
'Wilt je nu beweren dat hij hier misschien dezelfde karweitjes voor zijn rekening nam en dat dat misschien iets te maken heeft met Grahams dood?'

'Ik zeg alleen maar dat die mogelijkheid bestaat, meer niet. Ik denk dat het de moeite waard is om het te onderzoeken.'
'In de oude politielogboeken stond iets over een protectiezwendel,' zei Michelle. 'Een zekere Carlo Fiorino. Zegt die naam je iets?'
'Heel vaag,' zei Banks. 'Misschien heeft zijn naam eens in de krant gestaan toen ik jong was. Het is in elk geval iets om in gedachten te houden.'
'Waarom is er dan in het oorspronkelijke onderzoek niets over vermeld?'
'Helemaal niets?' vroeg Banks. 'Geen flauw idee. Wil je nog een kop koffie?'
Michelle wierp een blik op haar lege kopje. 'Graag.'
Banks haalde twee nieuwe koppen koffie en toen hij terugkwam, zat Michelle in het boek te bladeren.
'Als je wilt, mag je het wel lenen,' zei hij. 'Ik heb het gekocht om te zien of ik iets meer over hun achtergrond te weten kon komen.'
'Dank je. Ik zou het graag willen lezen. Heeft Graham het tegen jou ooit over de Krays gehad?'
'Ja, maar ik kan me niet herinneren of hij heeft gezegd dat hij of zijn vader hen kende. Ik heb ook over de data nagedacht. Graham en zijn ouders zijn in juli of augustus 1964 hiernaartoe verhuisd. In juli was er enorme opwinding in de pers over Ronnies vermeende homoseksuele relatie met lord Boothby, die echter alles ontkende en de *Sunday Times* voor het gerecht sleepte wegens laster. Ronnie volgde zijn voorbeeld, maar hij hield er alleen een verontschuldiging aan over. Toch vloeide er nog iets goeds uit voort en dat was dat de pers de Krays daarna een tijdje met rust moest laten. Niemand wilde graag wegens laster worden aangeklaagd. De ene dag was Ronnie nog een schurk en een gangster, de volgende dag een graag geziene gentleman. Het politieonderzoek leed er ook onder. Iedereen moest voortaan op zijn tenen om hen heen lopen. Desondanks werden ze in januari van het jaar daarop gearresteerd voor afpersing met geweld. Ze werden niet op borgtocht vrijgelaten en moesten in de Old Bailey terechtstaan.'
'Wat gebeurde er toen?'
'Ze werden vrijgesproken. Het bewijsmateriaal was vanaf het begin flinterdun geweest. Er gingen geruchten dat de jury was omgekocht. In die tijd bestond er nog niet zoiets als een meerderheidsuitspraak, zoals tegenwoordig. Alle twaalf juryleden moesten ermee instemmen, anders kwam er een nieuwe rechtszaak en intussen kreeg de verdachte ruimschoots de tijd om mensen om te kopen. Ze zochten net zo lang tot ze iets vonden in het verleden van een van de getuigen van de officier van

justitie en dat was genoeg: ze kwamen vrij.'
'Maar wat heeft dit met Graham te maken?'
'Ik zeg niet dat het iets met Graham te maken heeft, alleen dat het speelde in 1964 en 1965, de periode waar we ons op concentreren. De Krays stonden in het middelpunt van de publieke belangstelling. Die aanklacht jegens laster en de rechtszaak kwamen uitgebreid in het nieuws en toen ze werden vrijgesproken, waren ze lange tijd onaantastbaar. Het was het begin van hun opmars als nationale beroemdheden, vertegenwoordigers van de duistere kant van swingend Londen zou je kunnen zeggen. Binnen de kortste keren werden ze gefotografeerd met filmsterren, sportmensen en popsterren: Barbara Windsor, Sonny Liston, Judy Garland, Victor Spinetti, die overigens meespeelde in *A Hard Day's Night*, *Help!* en *Magical Mystery Tour*, mocht dergelijke onbelangrijke informatie je interesseren. In de zomer van 1965 waren ze betrokken bij een dubieuze zaak rond de verkoop van gestolen Amerikaanse aandelen en obligaties voor de maffia en bereidden ze zich voor op een enorm gevecht met hun rivalen, de Richardson-bende.' Banks tikte met een vinger op het boek. 'Het staat allemaal hierin. Ik weet niet of het belangrijk is. Je baas heeft vanochtend bijzonder duidelijk laten merken dat het me ook niets aangaat.'
Michelle fronste haar wenkbrauwen. 'Dat weet ik, ja. Ik denk steeds dat hij over mijn schouder meekijkt, zelfs hier.'
'Ik wil niet dat je in de problemen komt omdat je met mij zit te praten.'
'Maak je maar geen zorgen. Ik ben niet gevolgd. Ik ben gewoon een beetje paranoïde.'
'Het kan best zijn dat je inderdaad wordt gevolgd. Zou je contact willen houden en me laten weten of je iets hebt gevonden?'
'Het mag eigenlijk niet, maar ik doe het toch.'
'En als ik je ook maar ergens mee kan helpen…'
'Natuurlijk. Als je nog iets anders te binnen schiet wat Graham heeft gezegd of gedaan dat nuttig zou kunnen zijn, zou ik het graag van je horen.'
'Beloofd. Grahams moeder had het trouwens over een begrafenis, zodra de botten worden vrijgegeven. Heb je enig idee wanneer dat zou kunnen zijn?'
'Ik weet het niet zeker. Het zou niet al te lang meer hoeven te duren. Ik zal morgen eens informeren hoever dokter Cooper is.'
'Zou je dat willen doen? Mooi. Ik denk dat ik daarvoor wel terugkom. Zelfs Shaw kan daar niets op tegen hebben. Laat je het me nog weten?'
'Natuurlijk. Mag ik je iets vragen?'

'Ga je gang.'
'Die opmerking van Shaw over je parkiet. Wat bedoelde hij daarmee?'
Banks vertelde het droevige verhaal over Joeys vlucht naar de vrijheid en zijn daaropvolgende onvermijdelijke dood. Toen hij bij het einde was aanbeland, moest Michelle glimlachen. 'Wat triest,' zei ze. 'Je hart was waarschijnlijk gebroken.'
'Ik ben eroverheen gekomen. Hij was niet bepaald een superparkiet. Hij kon zelfs niet praten. Hij was bepaald geen Goldie the Eagle, zoals iedereen me indertijd ook voorhield.'
'Goldie the Eagle?'
'Ja. Eerder dat jaar, in 1965, was Goldie the Eagle uit de Londen Zoo ontsnapt. Ze hebben haar een paar weken later teruggevonden. Dat bericht heeft alle kranten gehaald.'
'Maar jouw Joey is nooit teruggevonden?'
'Nee. Hij was weerloos. Waarschijnlijk dacht hij dat hij vrij was, maar met al die jagers daar buiten kon hij het onmogelijk overleven. Hij zat tot aan zijn gevederde nek in de problemen. Zeg,' zei Banks, 'mag ik jou ook iets vragen?'
Michelle knikte instemmend, maar leek op haar hoede en schoof ongemakkelijk heen en weer op haar stoel.
'Ben je getrouwd?' vroeg Banks.
'Nee,' zei ze. 'Ik ben niet getrouwd.' Toen stond ze op en liep ze zonder gedag te zeggen weg.
Banks was net van plan om achter haar aan te lopen, toen zijn mobiele telefoon overging. Vloekend en een beetje beschaamd, zoals altijd wanneer het ding in een openbare ruimte begon te rinkelen, nam Banks op.
'Alan? Met Annie. Ik hoop dat ik niet stoor.'
'Nee hoor, helemaal niet.'
'We zouden hier namelijk wel wat extra hulp kunnen gebruiken, als je tenminste je zaken daar hebt afgehandeld.'
'Bijna,' zei Banks, die bedacht dat de wijze waarop hij afscheid had genomen van de twee leden van het plaatselijke politiekorps beslist voor verbetering vatbaar was. 'Wat is er aan de hand?'
'Weet je nog dat ik je vertelde over die vermiste jongen?'
'Luke Armitage?'
'Inderdaad.'
'Wat is er met hem?'
'Het ziet ernaar uit dat het zojuist een moordzaak is geworden.'
'Shit,' zei Banks. 'Ik kom eraan.'

9

'Voor alle duidelijkheid,' zei Banks, 'dit is jouw zaak. Dat is het vanaf het begin geweest. Wil je echt dat ik me ermee ga bemoeien?'

'Als ik dat niet echt wilde, had ik je toch niet gebeld?' zei Annie, en ze wierp hem een zijdelingse blik toe. 'Bovendien weet je best dat ik niet zo ben.'

'Wat bedoel je?'

'Ik heb geen last van territoriumdrift en bureaucratische neigingen. Ik doe niet mee aan wedstrijdjes wie het verste kan pissen. Ik ben een voorstander van samenwerking, niet van onderlinge strijd.'

'Begrepen. Zet mijn laatste opmerking dan maar onder het kopje "recent opgedane ervaring".'

'Wat wil dat zeggen?'

Banks vertelde haar over hoofdinspecteur Shaw.

'Tja,' zei Annie. 'Ik had je toch gezegd dat ze je niet bepaald met open armen zouden ontvangen.'

'Ja, bedankt.'

'Graag gedaan. Trouwens, je mag me helpen, op voorwaarde dat je me met respect behandelt en me niet als een sloofje ziet.'

'Heb ik dat dan ooit gedaan?'

'Dit is een mooi moment om ermee te beginnen.'

Banks' auto stond voor een kleine beurt in de garage en zou pas na de lunch beschikbaar zijn, dus schreven ze een dienstwagen uit voor die ochtend en Annie reed, iets wat Banks normaalgesproken graag zelf deed.

'Ik bedenk net dat ik hier best aan zou kunnen wennen,' zei Banks. 'Een persoonlijke chauffeuse heeft beslist voordelen.'

Annie wierp hem een blik toe. 'Wil je hier soms uitstappen en de rest van de weg lopen?'

'Nee, dank je wel.'

'Gedraag je dan.' Ze vervolgde: 'Trouwens, officieel gezien is het natuurlijk de zaak van onze eigen hoge piet. Hij heeft de leiding over deze zaak

en is ook degene die voorstelde dat ik je heel lief zou vragen of je eerder zou willen terugkomen van je vakantie om ons te laten profiteren van je enorme schat aan ervaring.'
'Onze eigen hoge piet?'
'Hoofdinspecteur Gristhorpe.'
'Weet hij dat je hem zo noemt?'
Annie grinnikte. 'Je zou eens moeten weten hoe we jou op de werkvloer noemen.'
'Ik moet zeggen dat het heerlijk is om weer terug te zijn,' zei Banks.
Annie keek hem vanuit haar ooghoek aan. 'Hoe is het verder gelopen, afgezien van die aanvaring met de plaatselijke smerissen?'
'Ik schaam me eigenlijk een beetje.' Banks vertelde haar dat McCallum een ontsnapte patiënt uit een psychiatrische inrichting bleek te zijn geweest die was verdronken voordat Graham verdween.
'Het spijt me voor je, Alan,' zei ze, en ze legde haar hand even op zijn knie. 'En dat nadat je je eerst al die jaren schuldig en verantwoordelijk hebt gevoeld… Maar je moet toch ook een beetje opgelucht zijn, nu je weet dat hij het niet is geweest en het dus ook niet jouw schuld kan zijn geweest.'
'Dat is ook wel zo. Weet je, afgezien van de politie daar ben jij de enige aan wie ik ooit heb verteld wat er die dag bij de rivier is gebeurd.'
'Heb je het Sandra nooit verteld?'
'Nee.'
'Waarom niet?'
'Dat weet ik niet.'
Banks voelde dat Annie zich naast hem achter een stilte verschool en besefte dat hij weer precies dezelfde fout had gemaakt als een tijd terug, waardoor ze hun relatie had verbroken. Het was net of ze hem een warm, zacht, gevoelig stukje van zichzelf aanbood, maar zich schielijk terugtrok in haar harde, ondoordringbare veste zodra hij zijn hand uitstrekte om het aan te raken.
Voordat een van hen ook maar iets kon bedenken om te zeggen, bereikten ze de oprit van de Armitages, waar verslaggevers zich met pennen, microfoons en camera's in de aanslag om hen heen verdrongen. De agent die de wacht hield, tilde de tape omhoog en liet hen binnen.
'Indrukwekkend,' zei Banks, toen de stevige, symmetrische gevel van het gebouw voor hen opdoemde. 'Ik heb het gebouw alleen nog maar vanaf de rivieroever gezien.'
'Wacht maar tot je de alleraardigste bewoners hebt ontmoet.'
'Rustig aan, Annie, ze hebben zojuist hun zoon verloren.'

Annie slaakte een zucht. 'Dat weet ik. En ik zal me gedragen. Zo goed?'
'Goed.'
'Ik zie hier als een berg tegenop.'
'Wie heeft het lichaam geïdentificeerd?'
'Winsome. Gisteravond.'
'Je hebt de familie dus niet meer gesproken nadat het lichaam van de jongen is gevonden?'
'Nee.'
'Ik hoop dat je het niet patroniserend vindt als ik zeg dat het misschien beter is als ik het woord voer?'
'Ga je gang. Echt. Gezien mijn voorgeschiedenis met Martin Armitage neem ik deze keer met alle liefde genoegen met de rol van toeschouwer. Nieuwe aanpak, nieuwe kansen.'
'Afgesproken.'
Vrijwel onmiddellijk nadat ze hadden aangebeld, deed Josie de deur open en ze ging hen voor naar de woonkamer waar Banks zich voorstelde.
'Wat is er nu weer?' vroeg Martin Armitage en hij keek woedend naar Annie. Zijn vrouw en hij zagen er allebei uit alsof ze geen oog hadden dichtgedaan, wat waarschijnlijk ook zo was.
'Een moordonderzoek, zou ik zo zeggen,' zei Banks. 'En daarbij kunnen we uw hulp goed gebruiken.'
'Ik zie niet in hoe we u verder nog kunnen helpen. We hebben tegen de nadrukkelijke wens van de kidnapper in met jullie samengewerkt en moet je kijken waar dat toe heeft geleid.' Hij keek weer naar Annie en ging steeds harder praten. 'Ik hoop dat u beseft dat het uw schuld is en dat u verantwoordelijk bent voor Luke's dood. Als u me niet naar de hut was gevolgd en daar had rondgesnuffeld, zou de kidnapper gewoon het geld hebben opgehaald en zou Luke veilig en wel hier thuis zitten.'
'Martin,' zei Robin Armitage. 'Daar hebben we het al uitgebreid over gehad. Schop alsjeblieft geen scène.'
'Schop alsjeblieft geen scène! Grote god, mens, we hebben het wel over jouw zoon, hoor. Ze heeft hem nog net niet zelf vermoord, maar verder...'
'Probeert u alstublieft rustig te blijven, meneer Armitage,' zei Banks. Martin Armitage was niet zo lang als Banks had verwacht, maar hij verkeerde in blakende gezondheid en was vol energie. Niet het soort man dat ging zitten afwachten, maar juist iemand die erop uittrok en ervoor zorgde dat er iets gebeurde. Zo had hij ook gevoetbald, herinnerde Banks zich. Armitage had niet lijdzaam voor het doel staan afwachten tot een middenvelder hem de bal toespeelde; hij had zelf kansen ge-

creëerd om te scoren en de grootste kritiek op zijn spel was dan ook geweest dat hij de bal te vaak bij zich hield en liever zelf schoot en miste, dan de bal door te spelen naar iemand die in een betere positie stond om te scoren. Hij ontbeerde de nodige zelfbeheersing en had een flink aantal rode en gele kaarten gekregen. Banks wist nog goed hoe hij ooit had gezien dat hij uithaalde naar een speler van de tegenpartij die hem de bal op een eerlijke manier in het strafschopgebied had ontfutseld. Het had tot een strafschop geleid en was de reden geweest dat zijn team verloor.
'Ons werk is zo al moeilijk genoeg,' zei Banks, 'maak het ons alstublieft niet nog moeilijker. Ik begrijp dat u verdriet hebt en het spijt me, maar het heeft geen zin om met een beschuldigende vinger te wijzen. We weten nog helemaal niet hoe Luke om het leven is gekomen of waarom. We weten zelfs nog niet waar of wanneer. Pas wanneer we dat soort dingen weten, kunnen we daaruit conclusies trekken. Ik vraag u om zelfbeheersing te betrachten.'
'Dat antwoord had ik van u wel verwacht,' zei Martin. 'Jullie houden elkaar toch altijd de hand boven het hoofd.'
'Kunnen we terzake komen?'
'Ja, natuurlijk,' zei Robin, die in een spijkerbroek en lichtgroene blouse gekleed op de bank zat, met haar benen over elkaar geslagen en haar handen gevouwen op haar schoot. Zelfs zonder make-up en met haar beroemde goudblonde haren in een paardenstaart gebonden was ze nog altijd beeldschoon, dacht Banks, en de kraaienpootjes benadrukten die schoonheid alleen maar. Ze had een klassiek modellengezicht: hoge jukbeenderen, een kleine neus en spitse kin, alles in de juiste volmaakte proporties, maar daarnaast straalden haar gelaatstrekken karakter en individualiteit uit.
Banks had bij de Met ooit aan een zaak gewerkt die draaide om een modellenbureau en tot zijn verbazing had hij ontdekt dat veel van de vrouwen die er in tijdschriften en op televisie zo prachtig uitzagen, in het echte leven iets misten en dat hun gelaatstrekken weliswaar volmaakt, maar tegelijkertijd ook leeg, ongevormd en onaf waren, als een kaal schildersdoek of een acteur zonder tekst. Robin Armitage was echter een persoonlijkheid.
'Ik ben ervan overtuigd dat u beseft,' zei Banks, 'dat Luke's dood alles verandert. Het verandert de manier waarop we dit onderzoek uitvoeren en we zullen vrijwel alle gebeurtenissen opnieuw onder de loep moeten houden. Dit kan voor u misschien vervelend en nutteloos overkomen, maar neemt u maar van mij aan dat het noodzakelijk is. Ik ben vandaag pas toegevoegd aan het team dat deze zaak behandelt, maar ik heb van-

ochtend tijd gehad om mezelf op de hoogte te stellen van het onderzoek dat tot nu toe is verricht. Ik kan eerlijk zeggen dat ik niets ongebruikelijks heb gevonden; er is niets wat ik niet zou hebben gedaan wanneer ik de leiding had gehad over deze zaak.'

'Zoals ik al zei,' deed Martin een duit in het zakje, 'jullie houden elkaar altijd de hand boven het hoofd. Ik ga een klacht indienen bij de hoofdcommissaris. Hij is een goede vriend van mij.'

'Dat is uw voorrecht, maar hij zal u slechts hetzelfde kunnen vertellen als ik. Als iedereen aan de eisen van een kidnapper zou voldoen zonder de politie op de hoogte te stellen, zouden ontvoeringen de meest voorkomende misdaad in het land vormen.'

'Wij hebben de politie anders braaf op de hoogte gesteld en moet u kijken wat dat tot gevolg heeft gehad. Onze zoon is dood.'

'Er is iets fout gegaan. Deze zaak is vanaf het begin anders geweest dan andere; er zijn verschillende dingen die niet kloppen.'

'Wat wilt u daarmee zeggen? Dat het niet alleen maar een ontvoering is?'

'Er is niets gewoons aan deze zaak, meneer Armitage.'

'Ik begrijp het niet,' zei Robin. 'Het telefoontje, de losgeldeis... Die waren toch allebei echt?'

'Jawel,' zei Annie, die een seintje van Banks had gekregen. 'Luke was echter al vrij lang weg toen de eis tot losgeld bij u binnenkwam; daarnaast heeft de ontvoerder u niet met uw zoon laten praten en bovendien is het bedrag dat hij eist absurd laag.'

'Dat kunt u nu wel zeggen,' zei Martin. 'Maar het geld groeit ons echt niet op de rug.'

'Dat weet ik,' zei Annie. 'Maar hoe had de kidnapper dat moeten weten? De buitenwereld gelooft dat voetballers en modellen miljoenen verdienen en u woont immers in een landhuis.'

Martin fronste zijn wenkbrauwen. 'Ik moet toegeven dat u gelijk hebt. Tenzij...'

'Ja?' Banks nam de ondervraging weer over.

'Tenzij het iemand is die we goed kennen.'

'Kunt u iemand bedenken?'

'Natuurlijk niet. Ik kan me niet voorstellen dat een van onze vrienden zoiets zou doen. Bent u nu helemaal gek geworden?'

'Mevrouw Armitage?'

Robin schudde haar hoofd. 'Nee.'

'We zullen toch een lijst moeten hebben met bekenden die we kunnen ondervragen.'

'Ik sta niet toe dat u onze vrienden lastigvalt,' zei Martin.

'Maakt u zich geen zorgen, we zullen voorzichtig te werk gaan. En u was het per slot van rekening zelf die met het idee kwam dat het iemand kan zijn die u goed kent. Is er iemand die wrok zou kunnen koesteren jegens een van u?'
'Hooguit een paar keepers,' zei Martin, 'maar verder zou ik niet weten wie.'
'Mevrouw Armitage?'
'Ik denk het niet. De modellenwereld kan keihard zijn en ik zal echt wel een of twee keer op iemands tenen hebben getrapt op de catwalk, maar niets wat zo... erg was... ik bedoel, niets waardoor iemand zoiets als dit zou doen, zeker niet nadat er zoveel tijd tussen heeft gelegen.'
'Het zou ons enorm helpen als u hier eens goed over zou willen nadenken.'
'U vindt het vreemd dat hij ons niet met Luke wilde laten praten,' zei Robin.
'Het is inderdaad ongebruikelijk,' antwoordde Annie.
'Denkt u dat dat was omdat... omdat Luke toen al dood was?'
'Dat is een mogelijkheid,' zei Annie. 'Dat zullen we echter pas zeker weten wanneer de patholoog zijn onderzoek heeft afgerond.'
'Wanneer zal dat zijn?'
'Misschien vanavond of anders morgenochtend.' Dokter Burns, de politiearts, was niet in staat geweest om ter plekke een nauwkeurige schatting van het tijdstip van overlijden te geven, dus zouden ze moeten wachten tot dokter Glendenning de lijkschouwing op Luke's lichaam had afgerond. Ze waren echter door schade en schande wijzer geworden en verwachtten geen wonderen van de moderne wetenschap.
'Kunt u zich verder nog iets herinneren over de beller?' vroeg Banks aan Martin Armitage.
'Ik heb alles wat ik weet al verteld. Ik kan me verder werkelijk niets herinneren.'
'De stem kwam u absoluut niet bekend voor?'
'Het was niet iemand die ik ken.'
'En het is bij dat ene telefoontje gebleven?'
'Ja.'
'Kunt u ons verder nog iets vertellen wat van nut kan zijn?'
Zowel Martin als Robin Armitage schudde het hoofd. Banks en Annie stonden op. 'Dan zullen we nu Luke's kamer nogmaals bekijken,' zei Banks, 'en daarna zou ik graag uw huishoudster en haar man willen spreken.'
'Josie en Calvin?' vroeg Martin. 'Waarom?'

'Misschien kunnen zij ons helpen.'
'Ik zie niet in hoe.'
'Hadden ze een goede band met Luke?'
'Niet bijzonder. Ik had eigenlijk de indruk dat ze hem vaak maar een rare vonden. Het zijn schatten van mensen, het zout van de aarde, maar vrij traditioneel in hun opvattingen over de mens en het menselijk gedrag.'
'En Luke paste niet in hun wereldbeeld?'
'Nee. Wat hen betreft was hij net een buitenaards wezen.'
'Bejegenden ze elkaar vijandig?'
'Natuurlijk niet. Ze werken immers voor ons. Wilt u soms beweren dat zij hierachter zitten?'
'Ik beweer helemaal niets, ik vraag het alleen maar. Luister, meneer Armitage, ik begrijp hoe u zich voelt, echt, maar u moet ons wel de vrijheid geven om ons werk op onze eigen manier te doen. Het schiet niet op als u bij elke stap die we zetten gaat dwarsliggen. Ik beloof u dat we bij alle gesprekken zo discreet mogelijk te werk zullen gaan. In tegenstelling tot wat u denkt, vallen we mensen echt niet lastig. We accepteren echter ook niet alles klakkeloos. Mensen hebben talloze redenen om te liegen en de meeste daarvan zijn niet relevant voor dit onderzoek, maar soms liegen ze ook omdat ze het hebben gedaan en het is aan ons om leugens en waarheid van elkaar te scheiden. Voorzover we weten hebt u zelf ook al minimaal één keer tegen ons gelogen, toen u inspecteur Cabbot belde en haar vertelde dat u Luke had gesproken.'
'Dat heb ik gedaan om Luke te beschermen.'
'Dat weet ik, maar het blijft een leugen. Als u bedenkt hoeveel leugens er worden verteld, ziet u misschien in hoe ingewikkeld ons werk kan zijn. De leugens van onschuldige mensen zijn wellicht wel het lastigst. Zoals ik al zei: we geloven wat ons wordt verteld of degene die het ons vertelt nooit klakkeloos, en of u het nu leuk vindt of niet, elk moordonderzoek begint dicht bij huis en breidt zich vandaar uit verder uit. Als u het niet erg vindt, gaan we nu een kijkje nemen in Luke's kamer.'

Michelle had het als grapje bedoeld toen ze tegen Banks zei dat ze misschien wat paranoïde werd, maar zo langzamerhand begon ze toch te geloven dat mevrouw Metcalfe hoofdinspecteur Shaw belde zodra ze een bezoekje bracht aan de archiefafdeling. Hier kwam hij weer, voorafgegaan door de donkere kilte van zijn schaduw, en hij bleef op de drempel van het nietige kamertje staan.
'Al vooruitgang geboekt?' vroeg hij, en hij leunde tegen de deur.
'Ik weet het niet zeker,' zei Michelle. 'Ik heb alle logboeken van 1965

doorgenomen om te kijken of er een verband bestaat tussen een van de gepleegde misdaden en Grahams verdwijning.'
'En hebt u iets gevonden?'
'Niet echt, nee.'
'Ik heb u al gezegd dat u uw tijd verspilt.'
'Misschien ook niet.'
'Hoe bedoelt u?'
Michelle zweeg. Ze moest voorzichtig zijn met wat ze zei, want ze wilde niet dat Shaw wist dat Banks haar de tip had gegeven over de band met de Krays. Ze had geen zin in de driftbui die dat ongetwijfeld zou veroorzaken. 'Toen ik de verslagen en verklaringen over die protectiezwendel in juli 1965 zat te lezen, kwam ik ergens de naam van Grahams vader tegen.'
'Nou, en? Wat is het verband?'
'Een nachtclub aan Church Street, Le Phonographe genaamd.'
'Ik herinner me die club wel. Het was een discotheek.'
Michelle fronste haar wenkbrauwen. 'Ik dacht dat disco iets van de jaren zeventig was, niet van de jaren zestig.'
'Ik heb het niet over de muziek, maar over de tent zelf. Clubs als Le Phonographe waren uitsluitend bestemd voor leden en er werden ook maaltijden geserveerd, gewoonlijk een oneetbare burger van rundvlees als ik me goed herinner, want dat hield in dat ze ook na de lokale vaste sluitingstijd nog legaal alcohol konden verkopen. Vaak bleven ze tot een uur of drie 's nachts open. Er werd ook muziek gedraaid en gedanst, maar dat was meestal Motown-muziek of soul.'
'Zo te horen hebt u die club goed gekend.'
'Ik ben ook ooit jong geweest, inspecteur Hart. Bovendien was Le Phonographe het soort club waar je altijd een oogje in het zeil hield. Het was een schurkenclub. De eigenaar was een akelig mannetje dat luisterde naar de naam Carlo Fiorino. Deed altijd alsof hij bij de maffia hoorde, droeg gestreepte pakken met brede revers, had een smal snorretje, slobkousen en meer van dat fraais dat regelrecht uit *The Untouchables* kwam, maar zijn vader was een eenvoudige krijgsgevangene die na de oorlog hier is blijven hangen en met een boerendochter uit de buurt van Huntingdon is getrouwd. Een plek waar veel plaatselijke bandieten rondhingen en waar je altijd wel een of twee tips kon oppikken. En dan heb ik het natuurlijk niet over tips voor de paardenrace van halfvier op Kempton Park.'
'Een vaste ontmoetingsplaats voor criminelen dus?'
'Toen wel, ja. Maar kleinschalig. Mensen die graag dachten dat ze belangrijke spelers waren.'

'En Bill Marshall was een van hen?'
'Inderdaad.'
'U was dus op de hoogte van Bill Marshalls activiteiten?'
'Ja, natuurlijk. Zijn aanwezigheid was echt heel onbetekenend. We hielden een oogje op hem. Gewoon routine.'
'Waar liet die Carlo Fiorino zich mee in?'
'Van alles wat. Toen de nieuwbouw voor de stadsuitbreiding in volle gang was, veranderde hij Le Phonographe in een meer elitaire gelegenheid, met goede maaltijden, een betere dansvloer en een casino. Hij had ook een escortbureau. We denken dat hij zich ook bezighield met drugs, prostitutie en pornografie, maar hij was slim genoeg om ons altijd een stap voor te blijven en hij speelde altijd alle partijen tegen elkaar uit, maar bleef zelf buiten schot. Tot op het laatst dan.'
'Wat bedoelt u daarmee?'
'Hij is in 1982 tijdens een drugsoorlog met de Jamaicanen neergeschoten.'
'Maar hij heeft nooit vastgezeten?'
'Is zelfs nooit ergens voor aangeklaagd, als ik het me goed herinner.'
'Vindt u dat niet vreemd?'
'Vreemd?' Shaw leek met een bons uit het verleden in het heden te belanden en veranderde meteen in zijn vertrouwde, chagrijnige zelf. Hij hield zijn gezicht zo vlak bij het hare dat ze zijn naar tabak, pepermunt en whisky geurende adem kon ruiken en het netwerk van paarse, kloppende adertjes op zijn stompe neus kon zien. 'Ik zal u eens vertellen wat vreemd is, inspecteur Hart. Al die vragen die u stelt, verdomme. Dat is vreemd. Niets van dit alles kan ook maar iets te maken hebben met wat er met Graham Marshall is gebeurd, dat is een ding wat zeker is. Dit is je reinste vuilspuiterij, meer niet. Ik weet niet waarom u dit doet, maar het blijft vuilspuiterij.'
'Ik wil alleen maar greep krijgen op de omstandigheden waaronder de verdwijning van die jongen heeft plaatsgehad. Ik bestudeer het onderzoek naar die verdwijning en andere onderzoeken die zich in dezelfde tijd hebben afgespeeld, omdat dit mij de beste manier lijkt om dat te bereiken.'
'Uw opdracht is niet om het Marshall-onderzoek tegen het licht te houden, inspecteur Hart, of welk ander onderzoek dan ook. Wie denkt u verdomme wel dat u bent, het Bureau Intern Onderzoek in eigen persoon? Doe gewoon uw werk.'
'Maar, hoofdinspecteur Shaw, Bill Marshall is een van de mannen die zijn ondervraagd in verband met die protectiezwendel, die allemaal ban-

den hadden met Carlo Fiorino en Le Phonographe. Enkele winkeliers uit het centrum hadden een klacht ingediend en Marshall was een van de mensen die werd genoemd.'

'Is hij opgepakt?'

'Nee. Alleen ondervraagd. Een van de oorspronkelijke aangevers is in het ziekenhuis beland en de andere getuigen hebben zich teruggetrokken en hun verklaring ingetrokken. Toen is er verder geen actie meer ondernomen.'

Shaw grijnsde triomfantelijk. 'Dan is het allemaal ook niet relevant.'

'Maar vindt u het dan niet vreemd dat er verder niets meer mee is gedaan? Dat de achtergrond van de vader nooit tot op de bodem is uitgespit toen Graham Marshall verdween, ook al was hij kort daarvoor betrokken geweest bij een criminele bende?'

'Waarom zouden ze? Misschien had hij er wel niets mee te maken. Is dat wel eens bij u opgekomen? En zelfs al was hij betrokken geweest bij een of ander protectiezwendeltje, dan wil dat nog niet zeggen dat hij ook een moordenaar was, of wel? Zelfs u moet toch toegeven dat dergelijke zaken mijlenver uit elkaar liggen.'

'Was Bill Marshall een politie-informant?'

'Het is best mogelijk dat hij af en toe een stukje informatie doorgaf. Zo werd dat vroeger gespeeld. Voor wat, hoort wat.'

'Is hij daarom niet vervolgd?'

'Hoe moet ik dat nu verdomme weten? Als u de dossiers echt zo goed hebt gelezen, zult u wel weten dat ik niet aan dat onderzoek heb meegewerkt.' Hij haalde diep adem, ontspande zijn spieren en ging op rustiger toon verder. 'Luister,' zei hij, 'de politie ging in die tijd heel anders te werk. Het was veel meer een kwestie van geven en nemen.'

Met de nadruk op nemen zeker, dacht Michelle. Ze had genoeg verhalen gehoord over vroeger, over districten, bureaus en zelfs complete graafschappen die uit de band sprongen. Ze hield echter haar mond.

'Goed, af en toe omzeilden we de regels een beetje,' vervolgde Shaw. 'Dat hoorde er nu eenmaal bij. Welkom in de echte wereld.'

Michelle maakte in gedachten een aantekening over Bill Marshalls mogelijke rol als politie-informant. Als hij hier in Peterborough criminelen had verraden, was het niet geheel ondenkbaar dat hij de Krays misschien hetzelfde had geflikt en er toen vandoor was gegaan, en ze wist nu dat de Krays werkelijk tot alles in staat waren. Dan was hij zelfs op de zuidpool niet veilig geweest, laat staan in Peterborough. 'Uit wat ik tot nu heb gevonden,' ging ze verder, 'blijkt dat het onderzoek in de zaak-Graham Marshall zich op slechts één spoor heeft geconcentreerd, nadat duidelijk

was geworden dat hij niet van huis was weggelopen: een seksueel getinte moord door een kinderlokker.'
'Nou, en? Wat is daar zo vreemd aan? Al het bewijsmateriaal duidde in die richting.'
'Het lijkt alleen wel heel toevallig dat een of ander vies mannetje net op het vroege tijdstip in de ochtend waarop Graham zijn krantenwijk loopt door die rustige straat komt rijden.'
'Hij was gewoon op het verkeerde moment op de verkeerde plek. Gebeurt heus wel vaker. Dacht u trouwens dat vieze mannetjes niet van het bestaan van krantenwijken af weten? Het is best mogelijk dat iemand die jongen van Marshall al een tijdje in de gaten had gehouden, zijn route had nagetrokken en hem had gevolgd, zoals kinderlokkers en dergelijken dat wel vaker doen. Hebben ze u dat in Bramshill niet geleerd?'
'Het zou kunnen.'
'U denkt zeker dat u het beter kunt dan wij, hè?' zei Shaw, en hij liep opnieuw rood aan. 'Denkt dat u een betere speurder bent dan Jet Harris?'
'Dat heb ik niet gezegd. We hebben nu gewoon het voordeel van wijsheid achteraf. Een breder perspectief.'
'Luister, we hebben ons uit de naad gewerkt voor die zaak, Jet Harris, Reg Proctor en ik, en tientallen andere agenten en rechercheurs. Hebt u enig idee wat voor soort zaak dit was? Wat de reikwijdte ervan was? Hoe groot het net was dat we hebben uitgespreid? We kregen honderd meldingen per dag binnen omdat hij was gezien in uiteenlopende plaatsen als Penzance en zelfs in dat verdomde Mull of Kintyre. En nu komt u met uw chique opleiding en uw Bramshill-cursussen en u hebt het gore lef om me te gaan zitten vertellen dat we het bij het verkeerde eind hadden.'
Michelle ademde diep in. 'Ik zeg helemaal niet dat u het bij het verkeerde eind had. Maar jullie hebben de zaak ook niet opgelost, of wel? Jullie hebben zelfs het lichaam niet gevonden. Luister, ik weet dat u een lange weg hebt afgelegd om te komen waar u nu bent en daar heb ik respect voor, maar een opleiding heeft ook zo haar voordelen.'
'Jawel. Versnelde promotie. Ze gooien jullie idioten zo in het diepe.'
'De politie gaat inmiddels anders te werk, zoals u nog niet zo lang geleden zelf al zei. En dat geldt ook voor misdadigers.'
'Wat een klotetheorie. U hoeft bij mij niet aan te komen met uw boekenwijsheid. Een misdadiger is een misdadiger. Het zijn de politiemensen die slapper zijn geworden. Vooral de hoge omes die de leiding hebben.'
Michelle slaakte een zucht. Tijd om het eens anders te proberen. 'U hebt

als agent aan de Graham Marshall-zaak gewerkt. Kunt u me dan misschien iets vertellen?'
'Hoor eens, als ik ook maar íéts had geweten, dan hadden we die verdomde zaak opgelost en dan had ik hier niet hoeven zitten aanhoren hoe dom we volgens u zijn geweest.'
'Het is helemaal niet mijn bedoeling om de indruk te wekken dat u dom hebt gehandeld.'
'O, nee? Zo komt het anders wel over. Het is heel gemakkelijk om achteraf kritiek te leveren en het beter te weten. Geloof me, als Bill Marshall ook maar iets te maken had gehad met de verdwijning van zijn eigen zoon, dan hadden we hem opgepakt. Ten eerste had hij een alibi...'
'Wie?'
'Zijn vrouw.'
'Niet het betrouwbaarste soort alibi, is het wel?'
'Ze zou hem echt geen alibi hebben verschaft als hij zijn eigen zoon had omgelegd. Ga me nu niet zitten wijsmaken dat u zo krom redeneert dat u gelooft dat mevrouw Marshall er ook bij betrokken was.'
'Dat weten we toch juist niet?' Michelle zag mevrouw Marshall weer voor zich, haar oprechte en waardige houding, en haar behoefte om haar zoon na al die jaren te begraven. Het was uiteraard mogelijk dat ze loog. Sommige criminelen kunnen uitstekend toneelspelen. Michelle geloofde het echter niet. En uit Bill Marshall zou ze niets loskrijgen. 'Hadden de Marshalls een auto?'
'Jawel. Vraag me niet welk merk of nummerbord. Hoor eens, Bill Marshall mag dan een beetje een opschepper zijn geweest, maar hij mishandelde geen kinderen.'
'Waarom denkt u dat dat de reden was voor de ontvoering van Graham?'
'Denk nu toch eens na, mens. Waarom zou een veertienjarige knul anders spoorloos van de aardbodem verdwijnen? Als je het mij vraagt, zou ik zeggen dat hij best een van de slachtoffers van Brady en Hindley zou kunnen zijn geweest, ook al kunnen we dat nooit bewijzen.'
'Maar we zitten hier mijlenver uit de buurt van hun territorium. Een geografische *profiler*...'
'Ah, nog zo'n voordeel van een goede opleiding. Profilers? Laat me niet lachen. Ik ben het nu meer dan zat. Het wordt verdomme hoog tijd dat u eens ophoudt met hier rond te neuzen en weer aan het werk gaat.' Met die woorden draaide hij zich om en beende hij het kamertje uit.
Michelle voelde dat haar hand trilde en haar adem stokte in haar keel. Ze kwam niet graag in aanvaring met gezaghebbende personen; ze had altijd respect gehad voor haar bazen en de hiërarchische ladder bij de po-

litie; ze was ervan overtuigd dat een organisatie als de politie niet efficiënt kan worden gerund zonder een tamelijk militaire structuur, waarin opdrachten worden uitgedeeld en uitgevoerd, soms zelfs zonder te vragen waarom. Shaws woede-uitbarsting leek in deze situatie echter buiten alle proporties.

Ze stond op, deed de dossiermappen terug in de kartonnen dozen en schoof haar aantekeningen op een stapel. Het was toch allang tijd voor de lunch en een frisse neus. Misschien kon ze ook even een paar telefoontjes afhandelen en iemand opsporen die tijdens het Kray-tijdperk bij de politie had gewerkt, dan zou ze morgen naar Londen gaan.

In haar kantoor vond ze een briefje op haar bureau waarop stond dat dokter Cooper had gebeld en had gevraagd of ze die middag bij het mortuarium kon langskomen. Dat kon nu meteen wel, dacht ze, en nadat ze agent Collins had verteld waar ze naartoe ging, liep ze naar haar auto.

De zoektocht in Luke's kamer leverde niet veel op, afgezien van een cassettebandje waarop *Songs From a Black Room* stond geschreven, dat Banks met toestemming van Robin in zijn zak liet glijden om later te beluisteren. Luke's computer bevatte geen interessante informatie. Er waren vrijwel geen e-mailberichten, wat ook wel te verwachten was, en de meeste websites die hij bezocht hadden te maken met muziek. Hij had een flink aantal spullen via internet gekocht, voornamelijk cd's, wat eveneens te verwachten was van iemand die in zo'n uithoek woonde.

Banks was verbaasd over de uiteenlopende muzieksoorten waar Luke blijkbaar van had gehouden. Er waren natuurlijk de gebruikelijke cd's waar Annie hem al over had verteld, maar tussen de onverwachte grunge, metal, hiphop en gothic vond hij ook cd's als Brittens op muziek gezette versie van Rimbauds *Illuminations* en Miles Davis' *In a Silent Way*. Daarnaast lagen er tevens verschillende cd's van onafhankelijke labels, waaronder tot Banks' grote vreugde ook de eerste van de band van zijn zoon Brian, *Blue Rain*. Niet de gebruikelijke muzikale voorkeur van een vijftienjarige. Banks was inmiddels doordrongen van het feit dat Luke Armitage beslist geen doorsneevijftienjarige was geweest.

Hij had ook een aantal van de verhalen en gedichten gelezen die Annie tijdens haar vorige bezoek had meegenomen en hoewel hij maar een leek was, meende hij dat er waar talent uit sprak. Ze onthulden niet wat er mogelijk met Luke kon zijn gebeurd of hoe hij over zijn vader of stiefvader dacht, maar ze maakten wel duidelijk dat zijn jonge geest volledig in beslag werd genomen door de dood, oorlog, de wereld die te gronde werd gericht en vervreemding van de maatschappij.

In tegenstelling tot Annie was Banks niet verbaasd over de kleur van de kamer. Brian had zijn kamer weliswaar niet zwart geverfd, maar had wel posters op de muren gehangen en zichzelf omgeven met zijn favoriete muziek. En een gitaar, natuurlijk, altijd een gitaar. Annie had zelf geen kinderen, dus Banks kon zich voorstellen dat een zwarte kamer bizar op haar moest overkomen. Het enige wat hem dwarszat, was Luke's overduidelijke obsessie voor overleden rockzangers en de afwezigheid van alles wat met zijn beroemde vader Neil Byrd te maken had. Hier was beslist meer aan de hand.

Brian had carrière gemaakt in de muziek en zijn band stond inmiddels op het punt een cd uit te brengen bij een grote platenmaatschappij. Nadat hij was bekomen van de eerste grote schok dat Brian ervoor had gekozen geen veilige paden te bewandelen in het leven, was Banks van trots vervuld, een wijziging in zijn houding die zijn eigen ouders nog steeds niet leken te kunnen maken. Banks vroeg zich af of Luke een goede muzikant was geweest. Misschien kon de cassette hem dat duidelijk maken. Op basis van wat Annie hem had verteld en zijn eigen eerste indruk betwijfelde hij of Martin Armitage verheugd zou hebben gereageerd als zijn stiefzoon blijk had gegeven van muzikaal talent; lichamelijke kracht en sport leken de enige maatstaven waaraan hij succes afmat.

Josie en Calvin Batty woonden in hun eigen appartement aan het uiteinde van een van de bovenste verdiepingen in de oostelijke vleugel van Swainsdale Hall. Daar hadden ze een woonkamer, een slaapkamer en een keukentje, een toilet en een badkamer met een Power-Shower die, zo vertelde Josie toen ze bij haar in de keuken stonden te wachten tot ze thee had gezet, allemaal waren gemoderniseerd door de Armitages. De hele flat was in lichte kleuren geschilderd, crème en bleekblauw, en het aanwezige licht werd optimaal benut.

Josie zou een vrij knappe jonge vrouw kunnen zijn als ze er iets meer moeite voor deed, dacht Banks. Haar haren hingen nu echter dof en slecht geknipt om haar hoofd, haar kleren waren saai, vormloos en ouderwets en haar huid was bleek en droog. Haar man was kort en gedrongen, met de donkere gelaats- en haarkleur van zigeuners en zware wenkbrauwen die boven zijn neus doorliepen.

'Wat zijn precies uw taken hier?' vroeg Banks hun toen ze met een dienblad met thee en chocoladebiscuittjes in de woonkamer hadden plaatsgenomen tegenover een enorm televisietoestel met videorecorder.

'Alle normale voorkomende werkzaamheden. Ik hou me voornamelijk bezig met wassen, strijken, schoonmaken en koken. Calvin doet allerlei klusjes, zorgt voor de auto's, neemt het zware werk op zich, reparaties

aan het gebouw, de tuin, dat soort dingen.'
'Ik kan me indenken dat er veel te doen is,' zei Banks, en hij wierp een vluchtige blik op Calvin. 'Bij zo'n groot huis.'
'Aye,' gromde Calvin, en hij doopte een biscuittje in zijn thee.
'En Luke?'
'Wat is er met Luke?' vroeg Josie.
'Had een van jullie beiden ook taken die op hem betrekking hadden?'
'Calvin gaf hem wel eens een lift naar school of nam hem mee terug wanneer hij toevallig in de stad moest zijn. Ik lette erop dat hij goed at wanneer meneer en mevrouw een paar dagen weg moesten.'
'Deden ze dat vaak?'
'Niet zo heel vaak.'
'Wanneer was de laatste keer dat ze hem hier alleen lieten?'
'Vorige maand. Ze gingen samen naar Londen voor een of ander chic liefdadigheidsfeest.'
'Wat deed Luke wanneer hij alleen thuis was?'
'We hebben hem echt niet elke seconde in de gaten gehouden,' zei Calvin.
'Nee, uiteraard niet,' zei Banks. 'Maar hoorden jullie nooit iets? De televisie? De stereo? Kwamen er wel eens vrienden langs? Dat soort dingen.'
'De muziek stond altijd vrij hard, maar hij had natuurlijk helemaal geen vrienden die hij kon uitnodigen om langs te komen,' zei Calvin.
'Je weet best dat dat niet waar is,' zei zijn vrouw.
'Dus er kwamen wel eens vrienden op bezoek?'
'Dat heb ik niet gezegd.'
'Wat bedoelde u dan, mevrouw Batty?'
'Ze kwamen nooit hier.'
Banks ademde diep in. 'Waar dan wel?'
Ze trok haar grijze vest strak om haar lichaam. 'Het zijn mijn zaken niet.'
Annie boog zich voorover en mengde zich voor het eerst in het gesprek. 'Mevrouw Batty, dit is een moordonderzoek. We hebben uw hulp nodig. We tasten volledig in het duister. Als u ons ook maar iets kunt vertellen wat kan verklaren wat er met Luke is gebeurd, doet u dat dan alstublieft. Dit is echt belangrijker dan een belofte om iets niet te verklappen of zaken waar u zich eigenlijk niet mee zou moeten bemoeien.'
Josie keek weifelend naar Banks.
'Inspecteur Cabbot heeft gelijk,' zei hij. 'Wanneer het om moord gaat, vervallen alle eerder gemaakte afspraken. Wie was die vriend?'
'Iemand met wie ik hem heb zien lopen, meer niet.'
'Waar?'

'In Eastvale. Het Swainsdale-winkelcentrum.'
'Wanneer?'
'Kortgeleden.'
'De afgelopen twee weken?'
'Iets langer geleden.'
'Een maand?'
'Aye, zo ongeveer.'
'Hoe oud? Van zijn eigen leeftijd? Ouder? Jonger?'
'Ouder. Ze was echt geen vijftien, dat kan ik u wel vertellen.'
'Hoe oud dan wel?'
'Moeilijk te zeggen wanneer ze op die leeftijd zijn.'
'Welke leeftijd?'
'Een jonge vrouw.'
'Hoe jong? Rond de twintig?'
'Aye, zoiets.'
'Langer of korter dan hij?'
'Korter. Luke was lang voor zijn leeftijd. Lang en broodmager.'
'Hoe zag ze eruit?'
'Donker.'
'Bedoelt u dat ze zwart was?'
'Nee, haar huid was bleek. Ze droeg zwarte kleding, net als hij. En haar haren waren zwart geverfd. Ze had rode lippenstift op en overal van die knopjes en kettingen. En ze had ook een tatoeage,' voegde ze er half fluisterend aan toe, alsof ze de grootste zonde expres tot het laatst had bewaard.
Banks wierp een blik op Annie die, zo wist hij toevallig uit ervaring, net boven haar rechterborst een tatoeage van een vlinder had. 'Waar?' vroeg ze aan Josie.
Josie raakte met haar vingers haar linkerbovenarm aan, net onder de schouder. 'Hier,' zei ze. 'Ze had zo'n mouwloos leren vestje aan met daaronder een T-shirt.'
'Wat stelde de tatoeage voor?' vroeg Annie.
'Ik zou het u niet kunnen zeggen,' zei Josie. 'Ik was te ver weg. Ik kon alleen zien dat er een soort vlek zat.'
Als deze vrouw in of in de omgeving van Eastvale woonde, moest het niet moeilijk zijn om haar op te sporen, dacht Banks. In het zwart geklede meisjes met piercings, kettingen en tatoeages kwamen hier immers niet zo vaak voor als in Leeds of Manchester. Er was hier maar één club die zich op dat soort publiek richtte, Bar None, en dat maar twee dagen per week; de overige dagen waren gereserveerd voor het techno dance-

publiek. Het was ook mogelijk dat ze aan de universiteit studeerde, bedacht hij. 'Zou u het erg vinden als we vanmiddag een tekenaar naar u toe stuurden om een compositietekening te maken?' vroeg hij.
'Nee, hoor,' zei Josie. 'Als meneer en mevrouw dat tenminste goedvinden. Want ik moet eigenlijk de bovenverdieping schoonmaken.'
Banks keek haar aan. 'Ik denk niet dat meneer en mevrouw Armitage er bezwaar tegen zullen hebben,' zei hij.
'Dan is het goed. Maar ik kan u natuurlijk niets beloven. Zoals ik al zei, ik heb hen maar heel even vanuit de verte gezien.'
'Is er verder nog iets wat u over haar kunt vertellen?' vroeg Banks.
'Nee. Het was heel kort. Ik zat net koffie te drinken met een koekje bij een van de restaurantjes en toen zag ik dat ze voorbijkwamen en naar die grote muziekzaak gingen.'
'HMV?'
'Die bedoel ik, ja.'
'Zagen zij u ook?'
'Nee.'
'Hebt u aan iemand verteld dat u hen had gezien?'
'Het is niet aan mij om daarover te klikken. Bovendien...'
'Ja, wat wilde u zeggen?'
'Het was een schooldag. Hij had op school moeten zitten.'
'Wat deden ze precies?'
'Ze liepen gewoon.'
'Dicht bij elkaar?'
'Ze liepen niet hand in hand, als u dat soms wilt weten.'
'Praatten ze, lachten ze, maakten ze misschien ruzie?'
'Ze liepen alleen maar naast elkaar. Volgens mij keken ze elkaar niet eens aan.'
'En toch had u de indruk dat ze bij elkaar hoorden? Waarom dan?'
'Op de een of andere manier zie je dat toch.'
'Had u hen al eens eerder samen gezien?'
'Nee. Alleen die ene keer.'
'En u, meneer Batty?'
'Nee. Nooit.'
'Zelfs niet wanneer u hem van school ophaalde?'
'Het was geen schoolmeisje,' zei Josie. 'Zo een heb ik tenminste nog nooit eerder gezien.'
'Nee,' antwoordde meneer Batty.
'Waarover praatte u met hem wanneer u hem een lift gaf?'
'Niks, eigenlijk. Hij was geen echte prater en we hadden niks met elkaar

gemeen. Hij hield niet van sport en zo. Ik geloof dat hij ook bijna nooit televisiekeek. Hij had nooit iets te vertellen.'
Wel over de dood en poëzie en muziek, dacht Banks. 'Dus jullie zwegen eigenlijk altijd tijdens die autoritjes?'
'Ik luister meestal naar het nieuws op de radio.'
'Hoe was zijn relatie met zijn ouders?'
'Ik zou het niet weten,' antwoordde Josie.
'Hebt u wel eens gehoord dat ze ruziemaakten?'
'Ouders en kinderen hebben wel vaker ruzie, dat is toch niets bijzonders?'
'Dus u hebt wel eens iets opgevangen?'
'Een heel gewone ruzie, meer niet.'
'Tussen wie? Luke en zijn moeder?'
'Nee. Zij behandelde hem alsof hij de geboren onschuld in hoogsteigen persoon was. Verwende hem waar ze maar kon.'
'Zijn vader dan?'
'Zoals ik al zei, het was niets bijzonders.'
'Hebt u gehoord wat er dan werd gezegd, waar de ruzie over ging?'
'De muren hier zijn een beetje te dik.'
Dat wilde Banks wel geloven. 'Is er recentelijk iets ongewoons gebeurd?'
'Hoe bedoelt u dat?' vroeg Josie.
'Iets wat afweek van de dagelijkse routine?'
'Nee.'
'Hebt u misschien onbekende mensen in de buurt zien rondhangen?'
'Minder dan normaalgesproken, omdat ze hier niet meer mogen wandelen.'
'Dus u hebt niemand gezien?'
'Zien rondhangen? Nee.'
'Meneer Batty?'
'Niemand.'
Ze kwamen met de Batty's geen stap verder. Banks wist niet zeker of ze iets achterhielden of niet, maar besloot dat hij een andere keer altijd opnieuw met hen kon komen praten. Toen ze al bij de deur stonden, draaide hij zich om en hij vroeg aan meneer Batty: 'Hebt u een strafblad, meneer Batty?'
'Nee.'
'We komen er uiteindelijk toch wel achter, dat weet u toch wel?'
Batty staarde hem woest aan. 'Goed dan. Ik ben ooit één keer opgepakt. Het was heel lang geleden.'
'Hoe lang?'

'Twaalf jaar. Veroorzaakte overlast in het openbaar. Ik was dronken, nou goed? Ik dronk vroeger nogal veel. Totdat ik Josie leerde kennen. Nu drink ik geen druppel meer.'
'Wat had dat te betekenen?' vroeg Annie toen ze weer in de auto zaten.
'Wat?'
'Die vraag of hij een strafblad had? Je weet best dat een dergelijke overtreding waarschijnlijk allang niet meer in het systeem staat vermeld.'
'O, dat,' zei Banks, en hij maakte zijn riem vast en nestelde zich in de passagiersstoel, omdat Annie de motor had gestart. 'Ik wilde gewoon weten of hij goed kan liegen of niet. De meeste mensen liegen namelijk wanneer je hun vraagt of ze een strafblad hebben.'
'Nou, en?'
'Ik ving een licht afwijkende stembuiging op bij die laatste "Nee", de leugen, maar niet afwijkend genoeg om ervan overtuigd te raken dat hij geen goede leugenaar is.'
'Verdomme zeg,' zei Annie, en ze reed de oprit af met achterlating van een gravelregen, 'zit er zowaar een echte Sherlock Holmes naast me.'

Het was maar een kort ritje van de Longthorpe-parkeerplaats bij het hoofdbureau van politie naar het districtsziekenhuis en zo vroeg op vrijdagmiddag was het nog rustig op de weg. Michelle merkte dat ze automatisch regelmatig in haar achteruitkijkspiegel keek of ze werd gevolgd. Dat was niet het geval.
Ze zette haar auto op een speciaal daarvoor bestemde parkeerplaats voor bezoekers en volgde de bordjes pathologie. De afdeling forensische antropologie was klein, bevatte slechts een paar kantoortjes en een laboratorium en geen van de medewerkers had een vast contract. Dokter Cooper zelf gaf naast haar werkzaamheden in het ziekenhuis ook nog college in het nabijgelegen Cambridge. Er waren hier niet voldoende skeletten voorhanden om een volwaardige afdeling forensische antropologie met fulltime krachten te rechtvaardigen en de meeste graafschappen hadden zelfs helemaal niets op dat gebied en moesten een expert inhuren wanneer de omstandigheden dat vereisten, maar in East Anglia was een flinke hoeveelheid oude overblijfselen van de Angelsaksen en vikingen aangetroffen, wat had geleid tot de oprichting van een kleine, met parttimers bemande afdeling. Daar ging ook Wendy Coopers belangstelling voornamelijk naar uit: oude overblijfselen en niet de skeletten van jonge knullen die in 1965 waren begraven.
'Ah, inspecteur Hart,' begroette dokter Cooper haar in haar kantoor en ze stond op en stak haar hand uit. 'Fijn dat je bent gekomen.'

'Graag gedaan. Je zei dat je me iets wilde vertellen?'
'Iets laten zien, eigenlijk. Het is niet veel, maar misschien heb je er iets aan. Loop je even mee?'
Nieuwsgierig liep Michelle met haar mee naar het lab, waar de botten van Graham Marshall nog steeds op de tafel lagen uitgespreid en Tammy Wynette op dokter Coopers draagbare cassetterecorder *Stand By Your Man* zong. Hoewel de botten nog steeds de grauwe bruingele tint hadden van een slecht gebit, waren ze heel wat schoner dan ze een paar dagen geleden waren geweest, zag Michelle. Dokter Cooper en haar assistent, die op dat moment nergens te bekennen was, hadden duidelijk hard gewerkt. Het skelet zag er echter wel asymmetrisch uit, merkte Michelle op en ze vroeg zich af wat er ontbrak. Toen ze dichterbij kwam, zag ze dat het de onderste rib aan de linkerkant was. Hadden ze die niet kunnen vinden? Maar nee, hij lag op de werkbank waar dokter Cooper haar naartoe bracht.
'We hebben het niet eerder ontdekt, omdat er zoveel vuil op zat vastgekoekt,' legde dokter Cooper uit, 'maar toen we hem eenmaal hadden schoongemaakt, konden we het bijna niet missen. Kijk.'
Michelle boog zich over het bot en keek. Ze zag een diepe, smalle inkeping. Het was iets wat ze al vaker was tegengekomen. Ze keek dokter Cooper aan. 'Messteek?'
'Heel goed. Dat zou ik ook zeggen.'
'Voor- of nadat de dood is ingetreden?'
'O, ervoor. Verwondingen in levende beenderen zien er heel anders uit dan in dode, omdat ze dan brozer zijn. Dit is een mooie, gladde inkeping. Absoluut toegebracht voordat de dood intrad.'
'De doodsoorzaak?'
Dokter Cooper fronste haar wenkbrauwen. 'Dat kan ik niet met zekerheid zeggen,' zei ze. 'Er zou heel goed een dodelijk gif in het lichaam hebben kunnen zitten, of het slachtoffer zou eerst kunnen zijn verdronken, maar wat ik wel kan zeggen is dat de wond naar mijn mening ernstig genoeg was om mogelijk de doodsoorzaak te kunnen zijn geweest. Als je de baan van het lemmet doortrekt naar het meest voor de hand liggende eindpunt dan zou het het hart hebben doorboord.'
Michelle zweeg even, bestudeerde de rib waarover ze het hadden en verwerkte de informatie. 'Van achteren of van voren?' vroeg ze toen.
'Maakt dat iets uit?'
'Als hij van achteren is neergestoken,' legde Michelle uit, 'dan zou het een onbekende kunnen zijn geweest. Als hij van voren is gestoken, heeft iemand heel dicht bij de jongen moeten kunnen komen om het te doen

zonder dat hij besefte wat er ging gebeuren.'
'Ja, nu begrijp ik het,' zei dokter Cooper. 'Goed gezien. Het lukt me maar niet om me de manier van denken van de politie eigen te maken.'
'Andere opleiding.'
'Dat zal het zijn.' Dokter Cooper pakte de rib op. 'Afgaand op de plek waar de inkeping zich op het bot bevindt, bijna aan de binnenkant, en door de rechte vorm zou ik zeggen dat hij van voren is toegebracht, de klassieke opwaartse beweging door de ribbenkast heen en in het hart. Van achteren is het moeilijker om accuraat te werk te gaan. Veel onhandiger en waarschijnlijk onder een lastige hoek.'
'Dus moet het iemand zijn geweest die hem kon naderen zonder dat hij het verdacht vond.'
'Zo dichtbij dat hij hem een schouderklopje kon geven, ja. En degene die dit heeft gedaan, was rechtshandig.'
'Wat voor soort mes?'
'Dat kan ik je niet vertellen, behalve dan dat het erg scherp was en geen gekartelde rand had. Het is zoals je ziet een vrij diepe inkeping, dus er kan een uitgebreide analyse worden gemaakt en er kunnen nauwkeurige metingen worden verricht. Ik ken iemand die je waarschijnlijk wel kan vertellen wanneer en door welk bedrijf het mes is gefabriceerd, een expert. Zijn naam is dokter Hilary Wendell. Als je wilt, kan ik proberen contact met hem op te nemen en hem vragen ernaar te kijken.'
'Als je dat zou willen doen?'
Dokter Cooper begon te lachen. 'Ik zei dat ik het zou proberen. Hilary is vrijwel altijd weg. Vliegt de hele wereld rond. Letterlijk. De Verenigde Staten, Oost-Europa. Hij is vrij bekend. Hij heeft zelfs samengewerkt met de forensische teams in Bosnië en Kosovo.'
'Jij bent daar toch ook geweest?'
Dokter Cooper rilde even. 'Dat klopt. Kosovo.'
'Enig idee wanneer de patholoog-anatoom de beenderen kan vrijgeven voor de begrafenis?'
'Wat mij betreft mag dat nu al. Ik zou echter wel als voorwaarde stellen dat ze worden begraven en niet gecremeerd, voor het geval we ze moeten opgraven.'
'Ik geloof dat dat ook de bedoeling van de ouders is. Een soort herdenkingsdienst. Ik weet dat de Marshalls een afronding willen. Ik zal hen bellen en vertellen dat ze het kunnen gaan regelen.'
'Vreemd is dat,' zei dokter Cooper. 'Afronding. Alsof het begraven van de stoffelijke resten of het gevangenzetten van een misdadiger het eind van het verdriet inluidt.'

'Maar tegelijkertijd ook heel menselijk, vind je niet?' zei Michelle, bij wie de afronding simpelweg nooit had plaatsgevonden, ondanks alle pogingen daartoe. 'We hebben blijkbaar behoefte aan rituelen, symbolen, ceremoniën.'
'Dat moet haast wel. Wat denk je echter hiervan?' Ze wees naar de rib op de werkbank van het lab. 'Dat zou nog wel eens nodig kunnen zijn als bewijsmateriaal in een proces.'
'Tja,' zei Michelle. 'Ik denk niet dat de Marshalls het erg zouden vinden als ze wisten dat Graham met een rib minder werd begraven. Vooral niet als dat ons op het spoor zou kunnen zetten van de moordenaar. Ik zal hun echter voor alle zekerheid maar wel om toestemming vragen.'
'Uitstekend,' zei dokter Cooper. 'Ik zal vanmiddag met de patholoog praten en in de tussentijd proberen Hilary op te sporen.'
'Bedankt,' zei Michelle. Ze wierp nog een blik op de botten op de tafel, die in de vorm van het menselijk skelet lagen uitgestald, en keek toen weer naar de rib op de werkbank. Vreemd, dacht ze. Het maakte niet uit, het waren tenslotte oude beenderen, maar ze kon niet voorkomen dat de aanblik een vreemde, overweldigende diepere betekenis leek te krijgen en de woorden 'Adams rib' doken op in haar gedachten. Idioot, hield ze zichzelf voor. Er wordt heus geen vrouw gecreëerd uit Graham Marshalls rib; en met een beetje geluk kan dokter Hilary Wendell ons iets vertellen over het mes waarmee hij is vermoord.

Een krachtige wind uit noordelijke richting had een paar donkere wolken hun kant op gedreven en het zag ernaar uit dat ook deze heerlijke zomerse dag door een regenbui zou worden verpest, toen Banks aan het eind van de middag in zijn eigen auto naar de plaats delict reed en luisterde naar Luke Armitage's *Songs from a Black Room*.
Er stonden maar vijf korte nummers op het bandje en als songteksten waren ze weinig subtiel, ongeveer wat je kon verwachten van een vijftienjarige met een voorkeur voor het lezen van poëzie die hij niet begreep. Deze keer geen sporen van Rimbaud of Baudelaire, maar slechts de pure, onvervalste angst die iedere tiener kende: 'Iedereen haat me, maar ik trek het me niet aan. / Ik zit veilig in mijn zwarte kamer en laat die idioten buiten staan.' Het waren in elk geval duidelijk Luke's eigen nummers. Toen Banks veertien was, had hij samen met Graham, Paul en Steve een rockband willen oprichten, maar ze hadden alleen maar ongepolijste coverversies van nummers van de Beatles en de Stones voortgebracht. Geen van hen allen was gedreven of getalenteerd genoeg geweest om zijn eigen nummers te schrijven.

Luke's muziek was rauw en gekweld, alsof hij naar iets op zoek was en probeerde de juiste stem te vinden, zijn eigen stem. Hij begeleidde zichzelf op een elektrische gitaar, maakte af en toe gebruik van speciale effecten als fuzz en wah-wah, maar hij hield het voornamelijk bij de eenvoudige akkoorden die Banks zich nog herinnerde van zijn eigen rampzalige pogingen om gitaar te leren spelen. Het opmerkelijke was dat Luke's stem zo enorm op die van zijn vader leek. Hij had het brede bereik van Neil Byrd, ook al was zijn stem nog niet diep genoeg om de laagste noten aan te kunnen, en hij bezat hetzelfde timbre als zijn vader, verlangend maar tegelijkertijd ook verveeld en zelfs een beetje kwaad, gespannen.
Eén nummer stak er met kop en schouders bovenuit, een rustige ballade met een melodie die Banks vaag bekend voorkwam, mogelijk een aangepaste versie van een oud volksliedje. Het was het laatste nummer op het bandje en een soort liefdesliedje of de tekst van een vijftienjarige die zich gered waant:

Hij sloot me buiten, maar jij ontfermde je over mij.
Hij tast in het duister, maar jij bent als een vogel zo vrij.
Ik kon je niet vasthouden, maar je bent bij me gebleven.
Als je echt om me geeft, laat me dan alsjeblieft niet alleen.

Ging dit over zijn moeder, Robin? Of over het meisje met wie Josie hem in het Swainsdale-winkelcentrum had gezien? Annie was met Winsome Jackman en Kevin Templeton op pad om op voor de hand liggende plaatsen de compositietekening te laten rondgaan. Misschien had een van hen geluk.
De technische recherche was nog steeds bij Hallam Tarn, de weg was afgezet en een busje van een plaatselijk televisiestation en een troep elkaar verdringende verslaggevers konden slechts met moeite op afstand worden gehouden. Toen hij aan de kant van de weg parkeerde, zag Banks zelfs een paar dames van middelbare leeftijd in wandeluitrusting; ongetwijfeld toeristen. Stefan Nowak had de leiding en zag er zelfs in zijn beschermende kleding vriendelijk en beleefd uit.
'Stefan,' begroette Banks hem. 'Hoe gaat het hier?'
'We proberen alles af te krijgen voordat het gaat regenen,' zei Stefan. 'Tot nu toe hebben we in het water verder niets meer gevonden, maar de duikers zijn nog steeds bezig.'
Banks keek om zich heen. Jezus, wat een woest en verlaten landschap was het hier toch, volledig blootgesteld aan alle kuren van het weer, nauwelijks een boom te bekennen en waar je ook maar keek alleen het gol-

vende heidelandschap, een mengeling van gele bremstruiken, zandkleurige plukjes gras en zwarte plekken waar eerder die zomer brand had gewoed. De heide zou pas over een maand of twee bloeien, maar overal om hen heen zag hij de donkere, veelvertakte stammetjes onuitroeibaar en buigzaam plat tegen de aarde gedrukt. Het uitzicht was adembenemend en onder de laaghangende bewolking zelfs nog overweldigender dan gewoonlijk. In het westen kon Banks heel in de verte de lange, platte vorm van de drie bergtoppen ontwaren: Ingleborough, Whernside en Penyghent.

'Nog iets bijzonders?' vroeg hij.

'Misschien wel,' zei Stefan. 'We hebben geprobeerd de precieze plaats te vinden waar het lichaam over de muur is gegooid en het is die plek daar, waar die stenen als traptreden uitsteken. Gemakkelijk om overheen te klimmen. Goede steunen voor de voeten.'

'Juist ja. Daar is wel enige kracht voor nodig, of heb ik het mis?'

'Ach, dat hoeft denk ik niet. Hij mag dan groot zijn geweest voor zijn leeftijd, maar hij was nog steeds een kind en erg mager.'

'Zou iemand het in zijn eentje gedaan kunnen hebben?'

'Absoluut. We hebben ook gezocht naar recente beschadigingen. Het is trouwens heel goed mogelijk dat de moordenaar zelf gewond is geraakt toen hij naar boven klom, schaafwonden of iets dergelijks.'

'Hebben jullie bloed gevonden op de muur?'

'Minutieus kleine spoortjes. Nu niet meteen blij zijn met een dooie mus, Alan. We weten nog niet eens of het menselijk bloed is.'

Banks keek naar de technische rechercheurs die de muur steen voor steen ontmantelden en achter in het bestelbusje laadden. Hij vroeg zich af hoe Gristhorpe zou hebben gereageerd op de vernielingen. Gristhorpe bouwde als hobby aan de achterkant van zijn huis een stapelmuur. Het bouwsel leidde nergens naartoe en omheinde niets. Sommige van dit soort muren stonden al eeuwenlang op dezelfde plek zonder dat ze door cement of iets vergelijkbaars bij elkaar werden gehouden, maar ze waren beslist veel meer dan slechts willekeurige stapels stenen. Gristhorpe kende alle technieken en had het vereiste geduld om naar die ene steen te blijven zoeken die op een bepaalde plaats precies op de andere paste, en hier waren zijn mannen bezig dit werk volledig teniet te doen. Maar goed, dacht Banks, als het inhield dat het hen op het spoor bracht van Luke's moordenaar dan was dat wel een stapelmuurtje of twee waard. Hij wist dat Gristhorpe er hetzelfde over zou hebben gedacht.

'Bestaat er een kansje dat er voetstappen worden gevonden?'

Stefan schudde ontkennend zijn hoofd. 'Als er al een soort afdruk in het

gras of de aarde is geweest, is die nu allang verdwenen. Vestig daar alsjeblieft niet al te veel hoop op.'
'Dat doe ik toch nooit? Bandensporen?'
'Ook daarvoor geldt: te veel en het wegdek leent zich er ook niet goed voor. Maar we zoeken wel. Er komt zo dadelijk een botanist uit York. Het zou kunnen dat er aan de kant van de weg unieke plantensoorten voorkomen, vooral omdat deze zo dicht langs het water loopt. Je weet maar nooit. Straks spoor je toevallig iemand op die een stukje paarsgespikkeld kruiskruid aan zijn schoen heeft hangen en voordat je het weet blijkt dat degene te zijn die je zoekt.'
'Geweldig.' Banks liep terug naar zijn auto.
'Inspecteur?' Het was een van de journalisten, een man uit de omgeving die Banks wel kende.
'Wat wilt u van me?' vroeg hij. 'We hebben jullie alles al tijdens de persconferentie verteld.'
'Zijn de geruchten waar?' wilde de verslaggever weten.
'Welke geruchten?'
'Dat het om een uit de hand gelopen ontvoering gaat.'
'Geen commentaar,' antwoordde Banks. Hij mompelde onhoorbaar voor de anderen 'shit', stapte in zijn auto, keerde bij de volgende parkeerhaven en reed terug naar huis.

Nadat ze een gepensioneerde inspecteur had gevonden die bij het centrale bureau van West End had gewerkt en hem had overgehaald om haar de volgende dag in Londen te ontmoeten, had Michelle het bureau verlaten en was ze op weg naar huis bij een videotheek gestopt om een exemplaar van *The Krays* te huren. Ze hoopte dat de film haar in elk geval een algemeen beeld zou geven van de tijd waarin ze leefden en van hun leven zelf.
Ze woonde nu twee maanden in het aan de rivier grenzende flatgebouw aan Viersen Platz, maar het voelde nog steeds aan als een tijdelijke woning, een plek waar ze maar kort zou verblijven. Dat kwam deels doordat ze nog niet alles had uitgepakt en met name haar boeken, servies, kleding en andere bezittingen nog steeds in dozen zaten, en deels natuurlijk door haar werk. Door de lange dagen was het bijna onmogelijk om iets aan het huishouden te doen en meestal at ze tijdens haar werk ergens buiten de deur.
De flat zelf was knus en mooi genoeg. Het was een modern gebouw van vier verdiepingen, dat deel uitmaakte van het Rivergate-winkelcentrum, op het zuiden lag, uitzicht had op de rivier, met veel licht voor de plan-

ten die ze graag in potten op haar balkon hield en zo dicht bij het centrum van de stad dat ze vrijwel in de schaduw van de kathedraal vertoefde. Ze wist zelf niet waarom ze er nog steeds geen echt thuis van had gemaakt; het was een van de mooiste, zij het ook duurste woningen waarin ze ooit had gewoond. Wat moest ze anders met haar geld doen? Ze vond het heerlijk om in het donker buiten op haar balkon naar het licht te kijken dat werd weerspiegeld in de traag stromende rivier en naar de voorbijrazende treinen te luisteren. Tijdens de weekenden kon ze de bluesmuziek van Charters Bar horen, een oud binnenschip dat tegenover haar flat bij de Town Bridge aan de kade gemeerd lag en de bezoekers maakten soms wel eens te veel lawaai rond sluitingstijd, maar de ergernis daarover was vaak slechts van korte duur.
Michelle had geen vrienden die ze kon uitnodigen om te komen eten, had ook geen tijd of zin om hen te vermaken, dus ze had zelfs niet de moeite genomen om haar beste servies uit te pakken. Ook alledaagse dingen als de was doen, afstoffen en strijken had ze verwaarloosd, met als gevolg dat haar flat de aanblik had van een woning waar de bewoonster iemand was die de boel oppervlakkig schoon en aan kant hield, maar zich vooral niet te veel inspanning getroostte. Zelfs het bed had ze die ochtend niet opgemaakt.
Ze wierp een blik op haar antwoordapparaat, maar het lichtje knipperde niet. Zoals gewoonlijk. Ze vroeg zich af waarom ze dat ding eigenlijk nog gebruikte. Vanwege haar werk natuurlijk. Na een snelle aanval op de afwas in de gootsteen en een flitsend rondje door de flat met de stofzuiger vond ze dat ze mocht gaan zitten om naar *The Krays* te kijken. Ze had echter honger. Zoals gebruikelijk was er niets in de koelkast, niets eetbaars tenminste, dus liep ze naar het Indiase afhaalrestaurant om de hoek voor een portie garnalencurry met rijst. Met het bord op schoot en een fles Zuid-Afrikaanse Merlot naast zich greep ze de afstandsbediening en de video begon te snorren.
Toen de film was afgelopen, had Michelle niet het idee dat ze nu veel meer over de Kray-tweeling te weten was gekomen. Oké, hun wereld was erg gewelddadig geweest en je kon hen maar beter niet als vijand hebben. Oké, ze hadden blijkbaar bergen geld gehad en veel tijd doorgebracht in chique clubs. Maar wat hadden ze nu precies op hun kerfstok gehad? Afgezien van een paar onduidelijke gevechten met Maltezers en vergaderingen met Amerikaanse gangsters bleef het precieze karakter van hun duistere zaken onverklaard. En als je op deze film mocht afgaan, bestonden er in die tijd blijkbaar geen politiemannen.
Ze zapte naar het nieuws, nog steeds een beetje weeïg van al het geweld.

Of kwam het door de curry en de wijn? Ze geloofde niet echt dat de Krays iets te maken hadden gehad met de moord op Graham Marshall, net zomin als ze dacht dat Brady en Hindley er verantwoordelijk voor waren, en ze hoorde Shaw al lachen wanneer hij te weten kwam dat ze zoiets had geopperd.

Als Bill Marshall zijn carrière in het criminele circuit serieus had genomen, had het hem weinig goeds opgeleverd. Hij was nooit verder gekomen dan zijn goedkope huurwoning, ook al was deze in 1984 voor vierduizend pond zijn eigendom geworden.

Misschien had hij de criminaliteit afgezworen. Michelle had de logboeken die volgden op degene die ze had doorgenomen doorgebladerd en was zijn naam verder niet meer tegengekomen, dus misschien had hij zijn leven gebeterd of anders was hij gewoon nooit opgepakt. Ze gokte op het eerste, gezien de levensstandaard van het gezin. Misschien was Grahams verdwijning een te grote schok voor hem geweest. Misschien had hij aangevoeld dat er een verband bestond met de wereld waarin hij zich had begeven en had hij daardoor alle banden resoluut doorgesneden. Ze moest ergens de tijd vandaan zien te halen om de oude misdaadverslagen nauwkeuriger te lezen, de oude aantekeningen op te duiken en de opschrijfboekjes van de betrokken agenten. Dat kon echter wel tot na het weekend wachten.

Ze zette haar computer aan en probeerde haar gedachten en theorieën te ordenen, zoals ze altijd deed aan het einde van de dag, waarna ze een paar spelletjes Freecell speelde, die ze allemaal verloor.

Het was donker geworden. Michelle zette haar computer uit, ruimde de resten van haar eenzame avondmaal op, zag dat er niet genoeg wijn in de fles zat om deze te bewaren en schonk daarom haar glas nog eens vol. Zoals zo vaak rond bedtijd leek de depressie haar als een dichte mist te omhullen. Ze nipte van haar wijn en luisterde naar de regen die tegen het raam tikte. God, wat miste ze Melissa, zelfs na al die tijd. Soms miste ze Ted ook, maar meestal alleen Melissa.

Haar gedachten dwaalden af naar die dag waarop het was gebeurd. De gebeurtenissen speelden zich als een film voor haar geestesoog af, een film die steeds weer opnieuw begon. Ze was er niet bij geweest, dat was een groot deel van het probleem geweest, maar ze zag duidelijk voor zich hoe Melissa buiten de schoolpoort had staan wachten met haar goudblonde krullen, het korte, gebloemde blauwe jurkje, zag de andere kinderen die om haar heen krioelden en de oplettende onderwijzers die in de buurt bleven, en zag hoe Melissa dacht dat ze haar vaders auto zag afremmen aan de overkant van de weg, ook al parkeerden ze altijd direct voor de school en lieten ze haar nooit oversteken. Ze zag dat Melissa zwaaide, breeduit lachte en voordat iemand haar kon tegenhouden de weg oprende, voor de wielen van een veel te snel rijdende vrachtwagen. Voordat ze naar bed ging, pakte ze Melissa's jurk, de jurk waarin ze was overleden, uit haar nachtkastje en ze nam hem mee naar bed, drukte haar gezicht in de stof en huilde zichzelf in slaap.

10

Toen Annie zich de volgende ochtend bij de deur van assistent-hoofdcommissaris McLaughlins kantoor in het hoofdbureau van de graafschap meldde, omdat ze was 'ontboden', had ze hetzelfde gevoel als al die keren dat haar aardrijkskundeleraar haar naar het kamertje van de hoofdmeester had gestuurd omdat ze een atlas van de school had vernield met haar eigen cartografische ontwerpen: denkbeeldige zeewezens en waarschuwingsborden: 'Voorbij dit punt leven monsters'.

Ze was niet bang voor het gezag en de rang of status van een ander speelde zelden een rol in haar dagelijkse beslommeringen, maar om de een of andere reden werkte deze oproep haar op haar zenuwen. Niet vanwege 'Rooie Ron' zelf, die bekendstond als streng maar fair en de reputatie had dat hij altijd achter zijn team stond, maar wel vanwege de situatie waarin ze zich mogelijkerwijs zo meteen zou bevinden. Na haar besluit dat ze zich volledig op haar carrière zou richten, had ze blijkbaar alleen maar de ene fout op de andere gestapeld. Om te beginnen was ze in het bijzijn van verschillende collega's op weinig charmante wijze het waterreservoir van Harkside ingerold, tegen de uitdrukkelijke orders van de leidinggevende politieman in. Daarna haar rampzalig verlopen, korte verblijf bij het BIO dat eeuwen leek te duren en gepaard was gegaan met het debacle van haar onderzoek naar het mogelijke gebruik van excessief geweld door agent in opleiding Janet Taylor. En nu werd er met een beschuldigende vinger naar haar gewezen omdat ze verantwoordelijk zou zijn voor de moord op Luke Armitage. Binnenkort zou iedereen haar vast en zeker Blunderende Annie of iets dergelijks noemen, als ze dat tenminste niet al deden. 'Heb je een zaak waar een blundertje meer of minder er niet toe doet? Geef maar aan Annie Cabbot, die draait haar hand er niet voor om.'

De carrière die ze zo graag nieuw leven wilde inblazen, was blijkbaar maar een kort leven beschoren. Ze was echter vastbesloten om strijdend, met haar middelvinger hoog in de lucht, ten onder te gaan.

Het was verdomme niet eerlijk, dacht Annie, en ze ijsbeerde heen en weer.

Ze was een goede politieagente. Alles wat ze bij die gebeurtenissen had gedaan, was juist geweest; het was alleen de draai die eraan werd gegeven, de optelsom van al die dingen, die haar in een kwaad daglicht stelden.

De secretaresse van Rooie Ron deed de deur open en bracht Annie naar de grote man toe. Assistent-hoofdcommissaris McLaughlin had een kantoor dat paste bij zijn rang en dat veel groter was dan dat van hoofdinspecteur Gristhorpe, met veel betere vloerbedekking ook. Bovendien had hij niet zulke enorme, intimiderende boekenkasten als Gristhorpe in zijn kantoor staan.

Toen hij een maand of acht geleden deze baan had gekregen, had Rooie Ron een paar dingen gedaan om de ruimte wat persoonlijker te maken: op het bureau stond een ingelijste foto van zijn vrouw Carol en aan de muur hing een reproductie van Constable's *The Lock*. Een vitrinekast stond vol met trofeeën en foto's van Rooie Ron met verschillende politiesportteams, variërend van roeien tot boogschieten. Hij zag er gezond en gespierd uit en het gerucht ging dat hij trainde voor een marathonloop. Volgens een ander gerucht zou hij een fles goede single malt in de onderste bureaulade verborgen hebben, maar Annie verwachtte niet dat ze daar nu meer over te weten zou komen.

'Inspecteur Cabbot,' begroette hij haar, en hij keek haar over de rand van zijn dunne brilmontuur aan. 'Ga alstublieft zitten. Ik kom zo bij u.'

Annie ging zitten. Er was iets aan hem veranderd, dacht ze. Toen besefte ze wat het was. Na de laatste keer dat ze hem had gezien, had Rooie Ron zijn snor afgeschoren. Ze zag tot haar stomme verbazing dat hij een volle bovenlip had. Ze had altijd gedacht dat mannen hun snor of baard laten staan om te verbergen dat ze een nietszeggende kaak of dunne lip hebben. Hij liet zijn dunner wordende zilvergrijze haren kort knippen in plaats van het aan een kant lang te laten te groeien en te proberen een kale plek te verstoppen door het haar eroverheen te kammen, zoals zoveel mannen deden. Annie snapte niet waarom ze dat deden. Wat was er mis met kaal worden? Sommige kale mannen vond zij juist heel sexy. Het was van dat belachelijke macho mannengedoe, dacht ze, net als die obsessie met de lengte van hun penis. Waren alle mannen dan zo verdomd onzeker? Tja, daar zou ze waarschijnlijk wel nooit achter komen, want geen enkele man wilde er ooit over praten. Zelfs Banks niet, ook al was hij in dat opzicht inschikkelijker dan de meeste anderen. Misschien was het iets wat ze echt niet konden, iets waartoe ze genetisch niet in staat waren, iets wat zijn oorsprong had in de tijd van de holbewoners en de jacht.

Annie belandde met een stevige bons weer in het heden. De assistent-hoofdcommissaris had een stapel papieren ondertekend en nadat hij zijn secretaresse via de intercom had laten weten dat ze die kon ophalen, leunde hij naar achteren in zijn stoel en sloeg hij zijn handen achter zijn hoofd tegen elkaar. 'Ik neem aan dat u weet waarom u hier bent?' begon hij.
'Jawel, meneer.'
'Toen ik gisteravond wilde gaan eten, werd ik gebeld door de hoofdcommissaris, die me vertelde dat hij een klacht over u had ontvangen van Martin Armitage. Zou u me willen uitleggen wat er is gebeurd?'
Annie vertelde het hem. Ze kon merken dat hij aandachtig naar haar woorden luisterde en zo nu en dan maakte hij een aantekening op het schrijfblok dat voor hem lag. Mooie vulpen, zag ze. Een kastanjebruine Waterman. Een enkele keer fronste hij zijn wenkbrauwen, maar hij viel haar niet één keer in de rede. Toen ze was uitgesproken, zweeg hij even en toen zei hij: 'Waarom besloot u die ochtend meneer Armitage vanaf zijn huis te volgen?'
'Ik vond zijn gedrag verdacht. En ik moest wel een vermiste jongen zien op te sporen.'
'Een jongen die diezelfde dag naar huis zou terugkeren, zo had hij u verteld.'
'Dat klopt.'
'U geloofde hem dus niet?'
'Nee, eigenlijk niet.'
'Waarom niet?'
Annie dacht na over het gedrag van de Armitages op die bewuste ochtend, de spanning die ze had gevoeld, hun norse reactie op haar komst en de haast waarmee ze haar de deur hadden uitgewerkt. 'Tja,' zei ze, 'hun gedrag was nu eenmaal niet het gedrag dat ik zou verwachten van ouders die zojuist te horen hebben gekregen dat hun zoon niets mankeert en naar huis komt.'
'Dat was pure speculatie van u, inspecteur Cabbot.'
Annie klampte zich stevig vast aan de armleuningen van haar stoel. 'Ik moest zelf een oordeel vellen. En ik sta er nog steeds achter.'
'Hmm.' Rooie Ron zette zijn bril af en wreef over zijn ogen. 'Het is een kwalijke zaak,' zei hij. 'De pers valt aan alle kanten over ons heen en ik hoef u niet te vertellen dat ze watertanden bij de gedachte dat het om een eenvoudige ontvoering gaat die volledig uit de hand is gelopen. Voeg daar een blunder van de kant van de politie aan toe en ze zijn helemaal in hun element.'

'Met alle respect, meneer, het is nooit een eenvoudige ontvoering geweest.' Annie zette haar redenen voor deze mening uiteen, zoals ze eerder voor Gristhorpe en Banks had gedaan.
Rooie Ron streek al luisterend over zijn kin en plukte aan zijn bovenlip, alsof hij verwachtte dat hij daar nog steeds een snor zou aantreffen. Toen ze was uitgesproken, stelde hij de vraag die ze had gehoopt te kunnen vermijden: 'Is het dan niet bij u opgekomen dat de kidnapper mogelijk toekeek hoe meneer Armitage het losgeld op de aangewezen plek verstopte?'
'Ik eh...'
'U hebt helemaal niet aan die mogelijkheid gedacht, klopt dat?'
'Ik wilde weten wat hij daar had achtergelaten.'
'Inspecteur Cabbot. Denk alstublieft even na. De stiefzoon van een man wordt vermist. Hij is gespannen en nerveus omdat hij ergens naartoe moet en ergert zich aan de politie die bij hem voor de deur staat. U volgt hem, ziet dat hij met een attachékoffertje in de hand een in onbruik geraakte herdershut binnengaat en zonder dat koffertje weer naar buiten komt. Wat leidt u daaruit af?'
Annie voelde dat ze rood werd van boosheid omdat zijn redenering zo logisch klonk. 'Als u het zo stelt, meneer,' zei ze knarsetandend, 'dan lijkt het mij overduidelijk dat hij losgeld gaat overhandigen. In de praktijk is alles echter lang niet zo logisch te beredeneren.'
'U hoeft mij niet te vertellen hoe het er in de praktij aan toe gaat, inspecteur Cabbot. Ik mag nu dan een kantoorbaan hebben, maar ik heb echt niet altijd achter een bureau gezeten. Ik heb mijn aandeel in praktijkjaren echt wel gehad en ik heb dingen meegemaakt waarvan het bloed u in de aderen zou stollen.'
'Dan weet ik zeker dat u begrijpt wat ik bedoel.' Was dat een glimlachje dat Annie over het gezicht van Rooie Ron zag vliegen? Dat kon toch haast niet.
Hij vervolgde: 'Het feit blijft dat u moet hebben ingezien dat u een enorm risico nam en de kidnapper u zou kunnen zien, vooral omdat u zich op een open terrein bevond; u hebt dat risico om wat voor reden dan ook bewust genomen en bent toch die hut binnengegaan. En nu is de jongen dood.'
'Er zijn aanwijzingen die erop duiden dat Luke Armitage mogelijk al vermoord was voordat zijn stiefvader het geld verstopte.'
'Dat zou betekenen dat u ongelooflijk veel geluk hebt gehad.'
'Dat is niet eerlijk. Ik moest weten wat er in dat koffertje zat.'
'Waarom?'

'Ik moest het gewoon zeker weten. En uiteindelijk bleek het ook een soort aanwijzing te zijn.'
'Het lage bedrag? Inderdaad. Hoe wist u echter dat het niet om een eerste termijn ging?'
'Met alle respect, meneer, kidnappers accepteren gewoonlijk geen verschillende termijnen. Het zijn geen afpersers.'
'Maar hoe wist u dat?'
'Ik wist het natuurlijk niet, maar het leek me redelijk om daarvan uit te gaan.'
'U ging ervan uit.'
'Ja.'
'Luister, inspecteur Cabbot. Ik zal er niet omheen draaien. Ik hoor niet graag dat burgers klagen over politiemensen die onder mijn leiding staan. Ik hoor al helemaal niet graag dat gewichtigdoenerige burgers als Martin Armitage op de golfclub klagen bij hun vriendje, de hoofdcommissaris, die de bal vervolgens naar mij doorspeelt. Hebt u me goed begrepen?'
'Jawel. Dat hoort u helemaal niet graag.'
'Welnu, hoewel uw werkwijze inderdaad niet helemaal volgens de voorschriften is verlopen en u een en ander wellicht verkeerd hebt beoordeeld en daardoor impulsief hebt gehandeld, zie ik niets in uw handelwijze wat zo ernstig is dat u zou moeten worden gestraft.'
Een grote opluchting maakte zich van Annie meester. Ze kwam er met een flinke schrobbering van af.
'Daar staat tegenover...'
Annie zat onmiddellijk weer in de put.
'... dat we nog niet alle feiten op een rijtje hebben.'
'Hoe bedoelt u?'
'We weten niet of u inderdaad door de kidnapper bent gezien of niet.'
'Dat klopt.'
'En we weten evenmin wanneer Luke Armitage precies is overleden.'
'Dokter Glendenning doet vandaag de lijkschouwing.'
'Ja, dat weet ik. Wat ik eigenlijk wil zeggen, is dat ik mijn oordeel opschort totdat alle feiten bekend zijn. Gaat u maar weer aan het werk, inspecteur.'
Annie stond op voordat hij van gedachten kon veranderen. 'Jawel, meneer.'
'O, ja, inspecteur Cabbot.'
'Ja?'
'Als u erop staat uw eigen auto te gebruiken tijdens uw werk, laat dan

verdomme in elk geval een politieradio installeren, ja?'
Annie bloosde. 'Dat zal ik doen,' mompelde ze, en ze vertrok.

Michelle kwam die middag om een uur of halftwee bij King's Cross uit de intercitytrein en liep, als altijd overweldigd door de levendige drukte in Londen, het voortdurende lawaai en beweging, de trap af naar de ondergrondse. Het plein bij de kathedraal viel hierbij volledig in het niet, zelfs gedurende de weekenden van de schoolvakanties, wanneer er een rockband op het plein optrad.
In tegenstelling tot de meesten van haar leeftijdgenoten had Michelle nooit bij de Met gewerkt. Ze had overwogen om er vanuit Greater Manchester naartoe te verhuizen, toen Melissa was overleden en Ted haar had verlaten, maar in plaats daarvan had ze de afgelopen vijf jaar voortdurend rondgezworven en talloze cursussen gevolgd, en had ze zichzelf voorgehouden dat het allemaal voor haar carrière was. Ze vermoedde echter dat ze gewoon op de vlucht was geslagen. Een positie ergens ver uit de buurt had haar het beste geleken, in elk geval voorlopig, een functie waarin ze niet opviel. En je kwam tegenwoordig niet vooruit in de wereld van de politie als je niet voortdurend overstapte: van uniform naar CID, van graafschap naar graafschap. Mannen als Jet Harris, die hun hele leven lang bij hetzelfde bureau bleven werken, waren iets uit een ver verleden geworden.
Tegen de muren van de drukke gang naar de ondergrondse zaten een paar haveloze junks, onder wie ook een stel jonge meisjes, zag Michelle, te ver heen om zelfs nog om geld te bedelen. Toen ze voorbijliep, begon een van hen te kreunen en te jammeren. Ze had een fles in haar hand en sloeg er keihard mee tegen de betegelde muur, totdat het glas uiteenspatte en met een rinkelende echo op de tegels van de gang neerkwam. Net als alle mensen om haar heen liep Michelle snel door.
Het was druk in de ondergrondse en ze moest blijven staan tot aan Tottenham Court Road, waar ze had afgesproken om met inspecteur in ruste Robert Lancaster te gaan lunchen in Dean Street. Toen ze Oxford Street inliep, regende het. Jezus, dacht ze, niet weer! Als het zo doorging, was de zomer voorbij voordat hij goed en wel begonnen was. Michelle maakte haar paraplu open en vervolgde haar weg tussen de toeristen en straathandelaren door. Ze sloeg een zijstraat van Oxford Street in, stak Soho Square over, volgde daarvandaan de routebeschrijving van Lancaster en kwam bij de afgesproken plek.
Hoewel het een pub was, zag Michelle tot haar grote vreugde dat het er iets chiquer uitzag dan de meeste vergelijkbare gelegenheden, met *bas-*

kets vol bloemen aan de gevel, glas-in-loodramen en glanzend donker hout. Ze had geprobeerd haar kleding een beetje af te stemmen op de ontmoetingsplek en droeg een halflange rok, een roze trui met V-hals en een dun wollen colbertje, maar desondanks zou ze in de meeste pubs in Londen veel te netjes zijn gekleed. Deze pub werd tijdens de lunch echter bezocht door zakenmensen. Er was een apart restaurantgedeelte, uit de buurt van het rokersgedeelte en de videospelletjes, en er liepen zelfs serveersters rond.

Ze herkende Lancaster aan de anjer die hij in zijn grijze pak zou dragen, een kwieke man met een flinke bos zilvergrijs haar en pretoogjes. Misschien een tikje te dik, zag Michelle toen hij opstond om haar te begroeten, maar hij zag er beslist goed uit voor zijn leeftijd, die ze op een jaar of zeventig schatte. Zijn gezicht was rood aangelopen, maar ze had niet de indruk dat hij een zware drinker was. Hij had in elk geval niet het verraderlijke netwerk van kapotgesprongen rode en paarse adertjes onder zijn huid, zoals Shaw.

'Meneer Lancaster,' zei ze. 'Dank u wel dat u me hier wilde ontmoeten.'

'Het genoegen is geheel aan mijn kant,' zei hij, en in zijn stem klonken nog duidelijk de sporen van een cockneyaccent. 'Sinds mijn kinderen het huis uit zijn en mijn vrouw is overleden, grijp ik elke kans aan om het huis uit te kunnen. Bovendien mag ik niet elke dag naar de West End om met zo'n mooi meisje als u te lunchen.'

Michelle glimlachte en voelde dat ze licht bloosde. Hij had haar een meisje genoemd, ook al was ze afgelopen september veertig geworden. Om de een of andere reden nam ze geen aanstoot aan Lancasters geheel eigen vorm van mannelijk chauvinisme; het had iets lieflijks en ouderwets, en het kostte haar dan ook geen enkele moeite om zijn complimentje in ontvangst te nemen en hem zo charmant mogelijk te bedanken. Ze zou er snel genoeg achter komen of ze het zou volhouden als hij het hele gesprek zo doorging.

'Ik hoop dat u geen bezwaar hebt tegen mijn keus voor deze eetgelegenheid.'

Michelle keek om zich heen naar de tafels met de witte linnen tafelkleden en het zware bestek, naar de serveersters in uniform die af en aan snelden. 'Helemaal niet,' zei ze.

Hij grinnikte diep in zijn keel. 'U gelooft vast niet dat het hier vroeger heel anders was. Aan het begin van de jaren zestig was het echt een pub voor schooiers en criminelen. Met name boven. U zou ervan staan te kijken als u wist wat voor klussen daar allemaal zijn gepland, de contracten die daar zijn afgesloten.'

'Nu toch niet meer, hoop ik?'
'O, nee. Het is nu een heel fatsoenlijke tent.' Er klonk een tikje spijt door in zijn stem.
Er kwam een serveerster met een opschrijfboekje bij hun tafeltje staan.
'Wat wilt u drinken?' vroeg Lancaster.
'Een vruchtensap, graag.'
'Sinaasappel, grapefruit of ananas?' vroeg de serveerster.
'Sinaasappel.'
'En ik wil nog wel een glas Guinness,' zei Lancaster. 'Weet u zeker dat u niet iets sterkers wilt gebruiken?'
'Nee, zo is het prima, dank u.' Toen ze die ochtend was opgestaan, had ze de naweeën van de fles wijn van de vorige avond gevoeld en ze had besloten om een dag of twee geen alcohol te drinken. Ze had haar alcoholgebruik nog onder controle. Overdag dronk ze toch al nooit, alleen 's avonds, wanneer ze in haar eentje in haar flat zat met dichtgetrokken gordijnen en de televisie aan. Als ze er nu echter niets aan deed, zou zij beslist de volgende zijn met een neus vol gesprongen adertjes.
'Het eten is hier vrij goed,' zei Lancaster toen de serveerster was weggelopen om hun drankjes te halen. 'Maar als ik u was, zou ik wel de lamscurry laten staan. De laatste keer dat ik dat hier at, heb ik enorm last gekregen van mijn maag.'
Michelle had de vorige avond al curry gegeten en hoewel ze niet echt last van haar maag had gehad, was het haar wel zwaar gevallen. Ze wilde iets gewoons, zonder overdadige sausjes, iets typisch Brits.
De serveerster kwam hun drankjes brengen: Britvic-sinaasappelsap voor haar en Guinness voor Lancaster, en vroeg hun of ze al wilden bestellen.
'Ik wil graag de Cumberland-worstjes met aardappelpuree,' zei Michelle. En mijn dieet kan de pot op, dacht ze erachteraan. Lancaster bestelde rosbief.
'Worst en piepers,' zei hij vergenoegd, toen de serveerster buiten gehoorsafstand was. 'Dat mag ik graag zien. Je ziet tegenwoordig maar weinig mensen die nog zulke traditionele gerechten nemen. Iedereen is gevallen voor die smerige, buitenlandse pot.'
'Ik hou best van pasta of curry op zijn tijd,' zei Michelle, 'maar soms gaat er niets boven een traditioneel Engels maal.'
Lancaster zweeg even en trommelde met zijn vingers op de tafel. Michelle voelde dat hij op een andere versnelling overschakelde, van ouderwetse hoffelijke heer naar ervaren smeris die zich afvroeg wat ze van hem wilde en of het kwaad kon als hij het haar vertelde. Ze zag aan zijn ogen, waarin nu een scherpe, doordringende blik lag, dat hij op zijn hoede

was. Ze wilde hem graag geruststellen, maar besloot dat het beter was om hem het gesprek te laten sturen en eens te zien waar dat toe leidde. Voorlopig althans.
'Die kerel die u naar mij heeft verwezen, zei dat u wat wilde weten over Reggie en Ronnie.'
Zo, het was gezegd. De gevreesde woorden Reggie en Ronnie: de Krays.
'Daar komt het wel op neer,' zei Michelle. 'Maar ik zal het even uitleggen.'
Michelle vertelde hem over de Marshalls en over wat er met Graham was gebeurd en Lancaster luisterde aandachtig, nam af en toe een slokje bier en knikte zo nu en dan.
'Dus u begrijpt,' rondde ze haar verhaal af, 'dat ik niet in de tweeling zelf geïnteresseerd ben, of niet alleen in hen in elk geval.'
'Jawel, dat begrijp ik,' zei Lancaster, en hij trommelde weer met zijn vingers op tafel. Hun bestelling werd gebracht en ze namen zwijgend een paar happen, tot Lancaster de stilte verbrak. 'Hoe is de worst?' vroeg hij.
'Heerlijk,' zei Michelle, en ze vroeg zich af of ze iets aan hem zou hebben of dat het een aangenaam, maar zinloos gesprek zou worden.
'Mooi zo. Mooi zo. Ik heb Bill Marshall en zijn gezin persoonlijk gekend,' zei Lancaster. Hij schoof een flinke hap rosbief met aardappelpuree naar binnen en staarde met opengesperde, uitdrukkingsloze ogen naar Michelle, in afwachting van haar reactie. Ze was verbaasd en tegelijkertijd verheugd omdat de informatie die Banks haar had gegeven ergens toe had geleid, ook al wist ze nog niet goed waarheen.
'Billy en ik zijn bij elkaar in de buurt opgegroeid, hij woonde bij ons om de hoek. We zaten op dezelfde school, speelden in dezelfde straten. We zijn zelfs een tijd naar dezelfde pub gegaan,' ging hij verder, nadat hij zijn hap eten met een slok Guinness had weggespoeld. 'Verbaast u dat?'
'Een beetje wel, ja. Hoewel ik eigenlijk tegenwoordig nergens meer echt van opkijk.'
Lancaster begon te lachen. 'Wat je gelijk hebt. Het is een heel andere wereld. Kijk, je moet begrijpen wat de achtergrond van politiemensen in die tijd was, Michelle. Mag ik je Michelle noemen?'
'Ja, hoor.'
'De allereerste agenten waren zelf afkomstig uit de criminele klasse. Ze voelden zich aan beide kanten van de wet thuis. Jonathan Wild, bijvoorbeeld, de beroemde dievenvanger. Over het algemeen liet hij de kerels die hij verraadde in zijn eigen valstrik lopen. Wist je dat? Uiteindelijk hebben ze hem opgehangen. En Vidocq, die Fransoos. Dief, politieinformant, meester in vermommingen. En crimineel. In onze tijd, de

tijd waar jij iets over wilt weten, leken we denk ik wel iets meer op deze prototypes dan die jongens met hun kantoorbaantjes die tegenwoordig het korps bevolken, als ik zo vrij mag zijn. Nu wil ik natuurlijk niet beweren dat ik zelf ook een halve crimineel ben geweest, maar ik zat soms zo dicht tegen die grens aan dat ik donders goed doorhad hoe gemakkelijk je eroverheen kon gaan en ik zat er ook dicht genoeg bij om te weten hoe die kerels dachten. En die lui aan de andere kant hadden dat natuurlijk best in de smiezen.'

'Dus u zag soms wel eens iets door de vingers?'

'Dat was de normaalste zaak van de wereld. Ik ging samen met Billy Marshall naar school, groeide op in de straat achter die van hem. Het enige verschil tussen ons was dat hij zo stom was als het achtereind van een varken, maar geweldig kon vechten, en ik, nu ja, ik was slim en handig, maar niets waard als het op matten aankwam. Net sterk genoeg om te kunnen overleven. En neem maar van mij aan dat je dat wel moest zijn, anders had je geen leven. Als er problemen waren, probeerde ik me eruit te kletsen en als dat niet lukte, zette ik het op een lopen. Maar meestal kon ik me eruit kletsen. Het is daarom ook wel logisch dat we verschillende kanten opgingen. Het punt is dat het voor mij evengoed de verkeerde kant had kunnen opgaan. Als kind was ik een beetje een wilde, en ik raakte een of twee keer betrokken bij duistere zaakjes. Ik kende de achtergrond van mensen als Reggie en Ronnie als geen ander. We woonden in dezelfde armoedige buurt, in de naoorlogse jaren. Ik dacht net zo als zij. Ik had mijn op straat opgedane wijsheid net zo goed kunnen aanwenden voor misdadige doeleinden, net als Reggie en Ronnie, of...' Hij maakte zijn zin niet af en nam nog een hap rosbief.

'Wilt u zeggen dat moraliteit geen enkele rol speelt in het geheel?' vroeg Michelle. 'De wet? Rechtspraak? Eerlijkheid?'

'Dat zijn maar woorden, meisje,' zei Lancaster toen hij klaar was met eten. 'Mooie woorden, dat geef ik toe, maar toch alleen maar woorden.'

'Hoe hebt u dan uw keuze gemaakt? Een munt opgegooid?'

Lancaster begon te lachen. '"Een munt opgegooid." Dat is een goeie. Die moet ik onthouden.' Toen keek hij weer ernstig. 'Nee, meisje. Ik ben waarschijnlijk bij de politie gegaan om dezelfde redenen als jij, om dezelfde redenen als de meeste mensen. Het betaalde toen niet best, maar het leek een goede baan, misschien zelfs wel een tikje glamoureus en opwindend. Ik wilde natuurlijk ook geen wijkagent zijn die braaf zijn rondjes liep; ik heb het wel gedaan, hoor, iedereen deed het, moest het doen, maar ik wist vanaf het begin dat ik bij de CID wilde en dat is me gelukt. Wat ik wil zeggen, is dat het erop neerkwam dat je bij de bar van de

buurtpub stond of aan je vaste tafeltje in een hoek zat, dat tafeltje waaraan je vader ook zijn hele leven had gezeten, en dat er dan iemand als Billy binnenkwam, iemand van wie je wist dat hij niet helemaal zuiver op de graat was, en dat het dan gewoon een baan als alle andere was, meer niet. Iedereen wist het. Niets persoonlijks. We gingen met elkaar om, duldden elkaar en hoopten dat onze wegen zich nooit op professioneel vlak zouden kruisen, nooit vanwege iets ernstigs. Je moet wel bedenken dat ik in die tijd bij het hoofdbureau in de West End werkte. De East End was niet mijn territorium. Ik was er alleen maar opgegroeid, woonde er nog wel. Natuurlijk voelden we allemaal aan dat er een muur tussen ons stond, een muur die we maar beter niet in het bijzijn van anderen moesten proberen te slechten, dus het was: "Hallo Bob. Hoe gaat het ermee? Hoe gaat het met vrouw en kind?" "Geweldig, Billy, geweldig." "Da's mooi om te horen, man." Daar bleef het bij.'
'Dat kan ik me wel indenken,' zei Michelle, die stilletjes dacht dat zij het politiewerk wel iets serieuzer nam en nooit van haar leven zou willen worden aangetroffen in dezelfde pub als misdadigers, tenzij ze had afgesproken met een informant. Het was hetzelfde wat Shaw had gezegd. De grens tussen wij en zij was tegenwoordig niet meer een scherpe lijn, vooral omdat veel politiemensen en criminelen dezelfde achtergrond hadden, naar dezelfde scholen gingen en dezelfde pubs bezochten, zoals Lancaster zojuist ook had verteld, en zolang er geen onschuldige burgers gewond raakten... was er niets aan de hand. Niets persoonlijks. De tijden veranderden.
'Dat wilde ik even gezegd hebben,' zei Lancaster, 'zodat je straks als je weggaat niet denkt dat ik corrupt was of zo.'
'Waarom zou ik dat denken?'
Hij knipoogde. 'O, die zaten er ook tussen en meer dan je denkt. Zeden, pornografie. Reken maar van yes. Het was de tijd waarin het zo'n beetje begon, 1963, 1964, 1965. Er zijn nog altijd naïeve stomkoppen die het beschouwen als het begin van een soort nieuw tijdperk van verlichting of zoiets. Aquarius, geef het beestje maar een naam. Klotehippies, met hun peace en love en kettingen en lange haren.' Hij grijnsde spottend. 'Wil je weten wat er echt aan de hand was? Het was het begin van de opkomst van de georganiseerde misdaad in dit land. Niet dat we daarvoor geen gangsters hadden, hoor, maar halverwege de jaren zestig, toen Reggie en Ronnie op hun hoogtepunt waren, kon je wat de gemiddelde Engelse smeris over de georganiseerde misdaad wist op de achterkant van een postzegel kwijt. Dat meen ik. We wisten geen reet. Zelfs "Nipper" Read niet, de kerel die de leiding had over het team dat de tweeling moest

oppakken. Porno stroomde met vrachtladingen vol tegelijk het land in vanuit Denemarken, Duitsland, Zweden en Nederland. Iemand moest de distributie regelen, de groothandel, de doorverkoop. Dat gold ook voor drugs. De sluisdeuren werden halverwege de jaren zestig wagenwijd opengezet. Net een vergunning om zelf geld te printen. Hippies mochten dan in de toekomst een revolutie van peace en love voorzien, maar mensen als Reggie en Ronnie zagen het alleen maar als een kans om geld te verdienen en al die hippies bleken uiteindelijk niet veel meer dan klanten, een nieuwe markt om aan te boren. Seks, drugs en rock-'n-roll. De echte criminelen wreven jubelend in hun handen toen de flowerpower opdook, als kinderen die hun gang mogen gaan in een snoepwinkel.'

Dit was allemaal mooi en prachtig, dacht Michelle, maar het zou wel eens moeilijk kunnen worden om informatie los te krijgen uit een man met zo'n obsessie voor het onderwerp als Lancaster blijkbaar had. Lancaster bestelde nog een glas Guinness, maar Michelle hield het bij koffie en ze leunde achterover in haar stoel. Hij haalde een pilletje uit een zilveren doosje en spoelde het met bier naar binnen.

'Bloeddruk,' verklaarde hij. 'Maar goed, waar waren we ook alweer, meisje?' vervolgde hij, alsof hij haar gedachten had gelezen. 'Ik dwaal een beetje af, geloof ik. Een van de weinige voordelen van ouder worden. Je kunt blijven doorratelen zonder dat iemand zegt dat je je mond moet houden.'

'Bill Marshall.'

'Ja, Billy Marshall heette hij toen nog. Ik was het niet vergeten. Heb hem trouwens in geen jaren gezien of gesproken. Leeft hij nog?'

'Min of meer,' zei Michelle. 'Hij heeft een zware beroerte gehad.'

'Arme kerel. En zijn vrouw?'

'Ze redt het, maar het houdt niet over.'

Hij knikte. 'Ze wist zich altijd te redden, Maggie Marshall.'

Maggie. Michelle besefte dat ze tot op dat moment helemaal niet had geweten wat mevrouw Marshalls voornaam was. 'Werkte Bill Marshall voor Reggie en Ronnie?' vroeg ze.

'Ja. Op een bepaalde manier wel.'

'Wat wilt u daarmee zeggen?'

'Heel veel bewoners in de East End hebben wel eens voor Reggie en Ronnie gewerkt. Het zou me verbaasd hebben als een sterke jonge vent als Billy niet voor hen had gewerkt. Hij was bokser. Amateur, hoor. De Krays waren ook bokser. Waren helemaal thuis in dat wereldje. Ze hebben elkaar in een van de sportzalen in de buurt ontmoet. Billy knapte

wel eens een klusje voor hen op. Het kon toen geen kwaad om de tweeling aan jouw kant te hebben, zelfs als je maar zijdelings bij hun zaakjes betrokken was. Als vijand waren ze echt een verschrikking.'
'Zoiets had ik al gelezen.'
Lancaster lachte. 'Het ergste weet je nog niet.'
'Hij was dus niet in vaste dienst, stond niet op de loonlijst?'
'Dat klopt. Af en toe wat druk uitoefenen zodat er werd betaald of dreigen zodat iemand er wel voor oppaste dat hij zijn mond voorbijpraatte. Je kent dat wel.'
'Heeft hij u dit zelf verteld?'
Lancaster lachte weer. 'Wat denk je nou, meisje? Het was bepaald geen onderwerp om over te praten tijdens een rondje darts in de pub.'
'Maar u was wel op de hoogte?'
'Ik was wel op de hoogte, want dat was mijn werk. Een oogje in het zeil houden. Ik dacht altijd graag dat ik wist wat er speelde, ook buiten mijn terrein, en dat degenen die er werkelijk toe deden wisten dat ik op de hoogte was.'
'Wat kunt u zich nog over hem herinneren?'
'Best een aardige vent, als je hem niet kwaad maakte tenminste. Beetje opvliegend, vooral na een paar glazen. Zoals ik al zei: een spierbundel die het niet van zijn intelligentie moest hebben, een bokser.'
'Toen hij naar Peterborough was verhuisd, schepte hij er tijdens een dronken bui graag over op dat hij Reggie en Ronnie kende.'
'Typisch iets voor Billy. Nog te stom om voor de duvel te dansen. Ik zal je eens wat vertellen.'
'Ja?'
'Je zei daarstraks toch dat die jongen was neergestoken?'
'Dat zei de patholoog tenminste.'
'Billy was nooit gewapend. Hij vertrouwde op zijn blote vuisten. Soms een ploertendoder of een boksbeugel, afhankelijk van zijn tegenstander, maar nooit een mes of pistool.'
'Ik beschouwde Bill Marshall ook niet als een echte verdachte,' zei Michelle, 'maar bedankt voor de informatie. Ik vraag me alleen af of dit alles verband zou kunnen houden met Grahams dood en zo ja, hoe.'
'Ik moet eerlijk zeggen dat ik met geen mogelijkheid een verband kan ontdekken.'
'Als Billy iets had gedaan waar zijn bazen niet gelukkig mee waren, dan zouden ze natuurlijk...'
'Als Billy iets had gedaan waar Reggie en Ronnie niet zo gelukkig mee waren, dan zou hij nu onder de groene zoden liggen, meisje, niet zijn zoon.'

'Is het niet mogelijk dat ze de jongen te grazen hebben genomen om een voorbeeld te stellen?'
'Dat is niet echt hun stijl, nee. Recht voor z'n raap, niks subtiels. Ze hadden zo hun gebreken en als puntje bij paaltje kwam, draaiden ze nergens hun hand voor om. Maar als je hen tegen je in het harnas joeg, dan namen ze niet je vrouw of je kind te grazen, maar jou.'
'Ik heb gehoord dat Ronnie...' Ze zweeg veelbetekenend.
'Dat klopt. En hij had ze graag jong. Maar niet zó jong.'
'Dus...'
'Dus raakten ze kinderen met geen vinger aan. Het was een mannenwereld. Er was een code. Ongeschreven, maar bij iedereen bekend. Wat je ook moet begrijpen, is dat de meeste East Enders vonden dat Reggie en Ronnie Robin Hood, Dick Turpin en Billy the Kid in één waren. Ook later nog; je hoeft alleen maar naar hun begrafenissen te kijken om dat te begrijpen. Verdomme net het koningshuis. Sorry voor mijn taalgebruik. Helden van het volk.'
'En u was de sheriff van Nottingham?'
Lancaster lachte. 'Nou nee. Ik was maar een straatagent. Meer een slaafje. Maar je snapt wat ik bedoel.'
'Dat geloof ik wel. En na een flink robbertje vechten ging iedereen aan het eind van de dag naar de pub om de hoek, waar ze vrolijk samen een pintje pakten en over voetbal praatten.'
Lancaster lachte weer. 'Zoiets, ja. Weet je, misschien heb je wel gelijk. Eigenlijk was het net een spelletje. Als je iemand eerlijk had opgepakt, was er geen haat en nijd. En als zij jou een keer een loer hadden gedraaid, dan sloeg je dat op in je geheugen voor de volgende keer. Als de rechtbank hen vrijsprak, gaf je hun daarna in de pub een rondje.'
'Ik denk dat Billy Marshall dat spelletje in Peterborough heeft voortgezet. Hebt u wel eens van Carlo Fiorino gehoord?'
Lancasters wenkbrauwen trokken zich samen in een diepe frons. 'Ik geloof van niet, nee. Maar dat ligt ook mijlenver bij mijn territorium vandaan. Ik heb je trouwens al verteld dat Billy niet de hersens had om iets op te zetten. Hij had niet de macht, was geen leidinggevend type, had niet de goede uitstraling, noem maar op. Billy Marshall was iemand die opdrachten uitvoerde, niet iemand die ze uitdeelde, en al helemaal niet iemand die bedacht wat de opdrachten moesten zijn. Die jongen van hem, dat was echter een heel ander verhaal.'
Michelle spitste haar oren. 'Graham? Wat was er dan met hem?'
'Jonge knul met een beatlekapsel, toch?'
'Dat kan wel kloppen.'

'Als iemand in die familie het ver zou schoppen, dan was hij het wel.'
'Hoe bedoelt u dat? Was Graham dan een crimineel?'
'Nee. Nou ja, afgezien van een winkeldiefstalletje of twee dan, maar dat deden ze allemaal. Ik ook, toen ik net zo oud was als hij. We dachten dat winkeliers het verlies toch doorberekenden in hun prijzen, zie je, dus eigenlijk pakten we alleen wat toch al van ons was. Nee, het was alleen dat hij een goed stel hersens had, maar van wie hij die had is me een raadsel, en daarnaast was hij ook gewiekst, sluw. Zei nooit veel, maar je kon merken dat hij alles in zich opnam, alles zag en gewoon zijn kans afwachtte.'
'Wilt u beweren dat Graham mogelijk degene was die betrokken was bij de vuile zaakjes van de Krays?'
'Nee. O, hij zal best eens iets voor hen hebben gedaan, maar ze werkten nooit echt met veertienjarige kinderen. Veel te riskant. Hij sloeg hen echter gade en pikte zodoende veel kennis op. Er was niet veel dat hij niet wist. Zo slim als een vos, die knul. Billy liet hem altijd buiten de pub wachten en dan zat hij met de andere kinderen te knikkeren op straat. Dat was toen heel normaal. Er kwamen daar toen heel wat twijfelachtige figuren, neem dat maar van mij aan. Vaak kreeg zo'n jongen dan wat geld toegestopt en de opdracht om goed op te letten: "Pas op die auto, jongen." Zoiets. Of: "Als je een paar kerels in pak deze kant op ziet komen, steek je hoofd dan even om de deur en geef een gil." Hij was niet op zijn achterhoofd gevallen, die jonge Graham Marshall, dat is een ding dat zeker is. Jammer dat hij zo jong al om het leven is gekomen, maar ik kan niet zeggen dat het me echt verbaast.'

Dokter Glendenning werd opgehouden in Scarborough, dus de lijkschouwing was uitgesteld tot het eind van de middag. Banks had bedacht dat hij intussen van de tijd gebruik kon maken om met een aantal van Luke Armitages docenten te gaan praten en hij wilde beginnen met Gavin Barlow, het schoolhoofd van de scholengemeenschap in Eastvale. Ondanks de dreigende lucht en de aarde die nog doorweekt was van een eerdere regenbui stond Barlow gekleed in een oude spijkerbroek en smerig oud shirt in de tuin van zijn twee-onder-een-kap in Noord-Eastvale te schoffelen. Toen Banks door het tuinhek binnenkwam, sprong een collie met een glanzende vacht grommend overeind, maar Barlow riep de hond terug en deze rolde zich in op een hoekje onder de sering waar hij in slaap leek te vallen.
'Hij is oud,' zei Gavin Barlow en hij trok een handschoen uit, veegde zijn hand af aan zijn broek en stak hem uit. Banks gaf hem een hand en stelde zich voor.

'Tja, ik had wel verwacht dat u zou langskomen,' zei Barlow. 'Verschrikkelijk wat er is gebeurd. Laten we maar naar binnen gaan. Nee, blijf, Tristan. Blijf!'
Tristan bleef waar hij was en Banks liep achter Barlow aan naar de lichte, opgeruimde woonkamer. Hij hield blijkbaar van antiek en aan het glimmende dressoir en drankkastje te zien restaureerde hij ze ook zelf. 'Wilt u misschien een glas bier? Of mag u tijdens uw werk niet drinken? Met Morse en zo op televisie weet je het tegenwoordig gewoon niet meer.'
Banks glimlachte. 'Het is niet de bedoeling,' zei hij, hoewel dat hem er nog nooit eerder van had weerhouden. Het was hem echter nog veel te vroeg en hij kon ook niet als excuus aanvoeren dat hij in de tuin had gewerkt. 'Koffie graag, als het niet te veel moeite is.'
'Ik heb helaas alleen oploskoffie.'
'Dat is prima.'
'Loopt u maar even mee.'
Ze liepen naar een kleine maar praktisch ingedeelde keuken. Degene die de deurtjes van esdoornhout onder het leigrijze aanrechtblad had ontworpen, had ervoor gekozen de nerven horizontaal te laten lopen in plaats van verticaal, waardoor de ruimte veel groter leek. Banks ging aan de keukentafel zitten waar een rood-wit geblokt tafellaken overheen lag en wachtte tot Barlow koffie had gezet.
'Wie is dit, papa?'
In de deuropening verscheen een meisje van een jaar of zestien met lange blonde haren en blote benen. Ze deed Banks een beetje denken aan Kay Summerville.
'Dit is iemand van de politie die over Luke Armitage komt praten, Rose. Je hebt hier niets te zoeken.'
Rose trok een pruillip, draaide zich theatraal om en schreed met wiegende heupen weg. 'Dochters,' zei Barlow. 'Hebt u zelf ook kinderen?'
Banks vertelde hem over Tracy.
'Tracy Banks. Ja natuurlijk, nu herinner ik me haar weer. Toen ik uw politiepas zag, wilde het me niet te binnen schieten. Tracy. Heel intelligent meisje. Hoe gaat het nu met haar?'
'Uitstekend. Ze heeft net het tweede jaar afgerond aan de universiteit van Leeds. Geschiedenis.'
'Doet u haar de groeten van mij wanneer u haar weer spreekt. Ik kan niet zeggen dat ik haar goed ken... zoveel leerlingen en zo weinig tijd... maar ik heb wel een of twee keer met haar gepraat, dat weet ik nog.'
Gavin Barlow deed een beetje denken aan Tony Blair, vond Banks. Hij had beslist meer weg van de manager van een modern scholencomplex

dan een ouderwets schoolhoofd, zoals zijn voorganger, meneer Buxton, was geweest. Banks herinnerde zich de oude man nog, die de leiding over de school had gehad tijdens de Gallows View-zaak, toen Banks net in het noorden woonde. Buxton was de laatste van een uitstervend ras geweest, met een vleermuisachtige cape en een beduimeld exemplaar van Cicero op zijn bureau. Gavin Barlow dacht waarschijnlijk dat 'Latijn' naar een soort dansmuziek verwees, maar misschien overdreef hij nu. Het radiostation dat hij had aanstaan, draaide in elk geval Thelonius Monks *Epistrophy* en dat om elf uur 's ochtends: een goed teken.

'Ik weet niet zeker of ik u veel over Luke kan vertellen,' zei Gavin Barlow nadat hij twee mokken oploskoffie op tafel had gezet en tegenover Banks was gaan zitten. 'Gewoonlijk vallen alleen volhardende oproerkraaiers me op.'

'En Luke was geen oproerkraaier?'

'Lieve hemel, nee! Als hij zich niet af en toe bewoog, merkte je niet eens dat hij er was.'

'Nooit problemen gehad?'

'Niet echt problemen. Niets wat zijn klassenleraar niet zelf kon oplossen.'

'Geeft u me eens een voorbeeld.'

'Luke hield niet van gym en hij heeft ooit een briefje van zijn moeder vervalst waardoor hij niet hoefde mee te doen vanwege een opstandige maag. De leraar lichamelijke opvoeding herinnerde zich echter dat hij dat briefje een paar maanden eerder ook al eens had gezien en toen bleek dat Luke het had overgetrokken en er een andere datum boven had gezet. Eigenlijk een heel goede vervalsing.'

'Wat is er toen gebeurd?'

'Niets, eigenlijk. Hij moest nablijven en zijn moeder werd op de hoogte gesteld. Vreemd eigenlijk, want hij was er best goed in.'

'Waarin?'

'Rugby. Luke was snel en behendig. Wanneer hij zijn best deed tenminste.'

'Maar hij hield niet van sport?'

'Het interesseerde hem niet. Hij las liever of zat graag in een hoekje uit het raam te staren. God weet wat er de helft van de tijd door zijn hoofd spookte.'

'Had Luke goede vrienden op school, leerlingen die hij misschien in vertrouwen nam?'

'Ik zou het u echt niet kunnen zeggen. We moedigen groepsactiviteiten natuurlijk zo veel mogelijk aan, maar we kunnen niet altijd... Tja, we

kunnen mensen niet dwingen om mee te doen.'
Banks opende zijn koffertje en haalde de tekening tevoorschijn van het meisje dat Josie Batty samen met Luke de HMV had zien binnengaan. 'Herkent u dit meisje? Weet u wie zij is?' vroeg hij, en hij vroeg zich tegelijkertijd af hoe goed de gelijkenis eigenlijk was.
Barlow tuurde ernaar en schudde toen zijn hoofd. 'Nee,' zei hij. 'Helaas niet. Niet dat we geen leerlingen hebben die zich zo kleden, maar het zijn er maar een paar en geen van hen is zo extreem als op deze tekening.'
'Dus u hebt haar of iemand die op haar lijkt nooit in Luke's nabijheid gezien?'
'Nee.'
Banks stopte de tekening weer in zijn koffertje. 'Hoe ging het met hem op school? Was hij veelbelovend?'
'Enorm veelbelovend. Zijn inzet voor wiskunde liet wel het een en ander te wensen over, maar hij had een uitgesproken aanleg voor Engels en muziek.'
'En de andere vakken?'
'Goed genoeg om naar de universiteit te kunnen. Vooral de talen en maatschappijvakken. Dat was ondanks zijn jonge leeftijd al duidelijk gebleken. Het kan zijn...'
'Ja?'
'Het kan zijn dat hij het spoor bijster is geraakt. Ik heb dat al vaker meegemaakt met intelligente, gevoelige leerlingen. Ze gaan met de verkeerde mensen om, verwaarlozen hun huiswerk... En de rest laat zich raden.'
Banks, die na Grahams verdwijning zelf het spoor een beetje bijster was geraakt, begreep wat hij bedoelde. 'Zijn er leerkrachten met wie Luke een speciale band had?' vroeg hij. 'Iemand die me misschien iets meer over hem kan vertellen?'
'Ja. U zou eens met mevrouw Anderson kunnen gaan praten. Lauren Anderson. Ze geeft Engels en kunstgeschiedenis. Luke was veel verder in zijn literaire ontwikkeling dan zijn klasgenoten en ik geloof dat mevrouw Anderson hem extra lessen gaf.'
Lauren Andersons naam had op het overzicht gestaan van Luke's mobiele telefoon dat ze van het telefoonbedrijf hadden gekregen, herinnerde Banks zich. 'Doet de school dat wel vaker?'
'Wel als de leerling er baat bij heeft, ja. U moet begrijpen dat we een gevarieerd leerlingenbestand hebben, van allerlei verschillende niveaus en met verschillende interesses, dus we richten ons onderwijs op net iets boven het gemiddelde. Is het te hoog, dan haakt het grootste gedeelte van de klas af; is het te laag, dan gaan de slimmere leerlingen zich verve-

len en zoeken ze afleiding. Het is echter nog niet zo erg als in de kranten wel wordt beweerd. We hebben op onze scholengemeenschap gelukkig veel enthousiaste en gedreven leerkrachten. Mevrouw Anderson is er een van. Luke had na schooltijd ook vioolles.'
'Ja, er stond een viool in zijn slaapkamer.'
'Ik zei het u al: hij is geen doorsneeleerling.' Barlow zweeg even en staarde uit het raam. 'Was geen doorsneeleerling. We zullen hem missen.'
'Ondanks dat u nauwelijks merkte wanneer hij er was?'
'Ik heb me waarschijnlijk iets te sterk uitgedrukt,' zei Barlow met gefronst voorhoofd. 'Luke was niet iemand om over het hoofd te zien. Wat ik eigenlijk bedoelde, was dat hij nooit lawaai maakte of veel aandacht nodig had.'
'Wie gaf hem vioolles?'
'Onze muziekdocent, Alastair Ford. Hij is zelf een begenadigd speler. Is lid van een strijkkwartet hier in de buurt. Puur als amateur, hoor. Misschien hebt u wel eens van hen gehoord; het Aeolian Quartet. Ik heb gehoord dat ze echt goed zijn, maar ik moet toegeven dat mijn smaak meer naar Miles uitgaat dan naar Mahler.'
Het Aeolian. Banks had inderdaad wel eens over hen gehoord en niet alleen dat: hij had hen ook verschillende keren horen spelen. De laatste keer was even na de kerst geweest, in het wijkcentrum waar hij met Annie Cabbot naartoe was gegaan. Ze hadden Schuberts *Der Tod und das Mädchen* gespeeld en het was heel goed geweest, wist Banks nog.
'Is er verder nog iets wat u me kunt vertellen?' vroeg hij, en hij stond op om te vertrekken.
'Ik denk het niet,' zei Barlow. 'Over het geheel genomen was Luke Armitage een beetje een binnenvetter.'
Toen ze door de gang liepen, dacht Banks dat hij een blond hoofd en een lang been door een deur zag wegglippen, maar misschien had hij het verkeerd gezien. Waarom zou Rose Barlow hun gesprek willen afluisteren?

Na een korte pauze die middag was het weer gaan regenen en het zag ernaar uit dat het die dag niet meer droog zou worden; toen Annie langsging bij de laatste winkels waar Luke was gesignaleerd, kwam een onophoudelijke miezerige regen uit de lucht druppelen die de kleur van gebruikt afwaswater had. Het personeel van HMV had haar niets kunnen vertellen, misschien omdat het verloop onder het personeel groot was en het een enorme, razend drukke zaak was waar het moeilijk was om iedereen in de gaten te houden. Niemand had het meisje op de tekening

herkend. Bovendien, zo had een van de verkopers opgemerkt, zagen veel van de kinderen die bij hen kwamen er min of meer hetzelfde uit. Het was niet ongebruikelijk dat de klanten van HMV in het zwart gekleed waren en een piercing of tatoeage hadden.
In de computerzaak aan North Market Street had ze iets meer geluk. Gerald Kelly, eigenaar en het enige personeelslid, kon zich vrijwel al zijn klanten herinneren, maar hij had het in het zwart geklede meisje nooit gezien en Luke kwam altijd alleen in zijn winkel.
Annie had nog een adres. Normans Tweedehands Boeken was een bedompte, volgestouwde ruimte, gevestigd onder een bakkerij en bereikbaar via een stenen trapje; een van de winkels die in de kerkmuren aan het plein leken te zijn gebouwd. De boeken roken allemaal naar schimmel, maar soms kon je er vrij zeldzame werkjes aantreffen. Annie had er ook een paar keer rondgesnuffeld, op zoek naar oude kunstboeken, en had in de dozen die de eigenaar achter in de winkel had staan zelfs een paar fraaie prenten gevonden tussen de door het vocht omgekrulde en verkleurde exemplaren.
De zoldering was laag en de kleine ruimte lag stampvol boeken, niet alleen in de kisten tegen de muren, maar ook op slordige stapels op de tafels, die al zouden omvallen als je ertegen blies, waardoor je je een beetje moest bukken en voorzichtig door de winkel moest bewegen. Voor Luke moest het nog moeilijker zijn geweest, bedacht Annie, want hij was langer en slungeliger geweest dan zij.
De eigenaar zelf, Norman Wells, kwam nauwelijks boven de 1 meter 50 uit, had dun bruin haar, een bol gezicht en waterige ogen. Omdat het hierbeneden zo koud en vochtig was, ongeacht wat voor weer het buiten was, droeg hij altijd een door motten aangevreten grijs vest, wollen handschoenen waar het uiteinde van was afgeknipt zodat zijn vingers vrij waren en een oude sjaal van Leeds United. Hij kon onmogelijk veel verdienen met dit winkeltje, dacht Annie, maar ze betwijfelde of de overheadkosten hoog waren. Zelfs in de winter was een elektrisch straalkacheltje met slechts één verwarmingselement de enige bron van warmte.
Norman Wells keek op uit de paperback die hij zat te lezen en knikte in Annies richting. Hij leek verrast toen ze hem haar pas liet zien en hem aansprak.
'Ik heb u vaker gezien, klopt dat?' zei hij, en hij zette zijn leesbril af die aan een touwtje om zijn nek hing.
'Ik ben hier een paar keer geweest.'
'Dacht ik al. Ik vergeet nooit een gezicht. Kunst, als ik me niet vergis?'

'Sorry?'
'Waar gaat uw belangstelling naar uit. Kunst.'
'Ja, inderdaad.' Annie liet hem een foto van Luke zien. 'Herinnert u zich hem nog?'
Wells schrok. 'Ja, natuurlijk. Dat is toch die jongen die is verdwenen? Er is pasgeleden al iemand van de politie hier geweest om vragen te stellen. Ik heb hem alles verteld wat ik wist.'
'Dat geloof ik meteen, meneer Wells,' zei Annie, 'maar het ligt nu anders. Het is nu een moordonderzoek en dat houdt in dat we weer van voren af aan beginnen.'
'Moord? Die jongen?'
'Jammer genoeg.'
'Jezus. Dat wist ik niet. Wie zou nu...? Hij deed nooit een vlieg kwaad.'
'Kende u hem goed?'
'Goed? Nee, dat zou ik niet zeggen. Maar we maakten vaak een praatje.'
'Waarover?'
'Boeken. Hij wist veel meer dan andere kinderen van zijn leeftijd. Hij las veel moeilijkere boeken dan zijn leeftijdgenoten.'
'Hoe weet u dat?'
'Ik... laat maar zitten.'
'Meneer Wells?'
'Laten we het er maar op houden dat ik vroeger leraar ben geweest. Ik heb er ervaring mee en die jongen was bijna geniaal.'
'Ik heb begrepen dat hij de laatste keer dat hij hier was twee boeken heeft gekocht.'
'Dat klopt, dat heb ik die andere agent ook verteld. *Misdaad en straf* en *Een portret van de kunstenaar als een jongeman.*'
'Dat lijkt mij tamelijk hoog gegrepen, zelfs voor hem.'
'Geen sprake van,' wierp Wells tegen. 'Als ik had gedacht dat hij het niet aankon, zou ik ze nooit aan hem hebben verkocht. Hij had T.S. Eliots *Het barre land* al gelezen, het meeste werk van Camus en *Dubliners*. Ik dacht niet dat hij al toe was aan de *Ulysses* of *De Pisaanse canto's* van Pound, maar *Portret* moest hij met gemak aankunnen.'
Annie, die wel van deze boeken had gehoord, maar alleen de titel van Eliot en op school een paar korte verhalen van Joyce had gelezen, was onder de indruk. Dus de boeken die ze in Luke's kamer had gezien, stonden daar niet alleen voor de show; hij had ze echt gelezen en waarschijnlijk zelfs ook begrepen. Toen zij vijftien was, had ze historische romans, ridderverhalen en boeken over hekserij gelezen, zeker geen literatuur met een hoofdletter L. Dat bewaarde ze wel voor school, want ze vond

het dodelijk saai, met name door meneer Bolton, de leraar Engels die werkelijk geen sprankje enthousiasme kon opbrengen voor zijn vak of de boeken die hij besprak.
'Hoe vaak kwam Luke langs?' vroeg ze.
'Ongeveer een keer per maand. En wanneer hij niets meer te lezen had.'
'Hij had geld genoeg. Waarom ging hij niet naar Waterstone's om nieuwe exemplaren te kopen?'
'Dat moet u mij niet vragen. De eerste keer dat hij langskwam, raakten we aan de praat...'
'Wanneer was dat?'
'Een maand of achttien geleden. Maar goed, zoals ik al zei, we raakten aan de praat en hij kwam daarna regelmatig terug.' Hij keek naar de vlekken op het plafond, het afbladderende stucwerk en de wankelde stapels boeken en keek Annie glimlachend aan, waarbij zijn scheve tanden zichtbaar werden. 'Ik denk dat iets in de winkel hem bijzonder aansprak.'
'Waarschijnlijk de service,' zei Annie.
Wells begon te lachen. 'Eén ding kan ik u wel vertellen. Hij was gek op die oude Modern Classic-uitgaven van Penguin. De oude reeks met de grijze ruggen, niet die moderne lichtgroene dingen. Echte ouderwetse pockets, niet van die moderne paperbacks. En die kun je bij Waterstone's niet krijgen. Hetzelfde geldt voor die oude omslagen van Pan.'
Achter in de winkel bewoog iets en er viel een stapel boeken om. Annie meende dat ze een cyperse kat zag wegglippen in de donkere schaduwen.
Wells zuchtte. 'Familiar is weer langs geweest.'
'Familiar?'
'Mijn kat. Een boekwinkel is niet compleet zonder een kat. Hij is vernoemd naar de *witch' familiar*, het heksenhulpje. Snapt u?'
'Ik geloof het wel, ja. Is Luke hier wel eens in het gezelschap van iemand anders geweest?'
'Nee.'
Annie haalde haar kopie van de compositietekening tevoorschijn en legde het voor hem op de tafel. 'En zij?'
Wells boog zich voorover, zette zijn bril weer op en bestudeerde de tekening. 'Het lijkt wel op haar,' zei hij. 'Ik zei toch dat ik nooit een gezicht vergeet.'
'Maar u zei net dat Luke nooit in het gezelschap van iemand anders is langsgekomen,' zei Annie, en ze voelde een kleine rilling van opwinding langs haar rug omhoogkruipen.
Wells keek haar aan. 'Wie zegt dat ze met hem was? Nee, ze kwam samen

met een andere knul binnen, in dezelfde soort kleding en ook met zo'n piercing.'
'Weet u hoe ze heten?'
'Geen idee. Ze zaten wel krap bij kas.'
'Waarom zegt u dat?'
'Omdat ze met een lading gloednieuwe boeken binnenkwamen die ze wilden verkopen. Gestolen, dacht ik direct. Kan niet anders. Gestolen boeken. Daar laat ik me niet mee in, met dat soort dingen, dus ik heb hen weggestuurd.'

11

Voordat dokter Glendenning Luke Armitages vlees opensneed, onderzocht hij eerst nauwkeurig de buitenkant van zijn lichaam. Banks keek toe hoe de arts de hoofdwond aan een onderzoek onderwierp en opmat. Luke's huid was wit en een beetje gerimpeld doordat hij in het water had gelegen en rond de hals was een lichte verkleuring zichtbaar.
'Stukjes van de achterkant van de schedel zijn tot in het cerebellum doorgedrongen,' zei de arts.
'Zou hij daaraan kunnen zijn overleden?'
'Het zou inderdaad kunnen.' Glendenning boog zich voorover en tuurde ingespannen naar de wond. 'Ik weet niet of je er iets aan hebt, maar het moet ook flink hebben gebloed.'
'Alle kleine beetjes helpen,' zei Banks. 'Het is veel moeilijker om bloedvlekken weg te poetsen dan de meeste mensen beseffen. En het wapen?'
'Het lijkt erop dat het een rond voorwerp is geweest,' zei de politiearts. 'Glad.'
'Zoals?'
'Aangezien de perimeter niet al te groot is, vallen voorwerpen als een honkbalknuppel naar mijn idee af. Ik heb geen materiaalresten gevonden, geen houtsplinters en dergelijke, dus het moet van metaal of porselein zijn geweest. Iets hards in elk geval.'
'Een pook, bijvoorbeeld?'
'Zou kunnen. Qua afmeting is dat heel goed mogelijk. Wat me echter bevreemdt, is de hoek waaronder de klap is toegebracht.'
'Wat is daarmee?'
'Kijk zelf maar.'
Banks boog zich over de wond, die door dokter Glendennings assistent was kaalgeschoren en schoongemaakt. Hij zag geen bloed. Daar had een verblijf in het water van een paar dagen wel voor gezorgd. Hij kon de inkeping duidelijk onderscheiden, de omvang kwam overeen met die van een pook, maar de verwonding was schuin aangebracht, bijna horizontaal.
'Je zou verwachten dat iemand een pook van achteren omlaagzwaait of

in elk geval in een hoek van 45 graden, zodat er een veel verticalere wond ontstaat,' zei dokter Glendenning. 'Deze is echter van opzij toegebracht, niet van voren of van achteren, en afgaande op de hoek waaronder hij is geraakt, zou ik zeggen door iemand die iets kleiner is geweest dan het slachtoffer. Dat houdt in dat degene die dit heeft gedaan waarschijnlijk naast hem heeft gestaan. Zoals ik al zei, een heel ongebruikelijke hoek.'
Hij stak een sigaret op, iets wat streng verboden was in het ziekenhuis, maar wat bij Glendenning meestal sluiks werd toegelaten. Iedereen wist dat een sigaretje op zijn tijd voor de broodnodige afleiding zorgde wanneer je te maken had met de geuren die bij een lijkschouwing vrijkwamen. Bovendien was Glendenning tegenwoordig iets voorzichtiger; hij liet nog maar zelden as in de openliggende incisies vallen.
'Misschien stond het slachtoffer al voorovergebogen als gevolg van een eerdere klap?' opperde Banks. 'In zijn maag bijvoorbeeld. Of lag hij op zijn knieën met zijn hoofd voorovergebogen?'
'Alsof hij aan het bidden was?'
'Het zou niet de eerste keer zijn,' zei Banks, die zich herinnerde dat verscheidene criminelen waren geëxecuteerd terwijl ze op hun knieën lagen en om genade smeekten. Voorzover Banks wist, was Luke Armitage echter geen crimineel geweest.
'Van welke kant is de klap gekomen?' vroeg hij.
'Van rechts. Dat kun je afleiden uit de vorm van de inkeping.'
'Dat zou duiden op een linkshandige aanvaller?'
'Waarschijnlijk wel. Er zit me echter iets dwars, Banks.'
'Wat dan?'
'Tja, op de eerste plaats is het bepaald geen onfeilbare manier om iemand te vermoorden. Klappen tegen het hoofd zijn moeilijk. Je kunt er nooit van op aan, zeker niet als je maar één keer kunt toeslaan.'
Dat wist Banks zelf maar al te goed. Bij zijn laatste zaak had een man zeven of acht klappen met een wapenstok gekregen en desondanks nog enkele dagen geleefd. Weliswaar in coma, maar hij had nog geleefd.
'Dan is onze moordenaar dus een amateur die mazzel heeft gehad.'
'Zou kunnen,' zei Glendenning. 'Zodra ik het hersenweefsel heb onderzocht, weten we meer.'
'Zou deze klap de doodsoorzaak kunnen zijn geweest?'
'Dat kan ik je niet met zekerheid zeggen. Hij kan eraan zijn overleden, maar het is evengoed mogelijk dat hij al dood was. Je zult moeten wachten tot de resultaten van toxicologie binnen zijn voordat we met zekerheid kunnen zeggen of dat het geval is geweest.'
'Niet verdronken?'

'Dat denk ik niet, maar laten we maar wachten tot we de longen hebben gezien.'
Banks keek geduldig, zij het een tikje misselijk, toe hoe dokter Glendennings assistent de gebruikelijke Y-vormige incisie maakte en de huid en het spierweefsel van de borstkas met een scalpel openvouwde. De geur van menselijke spieren, die Banks altijd aan rauw lamsvlees deed denken, steeg uit het lichaam op. Vervolgens trok de assistent de huid van de borst over Luke's gezicht en zaagde hij de ribbenkast open, waarna hij ten slotte het borstbeen verwijderde en de innerlijke organen blootlegde. Toen hij deze als één geheel uit de holte had gelicht, legde hij ze op de snijtafel en pakte hij de elektrische zaag. Banks wist wat er nu ging komen, die onvergetelijke klank en de geur van verbrand schedelbeen, dus richtte hij zijn aandacht op dokter Glendenning, die de organen had opengesneden en geconcentreerd naar de longen tuurde.
'Geen water,' kondigde hij aan. 'Of vrijwel geen water.'
'Wat inhoudt dat Luke al dood moet zijn geweest toen hij in het water belandde?'
'Ik zal monsters opsturen voor diatomische analyse, maar ik verwacht niet dat ze veel zullen vinden.'
De elektrische zaag viel stil en even later ving Banks een combinatie van knarsende en zuigende geluiden op, waardoor hij wist dat de bovenkant van de schedel werd losgetrokken. Vervolgens sneed de assistent het ruggenmerg door en tilde hij de hersens eruit. Voordat hij deze in de pot formaline stopte, waarin ze enkele weken zouden blijven liggen tot ze steviger waren geworden en daardoor gemakkelijker te onderzoeken, onderzocht dokter Glendenning ze vluchtig.
'Aha,' zei hij. 'Dat dacht ik al. Kijk eens, Banks, zie je die beschadiging daar, bij de voorhoofdskwabben?'
Banks zag wat hij bedoelde. En wist wat dat betekende. 'Contre coup?'
'Precies. Dat verklaart mogelijk de ongebruikelijke hoek.'
Als het hoofd van het slachtoffer niet in beweging is wanneer er een klap op wordt gegeven, blijft de schade beperkt tot de plek waar het hoofd wordt geraakt en worden botsplinters alleen op die plek aangetroffen, maar wanneer het slachtoffer zijn hoofd beweegt, is een contre coup-verwonding het gevolg: dan ontstaan er eveneens beschadigingen tegenover de plek waar de klap is gevallen. Contre coup-verwondingen zijn vrijwel altijd het gevolg van een val.
'Dus Luke is gevallen?'
'Of geduwd,' zei Glendenning. 'Voorzover ik echter kan zien, zijn er geen andere verwondingen en geen gebroken botten. En ik heb je eerder

al gezegd dat we er alleen achter kunnen komen of hij blauwe plekken had, bijvoorbeeld omdat iemand hem heeft geslagen of omvergeduwd, als er kleine botjes in zijn wang zijn gebroken. We zullen er uiteraard wel op letten.'

'Kunt u me enig idee geven van het tijdstip van overlijden? Het is belangrijk.'

'Tja... Ik heb de temperatuurmetingen bekeken die dokter Burns ter plekke heeft uitgevoerd. Uiterst nauwgezet. Hij zal het nog ver schoppen. Rigor is ingezet en alweer verdwenen, wat er in combinatie met de temperatuur op wijst dat er meer dan twee dagen zijn verstreken.'

'En de rimpels en bleekheid van de huid?'

'Cutis anserina? Drie tot vijf uur. Water heeft een conserverende werking en vertraagt verrotting, wat ons werk aanzienlijk bemoeilijkt. Er is geen lijkbleekheid en ik heb zo het vermoeden dat het vrijwel onmogelijk zal zijn om erachter te komen of er blauwe plekken of kneuzingen zijn. Daar heeft het water wel voor gezorgd.' Hij zweeg en fronste zijn wenkbrauwen. 'Er is echter wel een verkleuring rond de hals zichtbaar.'

'Wat wil dat zeggen?'

'Dat wijst op het begin van verrotting. Bij een lichaam dat in water wordt gevonden, begint dat proces altijd bij de hals.'

'Hoe lang duurt dat?'

'Dat is het nu juist,' zei dokter Glendenning, en hij keek Banks aan. 'Je zult begrijpen dat ik niet specifieker kan zijn en ik kan er een uur of twaalf naast zitten, maar op zijn minst drie of vier dagen, zeker bij de temperaturen die dokter Burns heeft gemeten.'

Banks maakte in zijn hoofd een snelle berekening. 'Allejezus,' zei hij. 'Dat houdt in dat Luke vrijwel direct nadat hij werd vermist moet zijn vermoord.'

'Volgens mijn berekening diezelfde avond nog. Als je alle informatie tegen elkaar afweegt, ergens tussen acht uur 's avonds en acht uur 's ochtends.'

En dokter Glendennings berekeningen zaten er zelden ver naast, misschien wel juist vanwege zijn onuitstaanbare gewoonte om zich niet te laten vastpinnen op een specifiek tijdstip. In dat geval, bedacht Banks, was Luke al overleden voordat Annie zelfs maar naar Swainsdale Hall was gegaan en dus ook ruim voordat ze Martin Armitage was gevolgd naar de plek waar hij het geld had achtergelaten.

Voordat haar dienst erop zat, voorzover dat ten tijde van een belangrijk moordonderzoek mogelijk was, want eigenlijk was het in dat geval een beetje een illusie, had Annie navraag gedaan bij verschillende boekwinkels naar het stelletje dat had geprobeerd Norman Wells boeken te verkopen die volgens hem waren gestolen, maar niemand kon haar iets over hen vertellen. Voordat ze naar de Queen's Arms ging, waar ze met Banks iets zou drinken, had ze eveneens de meest recente meldingen van winkeldiefstal doorgenomen, maar ook dat had niets opgeleverd. De compositietekening zou in de avondeditie van de kranten staan, dus nu moest ze afwachten en zien wat dat zou losmaken. Er was nog iets geweest wat ze had willen doen, maar het was net als een naam die je maar niet te binnen wil schieten, een naam die op het puntje van je tong ligt. Als ze er niet aan dacht, zou ze er wel op komen.

Banks zat al aan een tafeltje in een hoek op haar te wachten en ze zag hem voordat hij haar zag. Hij zag er moe uit, vond Annie, en afwezig, zoals hij daar zat te roken en in de verte staarde. Ze tikte hem op zijn schouder en vroeg of hij nog iets wilde. Hij was in gedachten ver weg geweest en het duurde even, maar uiteindelijk schudde hij zijn hoofd. Ze haalde voor zichzelf een glas Theakston's bitter en liep naar hem terug.

'Waarom zo'n geheimzinnig berichtje dat je me wilde spreken?' vroeg ze.

'Er is niets geheimzinnigs aan,' antwoordde Banks, die een beetje opleefde. 'Ik wilde je het nieuws graag zelf, in hoogsteigen persoon, vertellen.'

'Vertel maar.'

'Het ziet ernaar uit dat je vrijuit gaat wat betreft Luke Armitages dood.'

Annie voelde dat haar ogen zich opensperden. 'Echt? Hoe dan?'

'Volgens dokter Glendenning is het tijdstip van overlijden minstens drie of vier dagen geleden.'

'Voordat...'

'Ja. Zelfs voordat het telefoontje van de ontvoerder binnenkwam.'

Annie maakte een vreugdegebaar en klapte opgetogen in haar handen. 'Yes!'

Banks keek haar glimlachend aan. 'Dacht wel dat je er blij mee zou zijn.'

'Hoe is het dan gebeurd? Hij is toch niet verdronken?'

Banks nam een slok bier. 'Nee,' zei hij. 'De resultaten van toxicologie zijn nog niet binnen, maar het lijkt erop dat de doodsoorzaak een klap tegen het cerebellum is geweest, mogelijk het gevolg van een val.'

'Een worsteling dus?'

'Dat dacht ik ook. Misschien met de ontvoerder, op de allereerste dag. Of met iemand anders, bij wie hij op dat moment was.'

'En diegene heeft toen besloten om toch te proberen geld los te krijgen?'

'Ja. Maar dat is pure speculatie.'

'Dus Luke is ergens anders overleden en toen in het meertje gedumpt?'
'Ja. Waarschijnlijk op de plek waar hij werd vastgehouden, als hij tenminste werd vastgehouden. Er moet flink wat bloed zijn vrijgekomen, zegt de arts, dus er bestaat een gerede kans dat we op de plek van de moord nog bewijzen kunnen aantreffen.'
'Als we die plek weten te vinden.'
'Inderdaad.'
'Dus we boeken wel vooruitgang?'
'Langzaam maar zeker. Al iets over dat meisje te weten gekomen?'
'Nog niets.' Annie vertelde hem over haar gesprek met Norman Wells. Ze merkte dat Banks haar onder het luisteren nauwlettend gadesloeg. Ze kon bijna zien hoe zijn gedachten zich voortbewogen, verbanden legden, hier of daar een kortere route namen en bepaalde stukjes informatie in het geheugen opsloegen voor later gebruik. 'Wie het ook zijn,' zei hij toen ze was uitgesproken, 'als Wells gelijk heeft en ze winkeldiefstallen hebben gepleegd, is het duidelijk dat ze om geld verlegen zitten. Wat hun een motief geeft om losgeld te eisen als ze inderdaad verantwoordelijk zijn voor Luke's dood.'
'Weer speculatie?'
'Ja,' gaf Banks toe. 'Stel dat ze ergens ruzie over hebben gekregen en Luke daarbij op de een of andere manier om het leven is gekomen. Misschien was het geen opzet, maar dood is dood. Ze zijn in paniek geraakt, hebben een goede plek bedacht om het lijk te dumpen, zijn daarnaartoe gereden en hebben hem die avond toen het donker was in Hallam Tarn gegooid.'
'Dan hadden ze wel een auto nodig, wat een probleem zou kunnen opleveren als ze op zwart zaad zaten.'
'Misschien hebben ze er een "geleend"?'
'We kunnen de autodiefstallen die op de bewuste avond zijn gemeld opvragen. Ook al hebben ze het lichaam waarschijnlijk stevig ingepakt, dan nog zijn er mogelijk sporen van Luke's bloed te vinden.'
'Goed idee. Oké, ze weten wie Luke's ouders zijn en denken dat ze hen misschien een pond of wat kunnen aftroggelen.'
'Dat zou verklaren waarom het om zo'n laag bedrag gaat.'
'Ja. Het zijn amateurs. Ze hebben geen idee hoeveel ze moeten vragen. En voor hen is tienduizend pond een waanzinnig hoog bedrag.'
'Maar toen Martin Armitage het geld op de afgesproken plek verstopte, hielden ze hem in de gaten en zagen ze mij.'
'Hoogstwaarschijnlijk wel. Het spijt me, Annie. Het waren dan misschien amateurs, maar ze waren niet achterlijk. Ze moeten hebben beseft

dat het geld onbruikbaar was. Ze hadden Luke's lichaam al gedumpt, dus ze moeten hebben geweten dat het slechts een kwestie van tijd was voordat iemand hem zou vinden. Ze verwachtten wel dat de beperkingen voor de wandelpaden een tijd lang in hun voordeel zouden werken, maar uiteindelijk zou er wel weer iemand in de buurt van Hallam Tarn komen.'

Annie zweeg en probeerde wat Banks had gezegd te verwerken. Ze had weliswaar een fout gemaakt en de kidnappers verjaagd, maar toen was Luke al dood geweest, dus was zijn overlijden niet aan haar te wijten. Wat had ze trouwens anders moeten doen? Misschien had ze gewoon uit de buurt van de herdershut moeten blijven. Wat dat betreft had Rooie Ron gelijk gehad. Ze had immers al geraden dat er geld in het koffertje zat. Was het werkelijk nodig geweest om uit te zoeken hoeveel? Ze had impulsief gehandeld, zoals ze dat wel vaker deed, maar alles was gered: het onderzoek, haar carrière, noem maar op. Alles kon nog worden rechtgezet. 'Heb je er ooit aan gedacht,' vroeg ze, 'dat ze misschien vanaf het begin van plan zijn geweest om Luke te ontvoeren? Dat dat de reden was waarom ze vriendschap met hem sloten en ook de reden is geweest waarom ze hem moesten doden. Omdat hij hen kende.'

'Ja,' zei Banks. 'Maar er zijn te veel dingen die gehaast lijken, spontaan, slecht voorbereid. Nee, Annie, ik denk dat ze gewoon hebben geprofiteerd van een bestaande situatie.'

'Waarom hebben ze Luke dan gedood?'

'Geen idee. Dat zullen we hun moeten vragen.'

'Als we hen weten te vinden.'

'O, we zullen hen heus wel vinden.'

'Wanneer dat meisje zichzelf in de krant ziet, zal ze zich wel een tijdje gedeisd houden, misschien zelfs haar uiterlijk veranderen.'

'We vinden hen heus wel. Het enige is...' zei Banks, maar hij maakte zijn zin niet af en pakte een nieuwe sigaret.

'Ja?'

'Dat we wel moeten blijven openstaan voor aanwijzingen die op iets anders duiden.'

'Zoals?'

'Dat weet ik nog niet. Misschien ligt het wel dichter bij huis. Ik wil met een aantal docenten gaan praten die Luke vrij goed kenden. Iemand moet ook opnieuw met de Batty's gaan praten. Dan zijn er nog al die mensen van wie we weten dat ze contact met hem hebben gehad op de dag dat hij is verdwenen. Stel een lijst op en vraag Jackman en Templeton om je te helpen. We hebben nog heel wat werk te verrichten.'

'Shit,' zei Annie, en ze kwam overeind. Het was haar zojuist te binnen geschoten wat ze had willen doen, maar waar ze de hele avond niet op had kunnen komen.
'Wat is er?'
'Iets wat ik al veel eerder had moeten uitzoeken.' Ze keek op haar horloge en zwaaide bij wijze van afscheid. 'Misschien is het nog niet te laat. Tot gauw.'

Michelle leunde achterover in haar stoel en keek door het smerige raam waar de regen tegenaan striemde naar de velden die onder een grijze lucht voorbijtrokken. Elke keer dat ze met de trein reisde, had ze het gevoel dat ze op vakantie was. Vanavond zat de trein vol. Soms vergat ze wel eens hoe dicht Peterborough bij Londen was, niet meer dan 120 kilometer of zo'n 50 minuten per trein, en hoeveel mensen die afstand dagelijks aflegden. Daar was het tenslotte bij die enorme nieuwbouwprojecten indertijd ook om te doen geweest. Basildon, Bracknell, Hemel Hempstead, Hatfield, Stevenage, Harlow, Crawley, Welwyn Garden City, Milton Keynes: allemaal in een gordel om Londen heen en zelfs nog dichter bij de hoofdstad dan Peterborough, afwateringsgebieden voor een overstromende hoofdstad die in rap tempo voor velen te duur werd als woonplaats. Ze was er zelf niet bij geweest natuurlijk, maar ze wist dat de bevolking van Peterborough van 62.000 in 1961 was toegenomen tot 134.000 in 1981.
Ze was niet in staat om zich te concentreren op *The Profession of Violence*, dat ze, zo hield ze zichzelf voor, per post aan Banks moest terugsturen, en liet haar gedachten terugdwalen naar haar lunch met inspecteur in ruste Robert Lancaster. Hij was een flink aantal jaren ouder dan Ben Shaw, maar ze leken uit hetzelfde hout gesneden. O, het leed geen twijfel dat Shaw onbeschofter, sarcastischer en stukken onaangenamer was dan Lancaster, maar onder die uiterlijke laag waren ze hetzelfde type agent. Niet per se corrupt, Michelle geloofde Lancaster wat dat betreft op zijn woord, maar evenmin te beroerd om een oogje dicht te knijpen als dat in hun eigen voordeel was of om vriendschappelijke banden aan te knopen met criminelen. Lancaster had zelf aangegeven dat hij samen met criminelen als de Krays en Billy Marshall was opgegroeid en toen het was aangekomen op een carrièrekeuze, had voor vrijwel iedereen gegolden: voor hetzelfde geld was men op het slechte pad beland.
Wat hij over Graham Marshall had gezegd, was heel interessant, dacht ze. Interessant dat hij zich de jongen nog kon herinneren. Ze had er nooit bij stilgestaan dat het Grahams eigen criminele activiteiten zouden

kunnen zijn geweest die tot zijn dood hadden geleid en ook nu nog vond ze het moeilijk te geloven. Niet dat veertienjarigen zich niet inlieten met crimineel gedrag. Integendeel zelfs, vooral tegenwoordig. Maar als Graham Marshall inderdaad betrokken was geweest bij iets wat tot zijn dood zou kunnen leiden, dan zou iemand daar toch vanaf moeten hebben geweten en het hebben gemeld? Jet Harris en Reg Proctor moeten toch lont hebben geroken?
Het werkelijke probleem was echter hoe ze aan meer informatie over Graham Marshall kon komen. Ze kon de verklaringen opnieuw doorlezen, de aantekeningen van de betrokken agenten nogmaals doornemen en alle aanwijzingen die waren nagetrokken weer bestuderen, maar als geen daarvan zich op Graham zelf had geconcentreerd, dan zou ze daar niets mee opschieten.
De trein ging zonder aanwijsbare reden langzamer rijden. Het was een intercity, geen lokale trein, dus liep Michelle naar de restauratie waar ze een kop koffie bestelde. Het kartonnen bekertje was veel te warm, zelfs toen ze er drie of vier servetten omheen had gewikkeld om het te kunnen vasthouden. Als ze het deksel eraf haalde, zou ze morsen zodra de trein zich weer in beweging zette, dus maakte ze een gaatje in de plastic deksel en besloot ze even te wachten tot de vloeistof wat was afgekoeld.
Ze keek op haar horloge. Het was acht uur geweest. Het werd al donker. Nadat ze afscheid had genomen van Lancaster, had ze een paar uur gewinkeld in Oxford Street en ze voelde zich een beetje schuldig omdat ze meer dan honderd pond had uitgegeven aan een nieuwe jurk. Kreeg ze nu ook nog een koopverslaving? Ze moest haar koopzucht indammen, net als haar alcoholgebruik. Ze zou het stomme ding waarschijnlijk nooit kunnen dragen, want het was een feestjurk, elegant, strapless en stijlvol, en ze ging nooit naar feestjes. Waarom had ze hem in vredesnaam gekocht?
Toen de trein een halfuur later weer optrok zonder dat er een verklaring was gegeven voor het oponthoud, besefte Michelle dat als Graham inderdaad betrokken was geweest bij een duister zaakje, er één persoon was die er iets over zou kunnen weten, ook al besefte hij dat zelf misschien niet: Banks. Nu ze aan hem dacht, kreeg ze onmiddellijk weer spijt van de manier waarop ze hem laatst bij Starbucks had laten zitten. Goed, ze had het hem kwalijk genomen dat hij was binnengedrongen in wat ze als haar privé-leven beschouwde, een leven dat ze met alle macht beschermde, maar misschien had ze een tikje overdreven gereageerd. Hij had haar tenslotte alleen maar gevraagd of ze getrouwd was; op zich een heel onschuldige vraag die je een vage kennis bij een kop koffie met een gerust

hart kon stellen. Het hoefde niets te betekenen te hebben, maar het was voor haar zo'n pijnlijk onderwerp, zo'n verboden terrein eigenlijk, dat ze zich onbeschoft had gedragen en dat betreurde ze nu.
Welnu, ze was niet getrouwd; dat was in elk geval waar. Melissa was overleden omdat zij en Ted niet goed met elkaar hadden overlegd. Zij had surveillancedienst gehad en had gedacht dat hij hun dochter na schooltijd zou ophalen; hij had die middag een vergadering gehad en had verwacht dat zij het zou doen. Misschien zou een ander huwelijk een dergelijk trauma met de bijbehorende schuldgevoelens, verwijten, verdriet en kwaadheid overleven, maar het hunne in elk geval niet. Op de dag af zes maanden na Melissa's begrafenis hadden ze gezamenlijk besloten van tafel en bed te scheiden en was Michelle begonnen aan haar jarenlange zwerftocht van graafschap naar graafschap, in een poging haar verleden achter zich te laten. Daar was ze grotendeels in geslaagd, maar echt tot rust was ze nooit gekomen en ze bleef op een bepaalde manier verminkt door de gebeurtenissen.
Ze had geen tijd voor of behoefte aan mannen gehad en dat was nog iets wat haar aan Banks dwarszat. Naast haar directe collega's van het werk was hij de enige man met wie ze de afgelopen jaren wat tijd had doorgebracht en ze mocht hem graag, vond hem aantrekkelijk. Michelle wist dat ze de afgelopen vijf jaar bij meer dan één bureau de bijnaam IJskoningin had gekregen, maar ze had erom gelachen omdat juist het tegenovergestelde het geval was. Ze wist zelf dat ze, diep vanbinnen, een warme, sensuele vrouw was, omdat ze dat bij Ted over zichzelf had geleerd, ook al was dat een deel van haar karakter dat ze lange tijd had genegeerd en wellicht zelfs had onderdrukt als een vorm van straf en had ze zich meer beziggehouden met zelfverwijten.
Ze wist niet of Banks getrouwd was, maar het was haar wel opgevallen dat hij geen ring droeg. Bovendien had hij háár gevraagd of ze getrouwd was. Het was op dat moment niet alleen opdringerig overgekomen, maar had ook nog eens de indruk gewekt dat hij avances maakte, wat misschien ook wel zo was geweest. Het probleem was dat een deel van haar naar hem verlangde, dwars tegen al haar logische redeneringen in en alle mogelijke muren die ze rondom zichzelf had opgetrokken, met als gevolg dat ze enorm zenuwachtig en verward was. Banks was misschien een van de weinigen die haar konden helpen een reconstructie te maken van Graham Marshalls verleden, maar zou ze hem weer in levenden lijve durven ontmoeten?
Ze had geen keus, besefte ze toen de trein vaart minderde en ze haar koffertje greep. De herdenkingsdienst voor Graham Marshall zou bin-

nen enkele dagen plaatsvinden en ze had beloofd dat ze hem zou bellen om het door te geven.

Het was bijna donker toen Banks het paadje opreed dat langs zijn kleine cottage leidde en hij was moe. Tegen de tijd dat hij zijn bier had opgedronken en was teruggekeerd naar het hoofdbureau, was Annie al vertrokken, dus had hij nog een uurtje tegen de stapel papierwerk aangehikt, maar had toen besloten om naar huis te gaan. Ze zou het hem na het weekend wel vertellen waar ze mee bezig was.

Herinneringen aan Luke's lijkschouwing hingen onaangenaam dicht aan de oppervlakte van zijn bewustzijn, zoals andere zaken uit het verleden hem ook bleven achtervolgen. De afgelopen maanden had hij meer dan eens over Emily Riddle gedroomd en over de gedeeltelijk begraven lichamen die hij in een kelder in Leeds had gezien en waarvan de tenen boven de aarde hadden uitgestoken. Zou hij nu Luke Armitage moeten toevoegen aan de lijst van beelden uit zijn nachtmerries? Hield het dan nooit op?

Iemand had een auto, zo te zien een stokoude, gammele Fiesta, voor de cottage neergezet. Banks kon er niet langs, dus zette hij zijn auto erachter en haalde zijn huissleutels tevoorschijn. Er zat niemand in de auto, dus het was geen verliefd stelletje dat de eenzaamheid had opgezocht. Misschien had iemand de auto hier gedumpt, dacht hij even geïrriteerd. Het onverharde paadje was niet veel meer dan een doodlopend weggetje. Het ging over in een voetpad dat langs de rivier tot het bos liep dat een meter of zeven voorbij Banks' cottage begon en er kon met geen mogelijkheid een auto langs. Dat was natuurlijk niet bij iedereen bekend en soms reden auto's per ongeluk het paadje op. Hij zou eigenlijk moeten overwegen om een bord op te hangen, bedacht hij, hoewel hij zelf altijd had gevonden dat het overduidelijk was dat het paadje privé-eigendom was.

Toen zag hij dat het licht in de woonkamer aan was en de gordijnen waren dichtgetrokken. Hij wist zeker dat hij het licht die ochtend niet had laten branden. Het zouden inbrekers kunnen zijn, dacht hij, en hij sloop omzichtig dichterbij, maar als dat zo was, waren ze wel bar slecht: niet alleen hadden ze hun auto op een doodlopend weggetje geparkeerd, maar ook hadden ze niet de moeite genomen om hun auto te keren zodat ze er eventueel snel vandoor konden. Maar goed, hij had wel stommere criminelen ontmoet, zoals die zogenaamde bankovervaller die eerst een opnameformulier had ingevuld en zijn echte naam had opgeschreven voordat hij op de achterkant had gepend: GEF ME JE GELT, IK HEP EEN MES en het formulier aan de baliemedewerkster had overhandigd. Hij was niet ver gekomen.

De auto was inderdaad een Fiesta en was boven de wielen finaal doorgeroest. Als deze door de volgende keuring kwam zonder uitgebreide en dure reparaties had de eigenaar geluk, dacht Banks, die zijn blik over de roestbak liet glijden en het nummerbord in zijn geheugen opsloeg. Dit was geen inbreker. Hij probeerde zich te herinneren aan wie hij een reservesleutel had gegeven. Niet aan Annie, niet meer tenminste. Zeker niet aan Sandra. Toen hij de deur opendeed, schoot het hem plotseling te binnen. Zijn zoon Brian lag languit op de bank en de stereo speelde zachtjes Tim Buckley, *I Never Asked to Be a Mountain*. Hij hoorde Banks binnenkomen, ging rechtop zitten en wreef in zijn ogen.

'O. Ha, pap, jij bent het.'

'Hallo, jongen. Verwachtte je iemand anders dan?'

'Nee. Ik denk dat ik in slaap ben gevallen. Heb gedroomd.'

'Kon je nergens een telefoon vinden?'

'Sorry. Het is de laatste tijd erg hectisch geweest. We beginnen morgenavond aan een serie optredens in de buurt van Teeside, dus ik bedacht dat ik wel even bij je langs kon gaan om hallo te zeggen. Zomaar. Het was een lange rit. Helemaal vanuit Zuid-Londen.'

'Het is fijn om je weer eens te zien.' Banks gebaarde met zijn duim naar buiten. 'Het verbaast me dat je het heelhuids hebt gered. Is die stapel roest daarbuiten de auto waarvoor je tweehonderd pond van mij hebt geleend?'

'Ja. Hoezo?'

'Dan hoop ik dat je er niet meer voor hebt neergeteld.' Banks legde zijn autosleutels op het lage tafeltje, trok zijn jack uit en hing het aan een haakje achter de deur. 'Ik wist niet dat je een fan was van Tim Buckley,' zei hij, en hij ging in een leunstoel zitten.

'Je weet wel meer niet. Ik ben overigens ook niet echt een fan. Heb vrijwel niets van hem gehoord. Gave stem, dat wel. Die klinkt door in de stem van zijn zoon. Jeff. Die heeft een geweldige versie van dit nummer gezongen op het herdenkingsconcert voor zijn vader. Meestal wilde hij trouwens niet weten dat hij de zoon van hem was.'

'Hoe weet je dit allemaal?'

'Heb een boek over hen gelezen. *Dream Brother*. Best goed. Als ik het kan vinden, mag je het wel lenen.'

'Bedankt.' De opmerking over de relatie tussen Tim en Jeff Buckley deed Banks denken aan Luke Armitage en het cassettebandje dat hij nog altijd in zijn zak had. Misschien kon hij Brian om zijn mening vragen. Eerst was hij echter toe aan een flinke borrel. Een Laphroaig. 'Wil je iets drinken?' vroeg hij aan Brian. 'Scheutje whisky, misschien?'

Brian trok een vies gezicht. 'Kan dat spul niet door mijn strot krijgen.

Maar als je bier hebt...'
'Ik denk dat dat wel zal lukken.' Banks schonk voor zichzelf een glas whiskey in en ontdekte achter in de koelkast een Carlsberg. 'Glas?' riep hij vanuit de keuken.
'Blikje is uitstekend,' riep Brian terug.
Brian leek weer langer te zijn geworden dan de laatste keer dat Banks hem had gezien, zo'n 10 à 15 centimeter langer dan zijn eigen 1 meter 72. Hij had zo te zien Banks' magere bouw geërfd en droeg de gebruikelijke gescheurde spijkerbroek met effen T-shirt. Hij had zijn haar laten knippen. Niet gewoon laten knippen, maar eerder met de grond gelijk laten maken en droeg het nu zelfs korter dan Banks.
'Kort haar, leg dat eens uit,' zei Banks.
'Hing steeds in mijn ogen. Waar hou jij je tegenwoordig mee bezig, pap? Nog steeds de misdaad aan het bestrijden en de democratische wereld aan het beschermen?'
'Niet zo brutaal alsjeblieft.' Banks stak een sigaret op. Brian keek hem vol walging aan. 'Ik probeer te stoppen,' zei Banks. 'Het is pas mijn vijfde vandaag.' Brian trok alleen zijn wenkbrauwen op, maar zei niets. 'Maar verder,' vervolgde Banks, 'heb ik het inderdaad razend druk met mijn werk.'
'Neil Byrds zoon Luke, zeker? Ik hoorde het op het journaal toen ik hierheen reed. Arme knul.'
'Dat klopt. Luke Armitage. Jij bent de muzikant in de familie. Wat vind jij van Neil Byrd?'
'Hij was best cool,' zei Brian, 'maar een beetje te veel folk naar mijn smaak. Te romantisch, weet je. Net als Dylan was hij een stuk beter toen hij overging op elektrisch. Hoezo?'
'Ik probeer gewoon Luke's relatie met hem te doorgronden.'
'Die had hij niet. Neil Byrd heeft zelfmoord gepleegd toen Luke pas drie was. Hij was een dromer, een idealist. De wereld voldeed niet aan zijn verwachtingen.'
'Als dat een reden is om zelfmoord te plegen, Brian, dan zou er niemand meer in leven zijn. Het moet ongetwijfeld een enorme invloed hebben gehad op de jongen. Luke had een aantal posters in zijn kamer hangen. Overleden zangers. Leek door hen geobsedeerd. Niets van zijn vader trouwens.'
'Wie dan wel?'
'Jim Morrison, Kurt Cobain, Ian Curtis, Nick Drake. Je kent dat wel. Altijd hetzelfde rijtje.'
'Een brede smaak,' zei Brian. 'Ik durf te wedden dat je dacht dat jouw generatie een monopolie had op jong gestorven zangers. Jimi, Janis,

Jim.' Hij knikte in de richting van de stereo. 'Deze jongeman.'
'Ik weet dat sommigen hiervan recenter zijn overleden.'
'Nou, Nick Drake is er ook een uit jouw tijd. Weet je hoe oud ik was toen Ian Curtis nog bij Joy Division zat? Ik kan niet ouder dan een jaar of zes, zeven zijn geweest.'
'Heb je wel eens naar Joy Division geluisterd?'
'Ja, hoor. Veel te deprimerend naar mijn idee. Kurt Cobain en Jeff Buckley lagen me veel beter. Waar wil je eigenlijk precies naartoe?'
'Dat weet ik eerlijk gezegd zelf ook niet,' zei Banks. 'Ik probeer alleen vat te krijgen op Luke's leven, stemming en gedachten. Voor een vijftienjarige hield hij zich met vreemde zaken bezig. En er was niets in zijn kamer wat naar zijn vader verwees.'
'Ach, hij was gewoon pissig, meer niet. Hoe zou jij je in die situatie voelen? Ligt toch voor de hand. Je vader gaat ervandoor wanneer je een baby bent en maakt er een eind aan voordat je hem kunt leren kennen. Geeft nou niet bepaald het idee dat je gewenst bent, wel?'
'Wil je een paar van zijn nummers horen?'
'Van wie? Neil Byrd?'
'Nee. Luke.'
'Goed.'
Banks zette de cd van Tim Buckley op 'pauze', stopte het bandje in de stereo en ze luisterden beiden zwijgend met hun drankje bij de hand.
'Hij is goed,' zei Brian toen het bandje was afgelopen. 'Heel goed. Was ik op die leeftijd maar zo goed geweest. Wat ruwe kantjes, maar met hard werken en veel oefenen...'
'Denk je dat hij een kans had gemaakt in de wereld van de muziek?'
'Het had gekund. Aan de andere kant zie je ook veel bands die helemaal geen talent hebben de top bereiken, terwijl sommige echt geweldige muzikanten met moeite genoeg verdienen om in hun levensonderhoud te voorzien, dus wie zal het zeggen? In de ruwe vorm heeft hij echter zeker talent. Voorzover ik dat natuurlijk kan beoordelen. Zat hij in een band?'
'Niet dat ik weet.'
'Voor een beginnend bandje zou hij echt een uitkomst zijn geweest. Om te beginnen heeft hij talent en verder hadden ze die connectie met Neil Byrd natuurlijk helemaal kunnen uitmelken. Heb je die stem gehoord? De overeenkomsten. Net als Tim en Jeff.'
'Ja,' zei Banks. 'Dat heb ik gehoord.' Hij zette de cd van Tim Buckley weer aan. Het was *Song of the Siren*, waar de rillingen hem altijd van over de rug liepen. 'Hoe gaat het met jullie cd?' vroeg hij.
'We zijn verdomme nog niet eens begonnen. Onze manager loopt nog te

steggelen over de contracten. Vandaar die schroothoop die je buiten hebt zien staan.'
'Ik had eigenlijk een Jaguar verwacht of een rode sportwagen.'
'Binnenkort, pap, binnenkort. We hebben trouwens een andere naam.'
'Waarom?'
'De manager vond Jimson Weed een beetje te veel jaren zestig.'
'Daar heeft hij wel gelijk in.'
'Ja, nou ja, nu zijn we The Blue Lamps.'
'De politie.'
'Nee, die naam wordt al gebruikt door The Police. The Blue Lamps.'
'Ik moest denken aan *Dixon of Dock Green.*'
'Wie?'
'*The Blue Lamp.* Dat was een film. Jaren vijftig. Waarin George Dixon zijn debuut maakte voordat het een televisieserie werd. Een blauwe lamp was vroeger een symbool voor een politiebureau. Is het op een paar plaatsen nog steeds. Ik kan me niet indenken dat jullie dergelijke associaties willen oproepen.'
'Wat jij toch allemaal niet weet. Onze manager vindt het een goede naam, wat moderner, meer in de trant van White Stripes en zo, maar ik zal hem doorgeven wat je hebt gezegd. Onze sound is ook iets harder geworden, een beetje meer grunge en minder gelikt. Ik mag een paar echte, gierende gitaarsolo's spelen. Je moet weer eens naar een optreden van ons komen. We zijn een stuk beter dan de laatste keer dat jij ons hebt gezien.'
'Graag, maar ik vond jullie toen al goed.'
'Bedankt.'
'Ik ben kortgeleden nog bij je grootouders geweest.'
'O, ja? Hoe gaat het met hen?'
'Niets veranderd. Je zou eens wat vaker bij hen langs moeten gaan.'
'Ach, je weet hoe dat gaat.'
'Nee. Dat weet ik juist niet.'
'We hebben elkaar niets te vertellen, pap. Nadat ik mijn opleiding aan de wilgen heb gehangen en bij de band ben gegaan, mogen ze me niet meer. Altijd als ik hen zie, gaat het over Tracy, Tracy dit, Tracy dat. Het kan ze niet schelen hoeveel succes ik heb.'
'Je weet dat dat niet waar is,' sputterde Banks tegen, die vermoedde dat het dat waarschijnlijk juist wel was. Zo hadden ze hem tenslotte ook behandeld. Wat Banks ook allemaal bereikte, het was een en al Roy wat de klok sloeg. Hij had het zelf moeilijk genoeg gevonden om vrede te hebben met de carrière die zijn zoon had gekozen, net zoals zijn ouders dat met hem hadden gehad. Het enige verschil was dat hij zich met Brians

keuze had verzoend, terwijl zijn ouders zich nog steeds niet met zijn carrière hadden verzoend, laat staan met die van hun kleinzoon. 'Hoe dan ook, ik weet zeker dat ze je graag zouden willen zien.'
'Ja. Goed. Ik zal proberen bij hen langs te gaan zodra ik tijd heb.'
'Hoe gaat het met je moeder?'
'Goed, denk ik.'
'Haar de laatste tijd nog gezien?'
'Al een paar weken niet.'
'Hoe gaat het met haar... Je weet wel... Is ze niet een dezer dagen uitgerekend?'
'Ja, ik geloof het wel. Hoor eens, pap, heb je iets te eten? Ik heb nog niets gehad vanavond en ik verga van de honger.'
Banks dacht even na. Hij had eerder die avond in de Queen's Arms al een garnalensandwich gegeten en had niet echt trek. Hij wist dat er in de koelkast en vriezer niets lag. Hij wierp een blik op zijn horloge. 'Er zit een afhaalchinees in Helmthorpe. Die is nog wel open, als je daar trek in hebt.'
'Cool,' zei Brian, en hij goot het laatste bier in zijn mond. 'Waar wachten we dan nog op?'
Banks zuchtte en pakte zijn jack weer. Tijd voor een goed gesprek van vader tot zoon was er niet meer bij tegenwoordig.

Michelle had gemakkelijk naar Rivergate kunnen lopen, want het was niet zo ver, maar het was niet echt een leuke wandeling en het goot nog steeds, dus had ze op het station besloten zichzelf eens te verwennen met een taxi.
Het eerste signaal dat erop duidde dat er iets niet pluis was in haar flat was het geluid van de krakende deur van haar 'Mystery'-screensaver en de aan- en uitflitsende lichten in het spookachtige landhuis waarboven een volle maan langzaam langs de met sterren bezaaide hemel kroop. Ze wist zeker dat ze haar computer die ochtend had uitgezet nadat ze haar e-mail had gecontroleerd. Dat deed ze altijd; het was haast dwangmatig. Ook had iemand een paar boeken uit een van de verhuisdozen in de hoek gehaald die ze nog steeds niet had uitgepakt. Ze waren nog helemaal gaaf, maar lagen op een stapeltje op de vloer naast de doos.
Michelle bewoog de muis en het computerscherm sprong op de normale display. Alleen verscheen Michelles document met aantekeningen over de zaak-Marshall geopend op het scherm en ze wist zeker dat ze die sinds de vorige avond niet meer had geopend. Haar speculaties waren bepaald geen staatsgeheim en ze had niet gedacht dat iemand anders erin geïnte-

resseerd zou zijn, dus had ze niet de moeite genomen om het document met een wachtwoord te beveiligen. Voortaan wist ze wel beter.
De haren in haar nek stonden rechtovereind en ze bleef met gespitste oren staan luisteren, verdacht op onbekende geluiden in de flat. Niets, alleen het tikken van de klok en het gebrom van de koelkast. Ze pakte haar oude wapenstok uit haar tijd als wijkagent uit de gangkast bij de deur. Met de stok in haar handen geklemd vatte ze moed en ze onderzocht de rest van de flat.
Het keukenlicht was aan en een paar dingen waarvan ze zeker wist dat ze ze die ochtend weer in de koelkast had teruggezet, stonden op het aanrecht: melk, boter, eieren. De boter was tot een vormeloze klont gesmolten en perste zich glibberend tussen haar vingers door toen ze het pakje oppakte. Het medicijnkastje stond open en de verschillende potjes met pillen en zalfjes die ze daar bewaarde, stonden niet in de gebruikelijke volgorde. Het flesje met aspirine stond op het randje van het aanrecht, het dopje lag ernaast en het propje watten was verdwenen. De rillingen liepen over Michelles rug en ze vroeg zich af wat dit verdomme allemaal te betekenen had. Ze kon zich niet voorstellen dat iemand er behoefte aan had, maar als iemand inderdaad haar woning had doorzocht, waarom was het dan niet één grote bende? Degene die dit op zijn geweten had, had haar duidelijk bang willen maken en daar was hij goed in geslaagd.
Ze liep voorzichtig naar de slaapkamer, met de wapenstok nog steviger in haar hand geklemd omdat ze op het ergste was voorbereid. Er kwam niemand uit de kledingkast tevoorschijn gesprongen, maar wat ze zag was voldoende om de wapenstok te laten vallen en haar handen voor haar mond te slaan.
Er was geen rommel gemaakt. Misschien waren een of twee lades niet zo goed dichtgeschoven als ze zelf altijd deed, maar er was geen rommel gemaakt. Het was veel, veel erger.
Keurig uitgespreid midden op het bed lag Melissa's jurkje. Toen Michelle haar hand uitstak om het op te pakken, merkte ze dat het netjes in tweeën was geknipt.
Michelle klemde de ene helft van de jurk tegen haar borst en liet zich tegen de muur zakken, nauwelijks in staat te geloven wat er was gebeurd. Door die beweging viel haar oog op de tekst die op de spiegel van haar toilettafel was geschreven: LAAT GRAHAM MARSHALL MET RUST, BITCH. JE WEET WAT ER MET MELISSA IS GEBEURD. JIJ ZOU DE VOLGENDE KUNNEN ZIJN.
Michelle schreeuwde, verborg haar gezicht in de jurk en liet zich langs de muur op de vloer zakken.

12

Norman Wells zat met over elkaar geslagen armen die op zijn buikje rustten en op elkaar geklemde lippen in de verhoorkamer. Als hij bang was, liet hij dat niet merken. Hij wist natuurlijk nog niet hoeveel de politie al over hem had ontdekt.

Banks en Annie zaten tegenover hem met opengeslagen dossiermappen voor zich op tafel. Banks voelde zich goed uitgerust na zijn vrije dag. Hij was zaterdagavond laat opgebleven en had met Brian Chinees zitten eten en gekletst; op zondag had hij na het vertrek van Brian lekker een paar kranten gelezen, was hij in zijn eentje van Helmthorpe naar Rawley Force en weer terug gewandeld, had hij in een pub geluncht en zich daarna over de kruiswoordpuzzel van de *Sunday Times* gebogen. 's Avonds had hij even met de gedachte gespeeld om Michelle Hart in Peterborough te bellen, maar uiteindelijk had hij het niet gedaan. Ze waren niet direct als vrienden uit elkaar gegaan, dus als ze prijs stelde op contact moest zij de eerste stap maar zetten. Nadat hij buiten onder het genot van een klein glas Laphroaig en een sigaret in de zachte avondlucht naar de zonsondergang had gekeken, had hij naar Ian Bostridge's *English Song Book*-cd geluisterd, was hij was al voor halfelf naar bed gegaan en had voor het eerst in lange tijd goed geslapen.

'Norman,' zei Banks. 'Is het goed als ik Norman zeg?'

'Zo heet ik.'

'Inspecteur Cabbot heeft wat rondgewroet in je verleden en nu blijkt dat je een stout jongetje bent geweest.'

Wells zei niets. Annie schoof een dossiermap naar Banks toe en hij sloeg hem open. 'Je was vroeger leraar, begrijp ik dat goed?'

'Dat weet u best, want anders had u me niet uit mijn winkel hiernaartoe gesleept.'

Banks keek verbaasd. 'Ik heb begrepen dat je hier uit eigen vrije wil bent gekomen toen werd gevraagd of je ons bij ons onderzoek wilde assisteren. Is dat dan niet zo?'

'Denkt u dat ik gek ben?'

'Ik kan je even niet volgen.'
'Doet u nu alstublieft niet net alsof u nergens vanaf weet. U weet heel goed wat ik bedoel. Als ik niet vrijwillig was meegegaan, zouden jullie wel een andere manier hebben gevonden om me hier te krijgen, of ik dat nu wilde of niet. Schiet nu maar op. Ik heb een winkel en klanten die op me vertrouwen, ook al is het in jullie ogen niet veel soeps.'
'We zullen ons best doen om je zo snel mogelijk weer naar je winkel terug te laten gaan, Norman, maar ik zou eerst graag willen dat je een paar vragen voor me beantwoordt. Je gaf les aan een privé-school in Cheltenham, Gloucestershire, klopt dat?'
'Ja.'
'Hoe lang is dat geleden?'
'Ik ben zeven jaar geleden weggegaan.'
'Waarom ben je weggegaan?'
'Ik wilde geen les meer geven.'
Banks wierp een blik op Annie, die haar wenkbrauwen fronste, vooroverleunde en op een paar regels wees op het volgetypte vel dat Banks voor zich had liggen. 'Norman,' vervolgde Banks, 'ik denk dat ik je moet vertellen dat inspecteur Cabbot vanochtend heeft gesproken met het schoolhoofd van je oude werkgever, meneer Fulwell. Aanvankelijk wilde hij niet veel loslaten over de school, maar toen ze hem vertelde dat we een mogelijke moordzaak onderzochten, liet hij iets meer los. We weten alles over je, Norman.'
Het moment van de waarheid. Wells leek leeg te lopen als een doorgeprikte ballon en dook weg in zijn stoel. Zijn volle onderlip kroop omhoog en bedekte de bovenlip vrijwel geheel, zijn kin verdween in zijn hals en zijn armen leken zich nog strakker om de onderkant van zijn borstkas te knellen. 'Wat willen jullie van me?' fluisterde hij.
'De waarheid.'
'Ik heb een zenuwinzinking gehad.'
'Wat was daarvan de oorzaak?'
'De druk van het werk. U hebt geen idee hoe zwaar lesgeven is.'
'Nee, dat heb ik inderdaad niet,' beaamde Banks, die stilletjes bedacht dat een baan waarin je een groep van dertig of veertig opgeschoten, door hormonen geteisterde tieners belangstelling moest zien bij te brengen voor Shakespeare of een of andere onbekende oorlog wel de laatste was die hij vrijwillig op zich zou willen nemen. Hij had enorme bewondering voor iedereen die dat kon. En als het aan hem lag, kregen ze allemaal de grootste medaille die hij kon vinden. 'Was er iets bijzonders voorgevallen waardoor je besloot te vertrekken?'

'Niet echt. Het was meer een algemene inzinking.'
'Draai er niet zo omheen, Norman,' greep Annie in. 'Zegt de naam Steven Farrow je misschien iets?'
Wells verbleekte. 'Er is niets gebeurd. Ik heb hem met geen vinger aangeraakt. Valse beschuldigingen.'
'Volgens het schoolhoofd was jij smoorverliefd op die dertienjarige jongen, Norman. Zozeer dat je je taken verwaarloosde, de school te schande maakte en bij één gelegenheid zelfs...'
'Genoeg!' Wells sloeg met een vuist op de metalen tafel. 'Jullie zijn net als al die anderen. Jullie vervormen de waarheid met jullie leugens. Jullie weten niet hoe jullie met schoonheid moeten omgaan, dus vernielen en verpesten jullie het ook maar voor alle anderen.'
'Steven Farrow, Norman,' herhaalde Annie. 'Dertien jaar oud.'
'Het was zuiver. Een zuivere liefde.' Wells wreef met zijn arm over zijn betraande ogen. 'Maar dat begrijpen jullie natuurlijk niet. Voor mensen als jullie is alles wat zich niet gewoon tussen een man en een vrouw afspeelt smerig, abnormaal, ziek.'
'Geef ons een kans, Norman,' zei Banks. 'Probeer het eens. Je hield van hem?'
'Steven was beeldschoon. Een engel. Ik wilde alleen maar dicht bij hem zijn, met hem samen zijn. Wat kan daar nu fout aan zijn?'
'Maar je hebt hem betast, Norman,' zei Annie. 'Hij heeft verteld...'
'Ik heb hem nooit aangeraakt! Dat was een leugen. Hij heeft me verraden. Hij wilde geld hebben. Maar dat gelooft u natuurlijk niet. Mijn engel wilde geld hebben. Ik zou alles voor hem hebben gedaan, alles hebben opgeofferd voor hem. Maar zoiets vulgairs als geld... Ik geef hun natuurlijk de schuld, niet Steven. Zij hebben hem tegen me opgezet.' Wells veegde nogmaals zijn ogen droog.
'Wie, Norman?'
'De anderen. De andere jongens.'
'Wat is er toen gebeurd?' vroeg Banks.
'Ik weigerde natuurlijk. Toen is Steven naar het schoolhoofd gegaan en die heeft me verzocht om op te stappen; als ik uit mezelf opstapte zou er geen onderzoek worden verricht, geen schandaal worden veroorzaakt. Uiteraard moest de reputatie van de school worden beschermd. Maar het bleef niet lang geheim. Op je 38e als grof vuil aan de kant gezet. Eén stomme fout.' Hij schudde zijn hoofd. 'Die jongen heeft mijn hart gebroken.'
'Je had toch niet verwacht dat ze je in dienst zouden houden?' zei Banks. 'In feite heb je geluk gehad dat ze de politie er niet bij hebben geroepen.

Want je weet hoe wij over pedofielen denken.'
'Ik maak geen misbruik van kinderen! Ik was al tevreden als ik... Als ik alleen maar bij hem kon zijn. Bent u wel eens verliefd geweest, inspecteur?'
Banks zei niets. Hij voelde dat Annie naar hem keek.
Wells boog zich naar voren en leunde met zijn onderarmen op de tafel. 'Je kunt niet zelf kiezen op wie je verliefd wordt. Dat weet u net zo goed als ik. Liefde maakt blind. Het is misschien een cliché, maar veel clichés bevatten een kern van waarheid. Ik heb er niet zelf voor gekozen om van Steven te houden. Ik kon er gewoon niets aan doen.'
Banks had dit argument al vaker te horen gekregen van pedofielen: ze waren nooit zelf verantwoordelijk voor hun verlangens, hadden er nooit zelf voor gekozen om verliefd te worden op jonge jongetjes, en hij kon enig begrip opbrengen voor de lastige situatie waarin ze zich bevonden. Pedofielen waren tenslotte niet de enigen die verliefd werden op de verkeerde persoon. Zijn begrip strekte echter niet zover dat hij hun handelingen ook goedkeurde. 'Ik weet zeker dat je heel goed beseft dat het strafbaar is wanneer een 38-jarige man een seksuele relatie begint met een 13-jarig jongetje en dat het niet passend is dat een leraar op wat voor manier dan ook betrokken raakt met een leerling, zelfs als die leerling de wettelijke leeftijd heeft bereikt waarop seksuele relaties zijn toegestaan, wat in Stevens geval niet zo was,' zei hij.
'Er was geen sprake van een seksuele relatie, inspecteur. Steven heeft gelogen. Ze hebben hem ertoe gedreven. Ik heb hem nooit misbruikt.'
'Hoe het ook zij,' zei Banks. 'Ook al kun je je gevoelens dan misschien niet sturen, je handelingen kun je wel in de hand houden. Ik denk dat je het verschil tussen goed en kwaad heel goed weet.'
'Het is allemaal zo hypocriet,' zei Wells.
'Wat bedoel je daarmee?'
'Wie zegt dat er tussen jong en oud geen echte liefde kan bestaan? De Grieken dachten daar heel anders over.'
'De samenleving,' zei Banks. 'De wet. We creëren overigens geen wetten tegen de liefde. De wet is er om te voorkomen dat onschuldige, kwetsbare personen ten prooi vallen aan mensen die beter zouden moeten weten.'
'Ha! Het is wel duidelijk dat u er niets van begrijpt, inspecteur. Wie was er volgens u dan onschuldig of kwetsbaar? Steven Farrow? Gelooft u nu heus dat een jongen niet in staat is om mensen die ouder zijn dan hij te manipuleren of af te persen, alleen omdat hij nog zo jong is? Wat naïef van u, als ik zo vrij mag zijn.'

'Luke Armitage,' onderbrak Annie hem.
Wells zakte achterover en liet zijn tong over zijn lippen glijden. Hij zweette enorm, zag Banks, en begon zurig en doordringend te ruiken. 'Ik vroeg me al af wanneer het gesprek op hem zou komen.'
'Dat is de reden waarom je hier zit, Norman. Dacht je dat het vanwege Steven Farrow was?'
'Ik had geen idee waarom het was. Ik heb niets gedaan.'
'De Farrow-zaak is allang verleden tijd. In de doofpot gestopt. Er is geen aanklacht ingediend en iedereen is ongehavend uit de strijd gekomen.'
'Behalve ik dan.'
'Jij bent een van de laatste mensen geweest die Luke Armitage hebben gezien op de dag dat hij verdween, Norman,' ging Annie verder. 'Toen we eenmaal in jouw verleden waren gedoken, was het toch niet meer dan logisch dat we met jou over hem zouden willen babbelen?'
'Ik weet niet wat er met hem is gebeurd.'
'Je was toch met hem bevriend?'
'Ik kende hem. Hij was een klant. We maakten wel eens een praatje over boeken. Meer niet.'
'Hij was een knappe jongen, vind je ook niet, Norman? Net als Steven Farrow. Deed hij je aan Steven denken?'
Wells zuchtte. 'Die jongen is mijn winkel uitgelopen. Ik heb hem daarna nooit meer gezien.'
'Weet je dat zeker?' vroeg Banks. 'Weet je zeker dat hij niet is teruggekomen, dat je niet ergens anders met hem hebt afgesproken? Bij jou thuis bijvoorbeeld?'
'Ik heb hem daarna nooit meer gezien. Waarom zou hij bij mij thuis komen?'
'Dat weet ik niet,' zei Banks. 'Zeg jij het maar.'
'Hij is niet bij mij thuis geweest.'
'Nooit?'
'Nooit.'
'Is hij naar de winkel teruggekomen? Is daar iets gebeurd? Iets ergs? Heb je hem vermoord en in het donker weggebracht? Misschien was het een verschrikkelijk ongeluk. Ik geloof niet dat je hem echt wilde vermoorden. Niet als je van hem hield.'
'Ik hield niet van hem. De samenleving heeft er wel voor gezorgd dat ik niet meer in staat ben om ooit nog van iemand te houden. Wat jullie verder ook van me denken, ik ben niet gek. Ik weet inderdaad het verschil tussen goed en slecht, inspecteur, ook al ben ik het niet per se eens met die definitie. Ik kan mezelf beheersen. In emotioneel opzicht ben ik een

eunuch. Ik besef dat de samenleving mijn verlangens als slecht en zondig beschouwt en ik heb geen zin om de rest van mijn leven in de gevangenis door te brengen. Geloof me, de gevangenis die ik voor mezelf heb gebouwd is al erg genoeg.'

'Ik neem aan dat de gedachte aan losgeld pas later bij je is opgekomen?' vervolgde Banks. 'Waarom ook niet? Waarom zou je niet proberen een beetje geld te slaan uit wat je had gedaan? Ik bedoel, je kon het best gebruiken. Je hoeft alleen maar naar dat hok te kijken waarin jij je dagen slijt. Een sjofel zaakje in tweedehands boeken in een bedompte, koude kelder kan natuurlijk nooit veel geld opleveren. Tienduizend pond extra zou heel wat voor je hebben betekend. Niet te inhalig. Net genoeg.'

Wells had weer tranen in zijn ogen en hij schudde langzaam zijn hoofd. 'Het is het enige wat ik heb,' zei hij, en zijn stem stokte in zijn keel en zijn lichaam begon te beven. 'Mijn boeken. Mijn kat. Het is het enige wat ik heb. Begrijpt u dat dan niet?'

Hij duwde zijn rode, bolle gezicht in Banks' richting en sloeg met een vuist op zijn hart. 'Meer mag ik niet verwachten van het leven. Bent u echt zo onmenselijk?'

'Toch is het niet veel zaaks,' hield Banks vol.

Wells keek hem recht aan en wist zichzelf enigszins te beheersen. 'Wie bent u dat u denkt dat u dat zomaar kunt zeggen? Wie bent u dat u denkt dat u een oordeel mag vellen over het leven van een ander? Denkt u heus dat ik niet weet dat ik lelijk ben? Denkt u heus dat ik niet merk hoe mensen naar me kijken? Denk u heus dat ik niet doorheb dat mensen me uitlachen en bespotten? Denkt u heus dat ik geen gevoel heb? Ik zit elke dag in mijn bedompte, koude kelder, zoals u het zo wreed noemt, als een soort verschoppeling, een of ander misvormd monster in zijn hol, een soort... een soort Quasimodo, en denk daar na over mijn zonden, mijn verlangens, mijn dromen over liefde en schoonheid en zuiverheid, die door de hypocritische buitenwereld als lelijk en slecht worden bestempeld. Het enige wat ik heb zijn mijn boeken en de onvoorwaardelijke liefde van een van Gods schepselen. Hoe durft u over mij te oordelen?'

'Wat je er persoonlijk ook van vindt,' zei Banks, 'de samenleving moet haar kinderen beschermen en daarvoor hebben we wetten nodig. Jij vindt ze misschien arbitrair. Soms vind ik ze ook arbitrair. Ik bedoel: vijftien, zestien, zeventien? Veertien? Waar trek je de grens? Wie weet, Norman, misschien zijn we op een goede dag allemaal zo verlicht als jij graag zou willen zien en verlagen we de leeftijd waarop een seksuele relatie is toegestaan wel naar dertien jaar, maar tot die tijd hebben we grenzen

nodig, anders mondt alles uit in chaos.' Hij dacht tijdens zijn woorden niet alleen aan Luke Armitage, maar ook aan Graham Marshall. De samenleving was er niet in geslaagd om hen beiden goed te beschermen.
'Ik heb niets verkeerds gedaan,' zei Wells, en hij sloeg zijn armen weer over elkaar.
Het probleem was dat de beveiligingscamera's Wells' verhaal ondersteunden; Banks en Annie hadden het er al over gehad. Luke Armitage was om twee minuten voor vijf Normans boekhandel binnengegaan en was om zes voor halfzes weer vertrokken: alleen.
'Hoe laat heb je die dag de winkel gesloten?' vroeg Banks.
'Halfzes, zoals gebruikelijk.'
'Wat heb je toen gedaan?'
'Ik ben naar huis gegaan.'
'Arden Terrace 57?'
'Ja.'
'Dat is toch een zijstraat van Market Street?'
'Het is er vlakbij, ja.'
'Woon je daar alleen?'
'Ja.'
'Heb je een auto?'
'Een tweedehands Renault.'
'Goed genoeg om mee naar Hallam Tarn te kunnen rijden en weer terug?'
Wells verborg zijn gezicht in zijn handen. 'Ik heb het toch al gezegd. Ik heb niets gedaan. Ik ben in geen maanden in de buurt van Hallam Tarn geweest. In elk geval niet sinds die mond- en klauwzeerepidemie is uitgebroken.'
Banks kon zijn zweetlucht nu nog sterker ruiken, scherp en bitter als de afscheiding van een dier. 'Wat heb je gedaan toen je thuiskwam?'
'Gegeten. Een restje ovenschotel met kip, als u het echt wilt weten. Televisiegekeken. Een beetje gelezen en toen naar bed gegaan.'
'Hoe laat?'
'Ik denk dat ik om halfelf in bed lag.'
'Alleen?'
Wells staarde Banks nijdig aan.
'Je bent die avond niet meer uitgegaan?'
'Waar had ik naartoe moeten gaan?'
'De pub? Een film?'
'Ik drink geen alcohol en ik bemoei me nooit met andere mensen. Ik heb genoeg aan mijn eigen gezelschap. En verder ben ik er toevallig van over-

tuigd dat er de afgelopen veertig jaar geen fatsoenlijke film meer is gemaakt.'
'Is Luke Armitage op enig tijdstip die avond bij je thuis langsgekomen?'
'Nee.'
'Is Luke Armitage op andere dagen wel eens bij je thuis langsgekomen?'
'Nee.'
'Hij heeft nooit een voet over de drempel van de voordeur gezet, ook niet heel even?'
'Ik praat wel eens met hem in mijn winkel. Meer niet. Hij weet niet eens waar ik woon.'
'Heb je hem wel eens een lift ergens naartoe gegeven?'
'Nee. Hoe had ik dat moeten doen? Ik loop elke dag van en naar de winkel. Het is niet heel ver en het levert de nodige lichaamsbeweging op. Bovendien weet u zelf ook wel hoe moeilijk het is om hier bij het plein een parkeerplaatsje te vinden.'
'Dus Luke heeft nooit in jouw auto gezeten?'
'Nooit.'
'In dat geval,' zei Banks, 'heb je er vast geen bezwaar tegen als onze forensisch experts je huis en auto onderzoeken. Verder zouden we graag een DNA-monster willen hebben, als vergelijkingsmateriaal.'
Wells stak uitdagend zijn kin naar voren. 'En als ik daar wél bezwaar tegen heb?'
'Dan houden we je hier tot we een bevel tot huiszoeking hebben. Denk er even goed over na, Norman; ik zal niet graag beweren dat rechters zich door dat soort dingen laten beïnvloeden, maar Luke Armitage kwam uit een rijk, respectabel gezin en jij bent slechts een in ongenade gevallen leraar die met moeite een schamel salaris bijeen weet te vergaren in een verlopen zaakje in tweedehands boeken. En die zaak was bovendien de laatste plek waar Luke is geweest voordat hij verdween.'
Wells liet zijn hoofd hangen. 'Goed,' zei hij. 'U gaat uw gang maar. Doe wat u niet laten kunt. Het kan me niets meer schelen.'

Na een slapeloze nacht had Michelle op zondag geprobeerd de schok te verwerken die de gebeurtenissen in haar flat teweeg hadden gebracht en haar emotionele reactie opzij te zetten om plaats te maken voor analytische logica.
Ze was niet echt ver gekomen.
Dat iemand in haar flat was doorgedrongen en dingen zo had opgesteld dat ze zou schrikken, was meer dan duidelijk. Waarom, dat was een heel ander verhaal. Dat de indringer op de hoogte was van Melissa verraste

haar, ook al vermoedde ze dat mensen alles over haar te weten konden komen als ze dat werkelijk wilden. Als ze ervan uitging dat hij het had geweten, dan lag het voor de hand dat hij tijdens zijn zoektocht in de nachtkastjes had doorgehad dat het jurkje van Melissa was geweest en dat de moedwillige vernieling haar veel verdriet zou doen. Met andere woorden: het was een kille, berekenende aanval geweest.
De flats waren zogenaamd beveiligd, maar Michelle werkte lang genoeg bij de politie om te weten dat een goede inbreker vrijwel overal binnenkomt. Hoewel haar hele wezen in opstand kwam tegen het idee om de inbraak niet bij de politie te melden, besloot ze uiteindelijk het toch niet te doen. De voornaamste reden was dat Graham Marshalls naam met haar eigen rode lippenstift op de spiegel van de toilettafel was geschreven. Het was de bedoeling van de indringer geweest om haar zo te laten schrikken dat ze zich uit de zaak zou terugtrekken en de enige mensen die wisten dat ze aan deze zaak werkte, afgezien van de Marshalls zelf, waren andere agenten of mensen die banden hadden met de politie, zoals dokter Cooper. Oké, Michelles naam had een of twee keer in de kranten gestaan toen de botten net waren gevonden, dus in theorie wist het hele land dat ze aan de zaak werkte, maar ze voelde dat de antwoorden op haar vragen dichter bij huis lagen.
De vraag was: 'Liet ze zich van de zaak verjagen?' Het antwoord was: 'Nee.'
Ze had tenminste niet uitgebreid hoeven schoonmaken. Michelle had wel de inhoud van haar medicijnkastje weggegooid en zou contact moeten opnemen met haar huisarts voor nieuwe recepten. Ook had ze de inhoud van haar koelkast weggegooid, wat overigens niet veel tijd in beslag had genomen. Het belangrijkste was echter dat ze een slotenmaker had gevonden in de Gouden Gids en met hem had afgesproken dat hij een ketting en een extra nachtslot op haar deur zou komen installeren.
Het gevolg van de gebeurtenissen in het weekend was dat Michelle zich op maandagochtend helemaal uitgeput en gespannen voelde en merkte dat ze iedereen op het hoofdbureau met andere ogen bekeek, alsof zij iets wisten wat ze zelf niet wist, alsof ze naar haar wezen en over haar praatten. Het was een angstaanjagend gevoel en elke keer dat ze iemand per ongeluk recht aankeek, draaide ze haar hoofd om. Toenemende paranoia, hield ze zichzelf voor en ze probeerde het van zich af te schudden.
Eerst had ze een korte vergadering met Collins, die haar meedeelde dat hij niets was opgeschoten met de oude dossiers over kinderlokkers. De meeste mensen die de politie indertijd had ondervraagd, waren overleden of zaten in de gevangenis, en degenen die hij wel te pakken had ge-

kregen, hadden er niets aan toe te voegen. Ze belde dokter Cooper, die haar messenexpert, Hilary Wendell, nog steeds niet had kunnen lokaliseren en liep toen naar het archief om de oude opschrijfboekjes en opdrachtverslagen op te halen.
Met de nieuwe wetten waren er tegenwoordig veel strenge regels voor het gebruik van opschrijfboekjes door agenten. Je mocht er bijvoorbeeld geen blanco pagina's in laten zitten. Elke pagina was genummerd en als je er per ongeluk een had overgeslagen, moest je er een streep door zetten en erbij schrijven: 'Abusievelijk ongebruikt gelaten'. Elke aantekening moest worden voorzien van een datum en tijd, onderstreept, en aan het eind van elke dag moest de desbetreffende agent een doorgetrokken streep zetten onder de laatste aantekening. De meeste regels waren opgesteld om te voorkomen dat agenten een zogenaamde bekentenis van verdachten optekenden en hen woorden in de mond legden die ze niet hadden gebruikt, maar ook om te vermijden dat er op een later tijdstip wijzigingen werden aangebracht. Aantekeningen werden ter plekke opgeschreven, vaak snel, en accuratesse was uiterst belangrijk, omdat de opschrijfboekjes in de rechtszaal konden worden gebruikt.
De opschrijfboekjes van een agent konden van onschatbare waarde zijn bij een poging om het patroon dat een onderzoek had gevolgd op een later tijdstip te reconstrueren, net als de verslagen van de dagopdrachten en alle instructies die door de leidinggevende waren uitgereikt aan het onderzoeksteam. Wanneer bijvoorbeeld agent Higginbottom werd gevraagd om de buurman van Joe Smith te interviewen, zou die 'dagopdracht' genoteerd worden in het opdrachtenlogboek en het verslag van het gesprek zou in zijn opschrijfboekje staan. Door de dagopdrachten te bekijken zou je kunnen achterhalen op welke terreinen het onderzoek zich had geconcentreerd en welke terreinen waren genegeerd, en door de opschrijfboekjes door te lezen, kon je indrukken boven water halen die niet waren opgenomen in de definitieve verklaringen en formele verslagen.
Een vol opschrijfboekje werd in eerste instantie ingeleverd bij een inspecteur, die het doornam en het, als alles in orde was, doorstuurde naar de archivaris die het verwerkte. Dat hield in dat er door de jaren heen enorme stapels waren opgeslagen. Degene die ooit heeft beweerd dat we op weg zijn naar een papiervrij tijdperk was beslist geen agent, dacht Michelle toen ze langs de rijen planken liep die tot aan het plafond waren volgestouwd met dozen.
Mevrouw Metcalfe liet haar zien waar de opschrijfboekjes lagen opgeslagen en Michelle zocht automatisch als eerste naar die van Ben Shaw.

Hoe vaak ze de dozen echter ook doornam en data controleerde, uiteindelijk moest ze toegeven dat de opschrijfboekjes die de belangrijkste en drukste periode besloegen uit het onderzoek in de Graham Marshall-zaak, de eerste twee maanden vanaf de dag van zijn verdwijning op 22 augustus 1965, spoorloos waren verdwenen.
Michelle wist slechts met grote moeite Shaws handschrift te ontcijferen in de opschrijfboekjes die ze wel had aangetroffen en ontdekte dat zijn laatste aantekening dateerde van 15 augustus 1965, toen hij een getuige had gehoord in verband met een overval op een postkantoor en dat de eerstvolgende aantekening was gemaakt in een nieuw opschrijfboekje dat begon op 6 oktober van hetzelfde jaar.
Michelle riep de hulp in van mevrouw Metcalfe, maar na een halfuur moest ook de arme archivaris bekennen dat ze zich gewonnen moest geven. 'Ik kan me niet voorstellen waar ze zouden kunnen zijn, meisje,' zei ze. 'Misschien zijn ze op de verkeerde plek opgeslagen door mijn voorganger of zijn ze kwijtgeraakt tijdens een van de verhuizingen.'
'Zou iemand ze meegenomen kunnen hebben?' vroeg Michelle.
'Ik zou niet weten wie. Of waarom. Alleen mensen als u komen hier. Andere agenten, bedoel ik.'
Dat was precies wat Michelle ook had gedacht. Ze had tijdens haar bezoekjes van alles kunnen meenemen als ze dat had gewild, zonder dat mevrouw Metcalfe daar ook maar iets van had gemerkt. Dat hield natuurlijk in dat iedereen dat kon. Eerst had iemand in haar flat ingebroken en geprobeerd haar zodanig schrik aan te jagen dat ze zich uit de zaak zou terugtrekken, en nu had ze ontdekt dat de opschrijfboekjes van twee hele maanden, uiterst belangrijke maanden ook, op de een of andere manier waren verdwenen. Toeval? Dat geloofde Michelle niet.
Toen ze een halfuur later moesten toegeven dat hetzelfde probleem gold voor het opdrachtenlogboek voor de Graham Marshall-zaak was Michelle er absoluut van overtuigd dat de boeken voorgoed waren verdwenen, waarschijnlijk vernietigd. Maar waarom? En door wie? De ontdekking verhevigde het gevoel van paranoia dat bezit van haar had genomen. Ze begon te geloven dat deze zaak haar ver boven de pet ging. Hoe moest ze het nu verdomme verder aanpakken?

Na het verhoor wilde Banks niets liever dan zo snel mogelijk het bureau uit lopen, bij de bittere stank van Norman Wells' zweet vandaan, dus hij besloot in de richting van Lyndgarth te rijden en met Luke Armitages muziekleraar Alastair Ford te gaan praten, terwijl Annie verder bleef speuren naar Luke's geheimzinnige vriendin.

Banks' ervaring was dat muziekdocenten vaak rare types waren, wat voor een deel ongetwijfeld werd veroorzaakt door de frustratie die zich van hen meester moest maken tijdens hun pogingen om de schoonheid van Beethoven en Bach te laten doordringen in hoofden die waren beneveld door Radiohead en Mercury Rev. Niet dat Banks iets tegen popmuziek had. In zijn jeugd had zijn klas regelmatig aan hun muziekleraar, meneer Watson, gevraagd of hij niet The Beatles kon draaien. Hij had één keer gehoor gegeven aan hun smeekbeden en had zelf de hele tijd mistroostig voor zich uit zitten staren. Hij tikte niet met zijn voeten mee op de maat en kon geen greintje enthousiasme opbrengen. Heel anders was zijn houding echter wanneer hij Dvořáks symfonie *Uit de Nieuwe Wereld* draaide of Tsjaikovski's *Pathétique*. Dan sloot hij zijn ogen, wiegde hij mee op de maat en dirigeerde hij het stuk in de lucht, meeneuriënd wanneer de voornaamste thema's aanzwelden. De kinderen in de klas lachten hem uit en lazen stripboeken onder hun tafeltje, maar hij merkte niets en bevond zich in een andere wereld. Op een goede dag verscheen meneer Watson niet voor de klas. Het gerucht ging dat hij een zenuwinstorting had gehad en 'uitrustte' in een sanatorium. Voorzover Banks wist, was hij nooit meer teruggekeerd in zijn oude beroep.

De regen van de vorige dag had het landschap schoongespoeld en de felgroene tinten onder in het dal, doorspekt met paarse klaver, gele boterbloemen en stinkende gouwe, tevoorschijn getoverd. De kalkstenen richel van Fremlington Edge glansde in het zonlicht en daaronder lag het schijnbaar ingedutte dorp Lyndgarth met zijn kleine kerk en hellende parkje, als een zakdoek die wapperde in de wind. Banks keek op de kaart, vond de B-weg die hij zocht en sloeg rechts af.

Fords cottage lag bijna net zo geïsoleerd als Banks' eigen cottage en toen hij zijn auto achter de donkerblauwe Honda parkeerde, begreep hij ook waarom. Hier was het niet de symfonie *Uit de Nieuwe Wereld*, maar het prachtige *Recordare* voor sopraan en mezzosopraan uit Verdi's *Requiem* dat met de volumeknop op de hoogste stand uit de openstaande ramen galmde. Als Banks niet de Stones-cd *Aftermath* had aanstaan in zijn auto, had hij het op een afstand van een kilometer of twee al kunnen horen.

Hij moest flink hard op de deur kloppen, maar uiteindelijk werd de muziek zachter gezet en werd de deur geopend door een man die Banks herkende van het concert van het Aeolian-kwartet. Alastair Ford was ongeschoren, had een lange haakneus en een felle glans in zijn ogen. Als hij haar had gehad, zou dat ongetwijfeld alle kanten hebben uitgestaan, maar hij was volledig kaal. Wat was er met Luke Armitage aan de hand

geweest, vroeg Banks zich af. Dit was al de tweede persoon die hij vandaag ontmoette die tijd had doorgebracht met de jongen en eruitzag alsof hij stapelgek was. Misschien had Luke een speciale aantrekkingskracht uitgeoefend op vreemde snuiters. Misschien was het wel omdat hij zelf ook wat vreemd was geweest. Banks was echter vastbesloten zich niet door zijn vooroordelen te laten beïnvloeden. Of Alastair Fords excentrieke gedrag ook werkelijk gevaar opleverde, was nog te bezien.
'Ik hou net als vele anderen best van Verdi,' zei Banks, en hij liet zijn pas zien, 'maar vindt u zelf ook niet dat dit een beetje overdreven is?'
'O, u komt me toch niet vertellen dat boer Jones weer over de muziek heeft geklaagd, hè? Hij beweert dat zijn koeienmelk erdoor gaat schiften. Cultuurbarbaar!'
'Ik ben hier niet vanwege de herrie, meneer Ford. Zou ik binnen mogen komen en u even kunnen spreken?'
'Nu ben ik nieuwsgierig,' zei meneer Ford, en hij ging hem voor naar binnen. Zijn huis was schoon, maar zag er duidelijk bewoond uit: overal lagen stapeltjes bladmuziek, op een lage tafel lag een viool en in de woonkamer was een enorme stereo prominent aanwezig. 'Een politieman die van Verdi houdt.'
'Ik ben geen expert,' zei Banks, 'maar ik heb onlangs een nieuwe opname aangeschaft, dus ik heb er de laatste tijd verschillende keren naar geluisterd.'
'Ach, ja. Renée Fleming en het Kirov. Heel aardig, maar ik moet toegeven dat mijn voorkeur nog steeds uitgaat naar die van Von Otter en Gardiner. Maar goed, ik kan me niet voorstellen dat u hier bent gekomen om met mij over muziek te keuvelen. Wat kan ik voor u doen?' Ford deed hem in veel opzichten aan een vogel denken, vooral door zijn plotselinge, schokkerige bewegingen, maar toen hij eenmaal in de zachte, gestoffeerde leunstoel was gaan zitten en zijn vingers rustig op zijn schoot lagen, kalmeerde hij. Hij was echter niet ontspannen. Banks kon zien dat de man gespannen en slecht op zijn gemak was, en hij vroeg zich af waar deze houding door werd veroorzaakt. Misschien had hij er gewoon een hekel aan om door de politie te worden ondervraagd.
'Het gaat over Luke Armitage,' zei Banks. 'Ik heb begrepen dat u hem kende?'
'Ach, die arme Luke. Een opmerkelijk getalenteerde knaap. Een enorm verlies.'
'Wanneer hebt u hem voor het laatst gezien?'
'Aan het eind van het schooljaar.'
'Weet u heel zeker dat u hem sindsdien niet meer hebt gezien?'

'Ik ben sinds die tijd nauwelijks mijn cottage uit geweest, alleen om naar Lyndgarth te rijden en boodschappen te doen. Na een heel jaar lesgeven aan die cultuurbarbaartjes eindelijk weer alleen met mijn muziek. De hemel op aarde!'
'Ik neem aan dat Luke geen cultuurbarbaar was?'
'Integendeel zelfs.'
'Klopt het dat u hem vioolles hebt gegeven?'
'Ja.'
'Hier of op school?'
'Op school. Op dinsdagavond. We hebben daar een redelijk goed uitgeruste muziekkamer. Tegenwoordig zijn we natuurlijk al met heel weinig tevreden. Ze geven een fortuin uit aan sportmateriaal, maar als het om muziek gaat...'
'Heeft Luke wel eens met u gesproken over wat hem zoal bezighield?'
'Hij praatte nooit veel. Meestal concentreerde hij zich volledig op zijn muziek. Hij kon zich geweldig goed focussen, in tegenstelling tot het overgrote deel van de jeugd van tegenwoordig. Hij hield niet van gezellig geklets. We praatten natuurlijk wel over muziek, hebben zelfs een of twee felle discussies over popmuziek gehad, waar hij denk ik veel van hield.'
'Nooit over iets anders?'
'Zoals?'
'Dingen die hem dwarszaten, waar hij zich zorgen over maakte, mensen voor wie hij bang was. Dat soort zaken.'
'Ik moet u helaas teleurstellen, inspecteur. Luke was erg gesloten en ik bemoei me niet graag met anderen. Eerlijk gezegd ben ik niet erg goed in het helpen van mensen bij hun emotionele problemen.' Hij streek met zijn hand over zijn gladde schedel en glimlachte. 'Daarom geef ik er ook de voorkeur aan om alleen te wonen.'
'Nooit getrouwd?'
'Geweest. Lang, lang geleden.'
'Wat is er gebeurd?'
'Geen idee. Op een bepaald moment is het gewoon voorbij.'
Banks dacht aan Sandra. Op een bepaald moment is het gewoon voorbij? 'Dus u gaf hem alleen vioolles, meer niet?'
'Dat klopt wel ongeveer, ja. Hij zat natuurlijk ook bij mij in de klas. Maar ik kan niet zeggen dat ik hem goed kende of dat we vrienden waren of iets dergelijks. Ik had respect voor zijn talent, ook al verkwanselde hij dat een beetje aan de popmuziek, maar verder ging onze relatie niet.'
'Heeft hij het wel eens over zijn ouders gehad?'

'Niet tegen mij.'
'En zijn biologische vader? Neil Byrd?'
'Nooit van gehoord.'
Banks liet zijn blik door de kamer glijden. 'Uw cottage ligt wel heel erg geïsoleerd, meneer Ford.'
'Is dat zo? Ja, nu u het zegt.'
'Deze geïsoleerde ligging komt u wel goed van pas?'
'Dat moet haast wel, denkt u ook niet?' Ford tikte met zijn voet op de vloer, schokkerig vanuit de knie en niet in de maat met het nu nauwelijks hoorbare *Requiem*.
'Krijgt u vaak bezoek?'
'Zelden. Ik speel mee in een strijkorkest en de andere leden komen soms hier om te repeteren. Verder ben ik het liefst alleen. Hoort u eens, ik...'
'Geen vriendinnen?'
'Ik heb geen enkele behoefte aan een relatie.'
'Mannelijke geliefden dan?'
Ford keek hem met opgetrokken wenkbrauwen aan. 'Ik heb geen enkele behoefte aan een relatie.'
'Hoe zit het met de relatie tussen leraar en leerling?'
'Ik kan goed lesgeven.'
'Vindt u het leuk?'
'Op een bepaalde manier wel. Soms.'
Banks stond op en liep naar het raam. Het bood een fraai uitzicht op de vallei en in de verte kon hij Eastvale zien liggen. Banks meende ook het kasteel op de heuvel nog net te kunnen onderscheiden.
'Is Luke Armitage ooit hier geweest?' vroeg hij, en hij draaide zich om om Ford aan te kijken.
'Nee.'
'Dat weet u zeker?'
'Er komen hier zelden mensen. Ik zou het me heus herinneren. Luister, als u iets over Luke wilt weten, moet u het Lauren vragen.'
'Lauren Anderson?'
'Ja. Ze kende hem veel beter dan ik. Ze is een... Nou ja, u kent dat wel, ze is iemand met wie mensen gemakkelijk praten over hun problemen en zo.'
'Hun gevoelens.'
'Ja.'
'Weet u of Luke verder goed bevriend was met iemand?'
'U zou de dochter van het schoolhoofd kunnen proberen.'
Banks zag in een flits die onverwachte blonde haren en het lange been

voor zich die hem na zijn gesprek met Gavin Barlow waren opgevallen. 'Rose Barlow?'
'Die bedoel ik. Dat brutale nest.'
'Is zij met Luke bevriend geweest?'
'Gezworen kameraden.'
'Wanneer was dit?'
'Begin dit jaar. Februari of maart.'
'Waar hebt u hen samen gezien?'
'Op school.'
'Verder niet?'
'Ik ga nooit ergens heen. Kom alleen hier. Ik kan u alleen zeggen dat ik hen soms in de gang of op het schoolplein met elkaar heb zien praten en ze leken heel intiem.'
Banks nam zich voor om met Rose Barlow te gaan praten. 'Hebt u een mobiele telefoon?' vroeg hij.
'Grote god, wat een vreemde vraag!'
'En?'
'Nee. Ik zie er persoonlijk het nut niet van in. Ik gebruik de telefoon die ik wel heb al nauwelijks.'
'Waar was u afgelopen maandag?'
'Hier.'
'Bent u de vorige week nog in Eastvale geweest?'
'Dat heb ik u toch al verteld. Ik ben de cottage nauwelijks uit geweest.'
'Wat hebt u al die tijd gedaan?'
'Hoe bedoelt u?'
'Hier. In de cottage. Alleen. Al die tijd.'
Ford kwam overeind en de vogelachtige bewegingen waren weer terug. 'Muziek gemaakt. Naar muziek geluisterd. Gelezen. Een beetje gecomponeerd. Niet dat het u ook maar iets aangaat, natuurlijk, ook al bent u van de politie. Voorzover ik weet leven we nog steeds in een vrij land.'
'Het was maar een vraag, meneer Ford. U hoeft u niet zo op te winden.'
Fords stem klonk schril. 'Ik wind me helemaal niet op. U bemoeit u met dingen die u niets aangaan. Ik heb er een hekel aan wanneer mensen dat doen. Ik kan u niets vertellen. Ga maar met Lauren praten. Laat mij met rust.'
Banks staarde hem even aan. Ford ontweek zijn blik. 'Als ik erachter kom dat u tegen me hebt gelogen, kom ik terug, meneer Ford. Begrijpt u dat?'
'Ik lieg niet. Ik heb niets gedaan. Laat me toch met rust.'
Voordat hij vertrok, liet Banks hem de compositietekening van het meisje zien met wie Josie Batty Luke had zien lopen. Ford gunde de teke-

ning nauwelijks een blik waardig en zei dat hij haar niet herkende. Hij was vreemd, dat leed geen twijfel, dacht Banks toen hij de auto startte, maar je kon mensen niet arresteren omdat ze vreemd waren. De muziek werd weer harder gezet en Banks werd tot in Lyndgarth achtervolgd door Verdi's *Lacrimosa*.

'Dank u wel dat u ervoor hebt gezorgd dat ze ze hebben vrijgegeven,' zei mevrouw Marshall. 'De begrafenisdienst is overmorgen in Saint Peter's. Joan komt er natuurlijk voor over. Ik moet zeggen dat de dominee erg inschikkelijk is, als je bedenkt dat we geen van allen regelmatige kerkgangers zijn. Komt u ook?'
'Ja, natuurlijk,' zei Michelle. 'Er is nog één ding.'
'En dat is?'
Michelle vertelde haar over de rib die ze mogelijk als bewijs nodig hadden.
Mevrouw Marshall fronste haar wenkbrauwen en dacht even na. 'Ik denk niet dat we ons druk hoeven maken over zoiets onbelangrijks als een ontbrekende rib, denkt u wel? Vooral niet als u er nog iets aan hebt.'
'Dank u wel,' zei Michelle.
'U ziet er moe uit. Gaat alles wel goed?'
'Ja, hoor. Uitstekend.' Michelle wist een zwak glimlachje tevoorschijn te toveren.
'Is er al nieuws?'
'Nee, helaas niet. Alleen nieuwe vragen.'
'Ik weet niet wat ik u verder nog kan vertellen, maar ga gerust uw gang.'
Michelle leunde achterover in haar stoel. Dit zou moeilijk worden, wist ze. Het was bijna onmogelijk om iets te weten te komen over dingen die Graham mogelijk had uitgehaald zonder zijn moeder het idee te geven dat hij zich met kwalijke zaakjes had ingelaten, iets wat zijn moeder nooit zou willen geloven. Toch moest ze het proberen. 'Is Graham wel eens langere tijd van huis weggebleven?'
'Wat bedoelt u? Of we hem hebben weggestuurd?'
'Nee. U weet hoe kinderen zijn. Soms gaan ze ervandoor zonder je te vertellen waar ze naartoe zijn. Hun ouders maken zich enorm veel zorgen, maar dat lijken ze op dat moment niet te beseffen.'
'O, ik begrijp precies wat u bedoelt. Graham was wat dat betreft niet anders dan andere kinderen. Hij kwam regelmatig te laat voor het eten en een enkele keer was hij ook zo laat dat hij allang in bed had moeten liggen. En vaak zagen we hem tussen zonsopgang en zonsondergang niet één keer. Niet tijdens schooldagen, hoor. Maar in de weekenden en

tijdens de schoolvakanties was hij niet altijd even betrouwbaar.'
'Had u enig idee waar hij was geweest wanneer hij zo laat thuiskwam?'
'Dan had hij met zijn vriendjes gespeeld. Soms had hij ook zijn gitaar bij zich. Ze waren aan het oefenen, begrijpt u. Voor hun band.'
'Waar deden ze dat?'
'Bij David Grenfell thuis.'
'En is hij, afgezien van die repetities voor de band, verder wel eens te lang weggebleven?'
'Af en toe. Dat doen alle jongens wel eens.'
'Hoeveel zakgeld gaf u hem?'
'Vijf shilling per week. Meer konden we ons niet veroorloven. Maar hij had zijn krantenwijk en daar verdiende hij wat extra's mee.'
'En u kocht zijn kleren voor hem?'
'Als er iets was wat hij echt graag wilde hebben, spaarde hij er ook wel voor. Zoals die beatlestrui. U weet wel, die hij op die foto daar aanheeft.'
'Dus hij kwam niets te kort?'
'Nee. Niet dat ik weet. Hoezo? Waar wilt u eigenlijk naartoe?'
'Ik probeer een beeld te krijgen van zijn bezigheden, mevrouw Marshall. Om erachter te komen wat er met hem kan zijn gebeurd en wie is gestopt om hem op te pikken.'
'Denkt u dat het iemand was die hij kende?'
'Dat heb ik niet gezegd, maar die kans bestaat inderdaad.'
Mevrouw Marshall speelde met haar kettinkje. De gedachte maakte haar duidelijk van streek. Het was onmogelijk te zeggen of dat kwam door het idee dat een kennis verantwoordelijk zou kunnen zijn voor de verdwijning van haar zoon of dat ze zoiets ergens al had vermoed. 'Zulke mensen kenden we toch helemaal niet,' zei ze.
'Zulke mensen?'
'Kinderlokkers,' zei ze fluisterend.
'We weten immers nog niet of het om een kinderlokker gaat?'
'Dat begrijp ik niet. Dat is wat de politie ons toen heeft verteld. Wie zou het anders kunnen zijn geweest?'
'Heeft Jet Harris u dat verteld?'
'Ja.'
'Heeft iemand indertijd ooit geopperd dat Graham door iemand zou kunnen zijn ontvoerd die hij kende?'
'Lieve hemel, nee! Waarom zou iemand dat doen?'
'Dat is een goede vraag,' zei Michelle. 'En u weet ook niet of Graham mogelijk verkeerde vrienden had met wie hij was opgetrokken als hij te

laat terugkwam of de hele dag was weggebleven?'
'Nee. Hij was bij zijn schoolvrienden. Ik begrijp niet wat u bedoelt.'
'Het geeft niet,' zei Michelle. 'Ik weet niet eens zeker of ik het zelf wel begrijp. Ik denk dat ik eigenlijk wil weten of Graham ook vrienden had die u niet mocht of tijd doorbracht met mensen die u eigenlijk afkeurde.'
'O. Nee. Het waren allemaal heel gewone jongens. We kenden hun vader en moeder. Dat waren net zulke mensen als wijzelf.'
'Geen oudere jongens? Niemand die volgens u een slechte invloed op hem uitoefende?'
'Nee.'
'En had Graham wel eens meer geld dan u zou hebben verwacht?'
Mevrouw Marshall keek haar kwaad aan en Michelle besefte dat ze te ver was gegaan. Ze besefte echter ook dat ze een gevoelige plek had geraakt.
'Wilt u soms beweren dat onze Graham een dief was?'
'Natuurlijk niet,' krabbelde Michelle terug. 'Ik vroeg me alleen af of hij naast de krantenwijk misschien klusjes deed waar hij u niets over vertelde, omdat hij op dat tijdstip bijvoorbeeld eigenlijk op school had moeten zitten.'
Mevrouw Marshall bleef haar achterdochtig aankijken. Bill Marshall leek alles in zich op te nemen en zijn kraaloogjes schoten van de een naar de ander tijdens het gesprek, maar verder bleef zijn gezicht ondoorgrondelijk. Kon hij maar praten, dacht Michelle. Ze wist echter dat dat geen zin zou hebben. Hij zou toch niets loslaten.
'Het geeft denk ik wel aan hoe frustrerend deze zaak voor me is,' bekende Michelle. 'Het heeft zich tenslotte allemaal al zo lang geleden afgespeeld.'
'Jet Harris heeft altijd gezegd dat het die Moors-moordenaars zijn geweest, die lui die het jaar daarop zijn veroordeeld. Hij zei dat we waarschijnlijk allemaal voor de rest van ons leven nachtmerries zouden hebben als we ooit te weten kwamen hoeveel jonge levens ze hebben verwoest en waar de lichamen waren begraven.'
'Heeft hij dat tegen u gezegd?' vroeg Michelle. Dat kwam wel heel goed uit. Ze was inmiddels al tot de conclusie gekomen dat hoofdinspecteur Harris het onderzoek met oogkleppen op had geleid, een conclusie die ze nu alleen maar bevestigd zag, en dat mevrouw Marshall net als zoveel andere moeders geen idee had gehad wat haar zoon de meeste tijd uitspookte. Ze vroeg zich af of zijn vader het wel had geweten. Bill Marshalls halfverlamde gezicht gaf niets prijs, maar Michelle meende aan zijn ogen te zien dat hij op zijn hoede was. En er was nog iets. Ze kon het

niet met zekerheid zeggen, maar het leek erop alsof hij zich ook schuldig voelde. Michelle ademde diep in en waagde de gok.

'Ik heb begrepen dat uw man vroeger in Londen voor de Kray-tweeling heeft gewerkt.'

Er viel een korte stilte, totdat mevrouw Marshall zei: 'Bill werkte niet voor hen, niet echt. Hij bokste wel eens met hen in de sportschool. We kenden hen natuurlijk wel. We zijn in dezelfde buurt opgegroeid. Iedereen kende Reggie en Ronnie. Altijd heel beleefd tegen me geweest, die twee, wat mensen verder ook over hen zeggen en ik heb verhalen gehoord waarvan je haren ten berge zouden rijzen. In hun hart waren het lieve jongens. Mensen kunnen er gewoon niet tegen als anderen een beetje vooruitkomen in het leven, dat is het.'

Michelle voelde dat haar mond openviel. Er was hier verder niets te halen, begreep ze, en als ze deze zaak tot een goed einde wilde brengen, zou dat moeten gebeuren zonder de hulp van de familie Marshall of Ben Shaw. En misschien zelfs met gevaar voor eigen leven. 'Je weet wat er met Melissa is gebeurd. Jij zou de volgende kunnen zijn...' Nadat ze nogmaals had beloofd dat ze naar de begrafenis zou komen, nam Michelle afscheid en haastte ze zich weg.

Toen Banks die avond thuiskwam, las hij tijdens het eten van de Madras-curry die hij eerder die dag bij Marks&Spencers had gekocht vluchtig de avondkrant door voordat hij Bill Evans' *Paris Concert* in de cd-speler liet glijden, een stevig glas Laphroaig voor zichzelf inschonk en zich met zijn *Photoplay*-agenda uit 1965 op de bank uitstrekte. Hij meende dat het Oscar Wilde was geweest die had gezegd: 'Ik ga nooit ergens naartoe zonder mijn dagboek. Men zou altijd iets sensationeels bij zich moeten hebben om in de trein te kunnen lezen', maar helemaal zeker weten deed hij het niet. Het was heel verleidelijk om elke gevatte uitspraak aan Oscar Wilde of Groucho Marx toe te schrijven. Uit nieuwsgierigheid stond hij echter toch op om het in de *Oxford Dictionary of Quotations* op te zoeken en hij zag dat hij deze keer toch gelijk had.

Banks' eigen agenda was verre van sensationeel. Toen hij nogmaals door de pagina's bladerde en de knappe actrices bekeek die hij zich nu nauwelijks nog herinnerde, zoals Carol Lynley, Jill St. John en Yvette Mimieux, viel het hem op dat hij een enorme hoeveelheid platen had gekocht en films had gezien. Banks zag dat zijn agenda tot een paar weken voor Grahams verdwijning wel degelijk enige hoogtepunten uit zijn leven bevatte en toen hij de onbeduidende of cryptische omschrijvingen doorlas, kon hij de rest met behulp van zijn geheugen en verbeelding wel aanvullen.

Tijdens de eerste twee weken van die augustusmaand in 1965 had het gezin Banks zijn jaarlijkse vakantie-uitje gehad. Dat was niet ongebruikelijk; ze gingen elk jaar rond dezelfde tijd weg, omdat de fabriek waar zijn vader werkte elk jaar twee weken dichtging. Wat dat jaar wél ongebruikelijk was, was dat ze naar Blackpool waren gegaan, veel verder weg dan hun gebruikelijke reisjes naar Great Yarmouth of Skegness, en dat ze Graham Marshall hadden meegenomen.

Op zijn veertiende had Banks de leeftijd bereikt waarop hij niet langer met zijn ouders wilde rondwandelen in het havenstadje en hij een ritje op een ezeltje langs het strand of met een emmer en schep te spelen beneden zijn waardigheid vond. Omdat Grahams vader, wiens werk nog meer seizoensgebonden was dan dat van Arthur Banks, net aan de slag was gegaan met een grootschalig nieuw bouwproject en het er niet naar uitzag dat de Marshalls dat jaar nog op vakantie zouden gaan, werd de financiële kant geregeld en mocht Graham met hen mee.

Kom naar Blackpool! Bekijk de beroemde Toren! Luister naar Reginald Dixon en zijn Machtige Orgel! Bewandel de prachtige Gouden Mijl! Bezoek een Variététheater met zijn vele sterren aan een van de drie pieren! Geniet urenlang met het hele gezin op Pleasure Beach!

Net zo onbereikbaar als de maan.

Waarschijnlijk hadden ze op een belachelijk vroeg tijdstip in de ochtend hun koffers achter in Arthur Banks' Morris Traveller geladen, een populaire stationcar met een houten frame aan de achterkant, omdat dat nu eenmaal altijd zo was wanneer ze op vakantie gingen, en waren ze aan de lange reis in noordelijke richting begonnen, waarna ze ongetwijfeld moe en chagrijnig, maar wel stipt op tijd voor het avondeten waren aangekomen bij mevrouw Barracloughs pension. Slaapplaats, ontbijt en stipt om zes uur het avondmaal, en wee je gebeente als je te laat kwam. Mevrouw Barraclough was een forse, indrukwekkende vrouw geweest en Banks herinnerde zich haar nog steeds levendig zoals ze daar in haar schort had gestaan, haar dikke benen wijdbeens uit elkaar en haar armen over elkaar geslagen tegen haar flinke boezem.

Banks zag dat hij aan het begin van elke aantekening het weer van die dag had vermeld en in vergelijking met andere vakanties waren ze er zo te zien niet slecht vanaf gekomen: op negen van de veertien dagen hadden ze op zijn minst een deel van de dag zon gehad en ze waren slechts tweeënhalve dag helemaal weggeregend. Op de regenachtige dagen hadden Banks en Graham rondgehangen bij de speelhallen langs de Gouden Mijl, las hij, of op een van de pieren, en hadden ze hun geld vergooid aan fruitautomaten en flipperkasten. Eén regenachtige zondagmiddag hadden ze doorgebracht in een bioscoop waar een aantal oude oorlogsfilms werd gedraaid die altijd op regenachtige zondagmiddagen leken te draaien, patriottistische films met titels als *The Day Will Dawn*, *In Which We Serve* en *Went the Day Well?*

Op bewolkte dagen slenterden ze langs de boulevard, aten ze fish&chips uit oude kranten of gekookte garnalen uit een papieren zakje en gingen ze op jacht in de tweedehands boekenzaakjes die het stadje rijk was: Banks was op zoek naar novelles van Sexton Blake (hij had er een gekocht met de titel *The Mind Killers*) of boeken van Ian Fleming en Graham zocht naar *Famous Monsters*-tijdschriften en verhalen van Isaac Asimov.

Op een avond waren ze naar het circus in de Toren geweest en Banks had in zijn agenda vermeld dat hij Charlie Cairoli's act 'heel grappig' had gevonden. Ook bezochten ze een variétévoorstelling op de North Pier, waarbij Morecambe en Wise voor de grappen zorgden en The Hollies voor de muziek.

Meestal bleven ze 's avonds na het eten in de voor de gasten bestemde woonkamer naar de televisie kijken. Het toestel was een oud model geweest, zelfs voor die tijd, met een klein scherm, wist Banks nog, en je zette het ding aan door een klep met een springveer aan de bovenkant te openen, waaronder de knoppen voor geluid en contrast zich bevonden. Banks had er niets over in zijn agenda geschreven, maar er waren ongetwijfeld gasten geweest die naar het programma *Sunday Night at the London Palladium* hadden willen kijken in plaats van naar *Perry Mason*, wat je van volwassenen ook wel kon verwachten. Gelukkig had Roy op het veldbed in de kamer van zijn ouders geslapen, dus vaak gingen Banks en Graham gewoon naar hun kamer om te lezen, naar Radio Luxembourg te luisteren op hun transistorradio of door de pornoblaadjes te bladeren waar Graham blijkbaar altijd met het grootste gemak aan kon komen.

Uiteraard brachten ze niet elke minuut van elke dag samen door. Graham was af en toe humeurig geweest en ongewoon stil, en nu hij eraan terugdacht, vermoedde Banks dat hij met het een of ander in zijn maag had gezeten. Toentertijd had hij er geen woorden aan vuilgemaakt en was hij af en toe alleen op pad gegaan.

Op de derde dag had Banks in zijn eentje door de straten geslenterd op zoek naar een plekje om even te zitten en een sigaretje op te steken en was hij op een koffietent gestuit die ergens onder aan een trappetje had gelegen. Hij had hier in jaren niet meer aan gedacht, maar door de vlakke aantekening in zijn agenda stond alles hem weer levendig en gedetailleerd voor de geest. Hij kon het gesis van het espressoapparaat zelfs

weer horen en de donker geroosterde koffiebonen weer ruiken.
Het tentje had een tropische sfeer gehad, met grof gestucte muren, palmpjes in bloempotten en op de achtergrond werd zachtjes calypsomuziek gedraaid, en hij was er steeds weer naar teruggekeerd vanwege het meisje achter de bar. Ze was veel te oud voor hem geweest, ook al had hij er ouder uitgezien omdat hij rookte en kon hij soms gemakkelijk voor een zestienjarige doorgaan, waardoor hij er bij 16+ films zonder problemen in kwam. Ze was waarschijnlijk in de twintig geweest, had ongetwijfeld een ouder vriendje met een auto en veel geld gehad, zo'n knap meisje als zij wel, maar Banks viel als een blok voor haar zoals hij ook als een blok was gevallen voor het fabrieksmeisje Mandy. Ze heette Linda.
Dat Linda knap was, sprak voor zich. Ze had lang, donker haar, stralende blauwe ogen, een spontane glimlach en lippen die hij smachtend zou willen kussen. Wat hij van de rest van haar lichaam kon zien wanneer ze achter de bar vandaan kwam, had ook al alles waar mannen van alle leeftijden van droomden: als Ursula Andress die in *Dr. No* uit de zee oprees. Ze was heel vriendelijk tegen hem geweest. Ze had met hem gepraat, naar hem geglimlacht en op een goede dag zelfs een gratis kopje espresso gegeven. Hij keek graag naar haar wanneer ze de apparaten achter de bar bediende en op haar onderlip beet wanneer ze melk klopte. Een of twee keer had ze zijn blik opgevangen en geglimlacht. Hij voelde dat hij van top tot teen bloosde en wist dat zij wist dat hij verliefd op haar was. Dit was zijn geheim, een plek waarover hij niet met Graham sprak.
De vakantie schreed voort en Banks en Graham deden alle gebruikelijke vakantiedingen, een aantal met de rest van het gezin en een aantal ook met zijn tweeën. Wanneer het warm genoeg was, lagen ze met Banks' vader en moeder in hun zwembroek op het strand tussen massa's mensen uit het noorden, die hun zakdoek in piratenstijl op hun hoofd hadden geknoopt. Ze waren zelfs een paar keer de zee ingegaan, maar het was koud geweest, dus waren ze niet lang in het water gebleven. Meestal lagen ze op het strand met de koptelefoon van hun radio op, in de hoop dat The Animals voorbij zouden komen met *We've Gotta Get out of This Place* of The Byrds met *Mr. Tambourine Man* en intussen hielden ze stiekem de meisjes in hun zwempak in de gaten.
Toen hij verder in de agenda las, niet alleen het gedeelte over de vakantie, maar ook over de rest van het jaar, merkte Banks tot zijn verbazing dat hij enorm veel tijd had besteed aan meisjes, en vooral veel over seks had gedacht en gefantaseerd. Zijn hormonen hadden dat jaar zijn leven bepaald, dat leed geen twijfel.

Het hoogtepunt van de week betrof twee meisjes en dat was waar Banks' agenda pas echt een sensationeel karakter kreeg. Op een mooie avond waren Banks en Graham naar de Pleasure Beach tegenover de zuidpier gegaan. Ze hadden een van de open trams genomen, waren bovenin gaan zitten en hadden opgewonden naar de lichten gekeken terwijl de wind door hun haren blies.

Pleasure Beach was een en al kleur en geluid, van de ratelende attracties tot het geschreeuw en gekrijs van de passagiers. Toen ze rondliepen en probeerden te beslissen waar ze het eerst in zouden gaan, hadden ze twee meisjes van hun eigen leeftijd gezien die naar hen stonden te kijken, met elkaar fluisterden en giechelden, zoals meisjes dat altijd deden. Het waren geen Mods, ze droegen een blouse en rok met een vrij conservatieve lengte, zo een die duidelijk door de ouders was gekozen.

Na een tijdje liepen Banks en Graham naar hen toe en omdat Graham zijn zwijgzame, peinzende zelf was, had Banks hun een sigaret aangeboden en was hij een gesprek met hen begonnen. Hij kon zich niet herinneren wat hij allemaal had gezegd, iets om de meisjes aan het lachen te maken in elk geval, zodat ze zouden denken dat deze jongens cool waren. Deze keer kreeg hij toevallig ook nog eens het meisje dat hij het leukst vond, hoewel hij, als hij eerlijk was, moest toegeven dat ze allebei wel oké waren geweest en niet het gebruikelijke stel van het knappe meisje met een spuuglelijke vriendin.

Tina was klein geweest, met vrij grote borsten, een donkere huid en lang, golvend bruin haar. Haar vriendin Sharon was een slank blondje geweest. Het enige smetje dat Banks had kunnen ontdekken, waren de puistjes onder haar make-up en de kauwgom waarop ze kauwde. Aan die puistjes kon ze niet veel doen, hij wist dat hij zelf ook een paar fraaie exemplaren had, en ze haalde de kauwgom al snel uit haar mond en gooide hem weg.

Ze gingen eerst naar het spookhuis en de meisjes schrokken toen de lichtgevende skeletten tevoorschijn sprongen en voor de langzaam rijdende karretjes bleven hangen. Ze zetten het echter pas echt op een krijsen toen in het donker af en toe spinnenwebben langs hun gezicht streken en kropen weg tegen de borst van hun gezelschap. Toen ze uit het spookhuis kwamen, hielden ze elkaars hand vast en Graham stelde voor om daarna in de Big Dipper te gaan, een enorme achtbaan. Tina was bang, maar de anderen stelden haar gerust en hielden vol dat er niets aan was. Graham betaalde.

Dat was iets wat Banks plotseling te binnen was geschoten toen hij zat te lezen. Hij stak een sigaret op, nipte aan zijn Laphroaig en dacht na, ter-

wijl Bill Evans zachtjes op de achtergrond klonk. Graham betaalde vaak. Hij had altijd veel geld op zak gehad, ook in Peterborough, had altijd genoeg voor een pakje met tien Gold Leafs en een dubbele voorstelling in het Gaumont. Soms zelfs ook voor een chocoladeijsje of een andere versnapering van de vrouw die in de pauze met een bak rondkwam. Banks had zich indertijd nooit afgevraagd hoe hij daaraan kwam, had het hem ook nooit gevraagd; hij had altijd aangenomen dat Graham zakgeld van zijn vader kreeg en daarnaast had hij natuurlijk het geld van zijn krantenwijk. Achteraf gezien leek het echter vreemd dat een zoon van een arbeider, een metselaar, altijd zoveel geld te besteden had gehad.
Het spookhuis was een uitstekend begin geweest, herinnerde Banks zich, en de Big Dipper had het prima afgemaakt door ervoor te zorgen dat de meisjes hun armen om Banks en Graham hadden geslagen en hun gezicht tegen hun schouders hadden geduwd. Banks was er zelfs in geslaagd om Sharon snel te zoenen toen ze omhoogklommen voor wat de steilste afdaling zou worden en ze had zich de hele weg naar beneden met wapperende haren en moord en brand schreeuwend aan hem vastgeklampt.
Met rode gezichten van opwinding waren ze van het Pleasure Beach naar de boulevard gelopen. De verlichting zou pas later in het jaar worden aangedaan, maar er hingen overal rijen lichtjes langs de gevels, net kerstdecoraties, had Banks in een onkarakteristiek poëtische stemming opgeschreven, en de trams waren verlicht met lampen zodat je ze van mijlenver al kon zien aankomen.
Nadat ze aanvankelijk hadden tegengestribbeld omdat dat nu eenmaal zo hoorde, hadden de meisjes erin toegestemd om langs het strand te wandelen en uiteindelijk hadden ze uiteraard een plaatsje opgezocht onder de zuidpier, een welbekende plek voor vrijende paartjes. Toen Banks zijn vage, korte beschrijving las, herinnerde hij zich weer hoe hij naast Sharon had gelegen en haar had gekust, aanvankelijk voorzichtig, maar al snel heftiger, hoe ze al snel tot tongzoenen waren overgegaan en hij haar lichaam onder zich had voelen kronkelen. Hij gaf zijn fantasie alle vrijheid om de schaarse details uit te werken die hij die avond in het bed in het pension van mevrouw Barraclough had vastgelegd: 'G en ik zijn met Tina en Sharon onder de zuidpier geweest!'
Op de een of andere manier had hij zijn hand onder haar blouse gekregen en haar stevige, kleine borst gevoeld. Ze hield hem niet tegen toen hij zijn vingers na een tijdje onder haar beha wurmde, waar hij haar warme, zachte vlees voelde en met zijn duim en wijsvinger in de tepel kneep. Haar adem stokte even en toen begon ze hem weer te zoenen. Hij

kreeg een paar van haar haren in zijn mond. Haar adem rook naar de kauwgom en vermengde zich met de geur van zeewier en zout van het strand. Boven hen reden trams ratelend voorbij en golven sloegen stuk op het strand. Even later had hij nog meer moed verzameld en had hij zijn hand langs haar dij omlaag laten glijden en onder haar rok gestoken. Ze had toegelaten dat hij haar door de stof van haar onderbroek aanraakte, maar was verstijfd en had hem tegengehouden toen hij verder wilde gaan; zover was hij echter nog niet eerder gekomen, dus vond hij het allang best. Graham beweerde later dat Tina hem alles had laten doen wat hij wilde, maar Banks had hem niet geloofd.
Tot zover de sensationele berichten.
Ze waren nog twee keer met Tina en Sharon uit geweest, een keer naar de bioscoop waar ze *Help!* hadden gezien en een keer naar de speelhallen, waarvoor Graham als gewoonlijk het leeuwendeel van het geld had opgehoest, en hun avonden waren steeds op dezelfde manier geëindigd. Hoe Banks ook zijn best had gedaan om haar over te halen, Sharon had standvastig geweigerd afstand te doen van haar grote schat. Ze hield hem telkens op de drempel tegen. Het was een verleidelijke kwelling die pas later op de avond werd verzacht door het heerlijke ritueel van zelftoegepaste verlossing.
Toen ze weer vertrokken, hadden ze namen en adressen uitgewisseld en afgesproken dat ze elkaar zouden schrijven, maar Banks had nooit meer iets van Sharon gehoord. Voorzover hij wist had Graham ook niets meer van Tina gehoord voordat hij verdween. Nu hij eraan terugdacht, hoopte Banks eigenlijk dat ze hem inderdaad alles met haar had laten doen wat hij had gewild.
Denkend aan hun vakantie had allerlei herinneringen bij hem losgemaakt en een aantal daarvan had bij de politieman in hem doen ontwaken.
Totdat het geluid van de telefoon zijn overpeinzingen onderbrak. Banks nam op.
'Inspecteur Banks?' Een bekende vrouwenstem, gespannen.
'Ja.'
'Met inspecteur Hart. Michelle.'
'Ik ben je naam heus nog niet vergeten,' zei Banks. 'Wat kan ik voor je doen? Nieuwe ontwikkelingen?'
'Heb je het druk?'
'Even nadat je me in Starbucks hebt laten zitten, is een zaak rond een vermiste persoon veranderd in een moordzaak, dus ja, eigenlijk wel.'
'Hoor eens, het spijt me. Ik bedoel... Jezus, wat is dit moeilijk.'

'Vertel het me maar.'
Michelle zweeg zó lang dat Banks verwachtte dat ze gewoon zou ophangen. Ze leek heel goed in het abrupt beëindigen van gesprekken. Ze deed het echter niet. Na wat een eeuwigheid had geleken zei ze: 'Ik ben er vandaag achter gekomen dat Ben Shaws opschrijfboekjes en het opdrachtenlogboek van de zaak-Graham Marshall zijn kwijtgeraakt.'
'Kwijtgeraakt?'
'Ik heb alle dozen nagekeken, maar ik heb ze nergens kunnen vinden. Ik heb zelfs de archivaris zover gekregen dat ze me heeft helpen zoeken, maar ook zij kon ze niet vinden. Er zit een gat tussen de aanwezige opschrijfboekjes dat van 15 augustus tot 6 oktober 1965 loopt.'
Banks floot tussen zijn tanden. 'En het opdrachtenlogboek?'
'Alleen die van deze zaak is weg. Ik weet niet... Ik heb nog nooit zoiets... Er is nog meer. Er is vorig weekend iets gebeurd. Maar ik wil er niet via de telefoon over praten.' Ze lachte kort, nerveus. 'Ik zou graag je advies willen. Ik weet niet wat ik moet doen.'
'Je moet het iemand vertellen.'
'Ik vertel het jou toch?'
'Ik bedoel iemand van het bureau.'
'Dat is nu juist het probleem,' zei ze. 'Ik weet gewoon niet wie ik hier kan vertrouwen. Daarom dacht ik aan jou. Ik weet dat je persoonlijk bij de zaak bent betrokken en het zou enorm schelen als ik iemand naast me had met ervaring. Iemand die ik kan vertrouwen.'
Banks dacht even na. Michelle had gelijk; hij was inderdaad bij de zaak betrokken. 'Ik weet niet zeker of ik iets kan doen,' zei hij, 'maar ik zal kijken of ik hier kan worden gemist.' Terwijl hij dit zei, zag hij even een beeld voor zich waarop hij op een wit paard naar Peterborough en Michelle stormde, getooid in een harnas en met een lans in de hand. 'Is er al nieuws over de begrafenisplechtigheid?'
'Overmorgen.'
'Ik kom zodra ik hier weg kan,' zei hij. 'Morgen misschien. Hou je intussen gedeisd, zeg en doe niets. Probeer je zo gewoon mogelijk te gedragen. Goed?'
'Goed. En, Alan?'
'Ja?'
'Bedankt. Dat meen ik echt. Ik zit echt in de penarie.' Ze zweeg even en voegde er toen aan toe: 'En ik ben bang.'
'Ik kom zo snel mogelijk naar je toe.'
Nadat Banks had opgehangen, schonk hij een nieuwe portie whiskey in en zette hij de tweede Bill Evans-cd op, waarna hij nog lang bleef zitten

nadenken over de gevolgen van de dingen dit tijdens het lezen van zijn agenda tot hem waren doorgedrongen in combinatie met wat Michelle hem zojuist had verteld.

13

Lauren Anderson woonde in een kleine twee-onder-een-kapwoning niet ver bij het huis vandaan waar Banks met Sandra had gewoond voordat ze uit elkaar waren gegaan. Hij was al heel lang niet in de buurt van zijn oude straat geweest en deze riep nu herinneringen op die hij het liefst was vergeten. Hij voelde zich bedrogen. De herinneringen hadden fijn moeten zijn, want Sandra en hij hadden het goed gehad samen, hadden jarenlang van elkaar gehouden, maar nu werd alles aangetast door haar verraad en haar aanstaande huwelijk met Sean. En de baby, natuurlijk. De baby was misschien nog wel het pijnlijkst.

Hij zei niets hierover tegen Annie, die naast hem zat. Ze wist niet eens dat hij hier vroeger had gewoond, aangezien hij haar pas had ontmoet toen hij al naar de cottage in Gratly was verhuisd. Bovendien had ze hem ronduit te verstaan gegeven dat ze niet geïnteresseerd was in zijn oude leven met Sandra en de kinderen; dat was een van de belangrijkste punten geweest die hen uit elkaar hadden gedreven en het eind hadden betekend van hun korte, stormachtige relatie.

Het was een van de mooiste zomerse dagen die ze tot nu toe hadden gehad. Deze keer waren ze met Banks' auto gekomen, zoals hij dat het liefst had, de raampjes waren opengedraaid en ze luisterden naar een cd met de grootste hits van Marianne Faithfull, die *Summer Nights* zong. Dat was toen haar stem nog diep en gaaf had geklonken, voordat alcohol, drugs en sigaretten hun tol hadden geëist, zoals dat ook bij Billie Holiday was gebeurd. Het was een hit geweest in de tijd rond Grahams verdwijning en verwoordde uitstekend de sfeer van die met seks doordrenkte zomer uit zijn pubertijd.

'Niet te geloven dat je hier nog steeds naar luistert,' zei Annie.

'Waarom niet?'

'Omdat het zo... oud is.'

'Dat is Beethoven ook.'

'Bijdehante donder. Je weet best wat ik bedoel.'

'Ik was vroeger smoorverliefd op haar.'

Annie keek hem van opzij aan. 'Op Marianne Faithfull?'
'Ja. Is dat zo gek? Elke keer dat er een nieuwe plaat uitkwam, was ze in *Ready, Steady, Go!* en *Top of the Pops* en dan zat ze met haar gitaar op een hoge kruk en zag ze eruit als een schoolmeisje. Maar ze had altijd wel een laag uitgesneden jurk aan en haar benen over elkaar geslagen, en dan kwam die prachtige stem eruit en dan wilde je alleen nog maar...'
'Nou?'
Banks remde af voor een rood licht en keek Annie glimlachend aan. 'Je snapt wel wat ik bedoel,' zei hij. 'Ze zag er gewoon zo onschuldig uit, zo maagdelijk.'
'Als de verhalen kloppen, was ze juist een enorme flirt. Het tegenovergestelde van maagdelijk, zou ik eerder zeggen.'
'Misschien was dat wel een deel van de charme,' gaf Banks toe. 'Dat je wist dat ze... het deed. Er waren talloze geruchten. Gene Pitney. Mick Jagger. Allerlei wilde feesten en zo.'
'Heilige en zondaar in één,' zei Annie. 'Alsof ze voor jou geschapen was.'
'Jezus, Annie, ik was nog maar een jochie.'
'Maar wel een heel geil jochie, zo te horen.'
'Waar hield jij je dan mee bezig toen je veertien was?'
'Dat weet ik niet meer. Misschien wel met jongens, maar niets seksueels. Lekker lol trappen. Romantiek. Kleding. Make-up.'
'Misschien heb ik me daarom wel altijd aangetrokken gevoeld tot oudere vrouwen,' zei Banks.
Annie gaf hem een stevige por tussen zijn ribben.
'Au! Waar was dat nu voor nodig?'
'Dat weet je best. Zet de auto daar maar neer. Mannen,' zei ze, toen Banks de auto parkeerde en ze uit de auto stapte. 'Wanneer jullie jong zijn, willen jullie een oudere vrouw en wanneer jullie oud zijn, willen jullie een jonge.'
'Tegenwoordig,' zei Banks, 'neem ik genoegen met wat ik maar kan krijgen.'
'Leuk om te horen.' Annie drukte op de bel en zag enkele seconden later door het melkwitte glas een schaduw in hun richting komen lopen.
Lauren Anderson droeg een spijkerbroek en een trui met een V-hals en had geen make-up op. Ze was jonger dan Banks had verwacht, tenger, met volle lippen, een bleek, ovaalvormig gezicht en dromerige, lichtblauwe ogen, omlijst door lang, kastanjebruin haar dat over haar schouders viel. Toen ze de deur had geopend, sloeg ze haar armen om zich heen alsof ze het koud had.
'Politie,' zei Banks. 'Mogen we binnenkomen?'

'Natuurlijk.' Lauren deed een pas opzij.
'Hierheen?' vroeg Banks, en hij wees naar de deur die volgens hem naar de woonkamer leidde.
'Dat is goed. Zal ik thee zetten?'
'Graag,' zei Annie, en ze liep achter haar aan naar de keuken.
Banks hoorde hen daar praten en inspecteerde zelf intussen snel de woonkamer. Hij was onder de indruk van de boekenplanken die twee muren in beslag namen en bijna bezweken onder het gewicht van klassiekers die hij ooit nog wilde lezen, maar waar hij nooit aan toekwam. Alle groten uit de Victoriaanse tijd en ook de belangrijkste Russische en Franse schrijvers. Een klein aantal recente titels: Ian McEwan, Graham Swift, A.S. Byatt. Ook heel veel poëzie, van Heaneys moderne versie van *Beowulf* tot het laatste nummer van *Poetry Review*, dat op de salontafel lag. Ook toneelstukken: Tennessee Williams, Edward Albee, Tom Stoppard, de belangrijkste schrijvers uit de Elizabethaanse periode en de bekendste jakobieten. Een hele sectie was gewijd aan kunst en een andere aan klassieke mythologie. Bovendien ook diverse rijen literairkritische werken, van Aristoteles' *Poetica* tot David Lodges werk over de grillen van het poststructuralisme. De meeste muziek in het rek met cd's was klassiek, met een sterke voorkeur voor Bach, Mozart en Händel.
Banks zocht een comfortabele stoel uit en ging zitten. Even daarna kwamen Annie en Lauren binnen met de thee. Banks had een asbak op tafel zien staan en bovendien de geur van oude rook in de kamer opgevangen, dus vroeg hij of hij mocht roken. Lauren vond het geen probleem en accepteerde een van de Silk Cuts die hij haar aanbood. Annie trok verachtelijk haar neus op zoals alleen een voormalig roker dat kan.
'Het is een mooi huis,' zei Banks.
'Dank u wel.'
'Woont u hier alleen?'
'Nu wel. Ik heb het een tijdje met een van de andere leraressen gedeeld, maar ze heeft een paar maanden geleden een eigen flat gevonden. Ik denk dat ik het prettiger vind om alleen te wonen.'
'Ik kan u geen ongelijk geven,' zei Banks. 'De reden waarom we hier zijn, is dat we te horen hebben gekregen dat u Luke Armitage extra Engelse les gaf en we vroegen ons af of u ons iets meer over hem kunt vertellen.'
'Het klopt inderdaad dat ik Luke bijles heb gegeven, maar ik weet niet zeker of ik u veel over hem kan vertellen.' Lauren zat met haar voeten onder zich opgetrokken op de kleine bank en hield haar theekopje met beide handen vast. Ze blies zachtjes in haar thee. 'Hij lag zo enorm voor op de rest van de klas dat hij zich op school ongetwijfeld stierlijk ver-

veelde. Vaak lag hij zelfs ver voor op mij.' Ze schoof een paar lastige plukjes haar uit haar gezicht.
'Was hij zó goed?'
'Zijn enthousiasme bood meer dan genoeg compensatie voor het gebrek aan goede scholing.'
'Ik heb begrepen dat hij ook een begenadigd schrijver was.'
'Bijzonder begenadigd. Ook daarin moest hij zich nog een zekere discipline eigen maken, maar hij was jong, ongevormd. Hij zou het ver hebben geschopt, als... als...' Ze nam het kopje in één hand en wreef met haar mouw over haar ogen. 'Het spijt me,' zei ze. 'Ik kan het maar niet van me af zetten. Luke. Dood. Zo tragisch.'
Annie gaf haar een papieren zakdoekje uit een doos Kleenex die op een van de boekenplanken stond. 'Dank u wel,' zei ze, en ze snoot haar neus. Ze verschoof een stukje op de bank en Banks zag dat de nagels van haar blote voeten rood waren gelakt.
'Ik weet dat het moeilijk te geloven is,' zei hij, 'maar ik ben ervan overtuigd dat u inziet waarom we zo veel mogelijk over hem te weten moeten komen.'
'Ja, natuurlijk. Maar zoals ik eerder al zei, ik weet niet of ik u veel kan vertellen.'
'Volgens Alastair Ford bent u iemand die goed kan luisteren wanneer anderen over hun problemen vertellen.'
Ze snoof minachtend. 'Alastair! Wat hij waarschijnlijk bedoelde is dat hij mij een nieuwsgierig kreng vindt. Alastair zorgt dat hij mijlenver uit de buurt komt zodra iemand aanstalten maakt om ook maar iets te zeggen over de verwrongen en onderdrukte emoties die hij zelf bezit.'
Banks had hetzelfde gedacht, ook al zou hij het niet zo hebben gezegd. Zijn eerste indruk was dat Lauren Anderson wellicht de normaalste vriend was die Luke had gehad. Zeker in vergelijking met Ford en Wells.
'Heeft Luke wel eens over zichzelf gesproken?'
'Zelden,' zei Lauren. 'Luke kon zeer gereserveerd zijn.'
'Maar het kwam wel voor?'
'Soms liet hij zijn waakzaamheid een beetje varen, ja.'
'Waar praatte hij dan over?'
'Ach, de gebruikelijke dingen. School. Zijn ouders.'
'Wat zei hij daarover?'
'Hij had een gruwelijke hekel aan school. Niet alleen verveelde hij zich te pletter, maar hij had ook een hekel aan de discipline, de formaliteit.'
Banks dacht aan de jongens die Luke op het plein hadden gepest. 'Werd hij ook getreiterd?'

'Ja, ook. Maar dat had weinig om het lijf. Luke is nooit in elkaar geslagen of iets dergelijks.'
'Wat dan wel?'
'Hij werd wel gepest. Uitgescholden. Een beetje geduwd. O, ik wil niet zeggen dat het hem niet heeft gekwetst. Hij was erg gevoelig. Maar op de een of andere manier sloeg hij zich er wel doorheen.'
'Wat bedoelt u daarmee?'
'Hij zat er niet echt mee. Hij besefte dat de jongens die dat deden stomme sukkels waren en dat ze er zelf ook niets aan konden doen. En hij had ook door dat ze het deden omdat hij anders was.'
'Beter?'
'Nee, ik denk niet dat Luke ooit heeft gedacht dat hij beter was dan een ander. Hij wist wel dat hij anders was.'
'Wat heeft hij u over zijn ouders verteld?'
Lauren antwoordde niet meteen, maar zei toen: 'Het was iets heel persoonlijks.'
Annie boog zich voorover. 'Mevrouw Anderson,' zei ze. 'Luke is dood.'
'Ja. Ja, dat weet ik.'
'En we moeten echt alles over hem weten.'
'Maar u denkt toch niet dat zijn ouders bij zijn dood betrokken zijn?'
'Wat heeft hij u over hen verteld?'
Lauren zweeg even, maar ging toen verder. 'Niet veel. Het was duidelijk dat hij thuis niet gelukkig was. Hij zei dat hij van zijn moeder hield, maar ik had de indruk dat hij niet echt met zijn stiefvader overweg kon.'
Dat kon Banks zich heel goed voorstellen. Martin Armitage was een fysieke, dominante persoonlijkheid die gewend was om zijn zin door te drijven en had waarschijnlijk totaal niets gemeen gehad met zijn stiefzoon. 'Had u het idee dat zijn stiefvader hem mishandelde?' vroeg hij.
'Lieve hemel, nee,' zei Lauren. 'Niemand heeft hem geslagen of op een andere manier mishandeld. Het kwam doordat... ze waren zo heel anders. Ze hadden geen enkele gemeenschappelijke interesse. Om te beginnen gaf Luke bijvoorbeeld totaal niets om voetbal.'
'Was Luke van plan iets aan zijn problemen te doen?'
'Nee. Wat had hij eraan kunnen doen? Hij was pas vijftien. Misschien zou hij over een jaar of twee uit huis zijn gegaan, maar dat zullen we nu nooit weten natuurlijk. Voorlopig moest hij ermee leren leven.'
'Sommige kinderen hebben het veel zwaarder,' zei Banks.
'Dat klopt. Zijn ouders zijn welgesteld en het ontbrak Luke niet aan ma-

teriële zaken. Ik weet zeker dat zijn moeder en stiefvader veel van hem hielden. Hij was een gevoelige, creatieve jongen met een lompe stiefvader en een leeghoofdige moeder.'

Banks zou Robin Armitage nooit leeghoofdig hebben genoemd en waarschijnlijk liet Lauren zich in haar mening leiden door hetzelfde vooroordeel over modellen dat ook bij veel andere mensen leefde. 'En Neil Byrd?' vervolgde hij. 'Heeft Luke het wel eens over hem gehad?'

'Vrijwel nooit. Hij raakte altijd van slag wanneer dat onderwerp ter sprake kwam. Werd zelfs boos. Er waren verschillende dingen waar Luke voor zichzelf nog niet uit was. Het was duidelijk dat je je daar niet mee moest bemoeien.'

'Kunt u dat een beetje uitleggen?'

Er lag een diepe rimpel op Laurens voorhoofd. 'Ik denk dat hij boos was omdat hij zijn vader nooit heeft gekend. Boos, omdat Neil Byrd hem in de steek had gelaten toen hij nog een baby was en toen zelfmoord heeft gepleegd. Kunt u zich voorstellen hoe ú zich daaronder zou voelen? Dat je zo weinig voor je vader betekent dat hij niet eens wil blijven leven om je te zien opgroeien?'

'Weet u misschien of er iets bijzonders was dat hem de laatste tijd dwarszat, iets waarover hij wellicht alleen met u heeft gesproken?'

'Nee. De laatste keer dat ik hem zag, aan het eind van het schooljaar, keek hij erg uit naar de zomervakantie. Ik heb hem toen een leeslijst meegegeven.'

'*Een portret van de kunstenaar als jongeman* en *Misdaad en straf*?'

Ze zette grote ogen op. 'Dat waren inderdaad twee van de boeken. Hoe weet u dat?'

'Dat doet er niet toe,' zei Banks. 'Wat hielden die extra lessen van u precies in?'

'Ik liet hem vaak iets lezen, een roman of een paar gedichten, en dan bespraken we het hier. Vaak ging het gesprek vanzelf over op andere dingen, zoals schilderkunst, geschiedenis, de Griekse en Romeinse mythologie. Zijn kennis en begrip van literatuur gingen heel diep, waren heel volwassen. Hij had ook een onstilbare honger naar meer.'

'Volwassen genoeg voor Rimbaud, Baudelaire en Verlaine?'

'Rimbaud was zelf nog een kind. En jonge tieners voelen vaak een sterke verwantschap met Baudelaire.'

'*Le Poëte se fait voyant par un long, immense en raisonné dérèglement de tous les sens,*' citeerde Banks, en hij hoopte dat zijn uitspraak niet al te onverstaanbaar was. 'Zegt dat u iets?'

'Ja, uiteraard. Het is Rimbauds beschrijving van de methode die hij

gebruikte om zichzelf in een "ziener" te veranderen. "Een totale ontregeling van de zintuigen."'
'Die tekst staat op de muur in Luke's slaapkamer geschreven. Kwamen er drugs aan te pas?'
'Voorzover ik weet niet. In Luke's geval beslist niet. Het gaat erom dat je jezelf blootstelt aan allerlei ervaringen. Eerlijk gezegd keurde ik Luke's fascinatie voor Rimbaud af. Vaak gaat het in dergelijke gevallen om een fascinatie voor het romantische beeld van een getormenteerde kinddichter, niet om het werk zelf.'
Banks was niet van plan zich te laten verleiden tot een discussie over literaire kritiek en ging verder. 'Klopt het dat u dacht dat u op vertrouwelijke voet stond met Luke?'
'Ergens wel, ja. Voorzover je vertrouwelijk met hem kon omgaan dan. Hij gaf zich nooit bloot, was een beetje een kameleon, vaak humeurig ook, stil en in zichzelf gekeerd. Maar ik mocht hem graag en geloofde in zijn talent, als u dat bedoelt.'
'Als Luke naar u toe was gekomen om u om hulp te vragen, zou u hem dan hebben geholpen?'
'Dat hangt af van de omstandigheden.'
'Als hij bijvoorbeeld van huis was weggelopen.'
'Dan zou ik alles hebben gedaan om hem op andere gedachten te brengen.'
'Dat klinkt als een standaardantwoord.'
'Dat is nu eenmaal wat ik zou doen.'
'U zou hem niet in huis nemen?'
'Natuurlijk niet.'
'We weten namelijk niet waar hij op de dag van zijn verdwijning naartoe is gegaan. Vanaf een uur of halfzes zijn we het spoor bijster. Hij is het laatst gezien toen hij in noordelijke richting over Market Street liep. Dan zou hij uiteindelijk in uw wijk zijn terechtgekomen, is het niet?'
'Jawel, maar... Ik bedoel... Waarom zou hij hiernaartoe komen?'
'Misschien omdat hij u vertrouwde, uw hulp ergens voor nodig had.'
'Ik kan echt niets bedenken.'
'Wanneer zou uw volgende afspraak met hem zijn?'
'Pas als de school weer begint. Ik ga volgende week tot het eind van de vakantie naar huis. Mijn vader is de laatste tijd niet in orde en mijn moeder kan het in haar eentje niet aan.'
'Het spijt me dat te horen. Waar is thuis?'
'Zuid-Wales. Tenby. Een slaperig dorpje, maar wel aan zee, met veel kliffen om op te wandelen en na te denken.'

'En u weet zeker dat Luke maandag een week geleden niet bij u is geweest?'
'Ja, natuurlijk weet ik dat zeker. Hij had er geen enkele reden voor.'
'U was slechts een docent, meer niet?'
Lauren keek hem woedend aan en stond op. 'Wat wilt u daarmee zeggen? Wat probeert u te insinueren?'
Banks stak zijn hand op. 'Ho, ho. Rustig aan. Ik dacht alleen maar dat hij u misschien als een vriend en mentor beschouwde, iemand naar wie hij toe kon als hij problemen had.'
'Dat is dus niet zo. Hoor eens, ik was een week geleden op maandag niet eens thuis.'
'Waar was u dan?'
'Op bezoek bij mijn broer Vernon.'
'Waar woont Vernon?'
'Harrogate.'
'Hoe laat bent u vertrokken?'
'Rond vijf uur. Even na vijven.'
'En hoe laat bent u weer teruggekomen?'
'De volgende dag pas. Om u de waarheid te zeggen, had ik die dag iets te veel gedronken. Te veel om het risico te nemen en nog te rijden in elk geval. Ik heb bij Vernon op de bank geslapen. Ik was pas op dinsdag rond lunchtijd weer terug.'
Banks wierp een blik op Annie, die haar opschrijfboekje wegstopte en de compositietekening uit haar koffertje haalde. 'Hebt u dit meisje wel eens gezien, mevrouw Anderson?' vroeg ze. 'Denkt u alstublieft rustig na.'
Lauren bekeek de tekening en schudde toen haar hoofd. 'Nee. Ik ken dit soort outfits wel, maar het gezicht komt me niet bekend voor.'
'Niet iemand van school?'
'Ik denk niet dat dit een leerling van onze school is, ik herken haar in elk geval niet.'
'We denken dat ze misschien Luke's vriendinnetje is,' zei Banks. 'We proberen haar te vinden.'
Lauren wierp even een blik op Banks. 'Vriendinnetje? Luke had helemaal geen vriendinnetje.'
'Hoe weet u dat? U zei net dat hij u niet alles vertelde.'
Ze friemelde aan de rand van de V-hals. 'Maar... Maar ik zou het hebben geweten.'
'Dat hoeft denk ik niet per se,' zei Banks. 'Wist u bijvoorbeeld van Luke's relatie met Rose Barlow?'
'Luke en Rose Barlow?'

'Ik heb gehoord dat Luke en zij goed bevriend waren.'
'Wie heeft u dat verteld?'
'Is het waar?'
'Ik geloof dat ze begin dit jaar een paar keer samen zijn uit geweest. Rose Barlow is een totaal ander type dan Luke. Lang niet zo intelligent.'
'Dus het heeft niet lang geduurd.'
'Voorzover ik weet niet. Maar zoals u al zei, ik was ook niet van alles op de hoogte.'
Banks en Annie stonden op om te vertrekken. Lauren bracht hen naar de voordeur.
'Dank u wel voor uw tijd,' zei Banks. 'Als u zich nog iets anders herinnert, laat u het ons dan weten?'
'Ja, natuurlijk,' zei Lauren. 'Ik hoop dat u degene die dit heeft gedaan te pakken krijgt. Luke had nog zo'n veelbelovende toekomst voor zich.'
'Maakt u zich maar geen zorgen,' zei Banks met meer overtuiging dan hij zelf voelde. 'Dat zal ons heus wel lukken.'

Nadat ze Banks had gebeld, had Michelle gewikt en gewogen of ze Shaw moest confronteren met haar ontdekking. Iedereen die toegang tot het archief had, zou de opschrijfboekjes en het opdrachtenlogboek met het grootste gemak uit de dozen hebben kunnen gehaald. Michelle zou het zo zelf gedaan kunnen hebben, dus een agent van Shaws rang zou er al helemaal gemakkelijk mee wegkomen. Mevrouw Metcalfe was beslist niet iemand die lastige vragen zou stellen.
Toch weerhield iets haar van deze directe benadering. Ze moest het immers eerst zeker weten. Wanneer zoiets eenmaal hardop was uitgesproken, kon het niet meer worden teruggenomen. Ze was die ochtend onmiddellijk teruggegaan naar het archief, maar ook die zoektocht had niets opgeleverd, wat haar er in elk geval van had overtuigd dat de dingen die ze zocht inderdaad kwijt waren. Ze hadden er gewoon moeten zijn.
Wat ze nu eerst moest doen, was goed nadenken. Nadenken over wat dit kon betekenen. Dat kon niet in het politiebureau waar Shaw overal in- en uitliep, dus ze besloot naar de Hazels te rijden en nogmaals Grahams krantenroute te lopen.
Ze zette haar auto voor de rij winkels tegenover de rijtjeshuizen en bleef even stilstaan om te genieten van de zon die op haar haren scheen. Ze keek naar de tijdschriftenwinkel die nu door mevrouw Walker werd gerund. Daar was het allemaal begonnen. In een opwelling liep Michelle de winkel binnen, waar ze de robuuste, grijsharige oude vrouw aantrof die bezig was de kranten op de toonbank te rangschikken.

'Dag,' zei de vrouw glimlachend. 'Wat kan ik voor u doen?'
'Bent u mevrouw Walker?'
'Ja zeker.'
'Ik weet niet of u echt iets kunt doen,' zei Michelle en ze liet haar pas zien, 'maar u hebt misschien gehoord dat we onlangs een skelet hebben gevonden...'
'Van de jongen die hier vroeger werkte?'
'Ja, dat klopt.'
'Ik heb het gelezen. Vreselijk.'
'Zegt u dat wel.'
'Ik weet niet wat ik voor u kan doen. Dat was allemaal voor mijn tijd.'
'Wanneer bent u hier gekomen?'
'Mijn man en ik hebben de winkel in de herfst van 1966 gekocht.'
'Hebt u de winkel indertijd overgenomen van meneer Bradford, de vorige eigenaar?'
'Voorzover ik weet wel. De makelaar heeft alles geregeld, samen met mijn man, natuurlijk, God hebbe zijn ziel.'
'Is meneer Walker overleden?'
'Al meer dan tien jaar geleden.'
'Wat erg.'
'Nou, hij was heel snel weg. Heeft niets gemerkt. Een aneurysma in de hersenen. We hebben een goed leven gehad samen en hij heeft me goedverzorgd achtergelaten.' Ze keek de winkel rond. 'Niet dat het een goudmijn is, maar ik verdien er genoeg mee. Zwaar werk. Mensen zeggen wel eens dat ik met pensioen zou moeten gaan en alles zou moeten verkopen, maar wat moet ik dan met al die vrije tijd?'
'Kende u Graham Marshall?'
'Nee. We zijn hier vanuit Spalding naartoe verhuisd, dus in het begin kenden we helemaal niemand. We zochten een leuke, kleine winkel en deze stond te koop en was betaalbaar. Goede timing, ook, want de nieuwbouwprojecten gingen in 1967 van start, net nadat we hier waren gekomen.'
'Hebt u meneer Bradford ook ontmoet?'
'O, ja. Hij was heel behulpzaam bij de overdracht. Heeft ons alles uitgelegd.'
'Wat was hij voor soort man?'
'Ik kende hem niet echt goed, hoor. Mijn man regelde vrijwel alles met hem. Maar hij leek heel gewoon. Een aardige man wel. Een beetje kortaf misschien. Een stramme, haast militaire man. Ik herinner me nog dat hij iets hoogs was geweest in de oorlog, lid van een of andere speciale een-

heid in het voormalige Birma. Maar hij was zeer behulpzaam.'
'Hebt u nog contact met hem gehad nadat u de zaak had overgenomen?'
'Nee.'
'Heeft hij het ooit over Graham gehad?'
'O, ja. Dat is de reden waarom hij is weggegaan. Een van de redenen, in elk geval. Hij zei dat hij geen plezier meer in het werk had na de verdwijning van die jongen en dat hij wilde verhuizen om het te kunnen vergeten.'
'Weet u waar hij naartoe is verhuisd?'
'Het noorden, zei hij. Carlisle.'
'Dat is beslist niet naast de deur.'
'Nee.'
'Ik neem niet aan dat u zijn adres hebt gekregen?'
'Weet u het dan nog niet? Meneer Bradford is overleden. Nog geen week na de verhuizing omgekomen bij een inbraak. Tragisch. Het heeft toentertijd in alle kranten gestaan.'
'Is het werkelijk?' zei Michelle nieuwsgierig. 'Nee, dat wist ik inderdaad niet.' Het was voor haar onderzoek waarschijnlijk ook niet relevant, maar verdacht was het wel. Een van de mensen die Graham als laatste levend hadden gezien was zelf kort daarna vermoord.
Michelle bedankte mevrouw Walker en liep weer naar buiten. Ze stak de straat over en begon aan de wandeling langs Hazel Crescent, dezelfde route die Graham al die jaren geleden zou hebben gevolgd. Het was vroeg op de ochtend geweest op die dag in augustus 1965, herinnerde ze zich; de zon was net opgekomen, maar door een bewolkte lucht was het toch nog vrij donker geweest. Het was zaterdagavond natuurlijk laat geworden en iedereen sliep uit, zelfs de kerkgangers waren nog niet wakker geweest. Achter de ramen van een of twee mensen die de slaap niet konden vatten of altijd vroeg opstonden had misschien licht geschenen, maar niemand had iets gezien.
Aan het eind van de wijk bereikte ze Wilmer Road. Zelfs nu, jaren later en halverwege de ochtend, was er weinig verkeer en het meeste daarvan was bestemd voor de doe-het-zelfzaak die er in 1965 niet was geweest. Michelle wist vrijwel zeker dat Graham zijn aanvaller had gekend en dat hij vrijwillig met zijn tas kranten in de auto was gestapt. Als iemand had geprobeerd hem met geweld de auto in te sleuren, zou hij de kranten hebben laten vallen en had hij uit alle macht tegengestribbeld, en het was niet waarschijnlijk dat de aanvaller tijd had verspild om ze op te rapen.
Waardoor zou Graham zich hebben laten overhalen om ergens naartoe

te gaan voordat hij zijn krantenwijk had afgemaakt? Een noodgeval in de familie misschien? Michelle betwijfelde het. Zijn ouders woonden in de buurt, op slechts enkele honderden meters afstand; daar had hij te voet in nog geen minuut naartoe kunnen gaan. Veertienjarige kinderen konden soms natuurlijk bijzonder onverantwoordelijk met hun taken omspringen en misschien was dat ook wel wat hij had gedaan, was hij er gewoon tussenuit geknepen zonder zijn werk af te maken.
Michelle bleef op straat naar de mensen staan kijken die van en naar de doe-het-zelfzaak liepen en dacht weer aan de vermiste opschrijfboekjes en het opdrachtenlogboek, tot er een gedachte bij haar opkwam die zo voor de hand lag dat ze zichzelf wel had kunnen slaan omdat ze het niet eerder had bedacht.
Nu plotseling tot haar was doorgedrongen wat ze direct had moeten inzien toen ze ontdekte dat ze werden vermist, baarde het feit dat de vermiste opschrijfboekjes van hoofdinspecteur Shaw waren haar extra zorgen. Shaw had als eenvoudige agent, een nieuweling in het korps haast, aan de zaak gewerkt, dus wat zou hij in vredesnaam te verbergen kunnen hebben gehad? Hij had geen macht gehad, had geen leidinggegeven en had al helemaal geen dagopdrachten uitgedeeld. Hij was slechts meegegaan om aantekeningen te maken van de gesprekken die inspecteur Reg Proctor had gevoerd, meer niet.
Michelle had zich voornamelijk op Shaw geconcentreerd, omdat ze hem niet mocht en aanstoot nam aan de manier waarop hij haar behandelde, maar als puntje bij paaltje kwam was degene die het onderzoek had geleid, degene die misschien het meest te vrezen had van een mogelijk onderzoek naar zijn handel en wandel niet Shaw geweest, maar die legende van het plaatselijke korps: hoofdinspecteur Jet Harris.
Michelle liep terug naar de plek bij de winkels waar ze haar auto had achtergelaten en dacht onder het lopen na over Jet Harris en wat hij mogelijkerwijs te verbergen zou kunnen hebben gehad. Misschien was ze te diep in gedachten verzonken en lette ze niet zo goed op als anders toen ze de weg overstak, maar daar stond tegenover dat het ook mogelijk was dat het beige bestelbusje met de gekleurde ramen pas werd gestart toen ze passeerde en gaf de bestuurder inderdaad flink gas toen ze de weg opliep. Hoe het ook zij, ze zag het busje razendsnel op zich afkomen en had nog net genoeg tijd om weg te duiken. De zijkant van het busje raakte haar heup, waardoor ze struikelde, haar armen uitstrekte om de val op te vangen en met haar gezicht op het warme asfalt viel. Een automobilist toeterde en stuurde opzij om haar te ontwijken, en van de overkant van de weg kwam een vrouw aansnellen om haar overeind te helpen. Tegen de

tijd dat Michelle besefte wat er was gebeurd, was het busje al uit het zicht verdwenen. Eén ding herinnerde ze zich echter wel: het nummerbord zat onder zo'n dikke laag modder dat ze het met geen mogelijkheid had kunnen ontcijferen.
'Nou ja,' zei de vrouw die Michelle hielp verontwaardigd. 'Autobestuurders, je zou ze. Ik weet niet waar het naartoe moet met de wereld, echt niet. Gaat het een beetje?'
'Ja,' zei Michelle, en ze klopte het vuil van haar kleding. 'Ja, hoor, het gaat prima, dank u wel. Een beetje geschrokken, meer niet.' Toen ze in haar eigen auto stapte, trilde ze nog steeds. Ze klemde zich vast aan het stuur, ademde een paar keer diep in en wachtte tot het bonzen van haar hart was bedaard voordat ze terugreed naar het bureau.

'Red je het een dag of twee in je eentje?' vroeg Banks aan Annie toen ze rond lunchtijd een biertje dronken in de Queen's Arms. Net als de meeste andere pubs in de omgeving was het er sinds de mond-en klauwzeerepidemie heel rustig en zelfs de jukebox en apparaten met videospelletjes zwegen. Een van de boeren uit de streek die al veel te veel had gedronken, stond op de onhandige aanpak van de ziekte door de regering te foeteren tegen de kroegbaas Cyril, die af en toe uit beleefdheid instemmend iets bromde. Iedereen had eronder te lijden, niet alleen de boeren, maar ook kroegeigenaren, mensen met een bed&breakfast, plaatselijke winkeliers, slager, bakker en noem maar op, je kon het zo gek niet bedenken. En in tegenstelling tot de boeren kregen die mensen geen vergoeding van de overheid. Ongeveer een week geleden had de eigenaar van een zaak met wandelspullen in Helmthorpe zelfmoord gepleegd, omdat zijn bedrijfje failliet zou gaan.
Annie zette haar glas neer. 'Ja, natuurlijk,' zei ze. 'Wat is er dan?'
'Morgen wordt Graham Marshall begraven. De kans is groot dat een paar oude vrienden van me daarbij aanwezig zijn. Ik wil er vanavond graag naartoe.'
'Geen enkel probleem. Heb je het de baas al gevraagd?'
'Hoofdinspecteur Gristhorpe heeft me toestemming gegeven om twee dagen weg te blijven van school. Ik wilde eerst even met jou overleggen voordat ik ervandoor ging.'
'Ik heb voorlopig genoeg te doen. En over school gesproken, ik meen me te herinneren dat je niet tevreden was over je gesprek met Alastair Ford gisteren?'
Banks stak een sigaret op. 'Nee,' zei hij. 'Dat ben ik inderdaad niet. Helemaal niet.'

'Staat hij nu op je verdachtenlijstje?'
'Daar ben ik nog niet over uit. Misschien was het allemaal net iets te veel van het goede, eerst Norman Wells en direct daarna hij. Zijn huis ligt heel geïsoleerd, waardoor het een uitstekende plek is om iemand gevangen te houden of te vermoorden en dan het lichaam midden in de nacht ergens te dumpen zonder dat je buren iets zien. Tegenwoordig kun je echter zelfs ongestraft midden in het centrum een moord plegen, aangezien mensen nergens meer op letten en niet bereid zijn om ergens bij betrokken te raken.'
'Gelukkig hebben we de CCTV-camera's nog.'
'Wat hebben we daar nu helemaal aan gehad? Trouwens, Ford is een einzelgänger. Hij beschermt zijn privacy desnoods met geweld, voelt zich ver verheven boven mensen die graag een praatje met elkaar maken en hun mening met anderen delen. Hij zou best eens homoseksueel kunnen zijn, gezien zijn beslist vreemde reactie op mijn vraag naar mogelijke mannelijke geliefden, maar dat is niet genoeg om hem als verdachte aan te merken. We weten nog niet wat het motief is geweest voor de moord op Luke en volgens dokter Glendenning was er geen bewijsmateriaal dat duidde op seksueel misbruik, hoewel dergelijke sporen heel goed kunnen zijn uitgewist omdat het lichaam een paar dagen in het water heeft gelegen. Weet je wat het is, Annie, hoe meer ik erover ga nadenken, hoe sterker mijn overtuiging wordt dat de ontvoering slechts een rookgordijn is, en vreemd genoeg kan dat wel eens de belangrijkste aanwijzing zijn.'
Annie fronste haar wenkbrauwen. 'Wat bedoel je daar precies mee?'
'Geef mij eens een goede reden voor die ontvoering. Als iemand Luke gewoon dood wilde hebben, om wat voor reden dan ook, waarom zouden ze dan zo'n ingewikkeld en twijfelachtig kidnapplan op touw zetten en daarmee het risico vergroten dat ze tegen de lamp lopen?'
'Geld?'
'Jawel, maar je gaf zelf al aan dat de dader een opvallend laag bedrag heeft gevraagd. Dit zijn geen ervaren criminelen.'
'Dat zit me inderdaad dwars. Dat bracht me op het idee dat hij op de hoogte moet zijn geweest van de financiële positie van de Armitages. Om Luke terug te krijgen, zouden ze tienduizend pond nog wel bij elkaar kunnen schrapen, maar meer beslist niet, zeker niet op zo'n korte termijn.'
'Maar Luke was al dood.'
'Ja. Misschien heeft hij geprobeerd te ontsnappen.'
'Zou kunnen. Of misschien moeten we het dichter bij huis zoeken.'

'Zijn ouders?'
'Dat kan toch?' zei Banks. 'Misschien hebben we het steeds van de verkeerde kant benaderd. Misschien heeft Martin Armitage Luke vermoord en toen deze ingewikkelde nepontvoering op touw gezet om ons op een dwaalspoor te brengen.'
'Martin?'
'Waarom niet? Uit zijn verklaring blijkt dat hij op de avond van Luke's verdwijning twee uur is weg geweest en hij beweert dat hij zomaar wat heeft rondgereden. Misschien heeft hij Luke wel gevonden en hebben ze ruzie gekregen, waarbij Luke om het leven is gekomen. Wellicht per ongeluk. Heeft hij hem overdreven hard aangepakt. Dat zou in het geval van Martin Armitage niet ongebruikelijk zijn. Uit wat Lauren Anderson heeft gezegd en uit wat jij me hebt verteld, maak ik op dat Luke een moeizame relatie met zijn stiefvader had. Armitage is in veel opzichten de tegenpool van Neil Byrd. Byrd was gevoelig, creatief, artistiek en had tevens veel van de problemen die daar onlosmakelijk mee verbonden lijken te zijn, zoals een drugs- en alcoholverslaving, de behoefte aan vergetelheid, aan experimenteren, aan volledig in zichzelf opgaan, wisselende stemmingen, depressies. Het viel vast niet mee om Neil Byrd te zijn, zoals vaak ook uit zijn nummers wel blijkt, maar hij had een soort verhoogde spirituele staat voor ogen, een soort transcendentie, en hij geloofde dat hij daar van tijd tot tijd een glimp van opving. Ze schonken hem genoeg hoop om door te zetten, een tijd lang in elk geval. Ik heb vaak gedacht dat zijn nummers ook een schreeuw om hulp waren en in Luke's nummers klinkt daar ook iets van door.'
'En Martin Armitage?'
'Fysiek, rationeel, krachtig, gezond. Voetbal was zijn leven. Hij kon erdoor de sloppenwijken achter zich laten en werd een nationale bekendheid. En het verschafte hem rijkdom. Ik durf te wedden dat hij heel wat bier heeft gedronken in zijn leven, maar ik denk niet dat hij ooit met andere zaken heeft geëxperimenteerd. Ik geloof niet dat hij veel begrip of verdraagzaamheid kon opbrengen voor de erfelijke kunstzinnige aanleg van zijn stiefzoon. Waarschijnlijk het type dat artistieke interesses associeert met homoseksualiteit. Ik geloof wel dat hij heeft geprobeerd om een liefhebbende vader te zijn en de jongen als zijn eigen zoon behandelde, maar Luke had nu eenmaal Neil Byrds genen in zich.'
'En Robin?'
'Dat is een heel interessante vraag,' zei Banks. 'Wat denk jij? Je hebt haar vaker gesproken dan ik.'
'Ze heeft duidelijk een paar wilde jaren achter de rug. Seks, drugs en

rock-'n-roll. Al jong beroemd en rijk, wat snel tot een losbandig leven leidt. Ze is er echter in geslaagd om uit het dal te klimmen, met haar zoon. Ik zou zeggen dat ze taaier is dan ze eruitziet en ze was ongetwijfeld dol op Luke, maar wist evenmin als haar man hoe ze met zijn problemen moest omgaan. Ik denk dat jongens als Luke een geheime wereld bedenken om volwassenen buiten te sluiten en zichzelf te beschermen, ook tegen hun leeftijdsgenoten. Hij bracht de meeste tijd waarschijnlijk in zijn kamer door, om te lezen, te schrijven of nummers op te nemen. Die zwarte kamer.'
'Denk je dat hij de ambitie had om in zijn vaders voetstappen te treden?'
'In muzikaal opzicht misschien wel. Ik denk echter dat zijn houding jegens zijn vader heel complex en dubbelzinnig was. Een mengeling van bewondering en woede, omdat hij hem in de steek had gelaten.'
'Niets van dit alles lijkt te leiden naar een motief,' zei Banks. Hij drukte zijn sigaret uit. 'En wat vind je van Josie en Calvin Batty?'
'Als verdachten?'
'In het algemeen.'
'Josie is tot dusver de enige met wie we hebben gesproken die zegt dat ze Luke met dat getatoeëerde meisje heeft gezien.'
'Norman Wells herkende de beschrijving ook.'
'Jawel,' merkte Annie op. 'Maar niet in connectie met Luke. Ik zeg niet dat we onze zoektocht naar haar moeten opgeven, maar we moeten ook niet al onze hoop op haar vestigen. We moeten alle opties in deze zaak open blijven houden.'
'Akkoord.'
'O, ja, Winsome heeft informatie aangevraagd over alle autodiefstallen die in de omgeving van Eastvale zijn gemeld op de avond van Luke's verdwijning. Twee ervan zijn veelbelovend: een auto die is achtergelaten bij Hawes in Wensleydale en de andere in Richmond.'
'Dan moeten we Stefans team beide laten controleren op bloedsporen.'
Annie maakte een aantekening. 'Oké.'
De serveerster bracht hun lunchgerechten: een broodje gezond voor Annie en lasagne met friet voor Banks. Normaalgesproken vond hij de lasagne in pubs niet te eten, omdat hij vaak heel soppig was, maar de lasagne van Cyrils vrouw Glenys was een uitzondering.
'Over auto's gesproken,' zei Banks nadat hij een paar happen had genomen. 'Hoever is het forensisch team met de wagen van Norman Wells?'
'Stefan heeft een paar uur geleden gebeld. Nog niets. Verwacht je dan dat het echt iets oplevert?'
'Misschien niet. Maar het moet wel gedaan worden.'

'Denk je dat we hem op het bureau hadden moeten vasthouden?'
Banks gaf niet meteen antwoord, maar nam eerst een slok bier. 'We hebben niets waarop we hem kunnen pakken,' zei hij toen. 'En hij heeft wel een winkel. Bovendien geloof ik niet dat meneer Wells ervandoor zal gaan.'
'En Lauren Anderson?'
'Ik vond dat die dame net iets te fel reageerde.'
'Wat wil je daarmee zeggen?'
'Dat weet ik nog niet. Alleen dat haar reactie op een eenvoudige vraag tamelijk overdreven was.'
'Het klinkt alsof ze nauw betrokken was bij zijn leven. In emotioneel opzicht dan.'
'Maar ze heeft wel een alibi. Vraag Winsome maar om dat te controleren bij haar broer Vernon, om er helemaal zeker van te zijn, hoewel ik me niet kan voorstellen dat ze het risico zou nemen om daarover te liegen. Bovendien was het een mannenstem die de losgeldeis heeft doorgegeven.'
'Ik wil niet suggereren dat zij erachter zit, haar genegenheid voor hem kwam echt gemeend over, maar ze zou best eens meer kunnen weten over Luke's plannen dan ze heeft losgelaten.'
'Je hebt gelijk,' zei Banks. 'We kunnen haar nog niet afstrepen. Misschien kun je Winsome en Kevin de achtergrond laten natrekken van iedereen die voorzover wij weten een band had met Luke, inclusief de Batty's, Alastair Ford, Lauren Anderson en het geheimzinnige meisje, als we haar tenminste ooit vinden.'
'En Rose Barlow?'
'Weet ik nog niet,' zei Banks. 'We moeten wel met haar praten, ook al duidt alles erop dat haar relatie met Luke, voorzover we van een relatie kunnen spreken, al maanden geleden is geëindigd.'
'En laten we forensisch onderzoek verrichten in het huis van Ford en Anderson?'
Banks schudde zijn hoofd. 'We kunnen het ons niet veroorloven om een duur forensisch team naar het huis van iedere betrokkene te sturen. Voor Wells hadden we een goede reden, om te beginnen zijn voorgeschiedenis. Trouwens, we weten al dat Luke in het huis van Lauren Anderson is geweest.'
'Stel nu eens dat er bloed wordt aangetroffen...?'
'Op dit moment hebben we geen gegronde reden om daar al kosten voor te maken.'
'Alastair Ford?'

'Ga eerst maar graven in zijn verleden. Die houden we achter de hand voor het geval dat.'
'Ben je wel bereikbaar?'
'Ik zal mijn mobiele telefoon de hele tijd aan laten staan. Ik probeer heus niet me te drukken, Annie.' Toch voelde Banks zich een beetje schuldig, niet omdat hij het onderzoek helemaal aan Annie overliet, maar omdat hij Michelle weer zou zien en hij zich daarop verheugde.
Annie legde een hand op zijn mouw. 'Dat weet ik heus wel. Denk nu niet dat ik zo ongevoelig ben dat ik niet begrijp hoe moeilijk het voor je moet zijn dat ze Graham Marshalls botten hebben gevonden en zo.' Ze grinnikte. 'Ga jij de familie nu maar condoleren en je daarna met je oude maatjes bezatten. Jullie zullen wel veel te bepraten hebben. Wanneer heb je hen voor het laatst gezien?'
'Sinds ik op mijn achttiende naar Londen ben gegaan heb ik hen niet meer gesproken. We zijn elkaar gewoon uit het oog verloren.'
'Dat komt me bekend voor. Dat overkomt iedereen toch. Ik heb ook geen contact meer met mensen met wie ik op school zat.'
Banks overwoog of hij Annie zou vertellen over Michelles telefoontje, maar besloot toch zijn mond te houden. Waarom zou hij alles nog moeilijker maken? Annie had al genoeg aan haar hoofd. Bovendien wist hij niet zeker of hij haar kon helpen. Als er een soort doofpot was geweest, dan zou dat moeten worden uitgezocht door iemand van buiten het korps, niet door een individualistisch opererende eenmansfractie uit Noord-Yorkshire. Toch wilde een deel van hem niets liever dan helpen en zowel de dood van Graham als van Luke tot op de bodem uitzoeken. In zijn hoofd waren ze op de een of andere manier met elkaar verstrengeld geraakt. Niet in technisch opzicht natuurlijk, maar twee heel verschillende jongens uit heel verschillende tijden waren allebei op veel te jonge leeftijd een gewelddadige dood gestorven. Banks wilde weten waarom; wat was de reden geweest dat deze twee kinderen zo'n wreed lot beschoren was?

14

Aan het begin van de middag liet Annie de compositietekening van het onbekende meisje nogmaals aan mensen in het Swainsdale-winkelcentrum en bij het busstation zien. Na een uur begon ze zich af te vragen of het meisje wel echt bestond en niet een hersenspinsel was dat voortkwam uit Josie Batty's puriteinse verbeelding.

Ze liep genietend in de zon langs York Road en bekeek tijdens haar wandeling vluchtig de etalages. Haar oog viel op een modieus roodleren jack in de etalage van een van de exclusievere kledingwinkels, maar ze wist meteen dat het veel te duur zou zijn voor haar. Toch ging ze naar binnen om te informeren. Inderdaad, te duur.

Het marktplein was tjokvol slenterende toeristen en auto's die op zoek waren naar een parkeerplaatsje. Een grote groep Japanners stond met een gids en een vertaler naar de voorgevel van de Normandische kerk te staren, waar een aantal heiligen in een boog hoog boven de deur was uitgehouwen. Sommige toeristen legden het moment vast op video; waarom was haar een raadsel, want voorzover Annie wist was de rij stenen heiligen nooit betrapt op een uitvoering van de cancan of iets anders wat ook maar in de verste verte deed denken aan een beweging.

Haar aandacht werd getrokken door het schrille geluid van piepende banden en daardoor zag ze dat de auto die een parkeerplek voor gehandicapten opschoot en bijna een jonge vrouw raakte Martin Armitages BMW was. Wat deed hij verdomme nu weer hier? En waarom dacht hij dat hij zomaar op een gehandicaptenparkeerplaats kon gaan staan? Misschien kon ze hem laten wegslepen. Toen ze hem uit de auto zag springen, het portier met een knal hoorde dichtgooien en naar de winkels zag lopen die in de zijmuur van de kerk waren gevestigd, wist ze al hoe laat het was.

Annie baande zich een weg door de menigte toeristen bij de kerk en zag nog net dat Armitage de trap naar Normans Tweedehands Boeken afdook. Shit. Ze rende direct achter hem aan, maar hij had Norman al bij de keel gegrepen en afgaand op het bloed dat uit de neus van de kleine man spoot, had hij hem al minimaal één keer geraakt. Wells jammerde en probeerde zich los te wurmen. De boekwinkel was net zo bedompt als altijd, maar de warmte van die dag was tot de ruimte doorgedrongen en de lucht voelde nu klam aan.

Annie voelde dat ze plakkerig werd zodra ze binnenkwam. Familiar, de kat, krijste en blies ergens vanuit de duistere schaduwen tussen de kale muren van de kelderruimte.

'Meneer Armitage!' riep Annie, en ze greep zijn arm. 'Martin! Hou op! Hier schiet u niets mee op.'

Armitage schudde haar van zich af alsof ze een lastig insect was. 'Dit zieke mannetje heeft mijn zoon vermoord,' zei hij. 'Jullie kunnen dan misschien niets aanrichten, maar ik krijg godverdomme wel een bekentenis uit hem los, al moet ik die eigenhandig uit hem persen.' Alsof hij zijn woorden kracht wilde bijzetten schudde hij Wells woest heen en weer en sloeg hij hem in zijn gezicht. Bloed en speeksel druppelden over Wells' slaphangende kaak.

Annie probeerde zich tussen hen in te wringen en gooide daardoor een wankelende stapel boeken omver. Een stofwolk rees op en de kat begon nog harder te krijsen. Armitage was sterk. Hij duwde Annie weg en ze botste tegen een tafel. Deze brak in tweeën en er gleden nog meer boeken op de vloer. Bijna was ze er zelf tussen terechtgekomen.

Annie wendde alle kracht die ze in zich had aan voor een laatste poging en stortte zich op de vechtende mannen in de krappe ruimte, maar Armitage zag haar aankomen en zwaaide zijn vuist achter Wells' hoofd langs en gaf haar een harde dreun tegen haar mond. Verdoofd door de klap liep ze achteruit, deze keer geschrokken door de pijn, en ze tastte met haar hand naar haar mond. Toen ze hem weer weghaalde, zat hij onder het bloed.

Armitage schudde Wells nog steeds wild heen en weer en Annie was bang dat de boekverkoper zou stikken, als hij tenminste niet eerst een hartaanval kreeg. Armitage lette nu niet meer op haar en ze slaagde erin achter zijn rug om naar de deur te schuiven en de trap op te rennen. Het politiebureau lag slechts enkele meters verderop, aan de overkant van Market Street, en toen ze door de voordeur naar binnen kwam vliegen, onder het bloed, werden er geen overbodige vragen gesteld.

Twee potige agenten liepen onmiddellijk met haar mee naar de winkel en moesten Armitage gezamenlijk tot overgave dwingen, waarbij vrijwel de hele zaak in puin werd geslagen. Tegen de tijd dat ze hem in de boeien hadden weten te slaan en hem via de trap naar buiten hadden gedirigeerd was de vloer bezaaid met oude boeken en brokstukken van kapotte tafels, en in de lucht hingen enorme stofwolken. Wells bloedde, greep naar zijn borst en zag er beslist niet gezond uit. Annie trok zijn arm om haar schouder en hielp hem de frisse lucht in te strompelen. Toen de Japanse toeristen de herrie hoorden, keerden ze zich om en richtten ze hun videocamera's niet langer op de kerkgevel, maar op de vijf mensen die naar buiten kwamen. Ach, dacht Annie, en ze tastte in haar tas naar een zakdoek, wij bewegen tenminste wel.

Het was alweer een tijdje geleden dat Banks in zijn kantoor was geweest en de Dalesmankalender stond nog steeds op de julifoto van Skidby Windmill aan de rand van de Yorkshire Wolds. Hij had de radio afgestemd op Radio Three van de BBC en luisterde naar een orkestraal concert met muziek van Holst, Haydn en Vaughan Williams terwijl hij de stapel papierwerk op zijn bureau aanpakte. De lento moderato van Vaughan Williams' *Pastoral Symphony* was zojuist ingezet en hij had net de zoveelste memo over kosteneffectiviteit opengeslagen toen zijn telefoon overging.
'Alan, met Stefan.'
'Goed nieuws, hoop ik?'
'Dat hangt ervan af hoe je het bekijkt. Die Norman Wells van jullie staat hier helemaal buiten, voorzover wij hebben kunnen nagaan. We zijn heel grondig te werk gegaan en ik weet zeker dat we iets zouden hebben gevonden als Luke Armitage in zijn auto of zijn huis was geweest.'
'Niets dus?'
'Nada.'
'Oké, dan weten we in elk geval waar we ons niet op moeten concentreren. Verder nog iets?'
'Het bloed op de stapelmuur.'
'Dat weet ik nog, ja.'
'Er was genoeg voor een DNA-onderzoek. Het is menselijk en komt niet overeen met dat van het slachtoffer.'
Banks floot veelbetekenend. 'Dus er bestaat een goede kans dat het toebehoort aan degene die Luke over die muur heeft gegooid?'
'Een heel goede kans, ja. Voordat je echter weer hoop krijgt, moet je wel bedenken dat het van iedereen zou kunnen zijn.'
'Maar zodra we monsters hebben, kunnen jullie ze naast elkaar leggen?'
'Uiteraard.'
'Mooi. Bedankt, Stefan.'
'Graag gedaan.'
Banks vroeg zich af aan wie hij moest vragen om een bloedmonster af te

staan voor DNA-analyse. Norman Wells, natuurlijk, ook al had het forensisch onderzoek in zijn huis niets belastends opgeleverd. Alastair Ford wellicht, al was het alleen maar omdat hij in een huis op een geïsoleerde plek woonde en via de vioollessen in verband kon worden gebracht met Luke. En omdat hij een vreemde snoeshaan was. Lauren Anderson, omdat ze Luke na schooltijd extra lessen Engels gaf en heel goed met hem bevriend leek te zijn geweest. Wie nog meer? Misschien Josie en Calvin Batty. En de ouders, Martin en Robin. Die zouden ongetwijfeld stennis schoppen en naar de hoofdcommissaris rennen, maar daar was niets aan te doen. Tegenwoordig kon binnen twee of drie dagen een resultaat worden verkregen uit DNA-onderzoek, maar het was een duur proces. Banks zou wel zien hoever hij kwam.

Dan was er nog het onbekende meisje. Als ze haar ooit vonden, als ze werkelijk bestond, moesten ze van haar beslist ook een monster hebben.

Zodra de moderato pesante begon, ging zijn telefoon opnieuw over. Deze keer was het de dienstdoende agent aan de balie. Iemand die hem wilde spreken in verband met Luke Armitage. Een jonge vrouw.

'Stuur haar maar naar boven,' zei Banks, en hij vroeg zich af of dit wellicht het onbekende meisje was. Ze moest inmiddels toch beseffen dat ze werd gezocht en als dat zo was, was het feit dat ze zich niet uit zichzelf had gemeld tamelijk verdacht.

Ongeveer een minuut later tikte een geüniformeerde agent op de deur van Banks' kantoor en liet hij een meisje naar binnen. Banks herkende Rose Barlow onmiddellijk. Ze beende blakend van zelfvertrouwen zijn kantoor binnen, met haar lange, in een blauwe spijkerbroek gehulde benen, haar lange blonde haren en haar arrogante houding. Haar aanwezigheid hield in dat hij Annie niet op pad hoefde te sturen om haar op te zoeken.

'Ik ben Rose,' zei ze. 'Rose Barlow. U herinnert u mij vast niet meer.'

'Ik weet wie je bent,' zei Banks. 'Wat kan ik voor je doen?'

Rose snuffelde rond in zijn kantoor, pakte boeken van de plank, bladerde er vluchtig doorheen, zette ze terug en schoof de kalender recht zodat hij in het gelid op de dossierkast stond. Ze droeg een kort, mouwloos shirt zodat, zo nam Banks aan, de tatoeage van de roos op haar linkerbovenarm en de verzameling sieraden die in haar navel bungelde goed tot hun recht kwamen.

'Het gaat er meer om wat ik voor u kan doen,' zei ze, en ze ging zitten en schonk hem een blik die ongetwijfeld moest doorgaan voor raadselachtig. Hij kwam op hem eerder over als nietszeggend. Haar vader zal zijn handen vol aan haar hebben, dacht hij. Het kwam vaak voor dat doch-

ters van autoritaire figuren als dominees, schoolhoofden en hoofdcommissarissen zich tegen het gezag gingen verzetten en hij was heel blij dat Tracy, als de dochter van een simpele inspecteur, zo nuchter was gebleven. Dat zal ze wel van haar moeder hebben, meende Banks, maar hij verdrong de gedachte aan Sandra, inmiddels ongetwijfeld met een dikke buik en trots genietend van het aanstaande moederschap, onmiddellijk. Hij wenste Sean en haar veel geluk; dat zouden ze nog nodig hebben.
'En wat kun jij dan voor mij doen?' vroeg Banks, die had bedacht dat hij haar eerst zelf zou laten vertellen waarom ze was gekomen voordat hij zijn vragen zou stellen.
Ze trok haar neus op en keek naar de radio. 'Wat is dat?'
'Vaughan Williams.'
'Saai.'
'Het spijt me dat het je niet bevalt. Wat kun je voor me doen?'
'Weet u wie Luke heeft vermoord?'
'Ik dacht dat jij iets voor mij kon doen?'
'Flauw. Waarom wilt u het me niet vertellen?'
Banks zuchtte diep. 'Rose. Juffrouw Barlow. Als we Luke's moordenaar hadden gevonden, had je er al wel over kunnen lezen in de kranten. Vertel me nu alsjeblieft wat je wilt zeggen. Ik heb het erg druk.'
Rose vond dat niet leuk en Banks besefte dat hij een fout had gemaakt door te laten merken dat hij ongeduldig werd. Dat was waarschijnlijk de manier waarop haar vader haar meestal te woord stond, net zoals Tracy en Brian vaak hetzelfde van Banks te horen hadden gekregen. Rose verlangde hevig naar aandacht omdat ze die voor haar gevoel niet genoeg kreeg. Banks vroeg zich af of zijn kinderen dat ook dachten. Werkte Tracy zo hard en behaalde ze zulke goede resultaten op de universiteit omdat ze naar aandacht verlangde? Stond Brian avond aan avond op een podium voor een publiek en ontblootte hij daar zijn ziel en zaligheid omdat hij ook niet genoeg aandacht kreeg? Had Luke Armitage naar hetzelfde verlangd: meer aandacht? Misschien. In het geval van zijn kinderen was hun reactie op die behoefte tenminste een gezonde en creatieve. Banks wist niet zeker hoever Rose Barlow zou gaan om de aandacht op zich te vestigen die ze volgens haarzelf verdiende.
'Het spijt me,' ging hij verder, 'maar ik weet zeker dat je begrijpt dat we er zo snel mogelijk achter willen komen wie Luke heeft vermoord en als je iets weet wat ons zou kunnen helpen...'
Rose boog zich naar voren en sperde haar ogen open. 'Hoezo? Denkt u dat hij weer iemand zal vermoorden? Denkt u dat het een seriemoordenaar is?'

‘We hebben geen enkele reden om zoiets te denken.’
‘Waarom ontspant u zich dan niet een beetje?’
Banks voelde dat hij zijn kaken op elkaar klemde, maar probeerde te glimlachen.
‘Trouwens,’ ging Rose verder, ‘ik zou het u toch wel hebben verteld. Hebt u al met mevrouw Anderson gesproken?’
‘Lauren Anderson? Ja.’
Er glinsterde een ondeugend lichtje in Rose’ ogen. ‘Heeft zij u over Luke en haarzelf verteld?’
‘Ze heeft ons verteld dat ze hem extra Engelse les gaf, omdat hij zoveel verder was dan de rest van de klas.’
Rose begon te lachen. ‘Extra Engelse les. Dat is een goeie. En heeft ze u dan ook verteld waar die lessen plaatsvonden?’
‘Bij haar thuis.’
Rose leunde achterover in haar stoel en sloeg haar armen over elkaar. ‘Precies.’
‘Wat bedoel je daarmee?’
‘Ach, kom nou toch, inspecteur. Zo naïef bent u toch niet? Moet ik het soms voor u spellen?’
‘Ik begrijp niet helemaal waar je naartoe wilt,’ zei Banks, die het heel goed begreep maar het van haar wilde horen.
‘Ze deden het met elkaar.’
‘Dat heb je met eigen ogen gezien?’
‘Het ligt toch voor de hand?’
‘Waarom?’
‘Ze is gewoon een ordinaire slet, onze mevrouw Anderson, en ze heeft ze het liefst zo jong mogelijk.’
‘Waarom zeg je dat?’
‘Nou, ze gaf verder aan niemand privé-lessen bij haar thuis, of wel soms?’
‘Dat weet ik niet,’ zei Banks.
‘Neem dat dan maar van mij aan.’
‘Vertel me eens, Rose,’ zei Banks, die inmiddels naar een sigaret snakte, ‘wat vond je van Luke? Je kende hem toch?’
‘We zaten in dezelfde klas, ja.’
‘Mocht je hem graag?’
Rose draaide een pluk haar om haar vingers. ‘Hij was wel oké.’
‘Cool?’
‘Cool? Eerder een beetje sneu, zou ik zeggen.’
‘Waarom?’
‘Hij praatte nooit met iemand, behalve dan natuurlijk met die ver-

waande, arrogante trut van een Anderson. Alsof hij beter was dan wij.'
'Misschien was hij gewoon verlegen.'
'Alleen maar omdat zijn vader beroemd was. Nou, ik vind zijn vaders muziek anders helemaal niets en als hij er echt vandoor is gegaan en zichzelf om zeep heeft geholpen, kan hij nooit veel hebben voorgesteld als vader, of wel soms? Hij was gewoon een drugsverslaafde.'
Medeleven is beslist niet je sterkste kant, Rose, dacht Banks, maar hij paste er wel voor op om zijn mening hardop uit te spreken. 'Dus je mocht Luke eigenlijk helemaal niet?'
'Dat heb ik toch al gezegd. Hij was wel oké. Een beetje vreemd.'
'Maar hij was wel een knappe gozer om te zien.'
Rose trok een gezicht. 'Jakkes! Ik zou nog niet met hem uitgaan als hij de laatste jongen op de wereld was geweest.'
'Ik geloof dat je me niet de waarheid vertelt, Rose.'
'Wat bedoelt u?'
'Je weet heel goed wat ik bedoel. Luke en jij. Begin dit jaar.'
'Wie heeft u dat verteld?'
'Dat doet er nu niet toe. Hoelang zijn jullie samen geweest?'
'Samen geweest? Wat een lachertje. Het stelde werkelijk niets voor.'
'Maar je had graag gewild dat het anders was verlopen, toch?'
Rose schoof ongemakkelijk heen en weer op haar stoel. 'Hij dacht dat hij beter was dan de rest.'
'Waarom heb je dan regelmatig met hem staan praten?'
'Zomaar. Alleen omdat hij... Nou ja, omdat hij anders was. Alle andere jongens willen altijd maar één ding.'
'En Luke niet?'
'Daar ben ik nooit achter gekomen. We hebben alleen maar met elkaar gepraat.'
'Waarover?'
'Muziek en zo.'
'Zijn jullie nooit echt samen uit geweest?'
'Nee. Nou ja, we zijn na schooltijd een paar keer naar McDonald's geweest, meer niet.'
'Rose, kun je bewijzen dat Luke en Lauren Anderson een verhouding hadden?'
'Als u wilt weten of ik hen door het raam van haar huis heb bespioneerd, dan is het antwoord nee. Maar het is toch overduidelijk? Waarom zou ze anders haar vrije tijd doorbrengen met iemand als hij?'
'Jij hebt ook tijd met hem doorgebracht.'
'Jawel, maar dat was... iets anders.'

'Jij hebt toch ook geprobeerd aardig tegen hem te zijn en bevriend met hem te raken toen je in de gangen en op het speelplein met hem praatte en met hem naar McDonald's ging?'
Rose ontweek zijn blik en wikkelde plukjes haar om haar vinger. 'Ja, natuurlijk.'
'Wat gebeurde er toen?'
'Niets. Het was gewoon dat hij... Het was net alsof ik hem verveelde of zo. Omdat ik niet die stomme boeken had gelezen die hij overal mee naartoe sleepte en niet naar dezelfde, waardeloze muziek luisterde. Ik was niet goed genoeg voor hem. Hij was een snob. Ver boven de rest van ons verheven.'
'En daarom nam je aan dat hij een seksuele relatie had met een lerares. Een beetje vergezocht, vind je zelf ook niet?'
'U hebt hen niet samen gezien.'
'Heb je dan gezien dat ze elkaar kusten en aanraakten, of hand in hand liepen?'
'Natuurlijk niet. Ze waren veel te voorzichtig om zoiets in het openbaar te doen.'
'Wat dan wel?'
'De manier waarop ze naar elkaar keken. Met elkaar praatten. Hoe hij haar aan het lachen maakte. En ze liet hem altijd met rust tijdens de les.'
'Je was gewoon jaloers, is het niet zo, Rose? Daarom zeg je dit allemaal. Omdat je zelf niet met Luke overweg kon en mevrouw Anderson wel.'
'Ik was helemaal niet jaloers! Zeker niet op dat lelijke, oude kreng.'
Heel even vroeg Banks zich af of er iets van waarheid school in wat Rose Barlow hem had verteld, overwoog hij de mogelijkheid dat misschien niet alles was ingegeven door jaloezie. Het kon allemaal heel onschuldig zijn geweest, een normale relatie tussen lerares en leerling, maar Banks was ervaren genoeg om te weten dat elke relatie die twee mensen van verschillende geslachten, of zelfs van hetzelfde geslacht, in elkaars nabijheid bracht, in een seksuele kon omslaan, ongeacht het leeftijdsverschil. Hij had over dergelijke dingen genoeg in de kranten kunnen lezen. Hij zou het idee in zijn achterhoofd houden en nog een keer met Lauren Anderson gaan praten zodra hij terug was uit Peterborough, haar iets meer onder druk zetten en kijken of ze onder die spanning bezweek.
'Wat vind je van mevrouw Anderson?' vroeg hij aan Rose.
'Gaat wel.'
'Je noemde haar net anders een lelijk, oud kreng.'
'Ja... nou ja... Ik was gewoon boos... Als lerares is ze de kwaadste niet.'
'Kun je op school met haar opschieten?'

'Redelijk.'
'Dus als ik dit aan andere leerlingen uit je klas vraag, zouden ze me vertellen dat mevrouw Anderson en jij heel goed met elkaar overweg kunnen?'
Rose bloosde. 'Ze heeft wel eens de pik op me. Een keer heeft ze me na school laten terugkomen.'
'Waarom?'
'Omdat ik niet zo'n stomvervelend stuk van Shakespeare zat te lezen. Oké, ik zat onder de tafel een tijdschrift te lezen. Nou, en? Ik kan me echt niet druk maken om die suffe Engelse troep.'
'Dus je hebt een aantal aanvaringen met haar gehad?'
'Ja. Maar daarom ben ik hier niet. Daarom zit ik u hier niet te vertellen wat ik weet.'
'Ik ben ervan overtuigd dat dat niet de reden is, Rose, maar je moet toch toegeven dat je een goed motief hebt om mevrouw Anderson in een lastig parket te brengen, vooral als je zelf ook hebt geprobeerd om Luke als vriendje in te palmen.'
Rose sprong op uit haar stoel. 'Waarom bent u zo gemeen tegen me? Ik ben hier naartoe gekomen om u te helpen en belangrijke informatie door te geven, maar u doet net alsof ik een misdadiger ben. Ik ga het aan mijn vader vertellen.'
Banks kon een glimlach niet onderdrukken. 'Het zou niet de eerste keer zijn dat iemand me bij het schoolhoofd verklikte,' zei hij.
Voordat Rose kon reageren, gebeurden er in rap tempo twee dingen. Ten eerste werd er haastig op de deur geklopt en kwam Annie Cabbot binnen met een zakdoek tegen haar mond gedrukt die doorweekt was met wat eruitzag als bloed. Voordat Annie echter iets kon zeggen, stak Kevin Templeton zijn hoofd om de deur; hij liet zijn blik zó lang op Rose rusten dat het meisje zich niet op haar gemak voelde en zei toen tegen Banks: 'Het spijt me dat ik u stoor, inspecteur, maar we hebben een positieve identificatie van u-weet-wel.'
Banks wist onmiddellijk wie hij bedoelde. Het onbekende meisje. Dus ze bestond echt.
'Beter zelfs,' ging Templeton verder. 'We hebben haar adres.'

Michelle hoorde van Collins dat Shaw na de lunch over pijn in zijn maag had geklaagd en naar huis was gegaan. In Collins' stem klonk echter duidelijk de hint door dat het waarschijnlijk meer te maken had met het aantal glazen whisky dat Shaw bij de lunch had genuttigd. Hij nam de laatste tijd wel erg vaak vrij. Voor Michelle was de kust nu echter veilig.

Ze wilde Shaw niet tegenkomen, vooral niet na wat er zaterdag in haar flat was gebeurd. Soms, wanneer ze haar waakzaamheid even liet verslappen, zag ze hem in haar verbeelding in de lades van haar nachtkastje tasten en Melissa's jurk doormidden knippen. Het kostte haar ook geen enkele moeite om zich voor te stellen dat hij achter het stuur van het beige bestelbusje had gezeten dat op haar was afgestormd toen ze eerder die dag de weg overstak; hij was op dat tijdstip niet in het politiebureau geweest. En al die whisky? Om zich moed in te drinken?

Ze moest maar eens ophouden met deze zinloze speculaties en de informatie uitzoeken die ze van mevrouw Walker had gekregen. Michelle pakte de hoorn van haar telefoon en ongeveer een uur later, nadat ze talloze valse aanwijzingen had nagejaagd en veel tijd was verloren omdat ze in de wacht was gezet, slaagde ze erin een van de gepensioneerde agenten uit Carlisle te bereiken die de dood van Donald Bradford hadden onderzocht: voormalig brigadier Raymond Scholes, die nu van zijn pensioen genoot aan de kust van Cumbria.

'Ik weet niet of ik u na al die tijd nog veel kan vertellen,' zei Scholes. 'Donald Bradford heeft gewoon veel pech gehad.'

'Wat is er gebeurd?'

'Verraste een inbreker. Iemand had in zijn huis ingebroken en voordat Bradford iets kon doen, was hij zo afgetuigd dat hij aan zijn verwondingen overleed.'

Michelle voelde een rilling over haar rug gaan. Dat had haar zaterdag ook kunnen overkomen, als ze eerder thuis was gekomen. 'Is die inbreker nog opgepakt?' vroeg ze.

'Nee. Hij moet Bradford trouwens onverwacht hebben aangevallen.'

'Waarom zegt u dat?'

'Omdat Bradford een potige krachtpatser was. Ik zou zelf niet graag een robbertje met hem hebben gevochten. Het zag ernaar uit dat de inbreker hem heeft horen binnenkomen, zich achter de deur had verstopt en Bradford met een soort knuppel op zijn achterhoofd heeft geslagen.'

'Hebben jullie het wapen ooit gevonden?'

'Nee.'

'Geen aanwijzingen? Geen afdrukken?'

'Niets bruikbaars.'

'Geen getuigen?'

'Voorzover wij hebben kunnen nagaan niet, nee.'

'Wat was er gestolen?'

'Portemonnee, een paar snuisterijen zo te zien. De hele woning was zo'n beetje overhoop gehaald.'

'Zag het eruit alsof iemand naar iets speciaals op zoek was geweest?'
'Daar heb ik eigenlijk nooit over nagedacht. Zoals ik net al zei, het was een enorme bende. Alles ondersteboven. Waarom deze plotselinge belangstelling?'
Michelle vertelde hem het een en ander over Graham Marshall.
'Ja, daar heb ik over gelezen. Verschrikkelijk. Ik besefte niet dat er een verband bestond.'
'Was Bradford getrouwd?'
'Nee. Hij woonde alleen.'
Michelle voelde aan de stilte die viel dat hij nog iets wilde zeggen. 'Wat is er?' vroeg ze.
'Ach, misschien is het niets. Een lachertje eigenlijk.'
'Vertelt u het me toch maar.'
'Nou ja, na afloop moesten we natuurlijk het hele huis nalopen en toen vonden we... Ach, indertijd was het allemaal heel gewaagd, maar naar de huidige maatstaven...'
Kom op, man, dacht Michelle in stilte. Waar heb je het over?
'Wat was het dan?' vroeg ze.
'Pornobladen. Een hele stapel. En ook pornofilms. Ik zal ze niet in detail beschrijven, maar er kwamen heel wat varianten en standjes aan bod.'
Michelle merkte dat ze de hoorn steviger vastklemde. 'Ook pedofilie?'
'Nou, sommige modellen zagen er in elk geval heel jong uit, dat kan ik u wel vertellen. Mannelijk en vrouwelijk. Geen kinderporno, hoor, als u dat soms denkt.'
Michelle begreep dat er een bepaald onderscheid werd gemaakt. Als je schaamhaar, borsten en wat er nog meer bij kwam kijken bezat, viel je voor sommigen blijkbaar niet langer onder kinderporno, ook al was je pas veertien jaar. Grijs gebied.
'Wat is er met al die spullen gebeurd?'
'Vernietigd.'
Maar dan pas wel nadat de jongens van het onderzoeksteam en jij alles goed hadden bekeken, durf ik te wedden, dacht Michelle.
'We hebben er indertijd niets over naar buiten gebracht,' vervolgde hij, 'omdat het niet... Nou ja, die kerel was immers net vermoord. Het leek onnodig om zijn nagedachtenis daarmee te bezoedelen.'
'Heel begrijpelijk,' zei Michelle. 'Wie heeft het lichaam opgeëist?'
'Niemand. Meneer Bradford had geen naaste familie. De gemeente heeft overal voor gezorgd.'
'Dank u wel, meneer Scholes,' zei ze. 'U hebt me geweldig geholpen.'
'Graag gedaan.'

Michelle hing op en dacht bijtend op het uiteinde van haar potlood na over wat ze had gehoord. Ze had nog geen conclusies getrokken, maar ze zou heel wat met Banks te bespreken hebben wanneer hij aankwam.

Agent Flaherty, die het adres van het onbekende meisje had achterhaald, had navraag gedaan op de universiteit van Eastvale, omdat hij had bedacht dat een meisje met haar uiterlijk waarschijnlijk een studente was. Dit bleek niet het geval, maar haar vriend studeerde er wel en een van de mensen die hij aansprak, herinnerde zich dat hij haar ooit tijdens een feestje had ontmoet. Het vriendje heette Ryan Milne en het meisje Elizabeth Palmer. Ze woonden samen in een flat boven een hoedenzaak aan South Market Street, precies in de richting waar Luke Armitage naartoe was gelopen toen hij voor het laatst werd gezien.

Annie beweerde dat ze zich goed genoeg voelde om zelf een bezoek af te leggen. Ze was verdomme niet van plan, had ze tegen Banks gezegd, om zich na al het veldwerk dat ze net had gedaan te laten buitensluiten omdat de een of andere door te veel testosteron gedreven pummel haar op haar mond had geslagen. Wat het meeste pijn deed, was haar gekwetste trots. Toen ze de wond had schoongemaakt, zag het er trouwens al een stuk minder erg uit. Sommige vrouwen, vervolgde ze haar relaas, hadden er een fortuin voor over om er met behulp van collageeninjecties net zo uit te zien als zij. Banks besloot eerst met haar mee te gaan, voordat hij naar Peterborough vertrok. Hij belde en sprak om negen uur met Michelle af in een pub in het centrum, een tijdstip dat hij gemakkelijk moest kunnen halen.

Martin Armitage zat stoom af te blazen in een arrestantencel en Norman Wells lag in het Eastvale-ziekenhuis. Ongetwijfeld zouden er nog represailles volgen op aandringen van Armitages vriendje de hoofdcommissaris, maar voorlopig bleef hij zitten waar hij zat. Ze konden hem altijd nog aanklagen wegens mishandeling van een politieagent in functie. Maar eerst gingen ze op bezoek bij het onbekende meisje.

Twintig minuten nadat het adres bekend was geworden, klommen Banks en Annie via een met linoleum beklede trap naar boven en klopten ze op de deur. Het was zo stil in het gebouw dat Banks zich niet kon voorstellen dat er ook maar één bewoner thuis was, maar een paar tellen later deed een jonge vrouw de deur open. Dé jonge vrouw.

'Inspecteur Banks en inspecteur Cabbot,' zei Banks, en hij zwaaide met zijn pas. 'We willen je graag even spreken.'

'Dan kunt u maar beter binnenkomen.' Ze deed een stap opzij.

Het werd Banks meteen duidelijk waarom het zo lang had geduurd

voordat ze haar hadden gevonden: ze zag er bij lange na niet zo vreemd uit als de beschrijving die Josie Batty van haar had gegeven, wat hem eigenlijk ook niet echt verbaasde, want hij vermoedde dat Josie Batty zelfs de normaalste jonge mensen er nog vreemd vond uitzien.
De spitse gelaatstrekken waren wel goed getroffen, evenals het hartvormige gezicht, de grote ogen en de kleine mond, maar dat was dan ook het enige. Ze was veel knapper dan Josie Batty aan de politietekenaar had laten doorschemeren en had een smetteloze, bleke huid. Ze had ook het soort borsten waar pubers en vele volwassen mannen over dromen en haar gladde decolleté kwam goed tot zijn recht in het strak vastgesnoerde leren vestje dat ze aanhad. De kleine tatoeage op haar bovenarm bestond uit een eenvoudige dubbele spiraal en verder was er geen piercing te bekennen, afgezien van de zilveren spinnenweboorbellen die aan haar oren bungelden. Haar korte, zwarte haar was waarschijnlijk geverfd en met gel in model gebracht, maar dat was niets bijzonders.
De flat was schoon en opgeruimd, geen smerig crackhol met een vloer vol door drugs benevelde kinderen. Het was een oude kamer met een open haard, waar een pook en tang naast hingen die waarschijnlijk slechts dienstdeden als decoratie, want in de haard stond een gaskachel. Door een half openstaand raam scheen zonlicht naar binnen en de geluiden en geuren van South Market Street dreven naar binnen: uitlaatgas en claxons, kinderen die van school naar huis liepen, warm asfalt, versgebakken brood, afhaalcurry en duiven op het dak. Banks en Annie liepen door de kleine kamer en keken wat rond tot het meisje een aantal zitzakken voor hen had klaargezet.
'Elizabeth, zo heet je toch?' vroeg Banks.
'Ik word liever Liz genoemd.'
'Uitstekend. Is Ryan er niet?'
'Hij heeft college.'
'Wanneer komt hij terug?'
'Pas rond etenstijd.'
'Wat doe jij in het dagelijks leven, Liz?'
'Ik ben muzikant.'
'Kun je daarvan rondkomen?'
'Ach, u weet hoe dat gaat...'
Dat wist Banks, met een zoon in het vak, inderdaad. Brians succes was echter voor weinig mensen weggelegd en zelfs hij verdiende geen bergen geld. Nog niet eens genoeg voor een nieuwe auto. Hij ging verder. 'Je weet waarom we hier zijn, denk ik?'
Liz knikte. 'Vanwege Luke.'

'Je had uit jezelf naar ons toe kunnen komen en ons heel wat moeite kunnen besparen.'
Liz ging zitten. 'Maar ik weet helemaal niets.'
'Dat maken wij wel uit,' zei Banks, en hij bekeek haar verzameling cd's aandachtig. Zijn aandacht werd getrokken door een cassette met de titel *Songs from a Black Room*, die tussen een flink aantal andere cassettes stond.
'Hoe kon ik nu weten dat u naar me op zoek was?'
'Lees je geen kranten, kijk je geen televisie?' vroeg Annie.
'Zelden. Het is allemaal zo vervelend. Saai. Het leven is veel te kort. Ik repeteer veel, luister naar muziek en lees.'
'Welk instrument?' vroeg Banks.
'Keyboard, een paar houten blaasinstrumenten. Fluit, klarinet.'
'Heb je een speciale muziekopleiding gehad?'
'Nee. Alleen de lessen op school.'
'Hoe oud ben je, Liz?'
'Eenentwintig.'
'En Ryan?'
'Ook. Hij zit in zijn laatste jaar op de universiteit.'
'Is hij ook muzikant?'
'Ja.'
'Wonen jullie samen?'
'Ja.'
Annie ging op een van de zitzakken zitten, maar Banks bleef bij het raam staan en leunde tegen de vensterbank. De kamer was klein en warm en leek veel te vol nu zich er drie mensen in bevonden.
'Hoe kenden jullie Luke Armitage?' vroeg Annie.
'Hij zit... zat in onze band.'
'Met wie nog meer?'
'Ryan en ik. We hebben nog geen drummer.'
'Hoe lang spelen jullie al samen?'
Ze beet op haar lip en dacht even na. 'We oefenen pas samen sinds begin dit jaar, toen we Luke hebben leren kennen. Ryan en ik wilden al heel lang zoiets gaan doen.'
'Hoe hebben jullie Luke leren kennen?'
'Bij een concert op de universiteit.'
'Welk concert?'
'Van een paar bands uit de omgeving. In maart was dat.'
'Hoe is Luke verzeild geraakt bij een concert op de universiteit?' vroeg Banks. 'Hij was pas vijftien.'

Liz glimlachte. 'Maar hij zag er veel ouder uit. Gedroeg zich ook veel ouder. Luke was heel volwassen voor zijn leeftijd. U hebt hem duidelijk nooit ontmoet.'
'Was hij met iemand samen?'
'Nee. Hij was alleen en wilde een van de bands wel eens horen spelen.'
'En toen ben je met hem in gesprek geraakt?'
'Ryan eerst.'
'En toen?'
'Toen hoorden we dat hij ook geïnteresseerd was in muziek en een band wilde oprichten. Hij had een aantal nummers.'
Banks wees naar de cassette. 'Die bedoel je? *Songs from a Black Room*?'
'Nee. Die heeft hij kortgeleden pas geschreven.'
'Hoe kortgeleden?'
'De afgelopen maand.'
'Wisten jullie dat hij pas vijftien was?'
'Daar zijn we pas later achter gekomen.'
'Hoe?'
'Hij heeft het ons verteld.'
'Hij heeft het jullie verteld? Zomaar?'
'Nee, niet zomaar. Hij moest uitleggen waarom hij niet altijd kon doen waar hij zin in had. Hij woonde nog bij zijn ouders en zat gewoon op school. Eerst zei hij dat hij zestien was, maar later vertelde hij ons dat hij had gelogen omdat hij bang was geweest dat we zouden denken dat hij te jong was om in de band te spelen.'
'En was dat ook zo?'
'Natuurlijk niet. Niet wanneer iemand zoveel talent heeft als hij. Misschien zou dat later wel voor problemen hebben gezorgd, als we ooit zover waren gekomen tenminste. Optredens op plekken waar alcohol wordt geschonken en zo, u kent dat wel, maar we gingen ervan uit dat we daar later dan wel een oplossing voor zouden bedenken.'
'En zijn biologische vader? Wisten jullie wie dat was?'
Liz ontweek zijn blik. 'Dat heeft hij ons ook pas later verteld. Het leek wel alsof hij niets te maken wilde hebben met Neil Byrd en zijn nalatenschap.'
'Hoe zijn jullie er dan achter gekomen?' vroeg Banks. 'Heeft Luke op een goede dag gewoon verteld wie zijn vader was?'
'Nee. Nee, dat niet. Hij praatte niet graag over hem. Er was een keer iets op de radio toen hij hier was, een bespreking van een nieuwe verzamel-cd. Hij raakte van streek en toen gooide hij het er zomaar uit. Het verklaarde een heleboel.'

'Wat bedoel je daar precies mee?' vroeg Annie.
'Die stem. Zijn talent. Er was iets aan wat ons bekend voorkwam.'
'Wat gebeurde er toen jullie het eenmaal wisten?'
'Wat bedoelt u?'
'Veranderde er iets?'
'Niet echt.'
'Ach, kom nu toch, Liz,' zei Banks. 'De zoon van Neil Byrd zat in jullie band. Je verwacht toch niet dat we geloven dat jullie niet doorhadden dat jullie daar in commercieel opzicht veel profijt van zouden hebben?'
'Goed,' zei Liz. 'Ja, natuurlijk hadden we dat allemaal wel door. Het probleem is alleen dat we op dat moment nog helemaal niet commercieel bezig waren. Nog steeds niet, trouwens. Jezus, we hebben zelfs nog nooit opgetreden voor publiek. En nu, zonder Luke... Ik weet het ook niet hoor.'
Banks liep bij het raam vandaan en ging op een stoel met een stevige rugleuning zitten die tegen de muur stond. Annie schoof heen en weer op haar zitzak, alsof ze op zoek was naar een gemakkelijke houding. Het was voor het eerst dat hij meemaakte dat ze zich op een zitmeubel niet op haar gemak voelde, maar toen drong het tot hem door dat ze zich misschien had bezeerd toen ze in de boekwinkel was gevallen. Ze zou eigenlijk naar het ziekenhuis moeten voor controle, vooral met die nieuwe speciale verzekering voor kwetsuren die werden opgelopen tijdens het werk, maar het had geen zin om dit tegen haar te zeggen. Hij nam het haar ook niet kwalijk; hij zou precies hetzelfde hebben gedaan.
'Wie zong er?' vroeg Banks.
'Vooral Luke en ik.'
'Wat voor soort muziek spelen jullie?'
'Maakt dat wat uit?'
'Laten we het erop houden dat het me interesseert. Ik zou het graag willen weten.'
'Het is moeilijk te omschrijven,' antwoordde Liz.
'Probeer het eens.'
Ze keek hem onderzoekend aan, alsof ze probeerde een inschatting te maken van zijn kennis op muzikaal gebied. 'Het draait eigenlijk vooral om de teksten. We zijn niet trendy en we houden niet van lange solo's en zo. Het doet een beetje denken aan... Hebt u wel eens van David Gray gehoord?'
'Ja.'
'Beth Orton?'
'Ja.'

Als Liz verbaasd was over Banks' kennis van hedendaagse muziek liet ze het niet merken. 'Nou, we spelen niet precies dezelfde muziek als zij, maar dat is wel de richting die ons het meest trekt. Teksten waarin je echt iets wilt zeggen en dan een beetje jazzy, bluesachtige muziek. Ik speel veel fluit en ook een beetje mondharmonica.'
'Wist je dat Luke vioolles had?'
'Ja. Dat zou heel goed van pas zijn gekomen. We waren van plan om uit te breiden, meer muzikanten erbij te halen, maar we wilden niet te hard van stapel lopen.' Ze keek Banks aan. 'We wilden een serieuze poging wagen, hoor,' zei ze. 'Zonder onszelf te verloochenen of aan de commercie over te leveren. We zijn helemaal kapot van wat er is gebeurd. Niet alleen als band, maar ook persoonlijk.'
'Dat begrijp ik en ik waardeer het ook,' zei Banks. 'Was jouw relatie met Luke puur muzikaal, of ging het nog verder?'
'Hoe bedoelt u?'
'Ging je ook met hem naar bed?'
'Met Luke?'
'Waarom niet? Hij was toch een knappe jongen?'
'Dat wel, maar meer ook niet. Een jongen nog.'
'Je zei net dat hij heel volwassen was voor zijn leeftijd.'
'Dat weet ik ook wel, maar ik ben helemaal niet op zoek naar zulke jonge knullen. Bovendien ben ik heel gelukkig met Ryan, hoor.' Liz' gezicht was rood aangelopen.
'Dus je bent nooit Luke's vriendinnetje geweest?'
'Absoluut nooit. Dat zeg ik toch. Ik was al met Ryan samen toen we elkaar ontmoetten. Alles draaide om de muziek.'
'Dus het is niet zo dat Ryan jullie samen in bed betrapte en Luke heeft vermoord, en toen meteen maar bedacht dat hij er dan financieel ook wel iets aan mocht overhouden?'
'Ik weet niet hoe u zoiets afschuwelijks kunt verzinnen.' Liz stond op het punt om in huilen uit te barsten en Banks bedacht dat hij zich eigenlijk als een enorme rotzak gedroeg. Ze leek een aardige meid. 'Leek' was echter niet goed genoeg. Hij dacht even aan Rose Barlows bezoek en de woedende manier waarop ze was vertrokken. Liz was jonger dan Lauren Anderson en volgens Banks veel geschikter als mogelijke minnares van Luke. Hij wist niet hoe goed Liz' relatie met Ryan was en of ze ook met anderen uitgingen.
'Het komt wel vaker voor,' zei Banks. 'Je zou ervan opkijken. Misschien was het een ongeluk en zagen jullie gewoon geen andere uitweg.'
'Hoe vaak moet ik het nog zeggen? Er is in dat opzicht helemaal niets ge-

beurd. Luke zat in de band, meer niet.'
'Heeft Luke je ooit in vertrouwen genomen?' vroeg Annie, in een poging de druk te verzachten. 'Je weet wel, heeft hij je wel eens verteld wat hij dacht, wat hem dwarszat?'
Liz zweeg even en probeerde tot bedaren te komen. Ze leek naar Annies opgezwollen, rode lippen te staren, maar ze vroeg niets. 'Hij klaagde de hele tijd over school,' zei ze ten slotte.
'Heeft hij wel eens iets over zijn stiefvader gezegd?'
'Die rugbyspeler?'
'Voormalig voetbalspeler.'
'Ook goed. Nee, niet vaak. Ik denk dat Luke hem niet zo heel graag mocht.'
'Waarom denk je dat?'
'Zomaar. Niets bijzonders. Gewoon de manier waarop hij over hem praatte.'
'Heb je Luke's ouders wel eens ontmoet?'
'Nee. Ik geloof dat hij hen zelfs niets over ons en de band heeft verteld.'
'Waarom denk je dat?'
'Die indruk kreeg ik.'
Het was waarschijnlijk waar, besefte Banks. Annie en hij hadden al eerder opgemerkt dat de Armitages geen flauw idee leken te hebben wat Luke in zijn vrije tijd deed. 'Maakte hij zich misschien ergens zorgen over?'
'Zoals?'
'Wat dan ook,' ging Annie verder. 'Heeft hij bijvoorbeeld wel eens gezegd dat hij werd bedreigd of dat hij dacht dat iemand hem volgde?'
'Nee, helemaal nooit. Zoals ik al zei, hij had een hekel aan school en kon haast niet wachten tot hij het huis uit kon gaan. Volgens mij is dat heel normaal.'
Banks glimlachte. Hij was op die leeftijd precies hetzelfde geweest. En op latere leeftijd ook. Hij had evengoed de eerste de beste gelegenheid aangegrepen om het huis uit te vluchten.
'Wanneer heb je Luke voor het laatst gezien?' vroeg Annie.
'Ongeveer een week voordat hij verdween. Repetitie met de band.'
Annie liet haar blik door de kleine ruimte glijden en stond toen moeizaam op. 'Waar repeteren jullie?'
'Kelder van een kerk hier verderop in de straat. De dominee is heel ruimdenkend, een jonge kerel nog, en we mogen de ruimte van hem gebruiken zolang we maar niet te veel lawaai maken.'
'En daarna heb je Luke niet meer gezien?'

'Nee.'
'Is hij wel eens hier geweest?' vroeg Banks. 'In deze flat?'
'Ja, hoor. Heel vaak.' Liz stond op alsof ze dacht dat ze op het punt stonden om weg te gaan.
'Heeft hij hier wel eens iets achtergelaten?'
'Zoals?'
'Zijn eigen spullen. Je weet wel: schriften, gedichten, verhalen, kleding, dat soort dingen. We zijn op zoek naar iets wat ons kan helpen te begrijpen wat er met hem is gebeurd.'
'Hij heeft hier nooit kleding laten liggen,' zei Liz koeltjes, 'maar soms liet hij wel een bandje met nummers bij ons achter, als u dat soms bedoelt. Of een paar teksten. Maar...'
'Zou je die allemaal voor ons willen halen?'
'Ja, als u dat wilt. Ik weet natuurlijk niet precies wat er hier allemaal nog van hem ligt of waar het is. Moet het nu meteen? Kunt u niet later nog eens terugkomen?'
'Nu meteen, graag,' zei Banks. 'Als je wilt, kunnen we wel helpen zoeken.'
'Nee! Nee, dat hoeft niet, hoor. Ik kijk zelf wel even.'
'Is er soms iets wat we niet mogen zien, Liz?'
'Nee, hoor, helemaal niets. Er moeten wat cassettes liggen en een paar gedichten, en aantekeningen voor nummers. Ik begrijp alleen niet waarom u denkt dat u daar iets aan hebt. Hoor eens... ik krijg die cassettes en zo toch wel terug, hè?'
'Waarom vraag je dat?' vroeg Annie. 'Ze waren toch Luke's eigendom?'
'In theorie wel, ja. Maar hij heeft ze aan ons gegeven. Aan de band. Ze zijn eigenlijk van ons samen.'
'De spullen zullen waarschijnlijk wel naar zijn ouders gaan,' veronderstelde Banks.
'Luke's ouders! Die kan het helemaal niets schelen. Zij kunnen toch niet...'
'Wat kunnen ze niet, Liz?'
'Ik wilde zeggen dat zij toch niet kunnen horen hoe goed hij was. Die gooien de bandjes toch alleen maar weg. Hoe kunt u zoiets nu laten gebeuren?'
'Niets aan te doen. Zo is nu eenmaal de wet.'
Liz schuifelde met haar voeten en sloeg haar armen over elkaar, alsof ze naar de wc moest. 'Hoor eens, kunt u dan niet even weggaan en later terugkomen, en me een beetje tijd geven om alles bij elkaar te zoeken?'
'Dat kan niet, Liz. Het spijt me.'

'Dus jullie nemen gewoon alles mee en geven het zomaar aan Luke's ouders? Jullie gunnen me niet eens tijd om overal kopieën van te maken.'
'Dit is een moordonderzoek,' bracht Annie haar in herinnering.
'Maar toch...' Liz ging zitten en stond op het punt te gaan huilen. 'Het is gewoon niet eerlijk. Wat een verspilling... Zo zonde. Het kan zijn ouders toch niets schelen. We waren er zo dichtbij.'
'Waar waren jullie zo dichtbij?'
'Succes. We hadden eindelijk bijna iets van ons leven gemaakt.'
Banks kreeg bijna medelijden met haar. Hij vermoedde dat ze uit egoïstische overwegingen Luke's cassettes en teksten niet wilde afstaan, zodat de band op een goede dag kon meeliften op het talent van Luke en het bekendheid van zijn vader, en de weg naar het grote succes kon inslaan. Ze moesten het nu zonder Luke's stem en talent stellen, maar hadden gedacht dat ze dan ten minste nog een paar van zijn nummers konden gebruiken. Zodra bekend werd dat Luke was vermoord, zou de belangstelling van het publiek ongetwijfeld alleen maar toenemen. Dit was geen reden voor Banks om Liz een kwaad hart toe te dragen. Als hij in haar schoenen had gestaan en hartstochtelijk had verlangd naar een carrière in de muziek had hij waarschijnlijk precies hetzelfde gedaan. Hij was ervan overtuigd dat haar gevoelens voor Luke oprecht waren. Toch zat iets hem dwars: de manier waarop ze had gereageerd toen hij had aangeboden om te helpen zoeken. Hij wierp even een blik op Annie. Het was een van die zeldzame momenten waarop ze beiden wisten wat de ander dacht.
'Mogen we misschien even rondkijken?' vroeg Annie.
'Wat? Waarom? Ik heb toch al ja gezegd. Ik zal jullie alles geven wat jullie willen hebben.' Ze stond op, liep naar de cassettes en haalde er drie tussenuit. 'Om te beginnen deze. De teksten liggen in...'
'Waarom ben je zo zenuwachtig, Liz?'
'Ik ben niet zenuwachtig.'
'Ja, dat ben je wel. Ik denk dat we het huis maar eens grondig moeten doorzoeken.'
'Dat kunt u niet zomaar doen. Daar hebt u een huiszoekingsbevel voor nodig.'
Banks zuchtte. Daar gaan we weer. 'Weet je zeker dat je het daar op aan wilt laten komen?' vroeg hij. 'Want dan halen we er wel een.'
'Doet u dat dan maar. Ga er maar een halen.'
Banks keek naar Annie. 'Inspecteur Cabbot, zou u zo vriendelijk willen zijn om een huiszoekingsbevel te gaan halen...'

Liz keek verward van de een naar de ander. 'Niet alleen zij. U moet allebei weg.'
'Zo werkt dat niet,' zei Banks. 'Een van ons moet hier blijven om ervoor te zorgen dat je niets verwijdert. We kunnen natuurlijk niet hebben dat we onze hielen lichten om een huiszoekingsbevel te halen en daardoor bijvoorbeeld drugsdealers de kans geven om hun handel door het toilet te spoelen, want dan zouden we immers ons werk niet goed doen.'
'Ik ben geen drugsdealer.'
'Daar ben ik van overtuigd. Toch is er iets wat wij van jou niet mogen vinden. Ik blijf hier, terwijl inspecteur Cabbot een huiszoekingsbevel gaat halen en wanneer ze terugkomt, heeft ze vier of vijf agenten bij zich die het hele huis overhoop halen als het moet.'
Liz zag zo bleek dat Banks bang was dat ze zou flauwvallen. Hij had gemerkt dat ze heel gevoelig was en hij vond het niet leuk om haar zo streng aan te pakken, maar hij vond wat er met Luke was gebeurd ook niet leuk. 'Wat gaat het worden, Liz? Geef je ons toestemming om nu even rond te kijken of kies je voor de harde aanpak?'
Liz keek hem met tranen in haar ogen aan. 'Ik heb weinig keus.'
'Er is altijd een keus.'
'Jullie vinden het toch wel. Ik heb nog tegen Ryan gezegd dat het stom was om het te bewaren.'
'Wat vinden we toch wel, Liz?'
'In die kast naast de deur, onder de slaapzak.'
Banks en Annie deden de deur van de gangkast naast de voordeur open en schoven de slaapzak opzij. Daaronder lag een versleten leren schoudertas, precies dezelfde als de tas die Luke Armitage bij zich had gehad toen hij op het marktplein door die pestkoppen was uitgedaagd.
'Zo te zien hebben Ryan en jij heel wat uit te leggen,' zei Banks.

15

De Bridge Fair-kermis was altijd in maart. Als jongetje was Banks elk jaar samen met zijn ouders gegaan. Hij herinnerde zich nog dat hij op zijn vaders knie in de botsautootjes had gezeten en zich stevig vastklemmend aan zijn vader alle gevaren had getrotseerd, herinnerde zich nog hoe de ruwe stof van zijn vaders jasje had aangevoeld, de geur van ongewassen wol die om hem heen hing en de vonken die van de hoge palen afsprongen. Hij herinnerde zich nog dat hij dan hand in hand met zijn moeder liep, dat hij een suikerspin of karamelappel at, zij een dun wafeltje en zijn vader een hotdog met een berg gebakken ui. Hij hoorde het gevloek van zijn vader die probeerde om met de darts waarmee was geknoeid de speelkaarten te raken en het gelach van zijn moeder die probeerde pingpongballen in een goudvissenkom te gooien.

Toen Banks veertien was, wilde hij absoluut niet meer met zijn ouders op de kermis worden gezien; hij ging met zijn vrienden en de zaterdagavond was de belangrijkste avond.

Hoe kwam het, dacht hij toen hij langs de kleine kermis aan de kant van de weg reed die deze herinneringen had opgeroepen, dat het net leek alsof ze op kermissen altijd rock-'n-roll draaiden, zelfs in de jaren zestig al? Als hij aan de avonden op de kermis dacht die hij met Paul, Graham, Steve en Dave had doorgebracht, aan de rondtollende karretjes van de verschillende attracties en de felle lichten die opgloeiden in het donker, hoorde hij in zijn achterhoofd altijd Freddy Cannons *Palisades Park* of Eddie Cochrans *Summertime Blues*, maar nooit iets van de Beatles of de Rolling Stones.

Zijn favoriete attractie was de rups geweest, maar daar moest je dan wel met een meisje in. De karretjes raasden steeds sneller in golvende bewegingen rond en ondertussen ontvouwde het doek zich als de luifel van een winkel langzaam boven je hoofd tot alle karretjes er volledig onder schuilgingen, wat ook de naam van de attractie verklaarde, en je met je meisje in het donker doordenderde. Als hij alleen was, ging hij het liefst in de snelle attracties als de achtbaan, maar op je veertiende vond

je alles leuk, zolang er maar een meisje bij je was.
Voor Banks en zijn vrienden begon de kermis altijd al geruime tijd voordat hij officieel was geopend. Hij herinnerde zich dat hij op een regenachtige middag met Graham langs een grasveld was gelopen; het moest in 1965 zijn geweest, want dat was het enige jaar geweest waarin Graham erbij was toen de lentekermis Peterborough aandeed. Ze hadden naar de felgekleurde vrachtwagens staan kijken die een voor een kwamen aanrijden, naar de achterdochtige, stugge gezichten van de kermismedewerkers die de rails en karretjes begonnen uit te laden en volgens een magisch proces de attracties in elkaar zetten. De volgende twee dagen kwam Banks regelmatig langs om te kijken of het al opschoot en eindelijk zag hij de mannen het laatste onderdeel van de draaimolen op zijn plaats schuiven, de kassahokjes en kraampjes op hun plaats zetten, en jawel: op de openingsavond was alles klaar.
Je moest pas gaan wanneer het donker was. Er was niets aan als de felgekleurde lichten niet opflitsten en ronddraaiden, als de muziek niet keihard stond, als de geur van gebakken ui en suikerspin niet op de avondlucht werden meegevoerd en zich vermengde met het haast tastbare vleugje gewelddadigheid. De kermis was bij uitstek de plek om een robbertje te vechten of wraak te nemen en je kon al van verre zien aankomen waar de problemen zich zouden voordoen. Eerst de blikken en het gefluister, twee mensen die zogenaamd per ongeluk tegen elkaar op botsten, vervolgens iemand die wegrende, op de voet gevolgd door een aantal anderen, een schermutseling en onderdrukt geschreeuw, terwijl de medewerkers van de kermis zich blijkbaar nergens iets van aantrokken en over de bewegende onderdelen van de attracties heen stapten, ongeacht de snelheid waarmee ze ronddraaiden, om het geld op te halen en indruk te maken op de meisjes met hun nonchalante waaghalzerij.
En dan de meisjes... De meisjes lieten zich op de kermis van hun beste kant zien, een en al kauwgom en minirokken en oogschaduw. 'Als je op zaterdagavond geen nummertje kon maken, zou je nooit een nummertje maken', zo wilde een oud rugbyliedje. Banks had op die avonden nooit een nummertje gemaakt, maar hij had wel een paar keer gezoend. Die avond was het Sylvia Nixon geweest, een knap blond meisje dat naar de meisjesschool verderop in de straat ging. Ze hadden elkaar de hele avond steelse blikken toegeworpen, hadden regelmatig naast elkaar tegen de houten omheining rondom de attracties gestaan en naar de mensen in de karretjes gekeken die zich krijsend en schreeuwend aan hun zitplaats vastklemden. Ze had haar zwijgzame vriendin June bij zich gehad en dat was nu juist het probleem geweest. Een probleem dat Graham godzij-

dank had helpen oplossen. Binnen de kortste keren hadden ze in de rups gezeten en had Banks die veelbelovende spanning gevoeld toen het doek zich langzaam boven hun hoofd sloot.
Later die avond was er echter iets vreemds gebeurd.
Banks had geprobeerd de meisjes over te halen om de volgende dag met hen mee te gaan naar het park, als het weer tenminste mooi bleef. Daar waren meer dan genoeg beschutte, verborgen plekken waar je in het gras kon liggen of tegen een boom kon leunen om te vrijen. Het was hem bijna gelukt, nog een laatste plichtmatige tegenwerping die moest worden overwonnen, maar toen had Graham gezegd: 'Sorry, morgen kan ik niet.' Toen Banks hem had gevraagd waarom niet, had hij alleen geglimlacht en een voor hem zo kenmerkend ontwijkend antwoord gegeven: 'Ik moet gewoon iets anders doen.' De meisjes waren niet blij geweest toen ze dat hoorden en Banks kreeg nooit meer een kans om met Sylvia Nixon uit te gaan.
Ergens bij de botsautootjes brak een vechtpartij uit, wist Banks nog, die door een paar oudere mannen de kop in werd gedrukt. Afgezien van Sylvia's kus in de rups en Grahams zwakke excuus om onder de afspraak voor de volgende dag uit te komen, was de scherpst afgetekende herinnering aan die avond dat Graham alles had betaald. Alweer. Hij had ook Benson&Hedges bij zich gehad: tien stuks, kingsize, in een goudkleurig pakje.
Banks nam de afrit van de A1 naar Peterborough en probeerde zich uit alle macht te herinneren of hij Graham ooit had gevraagd hoe hij aan zijn geld kwam, maar kwam tot de conclusie dat hij dat waarschijnlijk inderdaad nooit had gedaan. Misschien had hij het gewoon niet willen weten. Kinderen zijn egoïstisch en zolang ze plezier hebben, hebben ze er geen behoefte aan te weten waar het geld vandaan komt of wie er heeft betaald. Er waren echter niet veel plekken waar een kind van Grahams leeftijd aan zoveel contant geld had kunnen komen. De krantenwijk leverde niet zoveel op, maar een greep in de kassa zo nu en dan misschien wel. Of had hij het geld uit zijn moeders portemonnee gejat?
Het probleem was dat het hen nooit wat had uitgemaakt, zolang Graham maar geld had. Dat hij zo vrijgevig was, hadden ze heel vanzelfsprekend gevonden. Maar wat had hij gedaan om eraan te komen, en waar en van wie had hij het gekregen?
Banks merkte dat hij zich nu ook begon af te vragen wat Graham die zondag per se had moeten doen en waarom het belangrijker was geweest dan een vrijpartijtje in het park met Sylvia Nixons vriendinnetje. En er schoten hem nu ook andere gebeurtenissen te binnen, dingen die tot op

de dag voor zijn verdwijning hadden plaatsgevonden, maar waar Graham niet bij was geweest. Zonder reden, zonder excuus, zonder uitleg.

Toen Annie Liz Palmer wilde verhoren, begon haar gezicht weer pijn te doen. Ze had eerder die dag een paar paracetamols ingenomen, maar die waren blijkbaar uitgewerkt. Ze slikte er nogmaals twee in en tastte met haar tong voorzichtig naar een losse tand. Geweldig. Het laatste waar ze nu behoefte aan had, was een bezoekje aan de tandarts. Die schoft van een Armitage. Zijn dure advocaat had binnen de kortste keren op het bureau gezeten en zodra de arrestantenbewakers de papieren hadden ingevuld voor de aanklacht wegens mishandeling door Armitage, had hij te horen gekregen dat hij de volgende dag voor de politierechter moest verschijnen en was hij naar huis gestuurd. Annie had graag gezien dat hij in elk geval een nacht in de arrestantencel had mogen afkoelen, maar helaas. Waarschijnlijk zou hij wel weer vrijuit gaan. Mensen als hij gingen vrijwel altijd vrijuit.

Omdat het onderzoek naar de moord op Luke Armitage een hoge prioriteit had, verhoorden Gristhorpe en Winsome Jackman Ryan Milne op hetzelfde moment in de kamer naast hen. Ze hadden hem bij de universiteit opgewacht en meegenomen naar het bureau, maar Milne was al die tijd net zo zwijgzaam geweest als Liz.

Annie nam Kevin Templeton mee naar verhoorkamer 2, controleerde voor de zekerheid of Liz op de hoogte was van haar rechten en zette vervolgens de cassetterecorder aan. Annie legde uit dat ze vooralsnog niet in staat van beschuldiging was gesteld en er niemand was gearresteerd. Ze wilde eenvoudigweg weten hoe Luke Armitages schoudertas bij Liz thuis in de gangkast was terechtgekomen. Tas en inhoud lagen inmiddels al bij de forensische afdeling.

'Je hebt me verteld dat je Luke voor het laatst hebt gezien tijdens de repetitie van de band in de kelder van de kerk, ongeveer een week voordat hij verdween, klopt dat?' begon Annie.

Liz knikte. Ze hing onderuitgezakt in haar stoel, beet op een vingernagel en zag er heel wat jonger uit dan 21.

'Had hij toen zijn schoudertas bij zich?'

'Die had hij altijd bij zich.'

'Wat deed die tas dan in jouw gangkast?'

'Geen flauw idee.'

'Hoe lang ligt hij daar al?'

'Dat moet haast wel sinds de repetitie zijn.'

'Is hij eerst naar de flat gekomen?'
'Ja.'
Annie wierp een blik op Kevin Templeton en slaakte een zucht. 'Het probleem is, Liz,' vervolgde ze, 'dat de CCTV-camera's op het marktplein opnames van Luke hebben gemaakt op de dag van zijn verdwijning, maandag een week geleden, en toen had hij de tas nog bij zich.'
'Misschien was het wel een nieuwe.'
'Nee,' zei Annie. 'Het was dezelfde.' Dat kon ze nooit helemaal zeker weten, natuurlijk, het was best mogelijk dat Luke zijn tas inderdaad bij Liz had laten liggen en een nieuwe had gekocht, maar het leek haar onwaarschijnlijk dat Luke al zijn andere bezittingen daar ook had achtergelaten. Het ging tenslotte niet om de tas zelf, maar om de dingen die erin zaten: zijn schrift, laptop, discman, bandjes en cd's.
Liz fronste haar wenkbrauwen. 'Nou, maar ik zie niet in hoe dat...'
'Ik ook niet. Tenzij je ons niet de waarheid vertelt.'
'Waarom zou ik tegen jullie liegen?'
'Doe niet zo naïef,' zei Kevin Templeton ruw. 'Luke is dood. Dat lijkt mij een heel goede reden om te liegen.'
Liz schoot met een ruk overeind. 'Ik heb hem niet vermoord! Jullie denken toch niet dat ik hem heb vermoord?'
'Ik weet eerlijk gezegd niet wat we ervan moeten denken,' zei Annie, en ze spreidde haar handen voor zich uit op de tafel. 'Maar je zult denk ik wel begrijpen wat ons dilemma is. Luke en zijn tas worden vermist, Luke wordt dood gevonden en dan vinden we zijn tas in jouw gangkast. Wel heel toevallig, vind je zelf ook niet?'
'Ik heb toch al gezegd dat ik niet weet wanneer hij hem daar heeft neergelegd.'
'Waar was je die middag?'
'Welke middag?'
'Die maandag waarop Luke is verdwenen.'
'Geen idee. Thuis, neem ik aan.'
'En je houdt vol dat hij niet bij de flat is langsgekomen en zijn tas misschien heeft laten liggen toen hij weer wegging?' Annie besefte dat ze Liz een ontsnappingsroute bood, maar het leek de enige manier om haar aan het praten te krijgen.
'Ik heb hem niet gezien.'
'Had hij een sleutel?'
'Nee.'
'Dus het kan niet zo zijn dat je net even weg was en hij zichzelf heeft binnengelaten?'

'Ik zou niet weten hoe.'
Deze vragen leverden duidelijk niets op. 'Liz, je maakt het ons niet echt gemakkelijk. Ik vraag je nogmaals: hoe is Luke's tas in jouw gangkast terechtgekomen?'
'En ik heb al gezegd dat ik dat niet weet.'
'Ik geloof je niet.'
'Tja, dat is uw probleem.'
'Nee, Liz. Het is jouw probleem. En als je ons niet snel de waarheid vertelt, werk je je alleen maar dieper in de nesten.'
'Misschien heeft Ryan het gedaan,' opperde Kevin Templeton.
Liz keek verward op. 'Ryan? Hoezo?'
'Luister,' ging Templeton verder, 'ik zal je eens vertellen wat er volgens mij is gebeurd.' Annie knikte instemmend. 'Ik denk dat Luke naar jullie huis is gegaan toen hij van het marktplein kwam. Het was aan het eind van de middag. Ryan was er niet en jullie dachten dat jullie wel tijd hadden voor een vluggertje. Hij was een mooie knul, goed gebouwd, zag er ouder uit dan hij was...'
'Nee! Dat is helemaal niet gebeurd. Zo is het niet gegaan!'
'En toen kwam Ryan thuis en die heeft jullie betrapt. De jongens hebben gevochten en Luke is daarbij om het leven gekomen. Ik ben ervan overtuigd dat Ryan niet van plan was hem te doden, maar intussen zaten jullie wel met het lijk opgescheept. Wat moesten jullie doen? Jullie hebben gewacht tot het donker was, hebben toen Luke's lichaam in de auto geladen en zijn ermee naar Hallam Tarn gereden, waar Ryan hem over de muur heeft gegooid en in het water heeft laten vallen. Jullie hadden verwacht dat het lijk zou zinken, dat doen lijken aanvankelijk namelijk altijd, tot ze beginnen te ontbinden, de gassen zich ophopen en het lichaam naar het wateroppervlak stuwen, maar dat gebeurde niet. Zijn T-shirt bleef achter een oude boomwortel haken. Hadden jullie even pech. Dat had Ryan van tevoren niet kunnen weten. En niemand zou Luke hebben gevonden, omdat het hele gebied in quarantaine is vanwege het mond-en klauwzeer. Alleen moest iemand van het ministerie er watermonsters nemen. Alweer pech voor jullie. Dat had Ryan óók niet van tevoren kunnen weten.' Templeton grijnsde breeduit, waarbij hij al zijn witte tanden ontblootte, en sloeg zijn armen over elkaar. 'Hoe doe ik het tot dusver, Liz?'
'Allemaal leugens. Dat is helemaal niet gebeurd. Jullie verzinnen het gewoon om ons in moeilijkheden te brengen. Ik heb gehoord dat de politie dit soort dingen wel vaker doet.'
'Je zit al in moeilijkheden,' zei Annie. 'We proberen je te helpen en een

verklaring te vinden voor wat er is gebeurd. Misschien is het inderdaad wel zo gegaan als agent Templeton net uiteen heeft gezet. Misschien was het inderdaad wel een ongeluk. En als dat zo is, kunnen wij je helpen. Maar dan moet je ons wel de waarheid vertellen.'

'Luister, ik heb echt geen idee hoe die tas daar is terechtgekomen,' zei Liz. 'We hadden Luke sinds die repetitie niet meer gezien.'

'Je maakt het ons niet gemakkelijk,' zei Annie.

'Dat kan ik ook niet helpen! Wat wilt u dan dat ik doe? Dat ik iets verzin om u tevreden te stellen?'

'Ik wil de waarheid horen.'

'Ik heb u de waarheid al verteld.'

'Je hebt ons helemaal niets verteld, Liz.'

'We kunnen het trouwens allemaal controleren,' zei Templeton. 'Dat weet je, neem ik aan? Ons forensisch team is erg goed.'

'Wat bedoelt u?'

'Ik bedoel dat ze jullie flat millimeter voor millimeter zullen uitkammen en als er ook maar één aanwijzing is die duidt op crimineel gedrag, als er ook maar één druppel bloed van Luke aanwezig is, dan zullen ze die vinden.'

'Hij heeft gelijk,' zei Annie. 'Om te beginnen hebben jullie die pook. Die is me opgevallen toen we met jou zaten te praten. Zo zie je ze tegenwoordig niet vaak meer. Als er bloed of haar van Luke op zit, zullen we dat vinden. Als er sporen op de vloerbedekking zitten, tussen de planken van de vloer of in de afvoer van de gootsteen, dan zullen we ze vinden.'

Liz sloeg haar armen over elkaar en beet op haar lip. Annie kon zien dat ze een vinger op een gevoelige plek had gelegd. Wat was het? Was het het woord bloed geweest? Wist Liz dat ze Luke's bloedsporen in de flat zouden aantreffen? 'Wat is er, Liz?' vroeg ze. 'Is er iets wat je me wilt vertellen?'

Liz schudde haar hoofd.

'Ryan wordt hiernaast verhoord,' zei Templeton. 'Ik durf te wedden dat hij hun vertelt dat het allemaal jouw schuld is, dat jij Luke hebt vermoord en dat hij het lijk voor jou heeft gedumpt.'

'Dat zou Ryan nooit doen.'

'Ook niet als het waar was?' vroeg Annie.

'Maar het is niet waar. We hebben niemand vermoord. Hoe vaak moet ik u dat nog zeggen?'

'Tot we je geloven,' zei Annie. 'Tot je een bevredigende verklaring geeft voor het feit dat Luke's tas bij jullie in de kast lag.'

'Ik zou het u niet kunnen zeggen.'

'En die losgeldeis?'
'Wat is daarmee?'
'Wiens idee was dat? Van Ryan? Zag hij zijn kans schoon om op een gemakkelijke manier aan geld te komen, nu Luke toch al dood was? Of kwam hij daarmee op de proppen om ons in verwarring te brengen?'
'Ik weet echt niet waar u het over hebt.'
Annie stond op en Templeton volgde haar voorbeeld. 'Goed,' zei Annie, en ze zette de opnameapparatuur uit. 'Ik heb er genoeg van. Laat haar maar naar de cel brengen, Kev, en zorg dat er DNA-monsters worden afgenomen. Misschien hebben we geluk en komt haar DNA overeen met het bloed op het muurtje. En vraag ook meteen om een huiszoekingsbevel. Het forensisch team kan binnen een uur bij haar flat zijn. Daarna gaan we even babbelen met de chef om te horen wat Ryan allemaal te vertellen had.'
'Goed, mevrouw,' zei Templeton.
'Laat dat mevrouw verdomme maar achterwege,' voegde Annie er nauwelijks hoorbaar aan toe.
Liz stond op. 'Dat kunnen jullie niet doen! Jullie kunnen me niet zomaar opsluiten.'
'Wedden van wel?' zei Annie.

Banks klopte op de voordeur van zijn ouderlijk huis en liep naar binnen. Het was het begin van de avond en hij had nog zeeën van tijd voordat hij naar zijn afspraak met Michelle moest. Zijn ouders hadden net afgewassen en hadden zich voor de televisie geïnstalleerd om naar *Coronation Street* te kijken, net zoals ze al die jaren geleden ook hadden gedaan op die avond waarop de politie was langsgekomen in verband met Graham, de avond waarop Joey was ontsnapt.
'Het is al goed, blijf maar zitten,' zei Banks tegen zijn moeder. 'Ik blijf niet lang. Ik moet nog weg vanavond. Ik kom alleen mijn spullen voor vannacht even brengen.'
'Je wilt toch wel een kopje thee, lieverd?' drong zijn moeder aan.
'Misschien heeft hij liever iets sterkers,' opperde zijn vader.
'Nee, bedankt, pa,' zei Banks. 'Thee is uitstekend.'
'Wat je wilt,' zei Arthur Banks. 'De zon hangt anders allang achter de nok. Nu je toch al staat, wil ik die fles ale wel hebben, schat.'
Ida Banks liep naar de keuken en Banks en zijn vader bleven alleen achter met de ongemakkelijke stilte die tussen hen hing.
'Al vooruitgang geboekt?' vroeg Banks senior ten slotte.
'Sorry?'

'Dat vriendje van je. Graham Marshall.'
'Niet echt,' zei Banks.
'Ben je daarom weer hier?'
'Nee,' loog Banks. 'Ik ben niet meer bij die zaak betrokken. Morgen is de begrafenis.'
Arthur Banks knikte.
Banks' moeder stak haar hoofd om de keukendeur. 'Ik wist dat er iets was wat ik je nog moest vertellen, Alan. Een geheugen als een zeef heb ik tegenwoordig. Ik sprak Elsie Grenfell gisteren en ze vertelde me dat haar David morgen ook naar de begrafenisdienst komt. En die jongen van Major wordt ook al verwacht. Is het niet spannend, om al je vrienden van vroeger weer terug te zien?'
'Ja,' zei Banks, en hij glimlachte in zichzelf. Sommige dingen veranderden nooit, net als het *Coronation Street*-ritueel; godzijdank hadden ze nog tien minuten voordat het programma begon. Paul Major was voor Ida Banks altijd 'die jongen van Major' geweest, ook al wist ze heel goed dat zijn naam Paul was. Het gaf aan dat hij niet haar volledige goedkeuring had. Banks kon zich niet indenken waarom. Van hen allen was Paul Major de braafste geweest, degene die waarschijnlijk een mooie baan als accountant of bankier zou krijgen.
'En Steve?' vroeg Banks. 'Steve Hill?'
'Ik heb in jaren niets over hem gehoord,' zei Ida Banks, en ze trok zich weer terug in de keuken.
Dat was niet verbazingwekkend. De familie Hill was jaren geleden uit de wijk weggegaan, omdat Steve's vader werd overgeplaatst naar Northumberland. Banks was hen uit het oog verloren en wist niet waar ze tegenwoordig woonden. Hij vroeg zich af of Steve wel had gehoord dat Grahams botten waren gevonden.
'Ik neem aan dat het nergens toe heeft geleid, datgene waar we de vorige keer dat je hier was in The Coach over hebben zitten praten?' vroeg Arthur Banks.
'Over de Krays en meneer Marshall? Waarschijnlijk niet. Maar het was nuttige achtergrondinformatie.'
Arthur Banks kuchte. 'Hadden tijdens hun topjaren meer dan de helft van de Metropolitan Police omgekocht, die Krays.'
'Dat heb ik gehoord, ja.'
Mevrouw Banks kwam binnen met een dienblad met rozen, waarop de thee en het bier voor haar man stonden. 'Onze Roy heeft vanmiddag gebeld,' vertelde ze. 'Je krijgt de groeten.'
'Hoe gaat het met hem?' vroeg Banks.

'Uitstekend, zei hij. Hij vliegt vandaag naar Amerika voor een paar vergaderingen en wilde ons laten weten dat hij een paar dagen zou wegblijven, zodat we ons geen zorgen zouden maken.'
'O, mooi,' zei Banks, die tot grote ergernis van zijn moeder, zo vermoedde hij, nooit ergens naartoe vloog, tenzij Griekenland ook meetelde. Typisch zijn broer Roy om bij hun moeder te laten doorschemeren dat hij een dynamisch leven leidde. Hij vroeg zich af wat voor schimmige zaakjes Roy in Amerika moest afhandelen. Niet mee bemoeien.
'Er was laatst een programma op televisie over dat politieschandaal van een paar jaar terug,' zei Banks' vader. 'Heel interessant om te horen waarmee jullie je soms inlaten.'
Banks zuchtte. Dé grote gebeurtenis waar Arthur Banks' leven om draaide was niet de Tweede Wereldoorlog, waarin hij niet had meegevochten omdat hij een jaar te jong was geweest, maar de mijnstaking van 1982, toen Maggie Thatcher de vakbonden kapotmaakte en de mijnwerkers op hun knieën dwong. Elke avond had hij tijdens het journaal aan de buis gekluisterd gezeten, als een rechtgeaarde arbeider vervuld van woede. Banks wist dat zijn vader in al die tussenliggende jaren het beeld niet van zich had kunnen afschudden van de politiemannen in hun speciale beschermende kledij die met stapeltjes bankbiljetten van vijf pond, hun overwerkvergoeding, heen en weer hadden gezwaaid om de hongerige mijnwerkers uit te dagen. Banks had indertijd undercover in Londen gewerkt, voornamelijk in drugszaken, maar hij wist dat hij in zijn vaders hoofd een van hen was. De vijand. Kwam er dan nooit een eind aan? Hij zei niets.
'Waar ga je vanavond eigenlijk naartoe, lieverd?' vroeg Ida Banks. 'Heb je weer afgesproken met die vrouwelijke agent?'
Zo klonk het net alsof het een echt afspraakje betrof. Banks voelde zich even schuldig omdat hij er zelf precies zo over dacht, maar zei toen: 'Het is voor mijn werk.'
'Heeft het met Graham te maken?'
'Ja.'
'Ik dacht dat je net zei dat je niet meer bij die zaak betrokken was,' zei zijn vader.
'Dat ben ik ook niet, maar ik kan hen misschien wel helpen.'
'De politie helpen bij hun onderzoek?' Arthur Banks grinnikte zachtjes. Zijn gegrinnik ging echter over in een hoestbui, die pas ophield toen hij in zijn zakdoek spuugde.
Gelukkig begon het deuntje van *Coronation Street* voordat iemand iets kon zeggen en het gesprek werd niet meer hervat.

Het kwam niet vaak voor dat hoofdinspecteur Gristhorpe in de Queen's Arms kwam, maar toen ze de verhoren hadden afgerond en Ryan Milne en Liz Palmer voor een nachtje in een cel hadden gezet, stelde hij voor dat Annie en hij de resultaten bij een hapje eten zouden bespreken. Annie had honger en dorst en vond het een uitstekend idee.
Als een ware heer had Gristhorpe erop gestaan zelf naar de bar te gaan om de drankjes te halen, ook al zou Annie dat met alle plezier hebben gedaan. In plaats daarvan ging ze zitten en nam ze het ervan. Ze vond Gristhorpe nog steeds een tikje intimiderend, ook al kon ze niet zeggen waarom, maar ze voelde zich meer op haar gemak bij hem in een omgeving als de Queen's Arms dan in zijn met boeken bezaaide kantoor, dus was ze heel blij dat hij had voorgesteld om naar de pub te gaan. Haar tand zat inderdaad los, dus ze zou voorzichtig moeten eten.
Gristhorpe kwam terug met een glas bier voor haar en een klein glas alcoholvrij bier voor zichzelf. Ze wierpen een blik op het menu dat met krijt op een schoolbord stond geschreven en Annie koos de vegetarische lasagne, die goed te doen moest zijn met haar tand, terwijl Gristhorpe zijn keus liet vallen op de fish&chips. De oude man zag er beter uit dan hij in tijden had gedaan, vond Annie. De eerste paar keer dat ze hem na zijn ongeluk had ontmoet, had hij er bleek, mager en vermoeid uitgezien, maar nu was hij wat gevulder en lag er een warme blos op zijn pokdalige gezicht. Ze ging ervan uit dat ongelukken en ziektes meer van je krachten vergden naarmate je ouder werd en dat het herstel ook langer in beslag nam. Hoe oud was hij nu? Hij kon onmogelijk veel ouder zijn dan een jaar of zestig.
'Hoe gaat het met je mond?' vroeg hij.
'De pijn lijkt helemaal verdwenen. Bedankt.'
'Je had eigenlijk naar het ziekenhuis moeten gaan.'
'Het was niets ernstigs. Zijn vuist schampte me, meer niet.'
'Desondanks... Dit soort dingen kunnen complicaties opleveren. Hoe gaat het met Wells?'
'Het laatste wat ik heb gehoord is dat hij nog steeds in het ziekenhuis ligt. Armitage heeft hem een flink pak slaag gegeven.'
'Altijd een driftkikker geweest, die man. Als voetballer al. En hoe staat het met dat meisje van Palmer? Al iets interessants uit haar losgekregen?'
Annie vertelde hem wat Liz Palmer had gezegd en Gristhorpe nam een slokje alcoholvrij bier voordat hij haar op de hoogte bracht van zijn verhoor van Ryan Milne. 'Hij beweerde dat hij helemaal niets wist van die tas, net als zijn vriendin. Hij zei dat hij die dag weg was geweest en Luke helemaal niet heeft gezien.'

'Gelooft u hem?'
'Nee. Winsome heeft hem stevig aangepakt, dat meisje is heel goed in verhoren, een keiharde, maar we zijn er geen van beiden in geslaagd hem in het nauw te drijven.'
'Wat kunnen die twee te verbergen hebben?'
'Geen idee. Misschien zijn ze na een nachtje in de cel iets mededeelzamer.'
'Denkt u dat ze het hebben gedaan?'
'Wat hebben gedaan?'
'Dat ze Luke hebben vermoord en zijn lichaam hebben gedumpt.'
Gristhorpe tuitte nadenkend zijn lippen en zei toen: 'Dat weet ik niet, Annie. Milne heeft een oude roestbak, dus ze hadden een vervoermiddel tot hun beschikking. Net als jij heb ik het over een mogelijke romance gehad en geopperd dat er iets tussen Luke en Liz moest zijn geweest, maar Milne hapte niet en om je eerlijk te zeggen heb ik niets gezien waaruit bleek dat ik de spijker op zijn kop had geslagen.'
'Dus u denkt niet dat ze een verhouding hadden?'
'Luke was pas vijftien en hoe oud is die Liz Palmer ook alweer?'
'Eenentwintig.'
'Als ik het me goed herinner is een vijftienjarig vriendje wel het laatste wat een vrouw van eenentwintig wil. Als ze nu eenenveertig was geweest...'
Annie glimlachte. '... dan heeft ze best trek in een lekker strak kontje.'
'Die beschrijving heb ik vaker gehoord. Toch denk ik dat vijftien te jong is.'
'Ik weet het zo net nog niet,' zei Annie. 'De dochter van het schoolhoofd heeft Banks verteld dat ze dacht dat Luke iets had met zijn lerares Engels en zij loopt tegen de dertig.'
'Lauren Anderson?'
'Inderdaad.'
'Er gebeuren wel vreemdere dingen. Wat vindt Alan ervan?'
'Hij denkt dat dat meisje van Barlow zo haar eigen redenen heeft om mevrouw Anderson in moeilijkheden te brengen.' Annie nam een slokje bier. Nectar. 'Ik wil overigens niet beweren dat Luke geen relatie had met iemand die ouder was dan hij. Alles wat ik tot dusver over hem heb gehoord, wijst erop dat hij heel volwassen was voor zijn leeftijd, zowel lichamelijk als geestelijk.'
'En gevoelsmatig?'
'Dat kan ik u niet zeggen.'
'Welnu, dat is nu juist waar alles om draait,' merkte Gristhorpe peinzend

op. 'Dat is waardoor mensen de vaste grond onder hun voeten voelen wegglijden. Ze kunnen een bepaald iets in intellectueel opzicht begrijpen, in fysiek opzicht voor elkaar krijgen, maar in emotioneel opzicht kan het een enorme klap voor hen zijn als ze niet volwassen genoeg zijn. Met name tieners zijn bijzonder kwetsbaar.'
Annie was het met hem eens. Ze was tijdens haar werk vaak genoeg in aanraking gekomen met verwarde tieners om te beseffen dat dat klopte en Luke Armitage was een ingewikkelde persoonlijkheid geweest, een verwarde kluwen van tegenstrijdige verlangens en onopgeloste problemen. In combinatie met zijn creativiteit en gevoeligheid zorgde dat ervoor dat Luke net zo explosief was als nitroglycerine.
'Heeft die mevrouw Anderson misschien een jaloers vriendje?' vroeg Gristhorpe.
'Volgens Winsome niet. Ze heeft wat onderzoek naar haar gedaan. De enige smet op het blazoen van mevrouw Anderson is het strafblad van haar broer Vernon.'
Gristhorpe trok zijn zware wenkbrauwen vragend op. 'O ja?'
'Niets ernstigs. Een paar twijfelachtige cheques.'
'Volgens mijn bankmanager heb ik zelf ook een paar van die dingen in mijn verleden. En die andere leraar, Alastair Ford?'
'Volgens Kevin Templeton gaat het gerucht dat hij homoseksueel is, maar dat is slechts een gerucht. Voorzover iedereen weet, heeft hij helemaal geen seksleven.'
'Is er iets wat erop duidt dat Luke Armitage ook homoseksueel was?'
'Niets. Er is echter ook niets wat erop duidt dat hij heteroseksueel was. Ford is echter heel opvliegend, net als Armitage, en hij is nu al enige jaren onder behandeling bij een psychiater. Beslist een labiel type.'
'Nog maar niet van de lijst schrappen dus?'
'Nee.'
'Norman Wells?'
'Steeds minder waarschijnlijk, zou ik zeggen.'
Toen hun eten werd gebracht, waren ze beiden zo hongerig dat ze zwegen en zich volledig op hun maaltijd stortten, tot Gristhorpe zijn vork even neerlegde. 'Hoe denk jij dat Luke's tas is terechtgekomen op de plek waar hij is gevonden, Annie?' vroeg hij.
Annie slikte de hap lasagne door die ze in haar mond had en zei toen: 'Ik denk dat Luke na die vervelende ontmoeting met die pestkoppen op het marktplein naar hun flat is gegaan. Wat er precies is gebeurd, weet ik niet, maar ik geloof dat hij daar is gestorven of dat er daar iets is gebeurd waardoor hij is weggerend en zijn tas heeft achtergelaten, wat hij volgens

mij onder normale omstandigheden namelijk nooit had gedaan.'
'Dus er is daar wel degelijk iets gebeurd?'
'Ja. Daar ben ik van overtuigd.'
'Weten we al iets over zijn mobiele telefoon?'
'Een van die kleine modellen die je kunt open- en dichtklappen. Kon hem waarschijnlijk nooit vinden tussen alle spullen die hij in zijn tas had en heeft hem mogelijk altijd in zijn zak gehad. We hebben hem trouwens nog niet gevonden.'
'Is hij gebruikt?'
'Sinds dat telefoontje met die losgeldeis niet meer. Heeft zelfs niet meer aangestaan. Ik heb nogmaals bij het telefoonbedrijf geïnformeerd.'
'Zit er iets waardevols in die tas?'
'Stefan is er nu mee bezig. Op basis van wat ik heb gezien, zou ik echter denken van niet. Die laptop was natuurlijk wel wat waard, maar ik denk niet dat diefstal het motief is. Dat wil zeggen...'
'Ja, Annie?'
'Nou ja, er zat niets in wat waarde zou hebben voor u of mij, niets van materiële waarde, maar ik had de indruk dat Liz in elk geval heel ambitieus is en er bestaat een gerede kans dat ze het veel verder zouden schoppen en sneller succes zouden hebben als ze konden meeliften op Luke Armitages talent, of anders op Neil Byrds bekendheid.'
'Ik geloof dat ik een beetje een oude knakker begin te worden,' zei Gristhorpe, en hij krabbelde met een vinger aan de zijkant van zijn haakneus, 'maar ik moet bekennen dat ik nog nooit van Neil Byrd heb gehoord. Ik weet natuurlijk wel wat zijn connectie met Luke was en hoe het met hem is afgelopen, maar meer ook niet.'
'Alan, inspecteur Banks, weet er veel meer over dan ik, maar ik weet wel dat Byrd in zijn tijd vrij bekend was. De platenmaatschappij brengt nog steeds cd's uit met nog niet eerder gepubliceerd materiaal, grootste hits en live optredens, dus er is nog steeds een levendige handel in Neil Byrd-materiaal, ook al is hij al twaalf jaar dood. Luke heeft wat van zijn vaders talent geërfd en als Liz en Ryan die connectie wilden uitbuiten, hadden ze waarschijnlijk heel veel gehad aan de ideeën en opzetjes voor nummers en fragmenten die op die laptop en in zijn schriften stonden.'
'Maar hij was nog maar een kind, Annie. Zoveel kan hij toch nog niet te vertellen hebben gehad?'
'Het gaat er niet om wat je zegt, maar hoe je het zegt. Voornamelijk over de angsten van iedere tiener, heb ik begrepen. Maar het is de naam die echt telt. En de omstandigheden natuurlijk, hoe morbide u dat misschien ook vindt. Overleden zoon van beroemde rockzanger die zelf-

moord heeft gepleegd. Als dat eenmaal bekend is, hoeven de nummers niet eens zo goed te zijn. Het levert Liz' band de nodige bekendheid op, vestigt de aandacht op hen en dat is in de muziekwereld de helft van het werk.'
'Juridisch gezien behoren alle spullen van Luke nu echter aan zijn ouders toe. Zouden ze geen rechtszaak aanspannen als die mensen opnames maakten van Luke's nummers?'
'Misschien wel, maar dan zou het toch al te laat zijn. U weet wat ze zeggen: geen publiciteit is slechte publiciteit. Een proces zou alleen maar gunstig zijn voor de carrière van Liz en Ryan. Wel iets om over na te denken.'
Gristhorpe at het laatste patatje op, schoof zijn bord opzij en nam een slokje alcoholvrij bier. 'Wat jij dus zegt, is dat die twee plotseling een enorme schat aan materiaal in handen hebben gekregen, of ze Luke nu hebben vermoord of niet, en dat ze dachten dat ze het konden houden om later zelf te gebruiken?'
'Zoals ik al zei, het is iets om over na te denken. Als ze voorzichtiger waren geweest, hadden ze de tas weggegooid en zouden we niets hebben ontdekt.'
'Ze hadden er natuurlijk geen rekening mee gehouden dat we hun flat zouden doorzoeken.'
'Waarom zouden ze ook? Ze wisten niet eens dat iemand Luke met Liz samen had gezien.'
'En die dominee van de kerk waar ze repeteerden?'
Annie rolde met haar ogen. 'Winsome heeft hem gesproken. Ze zegt dat hij zo wazig is dat hij geen idee had wie Luke Armitage was of dat hij was verdwenen.'
'Zouden Liz en Ryan Luke voor zijn spullen hebben vermoord?' vroeg hij.
'Dat denk ik niet. Dat is nu juist het probleem. Ze hadden veel meer aan Luke toen hij nog leefde. Hij was degene naar wie de meeste aandacht was uitgegaan. Zonder hem... Nou ja, ze doen hun best.'
'Dus als ze hem zouden vermoorden, sneden ze zichzelf in de vingers?'
'Ja. Tenzij hij bijvoorbeeld de band wilde verlaten en al zijn materiaal wilde meenemen. Het is mogelijk dat een van hen daardoor door het lint is gegaan. Of er was toch, zoals ik eerder al zei, een affaire gaande, die door Ryan is ontdekt.'
'Een crime passionnel? Het zou kunnen. Zou niet de eerste keer zijn. We kunnen nog geen enkele theorie met zekerheid laten vallen. We laten hen maar even in hun sop gaarkoken en hopen intussen dat het foren-

sisch team iets vindt, dan proberen we het morgen nog een keer.'
'Een uitstekend idee.' Annie dronk haar glas leeg.
'Annie, voordat je weggaat...'
'Ja?'
'Ik wil niet nieuwsgierig zijn, maar zijn Alan en jij...?'
'Collega's, meneer. En goede vrienden.'
Gristhorpe leek blij met haar antwoord. 'Aye,' zei hij. 'Mooi. Mooi. Ga lekker slapen, meisje. Ik zie je morgenochtend fris en vrolijk op het bureau.'

De pub lag dichter bij de rivier dan het centrum van de stad, hoewel het niet veel scheelde. Banks parkeerde zijn auto bij het Rivergate-winkelcentrum en liep het eindje ernaartoe. Het was een prachtige avond en de warme lucht was absoluut windstil. De zonsondergang had de hemel in feloranje en bloedrode tinten gehuld. Banks zag Venus laag boven de horizon hangen en boven zijn hoofd namen de verschillende constellaties langzaam vaste vorm aan. Hij zou graag willen beweren dat hij ze allemaal herkende, maar de enige die hij zag, was Hercules. Dat deed hem onmiddellijk weer denken aan die verschrikkelijke, historische spektakelstukken waar hij aan het begin van de jaren zestig zo dol op was geweest, met goedkope *special effects*, Steve Reeves en een zeer luchtig geklede Sylva Koscina.
Michelle was vijf minuten te laat en Banks zat al met een glas bitter voor zich aan een tafeltje in een hoek. De ruimte was klein en rokerig, maar de meeste mensen stonden aan de bar en de speelautomaten waren gelukkig stil. Op de kabel werd zacht muziek gespeeld, moderne popmuziek die Banks niet kende. Michelle had een strakke zwarte broek aan en een groene blouse die in de broekrand was gestopt. Om haar schouders hing een beige suède jasje. Banks had haar nog niet eerder in dergelijke vrijetijdskleding gezien. Ze had er ook nog niet eerder zo aantrekkelijk uitgezien. Hij zag dat ze haar haren had laten knippen; geen drastische veranderingen, maar net iets netter, met een bijgeknipte pony en een nieuwe coupe soleil. Ze had ook wat make-up gebruikt, net genoeg om haar groene ogen en hoge jukbeenderen goed te laten uitkomen.
Ze leek zich iets te generen voor haar uiterlijk en ontweek aanvankelijk zijn blik. Pas toen hij aanbood om iets te drinken te halen en ze een witte wijn bestelde, keek ze hem aan en ze glimlachte verlegen.
'Dank je wel dat je bent gekomen,' zei Michelle toen Banks haar drankje voor haar neerzette en ging zitten.
'Graag gedaan,' zei Banks. 'Ik zou morgen toch zijn gekomen voor de

begrafenis, dus die ene avond maakt weinig uit.'
'Ik weet dat je het druk hebt.'
'Dat is allemaal geregeld. Bovendien hebben we vlak voordat ik vertrok een flinke sprong vooruit gemaakt.' Banks vertelde haar over Luke Armitages tas die ze in Liz Palmers flat hadden gevonden.
'Arme jongen,' zei Michelle. 'Hij was niet veel ouder dan Graham Marshall, hè?'
'Een jaar ouder ongeveer.'
'Waarom zou iemand een jongen van die leeftijd willen vermoorden? Wat kan hij nu helemaal hebben gedaan?'
'Dat weet ik niet. Ik neem aan dat we er daarom altijd van uitgaan dat het om een pedofiel gaat wanneer het slachtoffer zo jong is. Wanneer oudere mensen worden vermoord hebben we geen enkele moeite om allerlei verschillende redenen te bedenken, hebzucht of om iets te verbergen, maar bij kinderen is dat veel moeilijker. Het lijkt om een ontvoering te gaan, maar ik heb nog steeds mijn twijfels. En jij? Is er al nieuws?'
Michelle vertelde hem over haar gesprek met de gepensioneerde inspecteur Robert Lancaster in Londen en diens opmerking dat Graham veel geslepener was geweest dan voor zijn leeftijd gebruikelijk was.
'Dus die politieman dacht dat Graham een carrière tegemoet ging in de misdaad?' zei Banks. 'Interessant.'
'Hoezo? Is je weer iets te binnen geschoten?'
'Niet echt. Alleen maar dat het Graham nooit aan geld ontbrak en ik had geen idee hoe hij eraan kwam.'
'Er is nog iets,' zei Michelle. Ze leek te aarzelen, dacht Banks, en wilde hem niet aankijken.
'Wat dan?'
'Toen ik zaterdag in Londen was, heeft iemand in mijn flat ingebroken.'
'Is er iets meegenomen?'
'Voorzover ik heb kunnen nagaan niet, alleen een paar dingen die van hun plaats waren gehaald. De dader heeft ook een grondige blik kunnen werpen op de documenten in mijn computer.'
Banks had sterk de indruk dat ze hem niet alles vertelde, maar hij drong niet aan. Als er iets was wat ze voor hem verborgen wilde houden, had ze daar waarschijnlijk een goede reden voor, bijvoorbeeld omdat ze zich schaamde. Ze zou hem bijvoorbeeld niet willen vertellen dat iemand door haar ondergoed had gesnuffeld, vermoedde hij. 'Stond er iets belangrijks in?'
'Niet veel. Persoonlijke aantekeningen. Vermoedens.'
'Over de zaak?'

'Ook.'
'Heb je de inbraak gemeld?'
'Natuurlijk niet. Niet onder de huidige omstandigheden.'
'Hoe zijn ze binnengekomen?'
'Ze hebben het slot op de een of andere manier open gekregen.' Michelle glimlachte. 'Maak je geen zorgen, ik heb het al laten vervangen. De slotenmaker heeft me verzekerd dat de flat nu zo onneembaar is als een fort.'
'Is er verder nog iets?'
'Misschien wel.'
'Wat bedoel je daarmee?'
'Toen ik gisteren vlak bij de Hazels een straat wilde oversteken, ben ik bijna overreden door een bestelbusje.'
'Bijna?'
'Ja, ik ben er ongedeerd van afgekomen. Ik kon het niet helemaal met zekerheid zeggen, maar ik had de indruk dat het met opzet gebeurde.'
'Enig idee wie?'
'Het nummerbord was onleesbaar.'
'Wat denk je?'
'Ik durf het bijna niet te zeggen, maar na die ontbrekende opschrijfboekjes en opdrachtenlogboek gaan mijn gedachten als vanzelf in de richting van Shaw. Ik kan echter nauwelijks geloven dat hij zoiets zou doen.'
Banks had er minder moeite mee om het te geloven. Hij was al eerder met corrupte agenten in aanraking gekomen en had hen goed genoeg leren kennen om te beseffen dat ze tot alles in staat waren wanneer ze in een hoek werden gedreven. Bovendien waren veel politiemannen heel bedreven in het openmaken van sloten, minstens zo goed als inbrekers. Maar waarom zou Shaw het gevoel hebben dat hij in een hoek werd gedreven? En wat had hij op zijn kerfstok? Banks zag de rustige jongeman met sproeten, rood haar en flaporen weer voor zich, niet de opgezwollen treiterkop met de rode neus die Shaw nu was. 'Shaw werkte toen toch samen met inspecteur Proctor?'
'Dat klopt, Reg Proctor. Hij is in 1975 uit dienst getreden en in 1978 aan leverkanker overleden. Hij was pas 47.'
'Waren er geruchten, dingen die wezen op een schandaal?'
Michelle nam een slokje wijn en schudde haar hoofd. 'Ik heb niets kunnen ontdekken. Heeft blijkbaar een voorbeeldige carrière gehad.'
Banks vroeg Michelle of ze het vervelend vond als hij rookte en stak een sigaret op. 'Shaw en Proctor waren de agenten die bij ons thuis zijn geweest,' zei hij. 'Blijkbaar verhoorden zij alle vrienden van Graham en de

mensen uit de buurt. Ongetwijfeld hadden andere teams andere taken toebedeeld gekregen, maar iemand wilde dat Shaws aantekeningen werden vernietigd. Shaw zelf?'
'Hij was toen maar een gewone agent,' zei Michelle.
'Inderdaad. Wat kan hij te verbergen hebben gehad? Er moet iets in zijn opschrijfboekjes hebben gestaan wat belastend was voor iemand anders. Misschien voor Harris of Proctor.'
'Het is heel goed mogelijk dat die opschrijfboekjes al worden vermist sinds Harris in 1985 met pensioen ging,' zei Michelle. 'Ze kunnen zelfs al voor Proctors dood in 1978 zijn weggenomen, vermoed ik.'
'Maar waarom? In al die jaren heeft niemand een reden gehad om ze te lezen. Graham werd al sinds 1965 vermist. Waarom zou iemand met de dossiers knoeien, tenzij er een dringende reden voor bestond? En wat kan er dringender zijn dan het feit dat zijn lichaam was gevonden en de zaak is heropend?'
'Dat is helemaal waar,' zei Michelle.
'De dagopdrachten zouden ons een goed idee moeten geven van het verloop van het onderzoek,' zei Banks peinzend. 'De meeste zijn waarschijnlijk door Jet Harris zelf uitgedeeld. Ze laten zien in welke richting het onderzoek zich bewoog en dus ook welke richting werd genegeerd, bieden een totaaloverzicht.'
'We komen steeds terug bij het feit dat ze met oogkleppen op hebben gehandeld,' zei Michelle. 'Brigadier Shaw liet zich zelfs ontvallen dat iedereen wist dat Brady en Hindley erachter zaten.'
'Wat een onzin,' zei Banks.
'Qua timing zou het kunnen.'
'Dat is dan ook het enige. Dan zou je net zo goed kunnen zeggen dat Reggie en Ronnie het hebben gedaan.'
'Misschien hebben ze het ook wel gedaan.'
Banks lachte. 'Het is in elk geval een stuk logischer dan Brady en Hindley. Die hadden hun werkterrein hier mijlenver uit de buurt. Nee, er is iets anders gaande. Iets waar we maar niet achter komen omdat er nog steeds te veel stukjes ontbreken. Nog een?'
'Ik ga wel.'
Michelle liep naar de bar en Banks bleef zitten nadenken over wat zich hier verdomme allemaal afspeelde. Tot dusver hadden ze dus ontdekt dat het onderzoek zich op slechts een mogelijkheid had geconcentreerd: de toevallig voorbijkomende pedofiel. Daarnaast was er Bill Marshalls relatie met de Krays, met Carlo Fiorino en Le Phonographe, en het feit dat Banks zich had herinnerd dat Graham vaak zoveel geld bij zich had dat

hij voor iedereen kon betalen als ze ergens naartoe gingen. En nu weer die ontbrekende verslagen. Er bestonden diverse verbanden: Graham, Bill Marshall, Carlo Fiorino, maar waar leidde dat allemaal naartoe? En hoe paste Jet Harris in het plaatje? Het was mogelijk dat hij zich had laten omkopen door Fiorino om te voorkomen dat de laatste problemen zou krijgen met de sterke arm der wet. Jet Harris, corrupte smeris. Dat zouden ze leuk vinden op het hoofdbureau. Maar wat had het te maken met de moord op Graham?
Toen Michelle terugkwam met hun drankjes vertelde ze hem over de dood van Donald Bradford en de pornografie die in zijn flat was gevonden. 'Misschien staat het hier helemaal los van,' zei ze. 'Het is best mogelijk dat Bradford inderdaad toevallig het slachtoffer was van een mislukte inbraak en verder hebben heel veel mensen een pornoverzameling.'
'Dat is waar,' zei Banks. 'Maar het is wel heel toevallig.'
'Inderdaad.'
'Stel nu eens dat Bradford de winkel gebruikte als distributiepunt voor porno?' opperde Banks.
'Zou Graham de spullen dan voor hem hebben rondgebracht?'
'Waarom niet? Hij kon er in elk geval altijd heel gemakkelijk aankomen. Dat is nog zoiets wat me te binnen is geschoten. Misschien wat Deense onderdanigheid bij de *Sunday Times*, meneer? Of anders Zweedse sodomie bij de *News of the World*, mevrouw? Geeft een heel nieuwe betekenis aan de uitdrukking "zondagse bijlage", denk je ook niet?'
Michelle begon te lachen. 'Misschien heeft hij het alleen bij toeval ontdekt.'
'Is dat voldoende reden om iemand te vermoorden?'
'Wie zal het zeggen? Mensen hebben wel om minder een moord gepleegd.'
'Dat is als we ervan uitgaan dat Bradford een onbetekenende pornodealer was.'
'Hij moet die spullen dan van een groothandelaar hebben gekregen. Misschien werkte Bradford voor iemand voor wie er meer op het spel stond?'
'Iemand als Carlo Fiorino?' opperde Banks. 'Iemand die Harris op de loonlijst had staan? Het is mogelijk, maar het is nog steeds pure speculatie. En we komen er geen stap dichter door bij de ontbrekende opschrijfboekjes.'
'Tenzij Proctor en Shaw per ongeluk op de waarheid zijn gestuit tijdens hun gesprekken en dit in Shaws opschrijfboekjes stond opgetekend. Ik weet alleen niet hoe we hierachter moeten komen. We kunnen het immers niet meer aan Harris of Proctor zelf vragen.'

'Misschien niet,' zei Banks. 'Maar we hebben nog een tweede optie. Waren ze getrouwd?'
'Harris wel. Proctor niet.'
'Leeft zijn vrouw nog?'
'Voorzover ik weet wel.'
'Misschien kan zij ons iets vertellen. Denk je dat je haar kunt opsporen?'
'Fluitje van een cent,' zei Michelle.
'En ik denk dat we ook Donald Bradfords leven moeten nalopen, inclusief de omstandigheden rond zijn dood.'
'Goed. Wat doen we in de tussentijd met brigadier Shaw?'
'Probeer hem zo veel mogelijk te ontlopen.'
'Dat zou de komende tijd niet zo moeilijk moeten zijn,' zei Michelle. 'Hij is de helft van de tijd met ziekteverlof.'
'Drank?'
'Daar zou ik wel mijn geld op durven zetten, ja.'
'Ga je morgen naar de begrafenis?'
'Ja.'
'Mooi.' Banks dronk zijn glas leeg. 'Wil je er nog een?'
Michelle keek op haar horloge. 'Nee. Echt niet. Ik moet er maar eens vandoor.'
'Oké. Ik denk dat ik ook maar eens ga.' Banks glimlachte. 'Ik weet zeker dat mijn moeder nog op me zit te wachten.'
Michelle lachte. Het was een aangenaam geluid. Zacht, warm, melodieus. Banks besefte dat hij haar nog niet eerder had horen lachen. 'Kan ik je een lift geven?' vroeg hij.
'Ach, nee. Maar bedankt,' zei Michelle, en ze stond op. 'Ik woon hier vlakbij om de hoek.'
'Dan loop ik even met je mee.'
'Dat hoeft echt niet. Het is hier heel veilig.'
'Ik sta erop. Vooral na wat je me net hebt verteld.'
Michelle zei niets. Ze liepen naar buiten, staken de straat over en wandelden naar het aan de rivier grenzende flatgebouw, dat dicht bij de plek stond waar Banks zijn auto had neergezet. Michelle had gelijk; het was echt vlakbij.
'Hier direct tegenover, aan de andere kant van de rivier, stond vroeger toen ik klein was altijd de kermis,' zei hij. 'Grappig, daar heb ik net aan zitten denken toen ik hierheen reed.'
'Voor mijn tijd,' zei Michelle.
'Ja.' Banks bracht haar naar de voordeur.
'Goed,' zei ze, en ze grabbelde naar haar sleutel, terwijl ze hem over haar

schouder glimlachend aankeek. 'Tot ziens dan maar.'
'Ik wacht even tot je zeker weet dat alles in orde is.'
'Je bedoelt tot jij zeker weet dat er geen boemannen op de loer liggen die het op mij hebben gemunt?'
'Zoiets ja.'
Michelle opende haar voordeur, deed de lichten aan en keek snel in alle kamers van de flat, terwijl Banks in de deuropening bleef staan wachten en nieuwsgierig een blik op de woonkamer wierp. Het leek een beetje kaal, had weinig karakter, alsof Michelle haar stempel nog niet op de woning had gedrukt.
'Alles veilig,' zei ze toen ze uit de slaapkamer tevoorschijn kwam.
'Mooi, tot ziens dan,' zei Banks, en hij probeerde niet te laten merken dat hij teleurgesteld was omdat ze hem niet eens binnen vroeg voor een kop koffie. 'Wees voorzichtig. Tot morgen.'
'Ja.' Ze glimlachte. 'Tot morgen.' Toen deed ze de deur zachtjes achter hem dicht en het geluid van de grendel die op zijn plaats werd geschoven, weergalmde waarschijnlijk veel harder in zijn oren door dan het werkelijk was.

Gristhorpe had gemakkelijk praten toen hij tegen Annie zei dat ze lekker moest gaan slapen: het lukte haar gewoon niet. Ze had nog een paar paracetamols ingenomen en was vroeg naar bed gegaan, maar de pijn in haar mond had weer genadeloos de kop opgestoken. Elke tand en kies deed pijn en nu zaten er al twee los.
Armitages tik had meer bij haar teweeggebracht dan ze aan Banks of Gristhorpe had willen bekennen, omdat hij hetzelfde angstige gevoel bij haar had opgeroepen dat ze had gehad toen ze drie jaar geleden was verkracht: dat van een hulpeloos slachtoffer. Toen had ze zichzelf beloofd dat ze nooit meer zou toestaan dat ze zich nogmaals zo zou voelen, maar beneden in die benauwde, bedompte ruimte van Norman Wells' boekenkelder was hij toch teruggekomen, die intense, allesoverheersende angst van een vrouw die machteloos is tegenover mannelijke kracht en bruut geweld.
Annie stond op, ging naar beneden en schonk met trillende handen een glas melk voor zichzelf in, waaruit ze zittend in het donker aan de keukentafel slokjes nam. Ze dacht terug aan de eerste keer dat Banks bij haar thuis was geweest. Ze hadden in de keuken gezeten en samen in de schemering gegeten. Annie had zich de hele tijd afgevraagd wat ze moest doen als hij probeerde haar te verleiden. Ze had hem heel impulsief bij haar thuis uitgenodigd en aangeboden om zelf te koken, in plaats

van een maaltijd in een restaurant of pub, zoals hij had voorgesteld. Had ze toen ze dat deed al geweten wat er zou gebeuren? Ze dacht zelf van niet.

Na een wat stroef begin was de sfeer geleidelijk aan heel ontspannen geworden, mede dankzij de rijkelijk stromende chianti. Toen ze met Banks naar de achtertuin was gegaan omdat hij een sigaret wilde roken en hij daar zijn arm om haar heen had geslagen, had ze als een tiener getrild en stamelend opgesomd waarom ze vooral niet moesten doen wat ze zo zouden gaan doen.

Ze hadden het inderdaad gedaan. En nu had ze hun relatie verbroken. Soms had ze er spijt van en vroeg ze zich af waarom ze het had gedaan. Voor een deel had het te maken met haar carrière, natuurlijk. Het was niet verstandig om het bed te delen met een andere inspecteur wanneer je bij hetzelfde bureau werkte. Maar dat was misschien alleen een excuus geweest. Bovendien hadden ze daar vast wel iets op gevonden. Ze had bij een ander bureau kunnen gaan werken, ergens waar haar kansen net zo goed waren en wellicht zelfs beter dan bij het hoofdbureau van de westelijke divisie.

Het was inderdaad waar dat Banks nog steeds vastzat aan zijn verleden en zijn huwelijk, maar daar had ze mee kunnen leren leven. Dat was iets wat mettertijd vanzelf minder zou zijn geworden. Iedereen had emotionele bagage, Annie zelf ook. Nee, dacht ze, ze moest de redenen voor de wijze waarop ze had gehandeld bij zichzelf zoeken, niet bij het werk of Banks' verleden. Ze ervoer intimiteit als een bedreiging en hoe intiemer ze met Banks werd, hoe verstikkender ze dat had gevonden en daarom had ze geprobeerd zich los te rukken.

Zou dat zo zijn bij iedere man die ze ontmoette? Had het te maken met die verkrachting? Zou kunnen, dacht ze. Deels wel, in elk geval. Ze wist niet zeker of ze er ooit helemaal overheen zou komen. Wat er die nacht was gebeurd, had haar ernstig beschadigd. Ze was niet bang dat de beschadiging onherstelbaar was, maar ze had nog een lange weg te gaan. Ze had nog steeds af en toe last van nachtmerries en hoewel ze er nooit iets over tegen Banks had gezegd, had seks haar zo nu en dan veel inspanning gekost en soms had het zelfs pijn gedaan. Een enkele keer had zoiets eenvoudigs als penetratie, hoe voorzichtig ook en hoezeer ze er zelf ook naar verlangde, de plotselinge vlaag van paniek en het gevoel van pure machteloosheid weer opgeroepen die ze die nacht bijna drie jaar geleden had leren kennen. Seks had zeker ook zijn duistere kanten, wist Annie. Het kon demonisch zijn, lag soms heel dicht bij geweld en duwde je in de richting van gevaarlijke, vage verlangens en donkere gebieden, die aan

alle taboes voorbijgingen. Het was dan ook geen wonder, bedacht ze, dat seks vaak in een adem werd genoemd met geweld. Of dat seks en de dood zo onlosmakelijk met elkaar verbonden waren in de woorden en werken van ontelbare schrijvers en kunstenaars.
Annie dronk haar melk op en probeerde haar morbide gedachten te verjagen. Het leek wel alsof dit de enige gedachten waren die 's nachts bij haar opkwamen, wanneer ze alleen was en niet kon slapen. Ze zette water op voor thee en liep naar de woonkamer om in haar kleine verzameling video's te snuffelen. Uiteindelijk koos ze *Doctor Zhivago*, altijd al een van haar lievelingsfilms, en toen de thee klaar was, kroop ze met een dampende mok in het donker op de bank, trok ze haar benen op en gaf ze zich volledig over aan de meeslepende filmmuziek en het epische verhaal over liefde ten tijde van de revolutie.

Banks liep langs de trap naar beneden en probeerde zijn teleurstelling van zich af te zetten. Het was eigenlijk maar goed ook, hield hij zichzelf voor; het laatste waar hij nu behoefte aan had was dat hij zichzelf weer voor schut zette vanwege een vrouw. Michelle had haar eigen problemen, ook al wist hij niet welke. Blijkbaar was dat bij iedereen zo. Wanneer je een bepaalde leeftijd had bereikt, zat je nu eenmaal opgezadeld met een hoop oud zeer. Waarom moest dit je echter zo lang blijven dwarszitten? Waarom was het zoveel gemakkelijker om te leren leven met verdriet en was vreugde zo ongelooflijk ongrijpbaar?
Hij sloeg de hoek van het flatgebouw om en bleef even stilstaan om een sigaret op te steken. Voordat hij echter zijn aansteker uit zijn zak had kunnen halen, voelde hij van achteren een klap. Hij deed wankelend een stap naar voren en draaide zich om om te zien wie hem had geraakt. Hij ving nog net een glimp op van een mopsneus en varkensoogjes voordat een vuistslag in zijn gezicht zijn zicht en evenwicht verstoorde. Na nog een klap viel hij op de grond. Het volgende moment voelde hij een scherpe pijn in zijn ribben en na een trap in zijn maag begon hij te kokhalzen.
Toen hoorde hij door de muur van pijn heen het geblaf van een hond en een man schreeuwen; hij voelde dat zijn aanvaller aarzelde, ving een stem op die fluisterde: 'Ga terug naar waar je vandaan komt of ik neem je nog een keer te grazen', en merkte dat zijn belager verdween.
Banks ging op zijn knieën zitten met zijn hoofd op zijn borst en voelde een misselijkmakend gevoel opkomen. Jezus, hij werd hier veel te oud voor. Hij probeerde op te staan, maar zijn benen trilden nog te veel. Toen greep een hand zijn elleboog vast en slaagde hij erin om overeind te krabbelen.

'Gaat het, meneer?' Banks wankelde en ademde een paar keer diep in. Hij voelde zich al iets beter. Hij was nog steeds wat duizelig, maar hij zag in elk geval weer helder. Naast hem stond een jongeman met een Jack Russell-terriër aan een riem. 'Ik liet net Pugwash hier uit en toen zag ik dat die twee kerels u te grazen namen.'
'Twee? Weet u dat zeker?'
'Ja. Ze renden in de richting van het centrum.'
'Dank u wel,' zei Banks. 'Dat was heel dapper van u. U hebt mijn hachje gered.'
'Kan ik verder nog iets voor u doen? Een taxi voor u bellen of zo?'
Banks zweeg even, probeerde zijn gedachten min of meer te ordenen en keek toen naar het flatgebouw. 'Nee,' zei hij. 'Nee, bedankt. Een vriendin van me woont daar in die flat. Ik red me wel.'
'Als u het zeker weet...'
'Ja. En nogmaals bedankt. Er zijn tegenwoordig maar weinig mensen die zouden hebben gedaan wat u hebt gedaan.'
De jongeman haalde zijn schouders op. 'Graag gedaan. Kom, Pugwash.'
Ze liepen weg en de man wierp nog een paar keer een blik achterom.
Nog altijd wat onzeker liep Banks terug naar Michelles flat en hij drukte op de knop van de intercom. Even later klonk haar stem krakend in de nachtlucht. 'Ja? Wie is daar?'
'Ik ben het, Alan,' zei Banks.
'Wat is er?'
'Ik heb een ongelukje gehad. Ik vroeg me af of ik...'
Voordat hij zijn zin kon afmaken, had Michelle de deur al opengemaakt en hij liep naar binnen. Ze stond al met een bezorgde blik in de opening en ondersteunde hem toen hij naar de bank liep. Het was niet nodig, maar hij vond het wel prettig.
'Wat is er gebeurd?' vroeg ze.
'Iemand heeft me te grazen genomen. Godzijdank zijn er nog mensen die hun hond uitlaten, want anders lag ik nu vast en zeker in de rivier. Gek, hè? Ik dacht al die jaren terug dat ik in de Nene zou eindigen en nu beland ik vanavond hier bijna in die rivier.'
'Je raaskalt,' zei Michelle. 'Ga zitten.'
Banks voelde zich nog steeds duizelig en misselijk toen hij zat. 'Geef me een paar minuten,' zei hij. 'Dan gaat het wel weer.'
Michelle gaf hem een glas. 'Opdrinken,' zei ze.
Hij nam een slok. Cognac. Goede kwaliteit, ook. Toen het vurige drankje door zijn lichaam stroomde, voelde hij zich al veel beter. Hij kon zich nu beter concentreren en was in staat om de schade vast te stellen. Vrijwel

niets, eigenlijk. Zijn ribben waren wat gevoelig, maar hij had niet het idee dat er iets was gebroken. Hij keek op en zag dat Michelle naast hem stond.
'Hoe voel je je nu?'
'Al veel beter, dank je.' Banks nam nog een slokje cognac. 'Ik denk dat ik maar beter een taxi kan bellen,' zei hij. 'Het lijkt me niet verstandig om in deze staat zelf te rijden, al helemaal niet na dit.' Hij hield zijn glas omhoog. Michelle schonk er nog wat in uit de fles Courvoisier VSOP en nam zelf ook een flinke scheut.
'Goed,' zei ze. 'Maar laat me eerst even naar je neus kijken.'
'Neus?' Banks merkte plotseling dat zijn neus en bovenlip verdoofd aanvoelden. Hij tastte er voorzichtig naar met zijn hand en zag dat er bloed aan kleefde.
'Volgens mij is hij niet gebroken,' zei Michelle, en ze nam hem mee naar de badkamer, 'maar ik denk dat ik je gezicht wel eerst even moet schoonmaken en er iets op moet doen voordat je vertrekt. Er zit trouwens ook een scheurtje in je lip. Degene die je heeft geslagen, zal wel een ring of iets dergelijks hebben gedragen.'
De badkamer was klein, zo klein dat het vrijwel onmogelijk was om er met zijn tweeën in te staan zonder elkaar aan te raken. Banks leunde met van zijn benen tegen de toiletpot en Michelle veegde met een vochtig doekje het bloed weg, zocht vervolgens even in haar medicijnkastje en haalde toen een vloeibaar ontsmettingsmiddel tevoorschijn. Ze drukte een plukje watten tegen de opening van het flesje en hield dit even ondersteboven, waarna ze voorzichtig zijn lip ermee bette. Het prikte en door de bittere geur snakte hij naar adem. Michelle haalde de prop watten weg.
'Het gaat wel,' zei hij.
Ze liet de met bloed doordrenkte watten in de prullenbak vallen en pakte een nieuw stuk. Banks bekeek haar gezicht dat dicht bij het zijne was, de geconcentreerde blik die in haar ogen lag toen ze zijn gezicht met de watten onder handen nam en het puntje van haar tong dat tussen haar tanden zichtbaar was. Ze ving zijn blik op, bloosde en keek van hem weg. 'Wat is er?'
'Niets,' zei hij. Ze was zo dichtbij dat hij de warmte van haar lichaam kon voelen en de cognac op haar adem kon ruiken.
'Zeg het maar,' zei ze. 'Je wilde toch iets zeggen?'
'Het is net een scène uit *Chinatown*,' zei Banks.
'Hoe bedoel je?'
'Die film, *Chinatown*. Heb je die nooit gezien?'

'Wat gebeurt er in die scène dan?'
'Jack Nicholson wordt door Roman Polanski op zijn neus geslagen en Faye Dunaway doet... nou ja, wat jij nu doet.'
'Ze doet TCP-ontsmettingsmiddel op de wond?'
'Nou ja, geen TCP natuurlijk, ik denk niet dat ze dat in Amerika ook hebben, maar zoiets. Het is trouwens een heel sexy scène.'
'Sexy?' Michelle bleef onbeweeglijk stilstaan. Banks zag de blos op haar huid en voelde de hitte die van haar wangen straalde. De badkamer leek plotseling veel kleiner te worden.
'Ja,' zei Banks.
Ze depte zijn gezicht verder schoon. Haar hand trilde. 'Ik geloof niet dat iemand met TCP behandelen erg sexy kan zijn,' zei ze. 'Wat gebeurt er dan precies?'
Ze stond nu zo dicht bij hem dat hij haar borst heel licht langs zijn arm voelde schuren. Hij had zijn bovenlichaam iets verder naar achter kunnen houden door zijn knieën iets te buigen, maar hij deed het niet. 'Eerst kussen ze elkaar,' zei hij.
'Deed dat dan geen pijn?'
'Hij had toch alleen een klap op zijn neus gehad?'
'O, ja. Wat dom van me.'
'Michelle?'
'Ja? Wat is er?'
Banks greep haar trillende hand bij de pols vast, trok hem van zijn gezicht weg, legde zijn andere hand onder haar kin en pakte deze voorzichtig zo vast dat ze hem wel moest aankijken; in haar glanzende groene ogen lag een vragende blik, maar ze bleef hem aankijken en wendde zich niet af. Hij voelde dat zijn hart in zijn borstkas bonsde en zijn knieën knikten toen hij haar tegen zich aan trok en voelde dat ze zich overgaf.

16

'Je was gisteravond pas laat thuis,' zei Banks' moeder, die bij het aanrecht stond, zonder zich om te draaien. 'Ik heb net thee gezet.'
Banks schonk een kop thee voor zichzelf in en goot er een scheut melk bij. Hij had een dergelijke reactie wel verwacht. Zijn moeder had waarschijnlijk tot twee uur 's nachts liggen luisteren of ze hem hoorde thuiskomen, zoals ze ook had gedaan toen hij een tiener was. Michelle en hij hadden bedacht dat er verschillende redenen waren waarom hij beter niet bij haar kon blijven slapen, maar toch had Michelle onbedaarlijk gelachen bij de gedachte dat hij terug moest naar zijn moeders huis.
Ida Banks draaide zich om. 'Alan! Wat is er met je gezicht gebeurd?'
'Het is niets ernstigs,' zei Banks.
'Maar je zit onder de blauwe plekken! En je lip is kapot. Wat heb je uitgespookt?'
Banks draaide zijn hoofd om. 'Ik zeg toch dat het niets ernstigs is.'
'Heb je gevochten? Heb je soms een misdadiger gearresteerd? Was je daarom zo laat terug? Je had toch even kunnen bellen?' Haar blik sprak boekdelen en maakte duidelijk wat ze van zijn baan vond.
'Zoiets, ja,' zei Banks. 'Er was iets wat ik moest doen. Het spijt me echt dat ik niet heb gebeld, maar het was al erg laat. Ik wilde jullie niet wakker maken.'
Zijn moeder keek hem aan met de verwijtende blik die hij zo goed kende. 'Jongen,' zei ze, 'je zou inmiddels toch moeten weten dat ik pas kan slapen wanneer ik zeker weet dat je veilig en wel thuis bent.'
'Dan kunt u de afgelopen dertig jaar niet veel hebben geslapen,' zei Banks, maar hij had onmiddellijk spijt van zijn woorden toen hij die andere blik zag waar ze zo goed in was, die van martelares met trillende onderlip. Hij liep naar haar toe en sloeg zijn armen om haar heen. 'Sorry, mam,' zei hij, 'maar er is niets met me aan de hand. Echt.'
Zijn moeder ademde diep in en knikte. 'Goed,' zei ze. 'Ik neem aan dat je wel trek hebt. Eieren met spek?'
Banks wist uit ervaring dat zijn moeder zich snel over haar gebrek aan

nachtrust heen zou kunnen zetten als ze hem mocht voeden. Hij had niet echt trek, maar voelde zich niet in staat om zich te verdedigen tegen de protesten die hem zonder enige twijfel ten deel zouden vallen als hij alleen maar cornflakes nam. Bovendien had hij haast. Michelle had gevraagd of hij naar het hoofdbureau wilde komen om in de fotoboeken naar een foto van zijn belager te zoeken. Hij wist niet zeker of hij de man zou herkennen, hoewel zijn varkensoogjes en mopsneus vrij opvallend waren. Maar moeder kwam op de eerste plaats; eieren met spek dus. 'Als het niet te veel moeite is,' zei hij.
Zijn moeder liep naar de koelkast. 'Geen enkele moeite.'
'Waar is pa?' vroeg hij toen zijn moeder een pit van het fornuis aanstak.
'In zijn volkstuintje.'
'Ik wist niet dat hij daar nog steeds naartoe ging.'
'Het is meer vanwege de gezelligheid. Echt spitten of werken doet hij niet meer. Meestal zit hij met zijn maatjes te kletsen. En rookt hij een of twee sigaretjes. Hij denkt dat ik het niet doorheb, maar ik kan het aan hem ruiken wanneer hij thuiskomt.'
'Wees maar niet te streng voor hem, mam.'
'Dat ben ik ook niet. Maar het is niet alleen zijn eigen gezondheid, hoor. Wat moet ik beginnen als hij dood neervalt?'
'Hij valt heus niet zomaar dood neer.'
'De dokter zegt dat hij helemaal niet meer mag roken. En jij zou ook moeten stoppen, nu je nog jong bent.'
Jong? Het was al heel lang geleden dat iemand Banks jong had genoemd. Of dat hij zich jong had gevoeld. Behalve dan misschien gisteravond, bij Michelle. Toen ze eenmaal de knoop had doorgehakt en zich iets meer durfde bloot te geven, was ze een heel ander mens, had Banks tot zijn verwondering gemerkt. Het was duidelijk al een tijd geleden dat ze met iemand samen was geweest, dus hadden ze het aanvankelijk langzaam en rustig aan gedaan, maar daarom hadden ze er echt niet minder van genoten. En toen ze eenmaal al haar remmingen had laten varen, bleek ze een liefdevolle en gulle minnares. Michelle was ook voorzichtig omgesprongen met Banks' kapotte lip en gekneusde ribben. Hij vervloekte de pech dat hij juist op de avond dat hij met haar naar bed mocht tijdens een vechtpartij gewond was geraakt. Hij had ook bedacht hoe ironisch het was dat dergelijke lichamelijke verwondingen zelden of nooit voorkwamen in zijn baan, maar dat Annie en hij toch allebei binnen enkele uren na elkaar gewond waren geraakt. Een of andere kwade kracht die zich tegen hen had gericht, veronderstelde hij.
Banks dacht weer aan Michelles slaperige kus bij de deur laat op de

avond, toen hij op het punt stond om weg te gaan en ze haar warme lichaam tegen hem had aangedrukt. Hij nam een slokje thee. 'Is de krant er al?' vroeg hij aan zijn moeder.
'Die heeft je vader meegenomen.'
'Dan loop ik even snel naar de overkant.' Zijn vader had een abonnement op de *Daily Mail* en Banks had zelf liever *The Independent* of *The Guardian.*
'De eieren met spek zijn bijna klaar.'
'Maakt u zich geen zorgen. Ik ben terug voordat ze echt klaar zijn.'
Banks' moeder slaakte gelaten een zucht en hij liep naar buiten. Het was warm en bewolkt, en het zag ernaar uit dat het weer zou gaan regenen. Dat drukkende, klamme, plakkerige weer waar hij een hekel aan had. Toen hij de tijdschriftenwinkel binnenging, zag hij weer voor zich hoe het er vroeger had uitgezien, met de toonbank op een andere plaats en de rekken die anders hadden gestaan. Er waren toen ook andere tijdschriften en omslagen geweest: *Film Show*, *Fabulous*, *Jackie*, *Honey*, *Tit-Bits*, *Annabelle.*
Banks dacht weer aan zijn gesprek in de pub met Michelle over Donald Bradford en zijn verzameling porno, en vroeg zich af of de man echt als distributeur had gefungeerd. Hoewel Banks zich met geen mogelijkheid kon voorstellen dat Graham regelmatig een Frans blaadje met fellatio tussen de pagina's van *People* had laten glijden om deze vervolgens bij nummer 42 in de brievenbus te gooien, kon hij zich wél voorstellen dat Bradford een stapel onder de toonbank of in de voorraadkamer had verstopt. Misschien had Graham die bij toeval ontdekt.
Hij kon zich de eerste keer dat hij ooit een pornoblad had gezien nog vrij levendig herinneren. Niet zo'n blad met blote vrouwen, zoals *Playboy*, *Swank* en *Mayfair*, maar echte porno, bladen waarin mensen stonden die dingen met elkaar deden.
Het was in hun schuilplek onder de boom geweest en het was interessant om te weten dat de bladen van Graham waren geweest. Hij was tenminste degene die ze had meegebracht. Had Banks zich indertijd nooit afgevraagd hoe Graham eraan was gekomen? Hij wist het niet meer. En als Graham het hem indertijd al had verteld, dan kon Banks zich dat ook niet meer herinneren.
Het was een warme dag geweest en ze waren maar met zijn drieën, maar hij wist niet meer of die derde Dave, Paul of Steve was geweest. De takken en bladeren hingen helemaal tot op de grond, die stugge, glanzende groene bladeren met hun stekels, herinnerde Banks zich nu weer, en hij zag zichzelf weer door de verborgen ingang naar binnen glippen, daar

waar het gebladerte minder dichtbegroeid was, maar waar de doorns evengoed nog in zijn huid prikten. Was je eenmaal binnen, dan leek de ruimte groter dan ze mogelijkerwijs kon zijn. Ze hadden meer dan genoeg ruimte om te zitten en te roken, en er drong genoeg licht naar binnen om de vieze blaadjes te kunnen bekijken. De geur van die plek kwam ook weer terug, zo levensecht dat hij hem kon ruiken toen hij stond te wachten tot hij kon oversteken. Dennennaalden. Of iets vergelijkbaars. En een lichtbeige kleed van droge naalden op de bodem.

Die dag had Graham twee tijdschriften in zijn shirt verstopt gehad en die had hij met een theatraal gebaar tevoorschijn gehaald. Hij had waarschijnlijk iets gezegd in de trant van 'Kijken jullie hier maar eens naar, jongens', maar Banks kon zich de precieze woorden niet meer herinneren en hij had geen tijd om er eens goed voor te gaan zitten en te proberen de herinnering zo volledig mogelijk te reconstrueren. Het was ook niet belangrijk.

Wat wel belangrijk was, was dat de drie pubers een uur lang in stomme verwondering hadden zitten kijken naar de meest wonderbaarlijke, opwindende en ongelooflijke beelden die ze ooit in hun leven hadden gezien, van mensen die dingen deden die ze in hun stoutste dromen niet hadden kunnen of durven dromen.

Naar de huidige maatstaven, besefte Banks, was het allemaal vrij tam geweest, maar voor een veertienjarige jongen uit de provincie was het in de zomer van 1965 extreem schokkend geweest om kleurenfoto's te zien van een vrouw die op de penis van een man zoog of een man die zijn penis in het achterwerk van een vrouw had gestoken. Er hadden geen dieren in gestaan, dat wist Banks vrij zeker, en beslist ook geen kinderen. Hij herinnerde zich vooral de foto's van vrouwen met enorme borsten, van mannelijk zaad dat over de borsten en gezichten van sommige vrouwen spoot en van goed uitgeruste mannen die gewoonlijk boven op hen lagen of door hen werden bereden. Graham had de tijdschriften niet willen uitlenen, wist Banks nog, dus de enige keer dat ze ernaar konden kijken, was toen op dat moment onder de boom geweest. De titels en teksten waren, voorzover hij zich kon herinneren, in een onbekende taal geweest. Hij wist dat het geen Duits of Frans kon zijn geweest, want die talen kreeg hij op school.

Hoewel het geen regelmatig terugkerende gebeurtenis betrof, herinnerde Banks zich toch dat Graham die zomer vaker blaadjes had meegebracht naar de boom. Elke keer weer andere. Totdat Graham verdween natuurlijk en daarna had Banks geen porno meer onder ogen gekregen tot hij agent was geworden.

Was het een aanwijzing of niet? Zoals Michelle de vorige avond al had gezegd, het was niet iets waar je iemand voor zou vermoorden, ook toen niet, maar als het deel had uitgemaakt van iets veel groters, bijvoorbeeld van het rijk van de Krays, en als Graham er inderdaad bij betrokken was geweest en het niet bij van tijd tot tijd wat blaadjes lenen was gebleven, dan zou er wel eens een verband kunnen bestaan met zijn moord. Het was in elk geval de moeite waard om het eens uit te zoeken, als Banks er tenminste achter kon komen waar hij moest beginnen.
Banks tikte met de krant tegen zijn dij, stak de drukke straat over en liep snel terug naar huis voordat zijn eieren met spek koud konden worden. Het laatste wat hij wilde, was zijn moeder vanochtend weer van streek maken.

Hoewel het de vorige avond laat was geworden, zat Michelle al geruime tijd voor het moment waarop hoofdinspecteur Shaw zijn ogen waarschijnlijk voor het eerst opende achter haar bureau. De vraag was of hij de moeite zou nemen om op te komen dagen. Misschien meldde hij zich nog wel een dag ziek. Ze had er geen behoefte aan om te moeten werken terwijl hij haar bij alles wat ze deed op de vingers keek, al helemaal niet omdat Banks in een verhoorkamer door albums met snapshots van criminelen zat te bladeren. Er liepen verschillende mensen rond in de gemeenschappelijke werkruimte, dus Banks en zij hadden nauwelijks een woord kunnen wisselen en na een korte groet waren ze aan de slag gegaan. Ze had hem de keus gegeven tussen de computerversie en de gewone, ouderwetse fotoalbums en hij had voor de laatste gekozen.
Ze was verlegen geweest toen hij binnenkwam en kon nog steeds nauwelijks geloven dat ze het had aangedurfd en met hem naar bed was geweest, ook al had ze dat vanaf het begin gewild. Het was ook niet zo dat ze op een bijzonder iemand had gewacht, dat ze bang was geweest of dat ze alle belangstelling voor seks was verloren, maar ze was al die tijd te zeer in beslag genomen door de nasleep van Melissa's dood en het eind van haar huwelijk met Ted. Zoiets zet je niet binnen een week of twee van je af.
Toch was ze verrast door haar nieuwe ondernemendheid en zelfs nu nog begon ze te blozen wanneer ze weer dacht aan het gevoel dat het bij haar had opgeroepen. Ze wist niet wat Banks' persoonlijke omstandigheden waren, behalve dan dat hij in scheiding lag. Hij had niets gezegd over zijn vrouw of kinderen, als hij die al had. Michelle merkte dat ze nieuwsgierig was geworden. Ze had hem ook niets over Melissa en Ted verteld en ze wist nog niet of ze dat wel zou doen. Voorlopig in elk geval niet. Het was nog te pijnlijk.

Het enige echte nadeel was dat hij ook bij de politie werkte. Maar ja, waar had ze anders iemand moeten tegenkomen? Mensen die een relatie krijgen, ontmoeten elkaar vaak op de werkplek. Bovendien lagen Noord-Yorkshire en Cambridgeshire bepaald niet naast elkaar en ze betwijfelde of ze ooit weer zouden moeten samenwerken als de zaak-Graham Marshall eenmaal was opgelost. Maar zouden ze elkaar wel kunnen blijven zien? Dat was de vraag. Het was een flinke afstand. Misschien was het ook wel dom van haar om te fantaseren over of te hopen op een vaste relatie. Misschien was het wel eenmalig geweest en had Banks al een vriendin in Eastvale.
Michelle zette haar gedachten en herinneringen aan de vorige avond uit haar hoofd en ging aan het werk. Ze moest nog verschillende dingen doen voor de begrafenis van Graham Marshall die middag, onder andere Jet Harris' vrouw opsporen en dokter Cooper bellen. Voordat ze de hoorn van de haak kon pakken, belde dokter Cooper haar al.
'Dokter Cooper. Ik wilde je juist vanochtend bellen,' zei Michelle. 'Heb je al iets gevonden?'
'Het spijt me dat het zo lang heeft geduurd voordat ik de informatie heb binnengekregen die je nodig hebt, maar ik had je al verteld dat het moeilijk zou worden om dokter Hilary Wendell op te sporen.'
'Is het gelukt?'
'Hilary heeft ernaar gekeken. Hij wil niet zeggen dat hij honderd procent zeker is van zijn zaak, dus zal hij niet als getuige willen optreden als het ooit tot een rechtszaak komt.'
'Ik denk niet dat dat zal gebeuren,' zei Michelle, 'maar ik heb wellicht wel veel aan de informatie.'
'Goed, hij heeft de inkeping aan de onderkant van de rib nauwkeurig opgemeten en op basis daarvan een paar projecties gemaakt, en nu weet hij vrij zeker dat het om een militair mes gaat. Hij zou zijn geld zetten op een Fairbairn-Sykes.'
'Wat is dat?'
'Een Brits commandomes. In 1949 voor het eerst gebruikt. Lemmet van zeventienenhalve centimeter, snijdt aan twee kanten. Stilettopunt.'
'Een commandomes?'
'Ja. Heb je daar iets aan?'
'Het zou kunnen,' zei Michelle. 'Hartelijk bedankt.'
'Graag gedaan.'
'En wil je dokter Wendell ook namens mij bedanken?'
'Dat zal ik doen.'
Een commandomes. In 1965 was de oorlog pas twintig jaar afgelopen;

heel veel mannen van begin veertig zouden in die oorlog hebben gevochten en hadden gemakkelijk aan zo'n mes kunnen komen. Wat Michelle echter de meeste zorgen baarde, was dat de enige van wie ze zeker wist dat hij bij de Royal Naval Commando's had gediend, Jet Harris was; dat had ze gelezen in de korte biografische schets toen ze pas in Thorpe Wood werkte. Bovendien had hij ook een medaille gekregen voor voorbeeldig gedrag.
Bij die gedachte kropen de rillingen over haar rug: de grote Jet Harris als mogelijke moordenaar die het onderzoek manipuleerde, die Bradford beschermde, wellicht omwille van Fiorino, zoals Banks had geopperd, en tevens zichzelf. Dat was een theorie waarmee ze zeker niet naar Shaw kon stappen, naar niemand in de divisie overigens. Harris was een plaatselijke held en ze zou met heel wat meer ondubbelzinnig bewijsmateriaal op de proppen moeten komen als ze ook maar iemand ervan wilde overtuigen dat Jet Harris een moordenaar was.
Nadat hij een uur naar de foto's had zitten kijken, stak Banks zijn hoofd voorzichtig om de hoek van de deur van de verhoorkamer, ongetwijfeld om te kijken of Shaw in de buurt was, voordat hij met een van de fotoalbums naar Michelle toe kwam.
'Ik geloof dat dit hem is,' zei hij.
Michelle bekeek de foto. Een man van eind twintig, met halflang, slordig geknipt bruin haar, een gedrongen bouw, varkensoogjes en een mopsneus. Zijn naam was Des Wayman en volgens de begeleidende informatie was hij met grote regelmaat voor de rechtbank verschenen, beginnend als minderjarige autodief en vandaar uit doorgegroeid naar diverse veroordelingen voor wangedrag in het openbaar en zware mishandeling. De laatste keer dat hij in de gevangenis had gezeten, een lichte straf van slechts negen maanden, was voor heling geweest en hij was net anderhalf jaar op vrije voeten.
'Wat nu?' vroeg Banks.
'Ik ga maar eens een babbeltje met hem maken.'
'Wil je dat ik meega?'
'Nee. Ik denk dat het beter is wanneer ik hem ondervraag zonder dat jij erbij bent. Het is namelijk heel goed mogelijk dat je hem later in een line-up moet aanwijzen. Als hij in staat van beschuldiging wordt gesteld, wil ik wel zeker weten dat het goed gebeurt.'
'Begrijpelijk,' zei Banks. 'Alleen lijkt het me een wat zware jongen.' Hij wreef over zijn kaak. 'Zo voelt het trouwens ook.'
Michelle tikte met een pen tegen haar lippen en keek naar de andere kant van de werkruimte, waar agent Collins met opgerolde mouwen aan

de telefoon zat te praten en aantekeningen maakte op het schrijfblok dat voor hem lag. Ze had hem nog niets verteld over haar vermoedens omtrent Shaw. Kon ze hem vertrouwen? Hij was bijna net zo nieuw hier als zij en dat was in zijn voordeel. Bovendien had ze hem nooit vertrouwelijk met Shaw of met iemand anders van de oude garde zien kletsen en ook dat sprak in zijn voordeel. Uiteindelijk besloot ze dat ze iemand in vertrouwen moest nemen en dat Collins daar de aangewezen persoon voor was.
'Ik neem agent Collins wel mee,' zei ze, en ze ging zachtjes verder: 'Er zijn een paar dingen waar ik met je over wil praten, maar niet hier.'
'Na de begrafenis vanmiddag?'
'Goed,' zei Michelle, en ze schreef Des Waymans adres in haar opschrijfboekje. 'Tegen die tijd weet ik vast wel iets meer over de activiteiten van meneer Wayman. Drie keer raden waar hij woont?'
'Waar?'
'De Hazels.'

Annie boog zich die ochtend in haar kantoor over Luke Armitages schriften en computerdocumenten. Ze voelde zich gelukkig iets beter, ondanks het feit dat ze zo slecht had geslapen. Uiteindelijk hadden de pijnstillers hun werk gedaan en toen ze die ochtend om halfacht wakker werd, merkte ze pas dat ze de tweede band van *Doctor Zhivago* niet meer in de videorecorder had hoeven stoppen. Vanochtend klopte haar kaak nog wel, maar het deed lang niet zoveel pijn meer als in het begin.
Wat haar het meest intrigeerde in Luke's losse aantekeningen was het toenemende erotische gehalte, vermengd met vage verwijzingen naar de klassieken, waaronder Persephone, Psyche en Ophelia. Toen bedacht ze dat Ophelia geen personage was uit de klassieke mythologie, maar het vriendinnetje van Hamlet dat gek werd toen hij haar dumpte. Ze had het stuk op school gelezen en het te lang en stompzinnig gevonden. Ze had sindsdien verschillende filmversies gezien, waaronder een met Mel Gibson als Hamlet en een andere met Marianne Faithfull als Ophelia, en ze herinnerde zich nog het beeld van Ophelia die omringd door bloemen op een rivier wegdreef. Had Luke zich schuldig gevoeld omdat hij iemand had afgewezen? Was hij uit wraak vermoord door een 'versmade vrouw'? En zo ja: door wie? Liz Palmer? Lauren Anderson? Rose Barlow? De met enige regelmaat in fragmenten van Luke's liedteksten en gedichten terugkerende verwijzingen naar 'tere, blanke borsten', 'bleke wangen' en 'zachte witte dijen' konden natuurlijk gewoon het resultaat zijn van puberale fantasieën. Luke had beslist een romantische inborst gehad

en als ze Banks mocht geloven dachten jongens in de puberteit alleen maar aan seks. Het kon echter ook een aanwijzing zijn dat Luke een seksuele relatie had gehad. Liz Palmer leek een geschikte kandidate, ondanks haar heftige ontkenningen. Annie moest ook in haar achterhoofd houden dat er volgens Rose Barlow, de dochter van het schoolhoofd, iets was geweest tussen Luke en Lauren Anderson. Rose was niet bepaald het meest betrouwbare type, maar het was de moeite waard om nog een keer met Lauren te gaan praten als ze met Liz en Ryan niet verder kwam. Rose was met Luke omgegaan, hoe oppervlakkig en kort ook, en ze had het ongetwijfeld als een afwijzing opgevat toen hij meer tijd doorbracht met Liz of Lauren. Of was er iemand die Annie over het hoofd zag, een verband dat ze niet had opgemerkt? Dat gevoel had ze wel, maar hoe ze ook haar best deed, de ontbrekende schakel bleef onvindbaar.
Toen ze Luke's computer wilde uitzetten, ging haar telefoon over.
'Annie, met Stefan Nowak. Ik wil je geen valse hoop geven, maar misschien heb ik goed nieuws voor je.'
'Vertel op. Ik kan inmiddels wel wat goed nieuws gebruiken.'
'Het lab is nog niet klaar met het vergelijken van jouw DNA-monsters met het bloed op de stapelmuur, dus daar kan ik je nog niets over vertellen, maar mijn team heeft wel bloed aangetroffen in de flat.'
'Liz Palmers flat?'
'Ja.'
'Hoeveel?'
'Een klein beetje.'
'Waar?'
'Niet op een plek waar je het zou verwachten. Een veeg onder de wasbak in de badkamer.'
'Alsof iemand zich eraan heeft vastgeklemd om zich voorover te kunnen buigen?'
'Zou inderdaad wel kunnen. Er zijn geen vingerafdrukken of zo, alleen die kleine bloedveeg.'
'Is het genoeg voor analyse?'
'Ja zeker. We zijn er al mee bezig. Het lab heeft me tot nu toe alleen kunnen vertellen dat het hetzelfde bloedtype is als van Luke Armitage en dat het niet overeenkomt met de bloedmonsters die we van Liz Palmer en Ryan Milne hebben genomen.'
'Dat is geweldig, Stefan! Begrijp je het dan niet? Dat betekent dat we kunnen bewijzen dat Luke Armitage in Liz' flat is geweest en daar heeft gebloed.'
'Jawel. Maar het vertelt je niet wanneer.'

'Momenteel ben ik blij met alles wat ik te pakken kan krijgen. Dit geeft me houvast voor het volgende verhoor.'
'Er is nog meer.'
'Wat dan?'
'Ik heb zojuist dokter Glendenning gesproken en hij heeft me verteld dat het toxicologisch onderzoek heeft uitgewezen dat er een ongewoon hoge concentratie diazepam in Luke's lichaam zat.'
'Diazepam? Dat is toch valium?'
'Dat is slechts één naam. Er zijn er veel meer. Het punt is dat het meeste niet was verteerd.'
'Wat inhoudt dat hij even nadat hij het had ingenomen is overleden en zijn lichaam geen tijd had om het te verteren?'
'Juist.'
'Dus kan het niet de doodsoorzaak zijn?'
'Absoluut niet.'
'Zou het eventueel genoeg zijn geweest om eraan dood te gaan?'
'Waarschijnlijk niet.'
'Verder nog iets gevonden?'
'In de flat? Ja. Drugs. Wat marihuana, LSD, XTC.'
'Om te dealen?'
'Nee. Daar was het niet genoeg voor. Alleen voor eigen gebruik, zou ik zeggen. En geen diazepam.'
'Bedankt, Stefan. Je bent geweldig.'
Annie hing op en dacht na over wat ze net had gehoord. Luke had gebloed in de flat van Liz en Ryan en hij had diazepam in zijn lichaam gehad. Hoe was hij daaraan gekomen? Ze kon zich niet herinneren dat ze in de gegevens die ze over hem hadden verzameld iets over medicijnen had gelezen. Ze wist niet eens zeker of artsen diazepam voorschreven bij zulke jonge patiënten. Ze moest het in elk geval aan Robin vragen. Het eerste wat ze nu moest doen, dacht Annie, en ze stond op en greep haar jasje, was erachter zien te komen of Liz of Ryan een recept had voor diazepam, ook al had Stefans team niets in de flat gevonden wat daarop leek.

Volgens zijn dossier woonde Des Wayman in een goedkope driekamerwoning aan Hazel Way, een zijstraat van Wilmer Road aan de rand van de wijk. Michelle en agent Collins parkeerden hun auto halverwege de ochtend voor de deur en liepen het pad naar de voordeur op. De hemel ging schuil onder een grijs wolkendek en de lucht was zo vochtig dat het als een warme motregen aanvoelde. Michelles kleding plakte aan haar

lijf en Collins had het colbertje van zijn pak uitgedaan en zijn das losgetrokken. Desondanks zaten er natte plekken onder zijn oksels. Ze was blij dat Collins met haar was meegekomen. Hij speelde in de verdediging van het politierugbyteam en zijn stevige gedaante was intimiderend genoeg om te voorkomen dat iemand zou proberen het tegen hem op te nemen. Voorzover Michelle had kunnen zien, was niemand hen gevolgd en ze had evenmin beige bestelbusjes in de buurt zien staan.
Michelle klopte op de bekraste deur van nummer 15. De man die opendeed, leek verrast toen hij haar zag. Het was Des Wayman, dat leed geen enkele twijfel, gezien de mopsneus en varkensoogjes. Hij droeg een groezelige spijkerbroek en een shirt dat er los overheen slobberde.
'Wie ben jij? Ik dacht dat je een vriend van me was,' zei hij met een verlekkerde blik. 'Ik ga zo stappen. Maar nu je hier toch bent, heb je misschien wel zin om met ons mee te gaan?'
Michelle liet hem haar politiepas zien en Collins volgde haar voorbeeld. De man keek hen achterdochtig aan.
'Meneer Wayman?' vroeg Michelle.
'En wat dan nog?'
'We zouden u graag even spreken, meneer. Mogen we binnenkomen?'
'Ik zei toch dat ik zo ga stappen. Kunnen we niet in de pub praten?' Hij liet zijn tong langs zijn lippen glijden en knikte in de richting van de pub aan het eind van de straat, de Lord Nelson. Toen keek hij naar Collins. 'En die chaperonne van je hoeft niet mee.'
'Het lijkt mij beter om het hier te doen, meneer,' hield Michelle vol. Toen Wayman geen aanstalten maakte, liep ze langs hem heen naar binnen. Hij bleef even naar haar staan kijken, maar kwam toen ook de woonkamer binnen, op de voet gevolgd door Collins.
Het huis was een zwijnenstal en dat was nog zacht uitgedrukt. De vloer was bezaaid met lege bierblikjes en overvolle asbakken. De dikke gordijnen waren dichtgetrokken, maar het schemerdonker kon niet verhullen dat het er een enorme troep was. De combinatie van geuren was moeilijk te definiëren. Opgehoopt stof, verschaald bier en rook, met daaroverheen de lucht van vieze sokken en zweet. En er was nog iets. Iets wat vaag aan seks deed denken en Michelle misselijk maakte. Ze trok de gordijnen met een ruk opzij en zette het raam open. Dat laatste kostte enige moeite, omdat het in tijden niet was geopend en klemde. Collins schoot haar te hulp en samen slaagden ze er uiteindelijk in om het raam open te krijgen. De windstille, vochtige lucht buiten hielp niet echt en in het volle daglicht zag de kamer er zelfs nog erger uit.
'Wat moet dat?' protesteerde Wayman. 'Ik ben erg gehecht aan mijn

privacy. Ik wil niet dat die hele klotewijk door mijn raam naar binnen kijkt.'
'Wij zijn erg gehecht aan onze gezondheid, meneer Wayman,' zei Michelle. 'We nemen een enorm risico door hier binnen te komen, maar misschien helpt een beetje frisse lucht.'
'Sarcastische bitch,' zei Wayman, en hij ging zitten op een smerige, versleten bank. 'Zeg dan maar wat je op je lever hebt, mop.' Hij pakte een bierblikje van de tafel en trok het open. Schuim bruiste over de rand en hij likte het op voordat het op de grond kon vallen.
Michelle keek om zich heen, maar ze zag niets waar ze op durfde te gaan zitten, dus bleef ze staan. Bij het raam. 'Om te beginnen kun je ophouden met me als "moppie" aan te spreken,' zei ze, 'en ten tweede zit je een beetje in de problemen, Des.'
'Dat is niets nieuws. Jullie proberen me de hele tijd ergens in te luizen.'
'We zijn hier niet om je ergens in te luizen,' zei Michelle, die zich ervan bewust was dat Collins haar nauwlettend in de gaten hield. Ze had hem in de auto een summiere uitleg gegeven en gezegd dat hij geen aantekeningen hoefde te maken. Hij had geen idee wat er hier aan de hand was en wat het verband was met de Graham Marshall-zaak. 'Het is eigenlijk nogal afgezaagd.'
Wayman sloeg zijn armen over elkaar. 'Vertel mij dan maar eens wat ik nou zogenaamd weer heb gedaan.'
'Gisteravond om ongeveer vijf voor elf heb je samen met iemand anders een man in elkaar geslagen bij een flatgebouw aan de rivier.'
'Dat heb ik helemaal niet gedaan,' zei Wayman.
'Des,' zei Michelle, en ze boog zich iets naar hem toe. 'Hij heeft je gezien. Hij heeft je uit het schurkenalbum gepikt.'
Dat leek hem heel even van zijn stuk te brengen. Hij fronste zijn wenkbrauwen en ze kon de radertjes bijna zien draaien, de tandradjes die langzaam klikten in zijn benevelde brein, op zoek naar een uitweg, een verklaring. 'Hij zit ernaast,' zei hij. 'Het is zijn woord tegen het mijne.'
Michelle lachte. 'Kom op, Des, je kunt vast wel iets beters verzinnen.'
'Het is zijn woord tegen het mijne.'
'Waar was je gisteravond dan wel?'
'Ik heb een paar borreltjes gedronken in The Pig and Whistle.'
'Heeft iemand je daar ook gezien?'
'Heel veel mensen. Het was er vrij druk.'
'Dat is niet ver bij de plek vandaan waar die aanval heeft plaatsgevonden,' zei Michelle. 'Hoe laat ben je daar weggegaan?'
'Geen idee. Na sluitingstijd.'

'Weet je heel zeker dat je niet een paar minuten eerder bent weggeslopen en voor de laatste ronde weer bent teruggekomen?'
'Zonde van de tijd. Waarom zou ik dat doen?'
'Daar probeer ik nu juist achter te komen.'
'Ik was het niet, juffie.'
'Laat me je handen eens zien, Des.'
Wayman strekte zijn handen uit, met de palm naar boven.
'Draai ze eens om.'
Wayman deed wat ze hem vroeg.
'Hoe kom je aan die ontvelde knokkel?'
'Weet ik niet meer,' zei Wayman. 'Zeker per ongeluk langs een muur geschuurd of zo.'
'En die ring die je om hebt,' ging Michelle verder. 'Scherpe rand, durf ik te wedden. Scherp genoeg om iemand mee te verwonden. Volgens mij zitten er nog steeds bloedsporen op het metaal,' zei ze. 'Genoeg om te bewijzen dat ze afkomstig zijn van het slachtoffer.'
Wayman stak een sigaret op en zweeg. Ondanks het openstaande raam zag de lucht binnen de kortste keren blauw van de rook. 'Goed,' zei Michelle. 'Ik ben deze flauwekul meer dan zat. Agent Collins, laten we meneer Wayman maar meenemen naar het bureau en zien of het slachtoffer hem herkent. Dan hebben we dat ook weer gehad.'
Collins deed een stap naar voren.
'Wacht eens even,' zei Wayman. 'Ik ga helemaal niet naar het bureau. Ik heb een afspraak. Er zitten mensen op me te wachten.'
'In je stamkroeg. Ja, ik weet het. Maar als je vanmiddag of morgenmiddag een lekker pilsje wilt drinken, zul je ons eerst moeten vertellen wat we willen weten.'
'Ik heb het jullie al gezegd. Ik heb niets gedaan.'
'En ik heb jou al gezegd: iemand heeft je herkend. Laat de leugens dus maar achterwege, Des. Doe jezelf een plezier. Denk aan dat heerlijke, koele biertje dat op de bar in de Lord Nelson staat te wachten, speciaal voor jou getapt.' Michelle zweeg even om het beeld door te laten dringen. Ze lustte zelf ook wel een glas, ook al dronk ze eigenlijk zelden bier. De gore lucht bemoeilijkte haar ademhaling steeds meer en ze wist niet hoe lang ze het nog zou volhouden. Ze had nog een troefkaart die ze kon uitspelen voordat ze geen andere keus meer had en Wayman moest meenemen. 'Het probleem is, Des,' zei ze, 'dat de man die je in elkaar hebt geslagen, de man die je heeft herkend...'
'Ja?'
'Die man is een politieagent. Hij hoort bij ons.'

'Ja, hoor. Leuk geprobeerd. Zie je nou wel dat je me erin wilt luizen?'
'Nee. Het is echt waar. Wat zei je zo-even ook alweer? Zijn woord tegen het jouwe? En wie denk je dat de rechter straks zal geloven, Des?'
'Niemand heeft me verteld...'
'Wat heeft niemand je verteld?'
'Kop dicht. Ik moet nadenken.'
'Je hebt niet al te lang de tijd. Een aanval op een politieagent, dat is een ernstige beschuldiging. Daarvoor ga je veel langer de bak in dan die negen maanden van de laatste keer.'
Wayman liet zijn peuk in het lege bierblikje vallen, gooide dat op de vloer en opende het volgende. Zijn vlezige lippen waren nat van het schuim en bier. Hij pakte een nieuwe sigaret.
'Dat zou ik maar niet doen, Des,' zei Michelle.
'Hoezo? Het is toch nog niet zo erg gesteld met de wereld dat een man tegenwoordig in zijn eigen huis ook niet eens meer mag roken?'
'Zodra wij weg zijn, mag je je wat mij betreft doodroken,' zei Michelle. 'Dat wil zeggen: als we zonder jou weggaan. Aan jou de keus. In de cellen mag niet meer gerookt worden.'
Wayman lachte. 'Weet je,' zei hij, en hij stak trots zijn borst vooruit, 'eigenlijk hoor ik zelf ook zo'n beetje bij jullie. Ik snap niet hoe je het in je hoofd haalt om hier te komen en mij van die aanval te beschuldigen, terwijl de politie er zelf achter zit.'
Michelle voelde dat er een rilling over haar rug liep. 'Wat bedoel je daarmee?'
'Je weet donders goed wat ik daarmee bedoel.' Wayman legde een vinger langs zijn mopsneus. 'Wat ik zeg. Ik deed het in opdracht van de politie. Undercover. Soms doen een tikje tegen het hoofd en een kleine waarschuwing wonderen. Zo deden ze dat vroeger ook, heb ik me laten vertellen. En ga me nou niet zitten wijsmaken dat je niet weet waar ik het over heb. Je baas weet het maar al te goed.'
'Mijn baas?'
'Ja. Een lelijke, dikke vent. Zo'n hoge piet. Die klootzak van een hoofdinspecteur Shaw.'
'Shaw?' Michelle had wel vermoed dat Shaw achter die aanvallen op haar en Banks zat, maar merkte dat ze toch stomverbaasd was toen dat vermoeden werd bevestigd.
Wayman hield het blikje schuin en nam een flinke teug, veegde vervolgens met de rug van zijn hand zijn mond af en grijnsde. 'Kijk niet zo verbaasd, moppie.'
'Hoofdinspecteur Shaw heeft je gezegd dat je dit moest doen? Wacht

eens even. Wil je me nu echt wijsmaken dat je als undercoveragent werkt in opdracht van hoofdinspecteur Shaw?'
Wayman haalde zijn schouders op en leek te beseffen dat hij nu te ver was gegaan. 'Nou ja, ik ben misschien niet echt een undercoveragent, maar ik knap af en toe wel eens een klusje op voor je baas. Heb hem bijvoorbeeld ingeseind waar dat spul van de inbraak bij Curry's warenhuis lag opgeslagen. Dat soort dingen.'
'Dus je bent Shaws verklikker?'
'Ik vind het leuk om hem zo nu en dan uit de brand te helpen. Hij houdt me de hand boven het hoofd. Dus doe ons allemaal een plezier en rot op, dan vertel ik je baas misschien niet dat je langs bent geweest om me de stuipen op het lijf te jagen.'
'Heb je een beige bestelbusje?' vroeg Michelle.
'Wat? Ik heb helemaal geen bestelbusje. Een donkerblauwe Corsa, als je het per se wilt weten.'
'Ooit vastgezeten voor inbraak?'
'Je hebt mijn dossier gelezen. Heb je daar iets in zien staan over inbraak?'
Michelle was niets tegengekomen. Dan was Wayman waarschijnlijk ook niet verantwoordelijk voor de vernielingen in haar flat en de aanslag op haar leven. Ergens had ze het gevoel dat hij ook niet subtiel genoeg was om die streek met de jurk uit te halen, zelfs niet als zijn opdrachtgever hem over Melissa had ingelicht. Hij was duidelijk niet de enige crimineel die bij Shaw op de loonlijst stond. Michelle merkte dat Collins naast haar alles gretig in zich opnam. Ze wierp hem even een blik toe en hij trok zijn wenkbrauwen op. 'Luister eens,' zei ze, en ze zou het liefst zijn gaan zitten. Haar schoenen knelden. Maar dan zou ze ongetwijfeld iets oplopen en dat was het haar niet waard. 'Je zit echt goed in de problemen, Des. Zware mishandeling is op zich al erg genoeg, maar wanneer het slachtoffer een agent is... Tja, meer hoef ik je natuurlijk niet te vertellen...'
Voor het eerst leek Wayman echt te schrikken. 'Maar ik wist toch niet dat hij een agent was? Denk je nou echt dat ik zoiets zou doen als ik had geweten wie hij was? Je denkt toch niet dat ik gek ben?'
'Dus je hebt het wel gedaan?'
'Wat wil je nou eigenlijk van me?'
'Wat denk je zelf, Des?'
'Ik denk niks.'
Michelle maakte een berustend gebaar. 'Ik denk dat jij degene bent die hier bepaalt hoe dit zal aflopen. Misschien eindigt het wel op het bureau, bij de advocaat of zelfs in de rechtszaal. Of misschien houdt het hier op.'

Wayman slikte moeizaam. 'Houdt het hier op? Hoe dan? Ik bedoel... Ik snap niet hoe...'
'Moet ik het voor je spellen?'
'Kunt u dat beloven?'
'Alleen als je me vertelt wat ik wil weten.'
'En dan hou je hier verder je mond over?'
Michelle keek Collins aan, die het blijkbaar niet meer kon volgen. 'Dan hou ik mijn mond,' zei ze. 'Die man die jij en die vriend van je gisteren in elkaar hebben geslagen, wat heeft Shaw jullie over hem verteld?'
'Dat hij een kleine crimineel was uit het noorden die zich hier op ons territorium wilde vestigen.'
'En wat zei hoofdinspecteur Shaw dat jullie met hem moesten doen?'
'In de kiem smoren.'
'Kun je iets preciezer zijn?'
'Shaw wilde niet weten wat we gingen doen. Hij heeft me gewoon gevraagd om de situatie af te handelen en er iets aan te doen. Hij heeft me niet gezegd wat ik moest doen en hij wilde het ook niet weten.'
'Maar er komt wel altijd geweld bij kijken?'
'De meeste mensen snappen de boodschap wel als ze een klap op hun neus krijgen.'
'Zo zie jij de situatie dus?'
'Wel zo'n beetje, ja.'
'Dus dat heb je ook gedaan?'
'Ja.'
'Hoe ben je erachter gekomen dat hij in de stad was?'
'Ik heb goed opgelet. Ik herkende zijn auto van de vorige week, toen hij ook hier was.'
'En hoe wist je waar hij die avond zou zijn?'
'Ik ben gebeld op mijn mobieltje in The Pig and Whistle.'
'Door wie?'
'Wie denk je?'
'Ga verder.'
'Hij zei dat onze wederzijdse vriend in een pub verderop in de straat een biertje zat te drinken en als de mogelijkheid zich voordeed... Nou, dan moest ik maar even rustig met hem gaan praten.'
'Maar hoe wist hij dan... Laat maar zitten.' Het drong tot Michelle door dat Shaw zijn hele netwerk van informanten had ingeschakeld om op de hoogte te blijven van de ontwikkelingen in het onderzoek naar Graham Marshall. Maar waarom? Om te voorkomen dat de waarheid bekend

werd, dat iedereen zou horen dat die fantastische plaatselijke held Jet Harris een moordenaar was?
'Wat heb je toen gedaan?'
'We zijn buiten blijven wachten en achter jullie tweeën aan naar het flatgebouw aan de rivier gelopen. We waren even bang dat hij mee naar binnen zou gaan en dat jullie effe lekker... Nou ja, u snapt wel wat ik bedoel, en dat we dan pas in The Pig and Whistle terug zouden zijn als de laatste ronde al was geweest, dus het was geweldig fijn dat hij die trap meteen weer afkwam en de straat opliep. We zijn meteen aan de slag gegaan.'
'En dat jullie hem in elkaar moesten slaan was jouw idee?'
'Zoals ik al zei, dan is de boodschap duidelijk. We zouden hem echt niet helemaal in elkaar hebben geslagen, hoor. Trouwens, we kregen niet eens de kans om ons werk af te maken. Een of andere bemoeizuchtige klootzak die zijn hond aan het uitlaten was begon herrie te schoppen. Niet dat we hem niet aankonden, maar die klerehond blafte de hele straat wakker.'
'En dat is alles?' vroeg Michelle.
'Erewoord van een padvinder.'
'Alsof jij ooit padvinder bent geweest.'
'Ik heb toevallig wel bij de kabouters gezeten. Wat gaat er nu gebeuren? En denk eraan: je hebt het beloofd.'
Michelle keek naar Collins. 'Wat er nu gaat gebeuren,' zei ze, 'is dat wij ervandoor gaan en dat jij naar de Lord Nelson gaat om je te bezatten. En als ik je ooit nog een keer tegenkom, zorg ik er persoonlijk voor dat ze je ergens wegstoppen op een plek waarbij het Midden-Oosten in vergelijking een paradijs voor alcoholisten is. Begrepen?'
'Jawel, mevrouw.' Wayman glimlachte verheugd. Het vooruitzicht van een borrel deed hem zijn angst voor wat de toekomst mogelijk in petto had vergeten, dacht Michelle. Hij zou nooit veranderen.
'Kunt u me nu misschien vertellen wat dat allemaal te betekenen had?' vroeg Collins toen ze eenmaal buiten stonden.
Michelle haalde diep adem en glimlachte. 'Ja,' zei ze. 'Natuurlijk, Nat. Het spijt me dat ik je niet direct op de hoogte heb gesteld, maar ik denk dat je het wel zult begrijpen wanneer je hebt gehoord wat ik te zeggen heb. Maar eerst een stuk hartige taart en een biertje. Ik trakteer.' Ze keek om zich heen. 'Alleen niet in de Lord Nelson.'

17

'Ik ben blij dat je kon komen, Alan,' zei mevrouw Marshall, en ze stak haar in een zwarte handschoen gehulde hand uit. 'Nou, nou. Je leidt zo te zien een behoorlijk gevaarlijk leven.'

Banks raakte voorzichtig zijn lip aan. 'Het stelt niets voor,' zei hij.

'Ik hoop dat je straks meekomt naar het huis voor een drankje en sandwiches.'

Ze stonden na Grahams begrafenis buiten in de motregen bij de kapel. Het was een smaakvolle dienst geweest, niets buitensporigs, dacht Banks, hoewel het een vreemd idee bleef om een begrafenisdienst te houden voor iemand die al meer dan dertig jaar dood was. De gebruikelijke teksten waren voorgelezen, waaronder ook Psalm 23, en Grahams zus had een korte grafrede uitgesproken, waarbij ze haar tranen met moeite in bedwang had weten te houden.

'Natuurlijk,' antwoordde Banks en hij gaf mevrouw Marshall een hand. Toen zag hij Michelle onder haar paraplu het pad aflopen. 'Excuseert u mij alstublieft even.'

Hij liep snel achter Michelle aan. Tijdens de dienst had hij een of twee keer haar blik opgevangen, maar ze had steeds weggekeken. Hij wilde weten wat er aan de hand was. Ze had eerder die dag gezegd dat ze hem wilde spreken. Ging het over gisteravond? Had ze er spijt van? Wilde ze hem zeggen dat ze een fout had gemaakt en hem niet meer wilde zien?

'Michelle?' Hij legde voorzichtig een hand op haar schouder.

Michelle draaide zich om en keek hem aan. Toen ze zijn blik opving, glimlachte ze en ze hield de paraplu iets hoger, zodat hij zijn hoofd er ook onder kon stoppen. 'Zullen we even een stukje lopen?'

'Prima,' zei Banks. 'Is alles in orde?'

'Ja, natuurlijk. Waarom vraag je dat?'

Dus er was helemaal niets aan de hand. Banks had zichzelf wel kunnen slaan. Hij was er zo aan gewend geraakt dat alles wat hij deed, elke ontmoeting die plaatsvond, zo gevoelig lag dat hij nu doodgewoon gedrag had aangezien voor een afwijzing; dat had voor een deel te maken met het

feit dat hij bij Annie elk woord en gebaar eerst op een goudschaaltje had moeten afwegen. Ze waren immers politiemensen in functie en bevonden zich in een openbare gelegenheid, een kapel nota bene. Wat had hij dan verwacht dat ze zou doen? Naar hem lonken? Naar de kerkbank lopen waar hij zat en op zijn knie zitten en lieve woordjes in zijn oor fluisteren?
'Vanochtend op het bureau had ik je willen zeggen dat ik het gisteravond erg fijn vond, maar dat kon ik natuurlijk niet zeggen waar iedereen bij was.'
Ze stak haar hand uit en raakte zijn pijnlijke lip aan. 'Ik vond het ook fijn.'
'Ga je nog mee naar het huis van de Marshalls?'
'Nee, dat denk ik niet. Ik vind dat nooit zo prettig.'
'Ik ook niet. Maar ik zal maar wel gaan.'
'Ja, natuurlijk.'
Ze liepen over een van de smalle gravelpaden tussen de graven en de gebeeldhouwde grafzerken waren donker van de regen. Takken van de taxus hingen boven het pad en de regen druppelde van de bladeren op de paraplu en maakte meer lawaai dan de motregen zelf. 'Je zei dat je me wilde spreken.'
'Ja.' Michelle vertelde hem over het mes dat dokter Wendell onder enig voorbehoud had geïdentificeerd als een Fairbairn-Sykes-commandomes en over Harris' oorlogsdossier.
Banks keek haar nadenkend aan. 'En Jet Harris zat bij de commando's, zei je?'
'Ja.'
'Verdomme. Dan bevinden we ons pas echt in een lastig parket.' Banks schudde zijn hoofd. 'Het is moeilijk te geloven dat Jet Harris Graham misschien heeft vermoord,' zei hij. 'Het is zo onlogisch. Wat voor reden zou hij daarvoor kunnen hebben gehad?'
'Dat weet ik niet. We hebben alleen die theorieën van gisteren, namelijk dat hij te maken had met Fiorino en die pornodistributie en dat Graham erachter is gekomen. Maar zelfs dan is het moeilijk je voor te stellen dat Harris in zijn positie die klus zelf zou hebben geklaard. Bovendien hebben we geen enkel direct bewijs; het is allemaal indirect. En trouwens, hij is niet de enige kandidaat. Ik herinnerde me dat mevrouw Walker, de eigenaresse van de tijdschriftenzaak, me heeft verteld dat Donald Bradford met een speciale unit in voormalig Birma heeft gezeten. Ik heb het nagekeken. Blijkt dat het om een commando-unit gaat.'
'Bradford ook al? Dat maakt het er niet eenvoudiger op.'
'We weten in elk geval wel zeker dat Bradford iets te maken had met die

pornografie. Daar staat tegenover dat we nog steeds geen enkel bewijs hebben dat Harris corrupt was,' zei Michelle. 'Alleen Shaws gedrag. Wat me op dat gesprek met Des Wayman brengt.'
'Wat had hij te vertellen?'
Michelle vertelde hem over Waymans bewering dat Shaw achter de aanval van de vorige avond zat. 'Als we hem pushen, zal hij ontkennen dat hij dat ooit heeft gezegd en ik weet zeker dat Shaw ook alles ontkent.'
'Maar wij weten dat het waar is,' zei Banks. 'En dat geeft ons een kleine voorsprong. Dat was een stomme zet van Shaw. Het betekent dat hij zich zorgen begint te maken en wanhopig wordt. En die inbraak in jouw flat, dat busje dat probeerde je aan te rijden?'
Michelle schudde haar hoofd. 'Daar weet Wayman niets vanaf. Shaw moet iemand anders hebben gestuurd, misschien iemand die iets slimmer was. Ik heb de indruk dat Wayman goed genoeg is als het op brute kracht aankomt, maar dat hij vooral niet iets te doen moet krijgen waar hij bij moet nadenken.'
'Net als Bill Marshall?'
'Inderdaad. Denk je dat we eens met Shaw moeten gaan praten?'
'Binnenkort wel. Het zou beter zijn als we eerst nog iets meer te weten konden komen over Harris.'
'Ik bel je straks wel.'
'Goed.' Michelle draaide zich om en liep verder langs het pad.
'Waar ga je nu naartoe?' vroeg Banks.
Ze stond stil, draaide zich om en keek hem glimlachend aan. 'Je moet niet overal je neus in willen steken,' zei ze plagend. 'Je hebt gezien wat er dan gebeurt.' Toen liep ze verder en Banks bleef haar verbluft nastaren. Hij zou hebben gezworen dat haar schouders schokten van het lachen.

'Oké, Liz, ben je nu wel van plan om ons de waarheid te vertellen?' vroeg Annie toen de verhoorkamer in gereedheid was gebracht en de opnamebanden draaiden.
'We hebben helemaal niets gedaan, Ryan en ik,' zei Liz.
'Ik moet je eraan herinneren dat je recht hebt op bijstand van een advocaat. Als je je geen advocaat kunt veroorloven, zoeken we een pro-Deo-advocaat voor je.'
Liz schudde het hoofd. 'Ik heb geen advocaat nodig. Anders is het net of ik een bekentenis wil afleggen.'
'Zoals je wilt. Je weet dat we drugs in je flat hebben gevonden?'
'Het kan niet veel zijn geweest. Het was gewoon voor eigen... Nou, ja, voor Ryan en mezelf.'

'Toch is het een misdrijf.'
'Gaan jullie ons daar nu voor arresteren?'
'Dat hangt af van wat je me zo dadelijk vertelt. Ik wil alleen dat je beseft dat je al flink in de problemen zit. Als je me de waarheid vertelt, zal dat als verzachtende omstandigheid meetellen, maar als je blijft liegen, wordt het alleen maar erger. Wat gaat het worden, Liz?'
'Ik ben zo moe.'
'Hoe eerder we hier klaar zijn, hoe eerder je naar huis kunt. Wat gaat het worden?'
Liz beet op haar trillende onderlip.
'Misschien zou het een beetje helpen,' zei Annie, 'als ik je vertelde dat we sporen van Luke's bloed hebben gevonden onder de wastafel in jullie badkamer.'
Liz keek haar met opengesperde ogen aan. 'Maar we hebben Luke niet vermoord. Echt, we hebben hem niet vermoord!'
'Vertel me dan wat er wel is gebeurd. Je zult me van het tegendeel moeten overtuigen.'
Liz begon te huilen. Annie gaf haar een paar papieren zakdoekjes en wachtte tot ze iets was gekalmeerd. 'Is Luke op de dag dat hij is verdwenen bij jullie flat langs geweest?'
Na een lange stilte antwoordde Liz: 'Ja.'
'Mooi,' zei Annie zachtjes. 'Dat lijkt er meer op.'
'Maar we hebben hem niets gedaan.'
'Goed. Daar komen we zo nog op terug. Hoe laat kwam hij bij jullie aan?'
'Hoe laat? Dat weet ik niet. Begin van de avond. Rond een uur of zes misschien.'
'Dan is hij direct van het marktplein naar jullie toe gegaan?'
'Zou best kunnen. Ik weet niet waar hij was geweest. Hij was een beetje van streek, dat weet ik nog wel, en hij vertelde dat een paar kinderen van zijn school hem op het plein hadden geduwd, dus misschien kwam hij daar wel rechtstreeks vandaan.'
'Wat is er in de flat gebeurd?'
Liz staarde naar haar afgekloven nagels.
'Liz?'
'Wat?'
'Was Ryan thuis?'
'Ja.'
'De hele tijd? Ook toen Luke aankwam?'
'Ja.'

Annie begreep dat haar theorie over Ryan, die Liz en Luke ergens bij had betrapt, zojuist was gesneuveld. 'Wat hebben jullie drieën toen gedaan?'
Liz zweeg even en ademde diep in. 'Eerst hebben we wat gegeten,' zei ze. 'Het moet rond etenstijd zijn geweest.'
'En daarna?'
'We hebben wat zitten kletsen en een paar nummers doorgenomen.'
'Ik dacht dat jullie in de kelder van de kerk repeteerden.'
'Dat doen we ook. Maar Ryan heeft een akoestische gitaar. We hebben een paar arrangementen uitgeprobeerd.'
'En toen?'
Weer zweeg Liz even en haar ogen stonden vol tranen. Ze streek met de rug van haar hand over haar gezicht en zei: 'Ryan rolde een joint. Luke had nog nooit... Wat drugs betreft was hij net een maagd. We hadden hem wel eens eerder iets aangeboden, maar hij weigerde altijd.'
'Maar die avond niet?'
'Nee. Die avond deed hij mee. Zijn eerste keer. Het was net of hij... eh... zijn maagdelijkheid wilde verliezen. Ik weet niet waarom. Ik denk dat hij vond dat het tijd werd.'
'Wat gebeurde er?'
'In eerste instantie niet zoveel. Ik geloof dat hij zelfs teleurgesteld was. Dat hebben de meeste mensen de eerste keer.'
'Wat deden jullie toen?'
'We rookten nog wat meer en dat leek te werken. Het was best sterk spul. Eerst moest hij steeds giechelen, maar toen raakte hij helemaal in zichzelf gekeerd.'
'Wat ging er mis?'
'Ryan zette die Neil Byrd-cd op. U weet wel, die nieuwe verzamel-cd, *Een onvoltooide zomer*.'
'Wat?' Annie kon zich maar al te goed voorstellen hoe Luke daarop moest hebben gereageerd als hij inderdaad onder invloed was van hasj. Het mocht dan een tamelijk ongevaarlijke drugssoort zijn, maar bij sommige mensen riep hij een gevoel van paranoia op en hij zorgde ervoor dat je je gevoelens intensiever en overdreven sterk beleefde. Annie kon het weten; ze had het spul als tiener zelf verschillende keren gerookt. Ze wist zichzelf in bedwang te houden en vroeg rustig: 'Hoe reageerde Luke op de muziek?'
'Hij ging door het lint. Helemaal over de rooie. Ryan dacht dat het een goed idee zou zijn om een nummer van Neil Byrd met de band te doen en dan Luke te laten zingen. Dat zou zeker veel publiciteit hebben opgeleverd.'

'Realiseerden jullie je dan niet dat Luke heel tegenstrijdige gevoelens jegens zijn echte vader had? Wisten jullie niet dat hij nooit naar Neil Byrds muziek luisterde?'
'Jawel, maar we dachten dat het een goed moment was om het eens te proberen,' sputterde Liz tegen. 'We dachten dat hij op dat moment openstond voor nieuwe dingen, omdat hij zo ontspannen was door de wiet en dat hij nu misschien wel zou inzien hoe schitterend het werk van zijn vader eigenlijk was.'
'Maar hij was juist gedesoriënteerd en extra gevoelig.' Annie schudde verbijsterd haar hoofd. 'Jullie zijn veel stommer dan ik had gedacht. Stom of anders zo egoïstisch en met zo'n dikke plank voor jullie kop dat het op hetzelfde neerkomt.'
'Dat is niet eerlijk! We bedoelden het niet kwaad.'
'Oké,' zei Annie. 'Laten we het er voorlopig maar op houden dat jullie een erbarmelijk slecht inschattingsvermogen hebben en verder gaan. Wat gebeurde er toen?'
'In het begin niet veel. Het leek net of Luke gewoon naar het nummer zat te luisteren. Ryan speelde de akkoorden mee en probeerde een beetje close harmony uit. Plotseling raakte Luke helemaal overstuur. Hij sloeg de gitaar uit Ryans handen, liep naar de cd-speler, haalde de cd eruit en probeerde hem doormidden te breken.'
'Wat deden jullie toen?'
'Ryan probeerde hem tegen te houden, maar het was net of Luke bezeten was.'
'En het bloed?'
'Uiteindelijk heeft Ryan hem een klap verkocht. Dat was de oorzaak van het bloed. Luke rende naar de badkamer. Ik ben direct achter hem aan gelopen om te zien of hij in orde was. Hij bloedde niet erg, het was een gewone bloedneus. Luke keek in de spiegel en ging weer door het lint en sloeg met zijn vuisten tegen het glas. Ik probeerde hem te kalmeren, maar hij duwde me opzij en holde weg.'
'En dat was alles?'
'Ja.'
'Jullie zijn geen van tweeën achter hem aan gerend?'
'Nee. We dachten dat hij alleen wilde zijn.'
'Een verwarde vijftienjarige die slecht op drugs reageert? Toe nou toch, Liz. Zo dom kun je toch niet zijn?'
'Ja, maar wij waren ook stoned. Ik kan niet bepaald zeggen dat wij helder nadachten. Het was gewoon... Ik weet het ook niet meer.' Ze boog haar hoofd en begon te huilen.

Hoewel ze Liz' verhaal geloofde, had Annie geen medelijden met haar. In juridisch opzicht konden ze hen alleen een paar onbeduidende overtredingen ten laste leggen. Indien roekeloze onachtzaamheid kon worden aangetoond, konden ze desnoods worden veroordeeld wegens doodslag, maar ook al hadden ze Luke inderdaad de drugs gegeven, dan nog wist ze nog steeds niet hoe hij was gestorven of waarom, hield Annie zichzelf voor.

'Weet je waar hij naartoe is gegaan toen hij uit de flat wegging?' vroeg ze.

'Nee,' zei Liz snikkend. 'We hebben hem daarna niet meer gezien. Het spijt me. Het spijt me echt verschrikkelijk.'

'Hebben jullie Luke ook valium gegeven, om hem te kalmeren misschien?'

Liz fronste haar wenkbrauwen en keek Annie met betraande ogen aan. 'Nee. Dat spul gebruiken we niet.'

'Dus jullie hebben ook nooit valium in huis gehad?'

'Nee.'

'En verder kun je me niets meer vertellen?'

'Ik heb u alles al verteld.' Ze keek Annie met roodomrande ogen aan. 'Mag ik nu naar huis? Ik ben zo moe.'

Annie stond op en vroeg een geüniformeerde agent om binnen te komen. 'Ja,' zei ze. 'Maar zorg wel dat je in de buurt blijft. We zullen nog een keer met je willen praten.'

Toen Liz was weggebracht, deed Annie de deur van de verhoorkamer achter haar dicht en ze ging zitten en leunde met haar bonkende hoofd op haar beide handen.

'Nog iets te drinken, Alan?'

Banks' bierglas was nog halfvol en hij had net afgesproken om die avond iets te gaan drinken met Dave Grenfell en Paul Major, dus hij sloeg mevrouw Marshalls aanbod af en pakte in plaats daarvan een sandwich met paté. Bovendien was het bier door een van de buren thuis gebrouwen en dat kon je proeven.

'Weet je, ik ben blij dat we dit hebben gedaan,' ging mevrouw Marshall verder. 'Deze dienst. Ik weet dat sommige mensen het waarschijnlijk een beetje mal vinden, na al die tijd, maar het betekent heel veel voor me.'

'Het is helemaal niet mal,' zei Banks, en hij liet zijn blik door de kamer glijden. De meeste aanwezigen waren familieleden en buren, van wie Banks een aantal herkende. De ouders van Dave en Paul waren er, net als die van Banks zelf. Op de achtergrond klonk Pachelbels *Canon*. Graham zou het vreselijk hebben gevonden, dacht Banks. Of misschien ook niet.

Als hij nog had geleefd, was zijn smaak ongetwijfeld veranderd, net als die van Banks. Het liefst had hij nu echter *Ticket to Ride* of *Summer Nights* of *Mr. Tambourine Man* willen horen.
'Ik denk dat het voor ons allemaal veel betekent,' zei hij.
'Dank je wel,' zei mevrouw Marshall met tranen in haar ogen. 'Weet je zeker dat je niets meer wilt?'
'Nee, dank u wel.'
Mevrouw Marshall liep weg. Banks zag Bill Marshall met een deken over zijn knieën in zijn leunstoel bij de kachel zitten, ook al was het benauwd in huis. De ramen stonden allemaal open, maar het bleef bedompt. Banks zag dat Paul stond te praten met een stel dat hij niet herkende, waarschijnlijk oude buren, en Dave kletste met Grahams zus Joan. Zijn eigen ouders stonden te praten met mevrouw en meneer Grenfell. Banks moest plotseling ontzettend nodig naar het toilet, zette zijn glas neer op het dressoir en liep naar boven.
Toen hij klaar was, ontdekte hij dat de deur naar Grahams oude kamertje openstond en tot zijn verbazing zag hij dat het behang met de ruimteraketten dat hij zich herinnerde van jaren geleden nog steeds op de muren hing. De onverwachte aanblik werkte uitnodigend en hij liep het kamertje binnen. Verder was alles natuurlijk wel veranderd. Het bed was weg, evenals de kleine boekenkast met glazen deurtjes die Banks zich herinnerde en die voornamelijk gevuld was geweest met sciencefictionboeken. Het enige vertrouwde voorwerp stond in een hoes tegen de muur geleund. Grahams gitaar. Die hadden ze dus al die jaren bewaard.
Hij dacht niet dat iemand het erg zou vinden, dus hij ging op een houten stoel zitten en haalde hij de gitaar uit de hoes. Graham was er heel trots op geweest, wist hij nog. Hij had natuurlijk liever een elektrische gehad, een Rickenbacker en dan net zo een als die waar John Lennon op had gespeeld, maar hij was opgetogen geweest toen zijn ouders in 1964 voor kerst deze tweedehandse, akoestische voor hem hadden gekocht.
Banks herinnerde zich de vingerzettingen nog, zelfs na al die tijd, en sloeg een C-akkoord aan. Heel vals. Hij trok een pijnlijke grimas. Hem stemmen zou nu te lang duren. Hij vroeg zich af of mevrouw Marshall het instrument als een aandenken zou willen houden of dat ze eventueel zou willen overwegen om het te verkopen. In dat laatste geval zou hij het met plezier van haar overnemen. Hij sloeg een valse G aan en besloot de gitaar terug te stoppen in de hoes. Toen hij daarmee bezig was, meende hij dat hij binnen in het instrument iets hoorde bewegen. Hij schudde de gitaar voorzichtig heen en weer en toen hoorde hij het weer: aan de binnenkant maakte iets een schurend geluid.

Nieuwsgierig maakte Banks de snaren los, zodat hij zijn hand naar binnen kon steken. Door de gitaar een beetje schuin te houden en nogmaals zachtjes heen en weer te schudden, wist hij het voorwerp, dat aanvoelde als een stuk stug, opgerold papier, vast te pakken. Hij trok het voorzichtig tevoorschijn en zag het opgedroogde plakband waarmee Graham het aan de binnenkant van de gitaar had geplakt. Dat hield in dat hij had geprobeerd het te verbergen.
Toen Banks het papier uitrolde, zag hij ook waarom.
Het was een foto: Graham zat nonchalant onderuitgezakt op een schapenvel voor een enorme, rijkelijk gebeeldhouwde open haard, leunend op zijn armen, met zijn benen voor zich uitgestrekt. Hij keek met een verleidelijke, veelbetekenende grijns naar de camera.
En hij was helemaal poedelnaakt.

Michelle had geluk en vond een parkeerplaatsje op nog geen honderd meter afstand van de pretentieuze villa in namaaktudorstijl aan Long Road in Cambridge waar de vroegere mevrouw Harris tegenwoordig woonde, tegenover het terrein waar de naar de straat vernoemde middelbare school gevestigd was. Het miezerde buiten nog steeds, dus pakte ze een paraplu uit de kofferbak.
Het had niet veel moeite gekost om Jet Harris' ex-vrouw op te sporen. In het dunne biografische foldertje had Michelle gelezen dat haar meisjesnaam Edith Dalton was, dat ze 23 jaar met Harris getrouwd was geweest, van 1955 tot 1973, en dat ze tien jaar jonger was dan hij. Discrete navraag op het bureau had onthuld dat een gepensioneerde administratiemedewerkster, Margery Jenkins, haar af en toe bezocht en ze was bereid om Michelle het adres te geven. Ook had ze haar verteld dat mevrouw Harris weer was getrouwd en nu mevrouw Gifford heette. Michelle hoopte dat Shaw niets over haar rondvraag te horen zou krijgen voordat ze de informatie had gekregen waar het haar om te doen was, ook al had ze geen idee wat deze zou inhouden. Ze wist niet eens wat mevrouw Gifford haar kon of wilde vertellen.
Een slanke, elegant geklede grijze dame deed de deur open en Michelle stelde zichzelf voor. Mevrouw Gifford keek haar met een niet-begrijpende maar geïnteresseerde blik aan en ging haar toen voor naar de grote woonkamer. Keurig opgeruimd, niets van zijn plaats, met een witte zithoek, verschillende antieke kastjes vol kristal en tegen de muur een enorm dressoir. Mevrouw Gifford bood haar niets te drinken aan, maar ging zitten, sloeg haar benen over elkaar en stak met een gouden aansteker een sigaret aan. Het was Michelle opgevallen dat alles aan haar er

heel berekenend uitzag: de gespannen huid rond haar ogen, de blik in haar ogen zelf, de strakke lijn van haar kaken en de scherpe hoeken van haar wangen. Ze zag er bovendien heel goed uit voor haar leeftijd, aangezien ze ergens in de zeventig moest zijn, en had een gezonde bruine kleur die duidelijk niet afhankelijk was van de zomer die ze tot dan toe in Engeland hadden gehad.

'De Algarve,' zei ze, alsof ze Michelles gedachten had gelezen. 'We zijn vorige week teruggekomen. Mijn man en ik hebben daar een heerlijke, kleine villa. Hij is arts, plastisch chirurg, maar nu is hij uiteraard met pensioen. Goed, wat kan ik voor u doen? Het is langgeleden dat ik de politie op bezoek kreeg.'

Edith Dalton was dus na een huwelijk van 23 jaar met Jet Harris alsnog keurig op haar pootjes terechtgekomen. 'Informatie,' zei Michelle. 'U bent ongetwijfeld bekend met de zaak-Graham Marshall?'

'Ja. Arme knul.' Mevrouw Gifford tikte met haar sigaret tegen de zijkant van de glazen asbak. 'Wat is er met hem?'

'Uw man had de leiding over het onderzoek.'

'Dat herinner ik me inderdaad.'

'Heeft hij er ooit met u over gesproken, u zijn theorieën verteld?'

'John besprak zijn werk nooit met mij.'

'Zelfs een zaak als deze niet: een jongen uit de buurt? Was u dan niet nieuwsgierig?'

'Uiteraard. Maar hij besprak zijn werk nooit thuis, daar was hij heel strikt in.'

'Hij had dus geen theorieën?'

'Hij heeft ze in elk geval niet aan mij voorgelegd.'

'Herinnert u zich Ben Shaw nog?'

'Ben? Ja, natuurlijk. Hij werkte altijd nauw samen met John.' Ze glimlachte. 'Ze gedroegen zich altijd heel stoer. Hoe gaat het met Ben? Ik heb hem in geen jaren gesproken.'

'Wat vond u van hem?'

Ze keek haar nadenkend aan. 'Als man of als agent?'

'Beide.'

Mevrouw Gifford tikte wat as in de asbak. 'Niet veel soeps, om u de waarheid te zeggen. Ben Shaw liftte mee op het succes van John, maar als man was hij niet half zoveel waard als John en als agent zelfs nog geen kwart.'

'Zijn opschrijfboeken die betrekking hebben op de zaak-Graham Marshall worden vermist.'

Mevrouw Gifford trok een dunne, met potlood getekende wenkbrauw

op. 'Ach, na verloop van tijd raken er wel meer dingen kwijt.'
'Het is alleen wel heel toevallig.'
'Maar soms ook niet meer dan dat.'
'Wat ik me eigenlijk afvroeg, is hoe goed u Shaw eigenlijk kende.'
'Hoezo? Wilt u soms van mij weten of Shaw corrupt is?'
'Is hij dat?'
'Geen idee. John heeft er in elk geval nooit iets over gezegd.'
'En hij zou het hebben geweten?'
'O, ja.' Ze knikte. 'John had het beslist geweten. Er was maar weinig wat hij niet wist.'
'Dus u hebt nooit geruchten van die strekking vernomen?'
'Nee.'
'Ik heb begrepen dat uw man tijdens de oorlog als commando heeft gediend.'
'Ja. John was een echte oorlogsheld.'
'Weet u ook of hij ooit een Fairbairn-Sykes-commandomes in zijn bezit heeft gehad?'
'Ik heb hem nooit met zo'n mes gezien.'
'Had hij misschien andere aandenkens?'
'Hij heeft alles weggedaan nadat hij was afgezwaaid. Hij praatte zelden over zijn tijd in het leger. Hij wilde alles het liefst vergeten. Waartoe dienen deze vragen eigenlijk?'
Michelle wist niet goed hoe ze het moest aanleggen en durfde niet rechtstreeks te vragen of haar man corrupt was geweest, maar ze kreeg de indruk dat mevrouw Gifford zich niet gemakkelijk om de tuin zou laten leiden. 'U hebt 23 jaar met meneer Harris samengeleefd,' zei ze. 'Waarom bent u na zoveel tijd bij hem weggegaan?'
Mevrouw Gifford trok haar wenkbrauwen op. 'Wat een vreemde vraag. En ook vrij onbeleefd, als ik het zeggen mag.'
'Het spijt me, maar...'
Mevrouw Gifford wuifde met haar sigaret door de lucht. 'Ja, ja, ja, u doet gewoon uw werk. Dat weet ik. Het doet er nu toch niet meer toe. Ik heb gewacht tot de kinderen het huis uit waren. Het is verbazingwekkend hoeveel je slikt omwille van de kinderen en omwille van de buitenwereld.'
'Slikt?'
'Mijn huwelijk met John was niet bepaald een leven vol rozengeur en maneschijn.'
'Het moet echter toch zo zijn voordelen hebben gehad.'
Mevrouw Gifford keek haar onderzoekend aan. 'Voordelen?'

'Een luxeleventje?'
Mevrouw Gifford lachte. 'Luxeleventje? Mijn beste mens, we hebben vrijwel ons hele gezamenlijke leven in dat krappe kleine twee-onder-een-kapwoninkje in Peterborough gewoond. Dat kan ik met de beste wil van de wereld toch niet luxe noemen.'
'Ik weet niet goed hoe ik dit op een diplomatieke manier moet zeggen,' vervolgde Michelle.
'Dan maar niet diplomatiek. Ik geef er zelf altijd de voorkeur aan om niet om dingen heen te draaien. Vooruit, gooi het er maar uit.'
'Het oorspronkelijke onderzoek naar de verdwijning van Graham Marshall lijkt een aantal onregelmatigheden te bevatten. Een en ander blijkt in een bepaalde richting te zijn gestuurd, terwijl een aantal mogelijkheden domweg is genegeerd, en...'
'En mijn John was degene aan het stuur?'
'Tja, hij had de leiding over het onderzoek.'
'En nu wilt u weten of hij zich heeft laten omkopen?'
'Daar lijkt het wel op. Herinnert u zich Carlo Fiorino nog?'
'De naam komt me bekend voor. Het is al heel lang geleden. Is hij niet doodgeschoten tijdens een drugsoorlog?'
'Ja, maar daarvoor maakte hij in de criminele wereld min of meer de dienst uit hier in de omgeving.'
Mevrouw Gifford lachte. 'Het spijt me,' zei ze, 'maar het idee dat een of andere maffiabaas in het slaperige Peterborough als crimineel de dienst uitmaakte is... Nou ja, op zijn zachtst gezegd ronduit belachelijk.'
'Hij was niet van de maffia. Hij was zelfs niet Italiaans. Hij was de zoon van een krijgsgevangene en een meisje uit de omgeving.'
'Dan nog klinkt het absurd.'
'Waar mensen zijn, is misdaad, mevrouw Gifford. En Peterborough groeide in die tijd heel snel. Al die nieuwbouw. Iedereen is dol op een snelgroeiende markt. Mensen willen gokken, ze willen seks, ze willen zich veilig kunnen voelen. Als iemand in al deze behoeftes voorziet, kan er flinke winst worden gemaakt. En het gaat allemaal nog gemakkelijker wanneer je een hoge politieman kunt omkopen.' Ze had het niet zo recht voor z'n raap willen zeggen, maar ze wilde dat mevrouw Gifford haar serieus nam.
'Wat u nu dus beweert, is dat John werd omgekocht?'
'Ik wil graag van u weten of u ooit iets is opgevallen wat erop zou kunnen wijzen dat hij extra geld ontving, ja.'
'Nu, als dat zo was, dan heb ik daar nooit iets van gezien. Dat kan ik u wel vertellen.'

'Waar ging het dan allemaal aan op? Champagne, vrouwen en andere pleziertjes?'
Mevrouw Gifford begon weer te lachen en drukte haar sigaret uit. 'Lieve mens,' zei ze, 'John dronk alleen maar ale en whisky, hield niet van muziek en vrouwen kunt u helemaal wel vergeten. Ik heb het nooit aan iemand verteld, behalve aan mijn huidige man, maar u kan ik het nu wel vertellen: John Harris was homoseksueel.'

'Nog een rondje?'
'Mijn beurt,' zei Banks.
'Ik loop even met je mee.' Dave Grenfell stond op en liep met Banks mee naar de bar. Uit nostalgische overwegingen waren ze weer in The Wheatsheaf, waar ze op hun zestiende met zijn drieën hun allereerste glazen bier hadden gedronken. De pub was door de jaren heen flink opgeknapt en leek nu een veel chiquer publiek te trekken dan de sjofele Victoriaanse kroeg in een achterafsteegje die het al die jaren geleden was geweest. Werd tijdens de lunch waarschijnlijk ook druk bezocht door de kantoormensen van het nieuwe 'bedrijvenpark' aan de overkant van de weg, peinsde Banks, hoewel het nu aan het begin van de avond vrijwel leeg was.
Bij het eerste biertje hadden ze elkaar in zoverre bijgepraat dat Banks nu wist dat Dave, zoals zijn vader eerder al had verteld, nog steeds als monteur werkte bij een garage in Dorchester en met Ellie was getrouwd en dat Paul werkloos was, daar geen problemen mee had en zo homoseksueel was als maar kon. Deze laatste ontdekking, die direct volgde op de onthullingen van mevrouw Gifford over Jet Harris waar Michelle hem telefonisch van op de hoogte had gesteld, was een schok geweest voor Banks omdat hij er nooit iets van had gemerkt toen ze nog jong waren. Niet dat hij de voortekenen zou hebben herkend als ze wel aanwezig waren geweest. Paul had zich toen ook verlekkerd aan de pornotijdschriften, had meegelachen om de moppen over homo's en Banks wist vrij zeker dat hij op een bepaald moment ook een vast vriendinnetje had gehad.
Maar goed, in 1965 ontkenden mensen alles, deden ze net alsof, probeerden ze door te gaan voor heteroseksueel. Zelfs nadat homoseksualiteit gelegaliseerd was, bleef er een enorm stigma aan verbonden, vooral in de wijken waar de macho arbeidersklasse de overhand had, zoals de wijk waar zij hadden gewoond. En bij de politie. Banks vroeg zich af hoe moeilijk het voor Paul was geweest om zichzelf te accepteren en er openlijk voor uit te komen. Blijkbaar was Jet Harris daar nooit in geslaagd.

En Banks durfde al zijn geld eronder te verwedden dat iemand het had geweten en dat die iemand van die kennis had geprofiteerd. Jet Harris was niet corrupt geweest; hij werd afgeperst.

Dave stak zijn stomme verwondering over het feit dat Paul een 'kontneuker' bleek te zijn niet onder stoelen of banken en tijdens zijn verbaasde, onophoudelijke geratel liet Banks zijn gedachten afdwalen naar de foto die hij in Grahams gitaar had gevonden. Hij had niets tegen meneer en mevrouw Marshall gezegd, had tegen niemand iets gezegd behalve via zijn mobiele telefoon tegen Michelle en had de foto op zijn kamer gelegd voordat hij de anderen in The Wheatsheaf ontmoette. Wat had dat alles te betekenen en waarom had die foto daar gezeten? Graham moest het er zelf hebben ingestopt, nam Banks aan, en hij had dat gedaan omdat hij het wilde verstoppen. Maar waarom had hij het in zijn bezit, waarom had hij zo geposeerd, wie had de foto gemaakt en waar was hij gemaakt? De open haard was vrij opvallend. Een Adam, dacht Banks, en die kwam je niet overal tegen.

Banks had nu een hoop informatie, maar hij had nog niet genoeg stukjes van de puzzel om een volledig beeld te krijgen. Michelle en hij waren het tijdens hun telefoongesprek over twee dingen eens geweest: de foto hield op een of andere manier verband met de moord op Graham en Donald Bradford en Jet Harris waren beiden betrokken geweest bij het smerige spelletje dat werd gespeeld. En Carlo Fiorino en Bill Marshall mogelijk ook. Toch ontbraken er nog verschillende stukken van de puzzel.

Ze namen de drankjes mee naar hun tafeltje, waar Paul op zijn gemak de ruimte in zich zat op te nemen. 'Herinneren jullie je die oude jukebox nog?' vroeg hij.

Banks knikte. The Wheatsheaf had vroeger een geweldige jukebox gehad, zeker voor een pub die buiten het centrum van een provinciestadje had gelegen, herinnerde hij zich, en aan dat apparaat hadden ze vrijwel net zoveel geld gespendeerd als aan bier. De jaren zestig zoals die voortbestaan in de bekende, zij het sentimentele herinneringen waren in volle bloei geweest toen ze zestien waren: Procol Harems *A Whiter Shade of Pale*, the Flowerpot Men die *Let's Go to San Francisco* zongen, de Beatles met hun *Magical Mystery Tour*.

'Wat voor muziek draai je tegenwoordig, Alan?' vroeg Dave aan Banks.

'Van alles wat, zou je kunnen zeggen,' zei Banks. 'Jazz, klassiek, oude rock-'n-roll. En jij?'

'Ik luister vrijwel nooit meer. Ik ben de belangstelling voor muziek eigenlijk kwijtgeraakt in de jaren zeventig, toen we kinderen kregen. Is ook nooit meer teruggekomen. Herinneren jullie je nog waar we van

Steve elke zondagmiddag naar moesten luisteren? Naar Dylan en wat al niet meer.'
Banks lachte. 'Steve was zijn tijd ver vooruit. Waar hangt hij eigenlijk uit? Hij zal het toch wel weten? Iemand moet het hem toch hebben verteld.'
'Hebben jullie het dan nog niet gehoord?' vroeg Paul.
Banks en Dave staarden hem aan. 'Wat dan?'
'Shit. Ik dacht dat jullie het wel wisten. Het spijt me. Steve is overleden.'
Banks voelde een flinke rilling langs zijn rug kruipen. *The Big Chill.* Dat je de leeftijd had bereikt waarop de generatie voor de jouwe begon af te sterven was een ding, maar dat je de sterfelijkheid van je eigen generatie onder ogen moest zien, was iets heel anders. 'Hoe is het gebeurd?' vroeg hij.
'Longkanker. Een jaar of drie geleden. Ik weet het omdat zijn ouders contact hebben gehouden met de mijne. Kerstkaarten, dat soort dingen. Ik had hem in jaren niet gezien. Blijkbaar had hij ook een paar kinderen.'
'Arme kerel,' zei Dave.
Na een korte stilte hieven ze hun glas op en toastten ze op Steve, een van de eerste Dylan-fans. Toen dronken ze nogmaals op Graham. Twee dood, nog drie te gaan.
Banks keek aandachtig naar zijn oude vrienden en zag dat Dave bijna kaal was en dat Paul grijs was geworden en flink was aangekomen. Het werd hem plotseling zwaar te moede en zelfs de gedachte aan Michelle die naakt naast hem in bed lag slaagde er niet in die zwaarmoedigheid te verjagen. Zijn lip brandde en de plek in zijn linkerzij waar zijn belager hem had geschopt deed pijn. Hij had zin om zich te bezatten, maar wist ook dat dat nooit het gewenste effect had wanneer hij zich zo voelde. Hoeveel hij ook dronk, hij bereikte nooit die staat van pure vergetelheid waar hij naar op zoek was. In elk geval kon hij vanavond drinken wat hij wilde. Hij hoefde nergens meer naartoe te rijden. Hij was van plan om later op de avond Michelle nog te bellen, maar dat was afhankelijk van het verloop van de avond, want ze hadden niets definitiefs afgesproken. Banks voelde dat ze allebei tijd nodig hadden om te verwerken wat er tussen hen was gebeurd. Dat gaf niets. Hij was niet bang meer dat ze hem niet meer zou willen zien en ook hij was niet van plan om terug te krabbelen. Bovendien had ze het druk. Het onderzoek kwam eindelijk een beetje op gang.
Banks keek naar zijn sigaret die in de asbak lag te smeulen en dacht aan Steve. Longkanker. Shit. Hij drukte de sigaret uit, ook al had hij hem pas

half opgerookt. Misschien was het zijn laatste wel. Bij die gedachte voelde hij zich al iets beter, maar dat gevoel werd al snel verdrongen door een golf van paniek over de ondraaglijkheid van een leven zonder sigaretten. De koffie 's ochtends vroeg, een glas bier in de Queen's Arms, een Laphroaig laat op de avond bij de beek. Onmogelijk. Ach, hield hij zichzelf voor, laten we het maar van dag tot dag bekijken.

Banks' mobiele telefoon ging over en hij schrok op uit zijn sombere gepieker. 'Sorry,' zei hij. 'Ik moet hem even opnemen. Kan belangrijk zijn.'

Hij liep de straat op en dook onder de luifel van een winkel om te schuilen voor de regen. Het werd donker en er was weinig verkeer. Het wegdek glinsterde in het licht van een zo nu en dan passerende auto en in de plassen werd de neonblauwe verlichting van het bord van de videotheek aan de overkant van de weg weerspiegeld. 'Alan, met Annie,' zei de stem aan de andere kant van de lijn.

'Annie? Hoe gaat het?'

Annie vertelde hem over het verhoor van Liz Palmer en in haar stem kon hij haar woede en droefheid horen.

'Denk je dat ze de waarheid vertelt?'

'Vrij zeker,' zei Annie. 'Onze hoge piet heeft Ryan Milne tegelijkertijd verhoord en de details komen overeen. Sinds ze in bewaring zitten, zijn ze niet meer bij elkaar geweest, dus ze hebben hun verhalen niet op elkaar kunnen afstemmen.'

'Goed,' zei Banks. 'Wat houdt dat dus in?'

'Dat Luke 's avonds radeloos en verward in zijn eentje de straat is opgerend,' zei Annie. 'Die onnadenkende klootzakken.'

'Waar kan hij toen naartoe zijn gegaan?'

'Dat weten we niet. Terug naar af. Er is nog één ding...'

'Ja?'

'De onverteerde diazepam die dokter Glendenning in Luke's lichaam heeft gevonden.'

'Wat is daarmee?'

'De heeft hij niet van Ryan en Liz. Ze hebben geen van beiden een recept en we hebben tijdens de huiszoeking ook niets gevonden.'

'Misschien zijn ze er langs illegale weg aan gekomen, net als aan de hasj en de LSD, en hebben ze het weggegooid.'

'Dat zou kunnen,' zei Annie. 'Maar waarom zouden ze er dan over liegen?'

'Op die vraag heb ik ook geen antwoord. Heb je zelf een theorie?'

'Als Luke echt zo door het lint is gegaan als ze zeggen, dan heeft iemand misschien bedacht dat het een goed idee zou zijn om hem wat valium te geven zodat hij tot rust zou komen.'

‘Of om hem stil te krijgen.’
‘Kan ook.’
‘Wat nu?’
‘We moeten erachter zien te komen waar hij naartoe is gegaan. Ik ga morgen weer met Luke’s ouders praten. Nu we weten waar hij is geweest, kunnen zij ons misschien verder helpen. Ik ga ook nog een keer met Lauren Anderson praten en misschien met dat schoolhoofd, Barlow.’
‘Waarom?’
‘Het kan zijn dat er toch wel iets was tussen Luke en Rose en misschien keurde haar vader dat niet goed.’
‘Is dat een reden om hem te vermoorden?’
‘Het is een reden om hem te lijf te gaan. We kunnen nog steeds niet met zekerheid zeggen dat iemand Luke inderdaad heeft vermoord. Bovendien wil ik graag weten waar ze waren op de avond dat Luke verdween. Misschien is hij wel naar Rose gegaan.’
‘Lijkt me een uitstekend plan,’ zei Banks. ‘Martin Armitage is die avond trouwens ook weg geweest.’
‘Maak je maar geen zorgen. Dat weet ik nog wel.’
‘Wat is er trouwens met hem gebeurd?’
‘Hij is vanmiddag voor de politierechter verschenen en hij is op borgtocht vrijgelaten tot hij moet voorkomen.’
‘Norman Wells?’
‘Hij zal volledig van zijn verwondingen herstellen. Wanneer kom je terug?’
‘Morgen of overmorgen.’
‘Schiet het een beetje op?’
‘Ik denk het wel.’
‘En wat ga je vanavond doen?’
‘Reünie van mijn oude klas,’ zei Banks, en hij liep terug naar de pub. Een naderende auto leek veel te snel te rijden en Banks voelde even paniek in zich opwellen. Hij drukte zich tegen de deur van een winkel. De auto raasde te dicht langs de stoeprand voorbij en spatte water uit de goot over zijn broekspijpen. Hij vloekte.
‘Wat is er?’ vroeg Annie.
Banks vertelde haar wat er was gebeurd en ze lachte. ‘Veel plezier op die klassenreünie,’ zei ze.
‘Ik zal je er alles over vertellen wanneer ik je weer zie.’ Hij verbrak de verbinding en ging weer op zijn stoel zitten. Dave en Paul hadden in zijn afwezigheid moeizaam een nietszeggend gesprek op gang weten te houden en Dave leek blij dat hij terug was.

'Dus jij bent een smeris,' zei Paul hoofdschuddend toen Banks weer zat. 'Ik kan het nog steeds niet geloven. Ik zou hebben gedacht dat je leraar of krantenverslaggever of iets dergelijks was geworden. Maar een smeris...'
Banks glimlachte. 'De dingen kunnen raar lopen.'
'Zeg dat wel, ja,' mompelde Dave met een ondoorgrondelijke blik in Pauls richting. Zijn stem klonk alsof het bier nu al had toegeslagen.
Paul wierp hem even een blik toe en tikte toen op Banks' arm. 'Hé,' zei hij, 'vroeger zou je me hebben moeten arresteren, is het niet? Omdat ik van de verkeerde kant ben.'
Banks voelde dat de spanning om te snijden was en stapte over op een ander onderwerp, één waarover hij al vanaf het begin had willen praten: Graham. 'Kunnen jullie je nog herinneren of er iets vreemds is gebeurd rond de tijd van Grahams verdwijning?' vroeg hij.
'Je werkt toch zeker niet mee aan die zaak?' vroeg Dave gretig, blij dat er een ander gespreksonderwerp werd aangesneden.
'Nee,' zei Banks, 'maar ik ben wel benieuwd naar wat er is gebeurd. Ik ben en blijf tenslotte een smeris en Graham was een vriend van me. Natuurlijk ben ik nieuwsgierig.'
'Heb je hen ooit verteld over die kerel bij de rivier?' vroeg Paul.
'Ja, maar dat heeft niets opgeleverd,' zei Banks en hij vertelde wat ze te weten waren gekomen. 'Bovendien denk ik dat we het veel dichter bij huis moeten zoeken.'
'Waarom denk je dat?' vroeg Paul.
Banks wilde hun niet over de foto vertellen. Afgezien van Michelle hoefde wat hem betreft niemand er iets vanaf te weten. Misschien vond hij dat hij Grahams nagedachtenis moest beschermen en het idee dat mensen hem zo zouden zien vervulde Banks met afschuw. Ook was hij niet van plan hen over Jet Harris, Shaw en de ontbrekende opschrijfboekjes te vertellen. 'Herinneren jullie je Donald Bradford nog?' vroeg hij in plaats daarvan. 'De man die die tijdschriftenzaak had.'
'Vieze Don?' zei Paul. 'Ja. Die herinner ik me nog wel.'
'Waarom noem je hem vieze Don?'
'Geen idee.' Paul haalde zijn schouders op. 'Misschien verkocht hij wel vieze blaadjes. Mijn vader noemde hem altijd zo. Weet je dat niet meer?'
Banks wist het inderdaad niet meer. Hij vond het wel interessant dat Pauls vader op de hoogte was geweest van Bradfords belangstelling voor porno. Had zijn eigen vader dat ook geweten? Had iemand dat Proctor en Shaw al die jaren terug ook verteld, toen ze die gesprekken kwamen voeren? Was dat waarom de opschrijfboekjes en het opdrachtenlogboek

hadden moeten verdwijnen, zodat de verdenking niet op Bradford zou vallen? Na de naaste familieleden had Donald Bradford de eerste moeten zijn die ze onder de loep namen, maar er was vrijwel geen aandacht aan hem geschonken. 'Heeft Graham jullie wel eens verteld hoe hij aan die tijdschriften kwam die hij ons onder de boom altijd liet zien?'
'Wat voor tijdschriften?' vroeg Dave.
'Weet je dat niet meer?' zei Paul. 'Ik wel. Vrouwen met verdomd grote tieten.' Hij rilde. 'Dat werkte toen al op mijn zenuwen.'
'Ik meen me te herinneren dat jij er net zo van genoot als wij,' zei Banks. 'Weet je het echt niet meer, Dave?'
'Misschien heb ik het wel uit mijn geheugen gewist, maar ik kan het me echt niet herinneren.'
Banks keek naar Paul. 'Heeft hij jou ooit verteld hoe hij eraan kwam?'
'Niet dat ik me kan herinneren. Hoezo? Denk je dat hij ze van Bradford kreeg?'
'Het zou kunnen. Een tijdschriftenzaak is een goede plek om dat soort dingen te verspreiden. En Graham had altijd geld zat.'
'Hij heeft een keer gezegd dat hij dat geld uit zijn moeders tas jatte,' zei Dave. 'Dat weet ik nog wel.'
'Geloofde je dat ook?' vroeg Banks.
'Ik had geen enkele reden om het niet te geloven. Ik was wel geschokt dat hij er zo achteloos over deed. Ik zou het niet in mijn hoofd hebben gehaald om uit mijn moeders tas te stelen. Ze had me vermoord.' Hij sloeg een hand voor zijn mond. 'Oeps, sorry. Zo had ik het niet bedoeld.'
'Het geeft niet,' zei Banks. 'Ik geloof niet dat Grahams moeder hem heeft vermoord omdat hij geld uit haar tas jatte.' Grahams vader was echter een heel ander verhaal, dacht Banks. 'Ik denk dat er nog veel meer aan de hand was.'
'Zoals?' vroeg Paul.
'Ja, dat weet ik dus niet. Ik denk alleen dat Graham betrokken was bij iets wat Donald Bradford deed, iets wat waarschijnlijk met porno te maken had. En ik denk ook dat dat uiteindelijk de reden is geweest waarom hij is vermoord.'
'Denk je dat Bradford hem heeft vermoord?'
'Het is mogelijk. Misschien hielp hij wel mee het spul te verspreiden of misschien heeft hij ontdekt wat Bradford uitspookte en heeft hij hem geld afgetroggeld. Ik weet het niet. Maar wat ik wel weet, is dat er een verband bestaat.'
'Graham? Een afperser?' zei Dave. 'Wacht nou eens even, Alan, je hebt het wel over onze vriend Graham, hoor. Degene die we net hebben be-

graven, weet je nog? Een paar pond uit zijn moeders tas stelen, dat zie ik hem nog wel doen, maar chantage...?'
'Ik denk dat een heleboel dingen in die tijd anders waren dan wij dachten,' zei Banks.
'Wat bedoel je daarmee?' vroeg Dave.
'Hij bedoelt dat jullie bijvoorbeeld geen van allen doorhadden dat ik van de verkeerde kant was,' zei Paul.
Banks keek hem aan. 'Dat wisten we inderdaad niet. Je hebt gelijk. En ik denk dat we eigenlijk ook bijna niets over Graham wisten, ook al was hij een vriend van ons.' Hij keek naar Dave. 'Verdomme, Dave, jij herinnert je niet eens die vieze blaadjes.'
'Misschien is het een psychologische blokkade.'
'Herinner je je dan nog wel die boom?' vroeg Banks.
'Ons hol? Ja, natuurlijk. Ik herinner me juist hartstikke veel. Alleen niet dat we die blaadjes lazen.'
'Toch heb je meegedaan,' zei Paul. 'Ik weet nog dat je een keer beweerde dat die foto's bij Geile Mandy waren gemaakt. Weet je dat ook niet meer?'
'Geile Mandy?' vroeg Banks. 'Wat is dat nu weer?'
'Ga me nou niet vertellen dat jij dat ook niet meer weet,' zei Paul geïrriteerd.
'Blijkbaar niet,' zei Banks. 'Wat was dat?'
'Geile Mandy? Dat was Rupert Mandeville, die dat enorme huis had in de richting van Market Deeping. Zegt dat je iets?'
Banks voelde dat een vage herinnering langs de rand van zijn bewustzijn kroop. 'Ik geloof van wel.'
'Het was ons eigen grapje, meer niet,' ging Paul verder. 'We dachten dat ze daar allerlei seksorgiën hielden. Een beetje zoals die plek waar Profumo een paar jaar daarvoor vaak naartoe ging. Weet je dat nog wel? Christine Keeler en Mandy Rice Davis?'
Banks herinnerde zich Christine Keeler en Mandy Rice Davis nog wel. De kranten hadden tijdens het Profumo-schandaal vol gewaagde foto's en prikkelende 'bekentenissen' gestaan. Maar dat was in 1963 geweest, niet in 1965.
'Nu weet ik het weer,' zei Dave. 'Dat huis van Rupert Mandeville. Walgelijk groot landhuis eigenlijk. We dachten toen dat het een broedplek voor zondaars was, een plaats waar allemaal stoute dingen gebeurden. Wanneer we iets schunnigs tegenkwamen, zeiden we altijd dat het wel van geile Mandy afkomstig moest zijn. Dat weet je vast nog wel, Alan. God mag weten hoe we op dat idee waren gekomen, maar er stond een

enorm hoge muur omheen en er was een gigantisch zwembad in de tuin en in onze verbeelding zwommen de meisjes op wie we een oogje hadden allemaal in hun blootje in dat zwembad.'
'Vaag,' zei Banks, die zich afvroeg of deze herinneringen echt een kern van waarheid bevatten. Het was de moeite waard om het uit te zoeken. Hij zou met Michelle praten en kijken of ze iets wist. 'Leeft die Mandeville nog?'
'Is hij geen parlementslid geweest?' zei Dave.
'Ik geloof het wel,' zei Paul. 'Ik weet nog dat ik een paar jaar geleden iets over hem in de krant heb gelezen. Ik geloof dat hij nu in het House of Lords zit.'
'Lord geile Mandy,' zei Dave, en ze lachten omwille van hun vroegere vriendschap.
Het gesprek kabbelde nog een uurtje voort en overleefde minimaal één rondje dubbele whisky's. Dave leek te blijven hangen op een bepaald niveau van dronkenschap dat hij al vroeg op de avond had bereikt en nu was Paul degene die het meest onder de effecten van de alcohol te lijden had en zijn gedrag werd steeds verwijfder naarmate de tijd verstreek.
Banks merkte dat Dave ongeduldig werd en zich schaamde voor de blikken die hun door sommigen van de andere klanten werden toegeworpen. Hij vond het steeds moeilijker om zich voor te stellen dat ze allemaal ooit echt zoveel met elkaar gemeen hadden gehad, maar het leven was toen veel gemakkelijker en onschuldiger geweest: je was supporter van hetzelfde voetbalteam, zelfs als het niet heel goed was; je hield van popmuziek en keek smachtend naar Emma Peel en Marianne Faithfull; en dat was genoeg. Het was ook meegenomen als je niet al te hard blokte voor school en in dezelfde wijk woonde.
Misschien waren de vriendschappen die je als tiener had niet eens zoveel oppervlakkiger dan die wanneer je volwassen was, mijmerde Banks, maar het was toen wel een verdomd stuk gemakkelijker geweest om vrienden te maken. Banks keek van de een naar de ander, Paul die steeds roder aanliep in zijn gezicht en zich steeds nichtiger ging gedragen en Dave met zijn samengeknepen lippen, die nauwelijks in staat was om zijn homofobie in toom te houden, en besloot dat het tijd werd om op te stappen. Ze hadden meer dan dertig jaar niet bij elkaar in de buurt gewoond en dat zou zo blijven zonder dat ze ook maar enigszins het idee zouden krijgen dat ze elkaar zouden missen.
Toen Banks zei dat hij ervandoor moest, stond Dave ook op en Paul zei dat hij niet van plan was om hier in zijn eentje te blijven zitten. Het regenende niet meer en de avondlucht rook fris. Banks snakte naar een siga-

ret, maar bood weerstand aan de verleiding. Tijdens de korte wandeling terug naar de wijk zeiden ze geen van drieën veel, misschien omdat ze alle drie aanvoelden dat deze avond het einde van een tijdperk markeerde. Ten slotte stond Banks voor de voordeur van zijn ouders, hun eerste halte, en hij nam afscheid. Wat volgde, waren de bekende, vage leugens en beloftes dat ze contact zouden blijven houden en daarna gingen ze alle drie terug naar hun eigen, afgezonderde leven.

Toen de telefoon laat die avond overging, zat Michelle net een opgewarmde maaltijd van stoofschotel met kip te eten, een glas sauvignon blanc naast zich en op televisie een documentaire over de dierenwereld in de oceaan. Ze ergerde zich aan de onderbreking, maar dacht dat het misschien Banks was en nam toch op.
'Ik hoop dat ik je niet stoor,' zei Banks.
'Nee hoor, helemaal niet,' jokte Michelle, en ze schoof haar halfvolle bord opzij en zette het volume van de televisie met de afstandsbediening lager. 'Ik vind het fijn dat je belt.' En dat was ook zo.
'Het is al een beetje laat en ik heb het een en ander gedronken,' zei hij, 'dus het is waarschijnlijk beter als ik vanavond niet meer langskom.'
'Mannen. Jullie gaan één keer met een meisje naar bed en daarna willen jullie meteen weer terug naar je vriendjes en jullie bier.'
'Ik zei niet dat ik te veel heb gedronken,' antwoordde Banks. 'Ik denk eigenlijk dat ik maar meteen een taxi bel.'
Michelle lachte. 'Het geeft niet. Ik plaag je maar. Geloof me, ik kan een avondje vroeg onder de wol best gebruiken. Bovendien krijg je dan problemen met je moeder. Ben je nog iets te weten gekomen van je oude maatjes?'
'Een beetje.' Banks vertelde haar over Bradfords bijnaam 'vieze Don' en de geruchten die ze altijd over het huis van Mandeville hadden gehoord.
'Ik heb onlangs ook iets over dat huis gehoord,' zei Michelle. 'Ik weet alleen niet meer of Shaw zich er iets over heeft laten ontvallen of dat ik er iets over heb gelezen in een oud dossier, maar ik zal het morgen nakijken. Wie had dat gedacht? Een huis voor zondaars? In Peterborough.'
'Ach, welbeschouwd ligt het eigenlijk buiten de stadsgrens,' zei Banks. 'Afgaand op de foto die ik in Grahams gitaar heb gevonden en de informatie die jij van Jet Harris' ex-vrouw hebt gekregen, denk ik echter dat we alles wat ook maar enigszins een band heeft met clandestiene seks rond de tijd van de moord op Graham moeten onderzoeken.'
'Dat is het!' zei Michelle. 'Het verband.'
'Welk verband?'

'Het huis van Mandeville. Het had iets te maken met clandestiene seks. In die tijd was het tenminste clandestien. Homoseksualiteit. Er was een klacht binnengekomen over vreemde voorvallen in het huis van Mandeville. Ik heb erover gelezen in de oude logboeken. Er is toen geen actie ondernomen.'
'Dan wordt het morgen waarschijnlijk nog een drukke dag voor je,' zei Banks.
'Nog een reden om vroeg naar bed te gaan. Blijf je in de buurt om te helpen of moet je alweer terug naar het noorden?'
'Een extra dag kan geen kwaad.'
'Mooi. Heb je zin om morgenavond te komen eten?'
'Bij jou?'
'Ja. Dat wil zeggen: als ik je zover kan krijgen dat je je vrienden in de kroeg kunt achterlaten.'
'Daarvoor hoef je echt niet aan te bieden om een maaltijd voor me te koken.'
'Je kunt het geloven of niet, maar ik kan vrij goed koken als ik me ertoe kan zetten.'
'Daar twijfel ik geen moment aan. Nog één vraag.'
'Ja?'
'Ik dacht dat je zei dat je *Chinatown* niet had gezien?'
Michelle lachte. 'Ik kan me niet herinneren dat ik dat ooit heb gezegd. Welterusten.' En ze hing, nog altijd lachend, op. Uit een ooghoek zag ze de foto van Ted en Melissa en het oude schuldgevoel stak heel even de kop op. Het was echter snel voorbij en toen voelde ze die onbekende lichtheid weer, die opgewektheid van geest. Ze was moe, maar voordat ze naar bed ging, liep ze eerst naar de keuken, waar ze een doos boeken tevoorschijn haalde die ze een voor een bekeek voordat ze ze op de planken zette. Voornamelijk poëzie. Ze was dol op poëzie. Waaronder ook Philip Larkin. Toen pakte ze een doos uit met haar beste servies en keukenspullen. Ze keek naar de grotendeels lege keukenkastje en probeerde te bepalen wat de beste plek voor elk voorwerp was.

18

Tijdens de rit naar Swainsdale Hall had Annie zich bezorgd afgevraagd wat ze tegen de Armitages moest zeggen. Een groot deel van het leven van hun zoon was hun totaal onbekend, vol mensen die ze niet kenden en met wie ze hun zoon ongetwijfeld liever niet samen hadden gezien, vooral Martin niet. Maar was dat niet bij de meeste kinderen zo? Annie was zelf opgegroeid in een kunstenaarscommune bij St. Ives en van sommige mensen met wie ze daar was omgegaan, zouden Martin Armitages nekharen recht overeind gaan staan. Maar ook zij had haar vader niets verteld over de groep losgeslagen jongeren met wie ze een zomer was opgetrokken en die een reeks winkeldiefstallen in het centrum als een leuk uitje voor de zaterdagmiddag beschouwden.

De aanblik van Swainsdale die ochtend onder een laaghangende bewolking en een dreigende regenbui was mistroostig, met saaie grijsgroene tinten. Zelfs de gele vlekken van de velden raapzaad op de heuvelflanken in de verte boden een troosteloze aanblik. Toen Annie aanbelde, voelde ze de angst door haar lichaam stromen bij de gedachte dat ze Martin Armitage weer zou ontmoeten. Het was dom, dat wist ze; hij zou haar heus niet aanvallen, niet waar zijn vrouw bij was, maar haar kaak deed nog steeds pijn en twee losse tanden en een naderende afspraak met haar tandarts zorgden er wel voor dat ze zich hun laatste ontmoeting levendig herinnerde.

Josie deed de deur open en de hond snuffelde in haar kruis toen ze naar binnenkwam. Josie deed de hond aan een riem en nam hem mee. Robin Armitage zat, gekleed in een spijkerbroek en een donkerblauw shirt, alleen op de grote bank in de woonkamer en bladerde door een *Vogue*. Annie slaakte een zucht van opluchting. Misschien was Martin weg. Ze zou weliswaar toch eens weer met hem moeten praten, maar het kon geen kwaad als ze dat nog even uitstelde. Robin had geen make-up op en leek sinds Luke's dood jaren ouder te zijn geworden. Ze zag eruit alsof een stevige windvlaag haar zo kon wegblazen. Toen Annie binnenkwam, stond ze op en met een moedig glimlachje bood ze haar een stoel aan.

Ze vroeg Josie om wat koffie te brengen.
'Is uw man niet thuis?' vroeg Annie.
'Hij is in zijn werkkamer. Ik zal Josie vragen of ze hem wil halen wanneer ze de koffie komt brengen. Hebt u al vooruitgang geboekt?'
'Een beetje,' zei Annie. 'Daarom wil ik ook graag met jullie allebei spreken en jullie een paar vragen stellen.'
'Gaat het wel? Er zit nog een flinke kneuzing bij uw mond.'
Annie legde een hand op haar kaak. 'Het gaat prima.'
'Het spijt me echt verschrikkelijk wat er is gebeurd. Ik weet dat Martin zich werkelijk vreselijk schuldig voelt.' Ze glimlachte zwakjes. 'Hij moet al zijn moed verzamelen voordat hij u weer onder ogen durft te komen.'
'Ik ben niet boos meer,' zei Annie, wat niet helemaal waar was, maar het had geen zin om het op Robin af te reageren.
Josie kwam binnen met een dienblad met koffie en biscuittjes en Robin vroeg zich om meneer Armitage te halen. Toen hij een paar minuten later de woonkamer kwam binnenlopen, voelde Annie een golf van paniek door zich heen trekken. Het ging voorbij, maar haar hart bleef pijnlijk in haar borst kloppen en haar mond voelde droog aan. Dit is belachelijk, hield ze zichzelf voor, maar ze reageerde automatisch op het aura van geweld dat om Martin Armitage heen hing. Het lag bij hem alleen dichter bij het oppervlak dan bij de meeste mensen.
Uiteraard gedroeg hij zich berouwvol en beschaamd. 'Aanvaard alsjeblieft mijn verontschuldigingen,' zei hij. 'Ik weet niet wat me bezielde. Ik heb nog nooit een vrouw geslagen.' Robin gaf een bemoedigend klopje op zijn knie.
'Het is al goed,' zei Annie, die het liefst zo snel mogelijk verder wilde.
'Als er medische kosten aan zijn verbonden, zal ik die uiteraard...'
'Maakt u zich daar maar niet druk om.'
'Hoe gaat het met meneer Wells?'
Annie had met het ziekenhuis gesproken en te horen gekregen dat Norman Wells' lichamelijke verwondingen weliswaar goed genazen, maar dat de psychologische schade veel dieper zat. Hij leek te lijden aan een depressie, hadden ze haar verteld. Hij kon niet slapen, wilde zijn bed niet uit komen, was niet in eten geïnteresseerd en leek zich niet om zijn toekomst te bekommeren. Nauwelijks verbazingwekkend, dacht Annie, wanneer je bedacht wat die arme kerel de afgelopen week allemaal had meegemaakt. En nu de kranten met het verhaal aan de haal waren gegaan, betekende dat ook het definitieve einde van Wells' boekhandel. Zodra iedereen eenmaal wist waarvan hij was beschuldigd, zou niemand er meer willen komen of als ze wel kwamen, dan alleen

met kwade bedoelingen. Norman Wells zou een verschoppeling worden.
'Hij redt het wel,' zei Annie. 'Eigenlijk wilde ik jullie allebei nog een paar vragen stellen.'
'Ik kan me niet voorstellen dat we u nog iets nieuws kunnen vertellen,' zei Robin. 'Maar ga alsjeblieft uw gang.'
'Allereerst zou ik graag willen weten of een van jullie een recept heeft voor valium of een andere vorm van diazepam.'
Robin fronste haar wenkbrauwen. 'Martin niet, maar ik wel. Voor mijn zenuwen.'
'Hebt u de laatste tijd gemerkt dat er een paar tabletten ontbraken?'
'Nee.'
'Zou u het hebben gemerkt als het wel zo was?'
'Natuurlijk.' Robin pakte haar handtas die naast haar op de bank stond en haalde er een plastic potje uit. 'Dit zijn ze,' zei ze. 'Kijk maar. Bijna vol. Waarom wilt u dat weten?'
Annie keek naar het potje en doopte toen haar biscuittje in haar koffie. Ze moest voorzichtig eten en de losse kiezen ontzien, maar het smaakte goed en gaf haar een ogenblik de tijd om haar antwoord zo te formuleren dat ze geen beelden gebruikte die Robin konden kwetsen. 'Het is namelijk zo dat de patholoog sporen van het middel in Luke's lichaam heeft gevonden,' zei ze, tevreden omdat ze erin was geslaagd het vreselijke 'maaginhoud' te omzeilen. 'We vragen ons af hoe hij eraan is gekomen.'
'Luke? Valium? Zeker niet van ons.'
'En ik ga ervan uit dat de huisarts hem het middel ook niet heeft voorgeschreven?'
Martin en Robin keken elkaar aan. 'Natuurlijk niet,' zei Robin. 'Iemand anders moet het hem gegeven hebben.'
'Is hij daaraan overleden?' vroeg Martin Armitage.
'Nee,' zei Annie. 'Het is een nieuwe complicatie die ik zo snel mogelijk uit de weg wil ruimen.'
'Het spijt me dat we u niet kunnen helpen,' zei Robin.
Annie worstelde ook met de formulering van haar volgende vraag. Dit gesprek met deze twee mensen zat vol voetangels en klemmen die je moest omzeilen, maar ze kon er niet onderuit. 'Mevrouw Armitage, u weet denk ik wel dat Luke zeer tegenstrijdige gevoelens had jegens zijn biologische vader?'
'Neil? Ach, nou ja, ik neem eigenlijk aan... Maar Luke heeft hem nooit gekend.'
'U wist toch wel dat hij zich moet hebben afgevraagd wat er was gebeurd

en waarom zijn vader niets met hem te maken wilde hebben?'
'Het lag heel anders. Neil wist gewoon niet hoe hij ermee moest omgaan. Hij was zelf in heel veel opzichten nog een kind.'
'En een drugsverslaafde.'
'Neil was niet verslaafd. Hij gebruikte wel drugs, maar ze vormden voor hem slechts een hulpmiddel, een manier om een doel te bereiken.'
Annie deed geen moeite om haar tegen te spreken en te zeggen dat dat voor de meeste mensen het geval was; het zou gemakkelijker zijn wanneer ze niet tornde aan Neil Byrds verheven artistieke status, vooral niet wanneer ze met Robin sprak. 'Maar je wist wel dat Luke zelfs niet naar zijn muziek wilde luisteren?'
'Ik heb hem nooit gevraagd om dat te doen. Ik luister er zelf niet eens meer naar.'
'Hij wilde het ook niet,' zei Annie. 'Van elke verwijzing naar Neil Byrd of zijn muziek raakte hij overstuur. Heeft hij jullie ooit iets verteld over vrienden van hem die Liz en Ryan heten?'
'Nee, mij niet,' zei Robin. 'Martin?'
Martin Armitage schudde zijn hoofd.
'Hij speelde met hen in een band. Wisten jullie dat?'
'Nee,' zei Robin. 'Hij heeft ons niets verteld.'
'Waarom zou hij dit voor jullie geheim willen houden?'
Robin zweeg even en keek naar haar man, die op zijn stoel heen en weer schoof en zei: 'Waarschijnlijk omdat we over dat soort onderwerpen al verschillende keren onenigheid hadden gehad.'
'Dat soort onderwerpen?'
'Ik vond dat Luke veel te veel tijd besteedde aan poëzie en muziek, en dat hij in plaats daarvan aan teamsport zou moeten doen en meer beweging moest hebben. Hij begon er veel te mat uit te zien, omdat hij de hele tijd binnen zat.'
'Hoe reageerde hij daarop?'
Martin keek naar Robin en toen weer naar Annie. 'Niet best. We hadden er een beetje ruzie over. Hij hield vol dat hij zelf het beste kon beslissen hoe hij zijn tijd moest doorbrengen.'
'Waarom hebben jullie me dit niet eerder verteld?'
'Omdat het niet relevant was. Niet relevant is.' Martin boog zich iets naar voren en bleef haar met zijn intense, verontrustende ogen aanstaren. 'Iemand heeft Luke ontvoerd en vermoord en u stelt alleen maar vragen over Neil Byrd en mijn relatie met Luke.'
'Ik denk dat ik zelf het beste kan beslissen welke vragen ik moet stellen, meneer Armitage,' zei Annie, en ze voelde haar hart weer wild in haar

borst kloppen. Zouden ze het kunnen horen? 'Was u het met uw man eens?' vroeg ze aan Robin.
'Min of meer. Maar ik wilde Luke's creatieve ontwikkeling ook niet beknotten. Als ik van de band had geweten, zou ik me zorgen hebben gemaakt. Ik wilde niet dat hij een dergelijk leven zou leiden. Geloof me, ik heb het van dichtbij meegemaakt. Ik heb dat leven zelf geleid.'
'Dus u zou ook niet echt blij zijn geweest als Luke u had verteld dat hij in een band speelde?'
'Nee.'
'Maakte u zich zorgen over drugsgebruik?'
'We hebben hem natuurlijk voor drugs gewaarschuwd en hij heeft gezworen dat hij niets gebruikte.'
'Dat deed hij ook niet,' zei Annie. 'Tenminste, pas op de dag van zijn verdwijning voor het eerst.'
Robin sperde haar ogen wijd open. 'Wat wilt u daarmee zeggen? Weet u hoe hij is gestorven?'
'Nee. Nee, dat weten we nog niet. Wat we wel weten is dat hij bij twee vrienden is geweest, dat hij daar drugs heeft gebruikt en dat ze hem toen zijn vaders muziek hebben laten horen. Luke raakte van slag en is weggegaan. We weten nog steeds niet waar hij daarna naartoe is gegaan.'
Robin zette haar koffiekopje op het schoteltje. Ze morste wat koffie. Ze merkte het niet. 'Ik geloof er niets van,' zei ze.
'Wie zijn die mensen?' kwam Martin tussenbeide.
'Wat gaat u doen als ik u dat vertel, meneer Armitage?' vroeg Annie. 'Gaat u hen dan ook in elkaar slaan?'
Armitage stak zijn kin naar voren en zei: 'Ze verdienen niet beter als datgene wat u vertelt waar is. Dan hebben ze mijn zoon drugs gegeven.'
'Meneer Armitage,' zei Annie. 'Wat hebt u gedaan toen u op de avond van Luke's verdwijning twee uur weg bent geweest?'
'Dat heb ik u al verteld. Ik heb rondgereden om te kijken of ik hem kon vinden.'
'Waar hebt u rondgereden?'
'Eastvale.'
'Door bepaalde wijken of straten?'
'Dat weet ik niet meer. Ik heb gewoon wat rondgereden. Waarom is dat belangrijk?'
Annie voelde een knellende band om haar borst, maar ze zette door. 'Hebt u hem toen gevonden?'
'Nee, natuurlijk niet. Hoezo? Als ik hem had gevonden, zou hij veilig en wel hier bij ons zitten, hè?'

'Ik heb uw opvliegende karakter aan den lijve ondervonden, meneer Armitage.' Zo, dat was gezegd. 'Ik heb ook een aantal mensen gesproken die me hebben verteld dat uw stiefzoon en u niet goed met elkaar konden opschieten.'
'Wat wilt u daarmee zeggen?'
Annie verstijfde bij het horen van Armitages kille stem, maar ze kon nu niet meer terug. 'Als er die avond iets is gebeurd... Een soort... ongeluk heeft plaatsgevonden... dan kunt u me dat beter nu vertellen, u moet niet afwachten tot ik er op een andere manier achter kom.'
'Ongeluk? Ik weet niet of ik het goed heb begrepen. Vraagt u me nu of ik Luke heb gevonden, hem in mijn auto heb meegenomen, toen mijn zelfbeheersing heb verloren en hem heb vermoord?'
'Ik vraag u inderdaad of u hem die avond hebt gevonden en of er iets tussen u beiden is voorgevallen wat ik zou moeten weten.'
Armitage schudde zijn hoofd. 'U bent me er wel een, inspecteur Cabbot. Eerst handelt u ondoordacht en veroorzaakt u waarschijnlijk de dood van mijn zoon en vervolgens beschuldigt u mij ervan dat ik hem heb vermoord. Ik wil dat u tot u laat doordringen dat ik slechts heb gedaan wat ik u heb verteld. Ik heb rondgereden in Eastvale om Luke te zoeken. Het was waarschijnlijk zinloos, dat besef ik ook wel, maar ik moest iets doen. Ik moest actie ondernemen. Ik kon niet hier zitten blijven wachten. Ik heb hem niet gevonden. Begrepen?'
'Uitstekend,' zei Annie.
'En ik neem u die beschuldiging zeer kwalijk.'
'Ik heb u nergens van beschuldigd.'
Martin Armitage stond op. 'Het is wel duidelijk dat jullie geen vooruitgang hebben geboekt, als jullie je zo aan strohalmen moeten vastklampen. Is dit alles? Dan ga ik nu terug naar mijn werkkamer.'
Annie voelde zich opgelucht toen Armitage de kamer was uitgelopen.
'Dat was erg wreed,' zei Robin. 'Martin hield van Luke alsof het zijn eigen zoon was, zette zich echt voor de jongen in, ook al waren ze het niet altijd met elkaar eens. Luke was ook geen engeltje, moet u weten. Hij kon erg moeilijk zijn.'
'Dat geloof ik onmiddellijk,' zei Annie. 'Dat geldt voor alle tieners. En het spijt me dat ik het moest vragen. Het werk van een agent valt soms niet mee, maar de oplossing ligt vaak dicht bij huis en we zouden onze plicht verzaken als we dergelijke dingen niet zouden uitzoeken. Wist u dat Luke een vriendin had?'
'Absoluut niet.'
'Heeft hij u nooit iets verteld?'

'Ik geloof helemaal niet dat hij een vriendin had.'
'Iedereen zegt dat hij zo volwassen was voor zijn leeftijd en bovendien was hij een knappe jongen. Waarom zou hij geen vriendin hebben gehad?'
'Hij heeft gewoon nooit...'
'Misschien was het iemand die hij niet mee naar huis durfde te nemen om aan zijn ouders voor te stellen. Misschien was het wel Liz Palmer, het meisje uit de band.'
'Denkt u dat hij daarom is vermoord? Vanwege dat meisje?'
'Dat weten we nog niet. Het is een van de mogelijkheden die we momenteel onderzoeken. En Lauren Anderson?'
'Mevrouw Anderson? Ze was zijn lerares Engels. U denkt toch niet...'
'Ik weet het niet. Dit soort dingen gebeurt nu eenmaal. Rose Barlow?'
'Rose? De dochter van het schoolhoofd? Ze is een keer hier thuis geweest, dat klopt inderdaad, maar dat was allemaal heel onschuldig.'
'Is Rose Barlow bij jullie thuis geweest? Waarom hebt u me dat niet verteld?'
'Dat is al zo lang geleden.'
'Februari? Maart?'
'Rond die tijd, ja. Hoe weet u dat?'
'Omdat iemand anders heeft verteld dat Luke en Rose met elkaar optrokken en dacht dat ze misschien ook verkering hadden.'
'Volgens mij niet,' zei Robin. 'Het had iets te maken met een project voor school.'
'Kwam ze vaak hier?'
'Alleen die ene keer.'
'Daarna is ze nooit meer geweest?'
'Nee.'
'Praatte Luke wel eens over haar?'
'Nee, behalve dan toen hij vertelde dat hij het werk voor het project vrijwel helemaal alleen had gedaan. Ik begrijp het allemaal niet, begrijp uw vragen niet. U gelooft dus niet dat hij gewoon wat rondwandelde en toen door iemand is ontvoerd?'
'Nee,' zei Annie. 'Ik geloof helemaal niet dat het zo is gegaan.'
'Wat dan?'
Annie stond op om te vertrekken. 'Gun me nog wat tijd,' zei ze. 'Ik kom er wel achter.'

Michelle had die dag voor de lunch drie belangrijke ontdekkingen gedaan en dat was geen gek gemiddelde. Wie was het ook alweer die zich

tot taak had gesteld om zes onmogelijke dingen te geloven voor het ontbijt, peinsde ze. Was het Alice in *Achter de spiegel*?
De dingen die Michelle had ontdekt, waren beslist niet onmogelijk. Om te beginnen had ze het logboek van de zomer van 1965 weer opgepakt en daarin had ze de verwijzing naar het huis van Mandeville teruggevonden. Op 1 augustus van dat jaar had iemand die zijn naam niet wilde noemen het bureau gebeld en aangifte gedaan van seks met minderjarigen en homoseksualiteit. De kans dat er drugs in het spel waren, werd eveneens gemeld. Een jonge agent die luisterde naar de naam Geoff Talbot was ernaartoe gegaan om het uit te zoeken en had twee mannen gearresteerd die hij, zo zei hij, daar samen in hun blootje in een slaapkamer had aangetroffen. Daarna was er niets meer over de hele zaak te vinden, behalve de aantekening dat alle beschuldigingen waren ingetrokken en er een officiële verontschuldiging was aangeboden aan meneer Rupert Mandeville, die, zo ontdekte ze via internet, van 1979 tot 1990 als conservatief parlementslid had gediend en in 1994 voor het leven in de adelstand was verheven.
Het kostte Michelle iets meer tijd om Geoff Talbot op te sporen, omdat hij in 1970 het korps had verlaten om als adviseur bij een televisiebedrijf te gaan werken. Uiteindelijk wist ze met de hulp van een geduldige medewerker van de administratie zijn adres in Barnet, een wijk in het noorden van Londen, op te diepen. Ze had hem gebeld en hij had er geen bezwaar tegen om haar ergens te ontmoeten.
Daarna had Michelle Collins' hulp ingeroepen en waren ze via het regionale kadaster te weten gekomen dat Donald Bradfords winkel het eigendom was geweest van een bedrijf dat in verband kon worden gebracht met Carlo Fiorino, de inmiddels overleden maar weinig betreurde plaatselijke koning van de misdaad. Hetzelfde bedrijf was eveneens eigenaar geweest van de Le Phonographe-discotheek en diverse andere tijdschriftenwinkels in de omgeving van Peterborough. Toen Bradford zijn winkel verkocht, werden de Walkers de nieuwe eigenaars, maar veel andere winkels bleven tijdens de grootschalige stadsuitbreiding tot in de jaren zeventig in handen van Fiorino.
Wat het allemaal inhield wist Michelle nog niet, maar het leek er verdacht veel op dat Carlo Fiorino een ideale keten van detailhandel had opgezet voor zijn groothandel in porno en mogelijk ook allerlei andere waar. Drugs wellicht? En misschien waren sommige van die advertentiekaartjes achter het raam van tijdschriftenwinkels wel niet zo onschuldig als ze eruitzagen.
Ze vertelde dit allemaal aan Banks toen ze door een zeer gestage mot-

regen over de A1 naar Barnet reed. Tijdens hun gesprek hield ze haar achteruitkijkspiegel scherp in de gaten. Een grijze Passat leek een beetje te lang en op te korte afstand achter hen te blijven hangen, maar sloeg ten slotte af bij Welwyn Garden City.
'Bradford moet Graham erbij hebben betrokken, door middel van die blaadjes,' zei Banks. 'En dat was niet het enige. Hij moet ook de aandacht hebben getrokken van Fiorino en Mandeville. Dat verklaart waar al dat extra geld vandaan kwam.'
'Ik weet dat hij een vriend van je was, Alan, maar je zult toch moeten toegeven dat het erop lijkt dat hij bij smerige zaakjes betrokken was, dat hij inhalig is geworden.'
'Dat ben ik helemaal met je eens,' zei Banks. 'Die foto moet Graham als troef achter de hand hebben gehouden, om zichzelf te beschermen. Bewijs. Die kon hij gebruiken om Bradford af te persen en meer geld te eisen, alleen besefte hij niet in wat voor wespennest hij terecht was gekomen. Het kwam Fiorino ter ore en deze heeft Grahams doodsvonnis getekend.'
'En wie heeft de opdracht uitgevoerd?'
'Hoogstwaarschijnlijk Bradford. Hij had geen alibi. Of anders Harris. We kunnen hem nog steeds niet helemaal van de lijst schrappen. Ondanks wat zijn ex-vrouw je heeft verteld, is het best mogelijk dat hij zijn commandomes heeft bewaard en als iemand op het punt stond om te onthullen dat hij homoseksueel was, zou hij best in staat zijn geweest tot moord. Je moet goed bedenken dat het in die tijd niet alleen het einde van zijn carrière had betekend, maar ook een gevangenisstraf, en je weet zelf wel hoe lang een agent het in de bak overleeft.'
'Jet Harris heeft even na de verdwijning van de jongen Graham Marshalls huis persoonlijk doorzocht,' zei Michelle.
'Is dat echt zo? Heeft hij het huis doorzocht? Hoe weet je dat?'
'Dat vertelde mevrouw Marshall me tijdens ons eerste gesprek. Ik heb er toen verder niets achter gezocht, maar nu... Een hoofdinspecteur die persoonlijk een doodgewone huiszoeking op zich neemt?'
'Hij was beslist op zoek naar die foto.'
'Waarom heeft hij hem dan niet gevonden?'
'Blijkbaar heeft hij niet goed genoeg gezocht,' zei Banks. 'Tieners hebben altijd allerlei geheimen. Soms zijn ze verbazingwekkend goed in het verstoppen van dingen. En als die foto indertijd stevig binnen in Grahams gitaar zat vastgeplakt, kon niemand weten dat hij daar zat, tenzij ze de gitaar uit elkaar hadden gehaald. Ik heb de foto ook alleen maar gevonden omdat de lijm na al die jaren was opgedroogd en het plakband broos was geworden, zodat de foto los in de gitaar zat.'

'Ja, je hebt gelijk,' zei Michelle. 'Maar is Harris daarom ook een moordenaar?'
'Geen idee. Het bewijst niets. Maar hij was er wel bij betrokken. Zat er tot over zijn oren in.'
'Ik heb vanochtend ook Ray Scholes gebeld,' vertelde Michelle. 'Je weet wel, de agent die de moord op Donald Bradford heeft onderzocht.'
'Ja, dat weet ik nog.'
'Hij vertelde dat er een Fairbairn-Sykes-mes tussen Bradfords eigendommen had gezeten.'
'Wat is daarmee gebeurd?'
'Dat kunnen we helaas wel vergeten. Dat mes is allang verdwenen. Aan een handelaar verkocht. Het is onmogelijk te achterhalen hoe vaak het inmiddels al van eigenaar is veranderd.'
'Jammer. We weten nu echter wel dat hij er een in zijn bezit had toen hij stierf.'
'Je zei dat de foto als bewijs diende,' zei Michelle. 'Bewijs waarvan? Hoe?'
'Het is heel goed mogelijk dat er vingerafdrukken op stonden, maar ik denk dat het meeste gevaar school in het feit dat mensen de plek waar de foto was gemaakt zouden herkennen. Ik betwijfel of er hier in de omgeving veel Adam-haarden te vinden zijn en waarschijnlijk niet een die zo opvallend was als deze. Dat geldt ook voor het kleed.'
'Het huis van Mandeville?'
'Lijkt me een heel voor de hand liggende plek. Ik weet zeker dat het allemaal verband met elkaar hield: Fiorino's pornobedrijf, zijn escortbureau, de feesten van Mandeville, de moord op Graham. Volgens mij moeten we deze afslag hebben.'
Michelle reed door.
'We naderen de kruising,' zei Banks. 'Hier. Schuif eens een paar banen op, anders missen we hem nog. Nu!'
Michelle wachtte nog even en veranderde op het laatste moment van baan. Claxons toeterden toen ze twee rijen verkeer afsneed om op de afrit te komen.
'Jezus christus!' zei Banks. 'We hadden wel dood kunnen zijn door jou.'
Michelle wierp hem een glimlach toe. 'Ach, wees toch niet zo'n watje. Ik wist heus wel wat ik deed. Zo weten we in elk geval zeker dat niemand ons volgt. Waar nu naartoe?'
Met bonzend hart pakte Banks de stratengids en hij leidde Michelle naar de aardige twee-onder-een-kapwoning waar voormalig agent Geoff Talbot van zijn pensioen genoot.

Talbot deed zelf de deur open en vroeg hen om binnen te komen. Michelle stelde zichzelf en Banks voor.
'Vreselijke dag,' zei Talbot. 'Je vraagt je af of het ooit nog zomer wordt.'
'Dat is maar al te waar,' zei Banks.
'Koffie? Thee?'
'Een kopje thee zou lekker zijn,' zei Michelle. Banks knikte instemmend.
Michelle en Banks liepen achter Talbot aan naar de keuken, die een lichte ruimte met een hoog plafond bleek te zijn met een kookeiland in het midden waar hoge krukken omheen stonden.
'Als u het goedvindt, kunnen we hier praten,' zei Talbot. 'Mijn vrouw blijft maar zeuren om een serre, maar ik zie het nut er niet van in. Op een mooie dag kunnen we altijd buiten zitten.'
Michelle keek uit het raam en zag een keurig bijgehouden gazon en verzorgde bloembedden. Iemand in het gezin was blijkbaar een fervent tuinier. Een bruine beuk zorgde voor wat schaduw. Het zou inderdaad heerlijk zijn geweest om buiten te zitten, als het niet had geregend.
'U hebt me aan de telefoon eigenlijk niet echt verteld waarover u met me wilde praten,' zei Talbot, en hij keek haar over zijn schouder aan, nadat hij een paar theezakjes in de pot had gedaan.
'Dat komt omdat het allemaal wat vaag is,' zei Michelle. 'Hoe goed is uw geheugen?' Ze had met Banks afgesproken dat zij zo veel mogelijk de vragen zou stellen, omdat het haar zaak was en hij er officieel niet bij betrokken was.
'Niet slecht, voor een oude man.'
Zo oud zag Talbot er niet uit, vond Michelle. Hij was een paar kilo te zwaar en zijn haar was bijna helemaal wit, maar verder was zijn gezicht opmerkelijk glad en hij bewoog zich soepel en vlot. 'Herinnert u zich nog de tijd die u bij het politiekorps van Cambridge werkte?' vroeg ze.
'Maar natuurlijk. Dat moet halverwege de jaren zestig zijn geweest. Peterborough. Toen heette het trouwens nog het Mid-Anglia-korps. Hoezo?'
'Herinnert u zich dan ook nog een relletje rond Rupert Mandeville?'
'O, ja! Dat zal ik nooit vergeten. Dat is de reden geweest waarom ik uit Cambridgeshire ben weggegaan. Of eigenlijk is het de reden geweest waarom ik even daarna helemaal bij de politie ben weggegaan.'
'Kunt u ons vertellen wat er toen is gebeurd?'
Het water kookte en Talbot goot het kokende water in de theepot, die hij met drie kopjes en schoteltjes op een dienblad naar het kookeiland bracht.

'Er is niets gebeurd,' zei hij. 'Dat is nu juist het probleem. Ik kreeg te horen dat ik niets mocht ondernemen.'
'Van wie?'
'De hoofdinspecteur.'
'Hoofdinspecteur Harris?'
'Jet Harris. Die, ja. O, alles was keurig volgens de regels. Niet genoeg bewijs, mijn woord tegen het hunne, een beller die zijn naam niet wilde noemen, dat soort dingen. Tegen zijn argumenten was weinig in te brengen.'
'Maar?'
Talbot zweeg even. 'Het voelde gewoon niet juist. Ik kan het niet beter uitleggen. Er gingen al langer geruchten over wat er in het huis van Mandeville aan de gang was. Prostitutie, minderjarige jongens, dat soort dingen. Het was tenslotte het begin van de gedoogmaatschappij. Hebt u wel eens van Carlo Fiorino gehoord?'
'Ja,' zei Michelle.
Talbot schonk thee in. 'Het gerucht ging dat hij leverancier was. Maar ja, het probleem was dat Rupert Mandeville heel goede connecties had en dat sommigen van de mensen die op zijn feestjes kwamen in de regering zaten of op andere hoge posities. Vergelijkbaar met dat Profumo-schandaal. En ik was natuurlijk een naïeve, jonge agent, vers van de opleiding, trots dat hij bij de CID werkte, die dacht dat hij de hele wereld aankon. Ik trok me niets aan van rang of macht. Wat mij betreft was iedereen in de ogen van God precies gelijk, ook al was ik zelf niet gelovig. Ik kwam er echter al snel achter dat ik het bij het verkeerde eind had. Mijn ogen werden geopend. Toen de hoofdinspecteur ontdekte dat ik daar naartoe was geweest en problemen had veroorzaakt, riep hij me bij zich in zijn kantoor en maakte hij me in niet mis te verstane bewoordingen duidelijk dat ik Mandeville met rust moest laten.'
'Zei hij ook waarom?' vroeg Michelle.
'Dat was niet nodig. Het was niet zo moeilijk om een en een bij elkaar op te tellen.'
'Bij een dergelijke onderneming is, net als bij die van Fiorino, politiebescherming onontbeerlijk,' zei Banks. 'En Harris leverde die. Of een deel ervan.'
'Precies,' zei Talbot. 'O, hij was zo gewiekst. Hij heeft het nooit met zoveel woorden toegegeven en hij heeft me naar een ander graafschap laten overplaatsen voordat ik begreep wat er aan de hand was. Cumbria. Nou vraag ik je! Toen ik daar ook op een of twee keurig geregelde herenafspraken tussen het plaatselijk geboefte en de politie stuitte, hield ik het verder voor gezien. Ik ben zelf heus geen heilige, maar ik kreeg het idee dat ik overal waar

ik kwam tegen corruptie aanliep. En ik kon het niet bestrijden. Niet vanuit mijn positie. Dus nam ik ontslag. Het beste wat ik ooit heb gedaan.'
'En u hebt niemand over uw vermoedens omtrent Harris verteld?' vroeg Michelle.
'Dat had geen zin. Niemand zou me hebben geloofd. Jet Harris werd daar toen al ongeveer als een god aanbeden. Bovendien werd er impliciet gedreigd dat me iets zou overkomen als ik niet deed wat hij zei en een aantal van die dreigementen ging gepaard met fysiek geweld. Ik ben geen lafaard, maar ik ben evenmin op mijn achterhoofd gevallen. Ik heb het zinkende schip zo snel mogelijk verlaten.'
'Was er nog iemand anders bij betrokken?'
'Zou heel goed kunnen,' zei Talbot. 'Misschien was de hoofdcommissaris zelf wel een regelmatige bezoeker van Mandevilles feestjes.'
'Maar u wist het van niemand zeker?'
'Nee. Ik wist het niet eens zeker van Harris. Zoals ik al zei, het voelde gewoon verkeerd aan. Ik maakte een en ander op uit zijn houding, zijn woorden. We waren met ons tweeën in zijn kantoor. Toen ik weer buiten stond, dacht ik zelfs even dat ik er te veel achter had gezocht.'
'Wat is er die dag gebeurd?'
'Vanaf het begin?'
'Ja.'
'Het was een warme zondagochtend, eind juli of begin augustus.'
'Het was 1 augustus,' zei Michelle.
'Dat kan wel kloppen. Ik was alleen op het bureau, had niet veel te doen, dat weet ik nog, toen het telefoontje binnenkwam en de telefoniste het doorverbond naar het kantoor.'
'Kunt u zich nog iets over de stem herinneren?'
Talbot fronste zijn wenkbrauwen. 'Het is zo lang geleden, ik weet niet of...'
'Man? Vrouw?'
'Het was een vrouwenstem. Dat weet ik nog wel.'
'Was ze van streek?'
'Ja. Dat is ook de reden waarom ik er zo impulsief naartoe ben gegaan. Ze zei dat er al sinds de vorige avond een feestje aan de gang was en dat ze ervan overtuigd was dat sommige meisjes en jongens minderjarig waren en dat er drugs werden gebruikt. Ze klonk angstig en ze hing ook vrij plotseling op.'
'En toen ging u ernaartoe?'
'Ja. Ik schreef de details in het logboek en reed er als een koene ridder op zijn witte paard op af. Als ik toen had geweten wat ik nu weet, had ik op zijn minst even de tijd genomen om een klein onderzoeksteam samen te

stellen, maar dat deed ik niet. Ik had geen flauw idee wat ik zou doen zodra ik eenmaal binnen was.'
'Hebt u de vrouw die had gebeld daar ontmoet?'
'Voorzover ik weet niet. Als ze er al was, heeft ze nooit bekend dat zij degene was die had gebeld. Dat zou ik ook niet hebben verwacht.'
'Wie deed de deur open?'
'Een jongeman. Hij deed open, wierp een blik op mijn pas en slenterde toen weg. Hij leek niet in het minst geïnteresseerd. Ik dacht dat hij onder invloed van drugs was, maar ik moet eerlijk bekennen dat ik daar toentertijd eigenlijk vrij weinig over wist. Ik weet niet eens zeker of we in die tijd al een drugsteam hadden.'
'Wat trof u binnen aan?'
'De nasleep van een feestje, eigenlijk. Er lagen mensen te slapen op banken en zelfs een paar op de vloer...'
'Hoeveel?'
'Moeilijk te zeggen. Een stuk of twintig, misschien meer.'
'Wat voor soort mensen?'
'Van alles wat. Jong en oud. Zakenmensen. Mods. Een of twee meisjes die eruitzagen als hippe types uit Londen, met minirokken en zo. Er hing ook een rare lucht, herinner ik me nog. Toen wist ik niet wat het was, maar ik heb het later wel vaker geroken. Marihuana.'
'Wat deed u toen?'
'Om u de waarheid te zeggen, ging het me allemaal een beetje boven mijn pet.' Hij lachte. 'Net als die mister Jones in dat nummer van Bob Dylan had ik geen idee wat er eigenlijk aan de hand was. Ik wist niet eens zeker of er wel iets illegaals werd uitgespookt. Die meisjes en mannen zagen er helemaal niet minderjarig uit, maar wat wist ik er nu van? Ik heb met een paar mensen gepraat en hun naam genoteerd. Een paar van de meisjes had ik al eens eerder gezien, bij Le Phonographe. Ik denk dat ze voor Fiorino's escortbureau werkten.'
'Hebt u uw opschrijfboekje gebruikt?'
'Ja.'
'Wat is daarmee gebeurd?'
'Wat er altijd met opschrijfboekjes gebeurt, vermoed ik.'
'En toen trof u twee mannen samen aan?'
'Ja. Ik keek in een paar kamers en in één slaapkamer zag ik twee mannen samen in bed liggen. Naakt.'
'Deden ze op dat moment iets?'
'Toen ik de deur opendeed niet. Ze lagen alleen heel dicht bij elkaar. Ik had nog nooit eerder zoiets gezien. Ik had wel eens van homoseksualiteit

gehoord, zo naïef was ik nu ook weer niet, maar ik had het nog nooit echt gezien.'
'Had u de indruk dat een van hen minderjarig was?'
'Nee. Een van hen schatte ik op begin twintig, de ander was ouder, een jaar of veertig. In die tijd maakte het echter niet uit hoe oud je was.'
'Wat deed u toen?'
'Ik... eh... Ik heb hen gearresteerd.'
'Boden ze weerstand?'
'Nee. Ze lachten alleen maar, trokken hun kleren aan en zijn met me meegegaan naar het bureau.'
'Wat gebeurde er toen?'
'Jet Harris zat al op me te wachten. Hij was razend.'
'Hij zat al op het bureau op u te wachten? Op zondagochtend?'
'Ja. Ik vermoed dat iemand hem vanuit het huis van Mandeville heeft gebeld.'
'Waarschijnlijk hebben ze hem zelfs uit de kerk gehaald,' zei Banks.
'Wat deed hij toen?' vroeg Michelle.
'Hij had een kort gesprek onder vier ogen met de twee mannen, liet hen gaan en voerde toen zijn gesprekje met mij. Dat was dat. Er werd verder geen actie ondernomen.'
'Puur uit nieuwsgierigheid,' zei Michelle, 'hoe oud was Rupert Mandeville zelf in die tijd?'
'Vrij jong. Ergens in de dertig. Zijn ouders waren even daarvoor omgekomen bij een vliegtuigongeluk, herinner ik me, en hij had een fortuin geërfd, ook na aftrek van de successierechten. Ik denk dat hij gewoon deed wat heel veel jonge mensen zouden hebben gedaan als ze onafhankelijk waren geweest en een ongelimiteerde geldbron tot hun beschikking hadden gehad.'
'Zegt de naam Donald Bradford u iets?' vroeg Michelle.
'Komt me niet bekend voor.'
'Bill Marshall?'
'Hij was een van Fiorino's zware jongens. Ik ben hem een paar keer tegengekomen in Le Phonographe. Keiharde vent. En zo stom als het spreekwoordelijke achtereind van een varken.'
'Dank u wel, meneer Talbot.'
'Graag gedaan. Ik weet niet of ik u heb kunnen helpen, maar...'
Banks legde de foto van Graham Marshall voor hem neer. 'Herkent u deze jongen?'
Talbot verbleekte. 'Mijn god, is dat niet de jongen die...? Zijn foto stond een paar weken geleden in de krant.'

'Hebt u hem in het huis van Mandeville gezien?'
'Nee... ik... Maar dat is wel die kamer. De woonkamer van Mandeville. Ik herken die schaapsvacht en die open haard. Betekent dat wat ik denk dat het betekent? Houdt de dood van die jongen op de een of andere manier verband met Mandeville en Harris?'
'Op een of andere manier wel,' zei Michelle. 'We weten alleen nog niet hoe.'
Talbot tikte met een vinger op de foto. 'Hadden we toen maar zoiets gehad, dat hadden we ten minste één bewijsstuk kunnen aanvoeren,' zei hij.
'Als het ooit het daglicht had gezien,' zei Banks.
Ze stonden op en Talbot liep met hen mee naar de voordeur. 'Weet u,' zei hij. 'Ik had indertijd een voorgevoel dat er meer aan de hand moest zijn dan op het eerste gezicht leek. Ik heb me altijd afgevraagd wat er zou zijn gebeurd als ik had doorgezet en niet zo gemakkelijk had opgegeven.'
'Dan was u waarschijnlijk bij Graham Marshall onder de groene zoden beland,' zei Banks. 'Goedendag, meneer Talbot. En dank u wel.'

Gavin Barlow zat in zijn werkkamer toen Annie aanbelde en hij vroeg haar om daar bij hem te komen zitten voor hun gesprek. Het was een lichte, luchtige kamer, heel ruim, en de boekenkasten waren minder intimiderend dat die in Gristhorpes kantoor. Barlow schoof de laptop op zijn bureau opzij en glimlachte. 'Voor de meesten mag het dan zomervakantie zijn,' zei hij, 'maar sommigen van ons moeten blijven doorwerken.'
'Ik zal u niet lang van uw werk houden,' zei Annie. 'Het gaat over uw dochter.'
'Rose? Ze is er momenteel niet.'
'Misschien kunt u dan mijn vragen beantwoorden.'
'Ik kan het proberen. Maar als Rose in moeilijkheden zit...'
'Zoals?'
'Dat weet ik niet. Misschien moet ik eerst mijn advocaat bellen of zo.'
'Waarom zou u dat doen?'
'Zegt u nu eerst maar waarom u hier bent.'
'Uw dochter is op het politiebureau geweest en heeft daar vrij ernstige beschuldigingen geuit aan het adres van Lauren Anderson in verband met Luke Armitage.'
'Wat?'
'En nu hebben we ontdekt dat zij zelf begin dit jaar iets met Luke heeft gehad. Ze is zelfs minstens één keer bij hem langs geweest op Swainsdale

Hall. Weet u daar iets van?'

'Ja, natuurlijk. Dat betrof een project voor school waar leerlingen met hun tweeën aan moesten werken. Om samenwerking te bevorderen en te leren om taken te verdelen. Rose werkte samen met Luke.'

'Was dat haar keus of de zijne?'

'Geen idee. Ik heb zo het vermoeden dat de leraar hen bij elkaar heeft gezet.'

'Lauren Anderson?'

'Nee, dat niet. Het was een project voor natuurkunde. Dus dat moet meneer Sawyer zijn geweest.'

'Weet u of Luke en Rose in romantisch opzicht iets met elkaar hebben gehad?'

'Voorzover ik weet niet. Luistert u eens, mevrouw Cabbot, ik ben heus niet zo naïef om te geloven dat tieners van hun leeftijd geen relaties met elkaar aanknopen. Ik ben lang genoeg schoolhoofd geweest om beter te weten. Ik ben de nodige tienerzwangerschappen voorbij zien komen. Maar ik ken mijn dochter en neemt u maar van mij aan dat ik het beslist had geweten als ze iets met Luke Armitage had gehad.'

'Verschillende mensen hebben hen samen zien praten in en rond de school. Heeft ze het ooit met u over Luke gehad?'

'Het is best mogelijk dat ze zijn naam een of twee keer heeft laten vallen, ja. Dat is niet meer dan logisch. Ze zaten in dezelfde klas en hij was een rare snuiter, een beetje een lokale beroemdheid ook. Zijn ouders dan.'

'Was ze door hem geobsedeerd?'

'Hoe komt u daar nu weer bij?'

'Zou u er iets op tegen hebben gehad als ze verkering hadden gehad?'

Barlow klemde zijn lippen op elkaar. 'Ja, eigenlijk wel.'

'Waarom?'

'Omdat het verdomme wel mijn dochter is. U denkt toch niet dat ik het prettig zou hebben gevonden als ze verkering had gehad met die...'

'Met die wat, meneer Barlow?'

'Ik wilde zeggen: met die knul.'

'U meent het.'

'Ja. Maar ik geef toe dat ik als vader Luke Armitage net een beetje te vreemd vond voor mijn dochter.'

'Hoever zou u zijn gegaan om te voorkomen dat ze verkering kregen?'

'Wacht eens even. Ik sta niet zomaar toe dat u...'

'Waar waren Rose en u op de avond van Luke's verdwijning? Dat is afgelopen maandag een week geleden, voor het geval u dat niet meer weet.'

'Hier.'

'Allebei?'
'Voorzover ik weet wel. Mijn vrouw weet het vast nog wel.'
'Waarom zou Rose mevrouw Anderson in moeilijkheden willen brengen?'
'Geen idee.'
'Hoe goed doet uw dochter het bij Engels?'
'Het is niet haar beste vak, ook niet haar favoriete.'
'Was ze jaloers?'
'Waarop?'
'Op de aandacht die Luke kreeg van mevrouw Anderson.'
'Waarom vraagt u dat niet aan Lauren?'
'Dat zal ik zeker doen. Maar ik wil het ook graag van u weten.'
'En ik zeg u dat ik dat niet weet.'
Ze staarden elkaar zwijgend aan en Annie probeerde vast te stellen of hij loog of niet. Ze voelde dat hij iets achterhield. 'Wat is er, meneer Barlow?' vroeg ze. 'Als het niets te maken heeft met Luke's dood, blijft het tussen deze vier muren, dat beloof ik.'
Barlow zuchtte en keek uit het raam. Het wolkendek vertoonde hier en daar scheuren en lichtstralen doorboorden de heuvels in de verte. De laptop op zijn bureau gonsde.
'Meneer Barlow?'
Hij draaide zich om en keek haar aan, het masker van welwillende autoriteit was volledig verdwenen. Het had plaatsgemaakt voor het gezicht van een man die een zware last torste. Hij staarde haar opnieuw lange tijd zwijgend aan. 'Het had niets te betekenen,' zei hij ten slotte half fluisterend. 'Echt. Helemaal niets.'
'Vertelt u het me dan.'
'Mevrouw Anderson. Lauren. Als u haar hebt ontmoet, dan weet u dat ze een aantrekkelijke vrouw is, echt een prerafaëlitische schoonheid,' zei Barlow. 'Ik ben ook maar een mens, ook al verwacht iedereen dat ik een onberispelijk leven leid.'
'U bent schoolhoofd,' zei Annie. 'Men verwacht dat u het goede voorbeeld geeft. Wat is er gebeurd? Hebt u een affaire gehad? Is Rose erachter gekomen?'
'Grote god, nee. Dat was het niet. Ik heb misschien een beetje geflirt, dat doet iedereen wel eens, maar Lauren was niet in mij geïnteresseerd. Daar is ze heel duidelijk in geweest.'
Annie fronste haar wenkbrauwen. 'Dan begrijp ik het niet.'
Een flauw glimlachje kroop om zijn lippen. 'Echt niet? Soms lijken dingen heel anders dan ze zijn en als je probeert er een verklaring voor te ge-

ven lijkt het alleen maar of je nog schuldiger bent.'
'Kunt u dat uitleggen?'
'Lauren kwam net na de kerst bij mij op kantoor. Een familiecrisis. Haar vader bleek Alzheimer te hebben en ze was van streek en wilde een paar weken vrij. Ik sloeg een arm om haar heen, om haar te troosten, begrijpt u, en Rose kwam net op dat moment binnenstormen voor een privékwestie. Dat is een van de nadelen wanneer je het schoolhoofd bent van de school waar je eigen dochter ook op zit. Rose houdt zich gewoonlijk keurig aan de grenzen die we hebben opgesteld, maar bij die gelegenheid... Tja, ze schatte de hele situatie verkeerd in en ging ervandoor.'
'Ik snap het,' zei Annie. 'Heeft ze het aan uw vrouw verteld?'
'Nee. Nee, godzijdank niet. Ik heb met haar gesproken. Ik weet niet zeker of ze van mijn onschuld overtuigd was, maar ze beloofde dat ze niets zou zeggen.'
'En dat is de reden van haar vijandige houding jegens Lauren Anderson?'
'Dat zou ik wel denken. Misschien was ze op een bepaald moment ook wel verliefd op Luke Armitage, maar neemt u maar van mij aan dat ik het had geweten als dat een serieuze vorm had aangenomen.'
'Weet u zeker dat er verder niets is?'
'Ik kan verder niets bedenken.'
'Maar u voelde zich wel tot Lauren aangetrokken, nietwaar? Hoe noemde u haar zo-even? Een prerafaëlitische schoonheid?'
'Ja. Zoals ik al zei, ik ben ook maar een mens. En ze is een bijzonder knappe vrouw. U kunt een man niet arresteren om wat hij denkt. Nog niet, tenminste. Het vervelende is dat ik niets verkeerds had gedaan, maar me wel schuldig voelde, alleen maar omdat ik het graag had gewild.' Hij lachte verbitterd. 'Grappig, hè?'
'Ja,' zei Annie. 'Heel grappig.' In gedachten was ze echter ergens anders. Barlow had haar weliswaar niet de informatie gegeven waarop ze had gehoopt, maar hij had haar wel het nodige gegeven om over na te denken.

'Kijk eens aan, als het onze tortelduifjes niet zijn,' zei Ben Shaw toen hij de deur opendeed en Banks en Michelle zag staan. 'Wat moeten jullie verdomme hier?'
'Even met u praten,' zei Banks.
'En waarom zou ik met jullie praten?'
'Des Wayman,' zei Michelle.
Shaw keek haar achterdochtig aan, deed toen de deur dicht, schoof de ketting van het slot en deed de deur weer open, waarna hij zich om-

draaide en wegliep, en het aan Banks overliet om de deur achter hen dicht te doen en hem te volgen.
Het huis was veel netter dan Banks had verwacht. Hij had gedacht dat Shaw een alcoholist was die alleen woonde en dat leidde in de meeste gevallen tot een flinke chaos. Waarschijnlijk had Shaw wel een schoonmaakster in dienst en was hij zelf tamelijk netjes. De enige drank die hij zag staan, was een halflege fles Bell's op de tafel in de woonkamer, met een vol glas ernaast. Shaw ging zitten en nam een flinke teug, zonder zijn gasten iets aan te bieden. En waarom zou hij ook, dacht Banks.
Op de radio klonk Griegs *Peer Gynt Suite*, wat Banks evenzeer verbaasde. Hij had niet gedacht dat Shaw de klassieken zou waarderen. Misschien maakte het hem niet uit wat er werd gespeeld, als het maar geluid produceerde.
'En wat voor leugentjes heeft meneer Wayman nu weer zitten verkondigen?'
'Hou u maar niet van de domme,' zei Banks. 'U hebt Wayman en een maatje van hem opgedragen om mij in elkaar te slaan en me weg te jagen. Dat heeft een averechtse uitwerking gehad.'
'Als hij jullie dat heeft verteld, dan liegt hij.'
'Hij heeft het mij verteld, meneer,' zei Michelle, 'en met alle respect, ik denk dat hij de waarheid zei.'
'Met alle respect? Je weet niet eens wat dat betekent.' Shaw stak een sigaret op en Banks voelde een overweldigende behoefte in zich opkomen. Hij was al wat licht in zijn hoofd en geïrriteerd omdat hij niet had gerookt, maar dit... Dit was tien keer erger dan hij had verwacht. Hij hield zichzelf echter in bedwang. 'Wayman is een crimineel onderkruipsel,' ging Shaw verder. 'Geloven jullie hem liever dan mij?'
'Daar gaat het niet om,' antwoordde Banks. 'Inspecteur Hart heeft eens gekeken in de tijd dat u met Jet Harris werkte en we vroegen ons gewoon af hoeveel jullie van Carlo Fiorino hebben aangenomen.'
'Jij vuile klootzak!' Shaw schoot naar voren en wilde Banks bij zijn kraag grijpen, maar hij wankelde enigszins onder invloed van de drank en Banks duwde hem terug in zijn stoel. Hij verbleekte en er trok een pijnlijke grimas over zijn gezicht.
'Wat is er?' vroeg Banks.
'Rot op.' Shaw kuchte en stak zijn hand uit naar de whisky. 'John Harris was tien keer zoveel meer waard dan jij. Jij bent amper goed genoeg om de pisvlekken uit zijn onderbroek te mogen wassen.'
'Kom op, Shaw, jullie tweeën waren zo corrupt als maar mogelijk is. Hij had er misschien nog een geldig excuus voor, maar jij...? Je bent er he-

laas niet in geslaagd om alle bewijsstukken uit het archief te verdonkeremanen. Al jouw arrestaties betroffen gevallen van inbraak, lichamelijk geweld, fraude en zo nu en dan een moord in huiselijke kring. Wat kun je daar uit opmaken?'
'Zeg jij het maar, wijsneus.'
'Dat Carlo Fiorino zich de hele tijd ongestraft met prostitutie, escortbureaus, illegale gokhallen, protectiezwendeltjes, porno en drugs kon bezighouden. Tuurlijk, je hebt hem of een van zijn trawanten wel eens laten oppakken om hen aan de tand te voelen, maar dat was puur een kwestie van uiterlijk vertoon, want het toeval wilde dat het bewijs steeds kwijtraakte of getuigen veranderden hun verklaringen.'
Shaw zweeg en nam een slok whisky.
'Fiorino verlinkte zijn concurrenten bij jou,' ging Banks verder. 'Hij had genoeg spionnen rondlopen. Hij wist precies welke klussen wanneer zouden worden uitgevoerd. Hij voerde je een paar kleine jongens of eén concurrent. Jij leek hoe dan ook uitstekend werk te leveren en wist de aandacht af te leiden van zijn zakelijke belangen, waaronder ook de leveranties aan Rupert Mandeville van zoveel vers bloed als hij maar nodig had voor zijn "feestjes", zowel mannelijk als vrouwelijk.'
Shaw zette zijn glas met zo'n harde klap op de tafel dat de whisky over de rand golfde. 'Oké,' zei hij. 'Je wilt toch zo graag de waarheid weten? Dan zal ik je die vertellen. Ik ben ook niet op mijn achterhoofd gevallen. Ik heb zo lang met John samengewerkt dat ik op den duur ook mijn vermoedens kreeg, maar ik hem zelf nooit in mijn leven ook maar één cent aangenomen. En misschien heb ik inderdaad met oogkleppen op gelopen, misschien heb ik hem ook wel de hand boven het hoofd gehouden, maar we deden wel ons werk. We pakten de slechteriken op. Ik hield van die man. Hij heeft me alles geleerd wat ik weet. Hij heeft zelfs een keer mijn leven gered. John had een fantastische uitstraling. Hij was het soort man waar iedereen naar keek als hij een kamer binnenkwam. Hij is hier in de omgeving verdomme een held, of was dat je soms nog niet opgevallen?'
'En dat is de reden waarom je je uiterste best hebt gedaan om inspecteur Harts onderzoek naar de moord op Graham Marshall te torpederen? Omdat je de nagedachtenis aan je oude makker wilde beschermen. Omdat je Jet Harris' reputatie intact wilde houden. Daarom heb je iemand in haar flat laten inbreken, haar bijna laten overrijden en mij in elkaar laten slaan.'
'Waar heb je het verdomme allemaal over?'
'Je weet donders goed waar ik het over heb.'

Shaw keek van Banks naar Michelle en weer terug, met een niet-begrijpende uitdrukking op zijn gezicht. 'Ik heb er nooit iemand op uitgestuurd om inspecteur Hart te intimideren. Over haar maakte ik me niet al te druk. Jij was degene die me zorgen baarde.'
'Waarom?'
'Je bent de onvoorspelbare factor. Jij was degene die ik in de gaten moest houden. Voor jou was het anders. Persoonlijk. Jij kende het slachtoffer. Ik wist de eerste keer dat ik je zag al dat je je hierin zou vastbijten.' Hij schudde zijn hoofd en keek weer naar Michelle. 'Nee,' zei hij. 'Het is best mogelijk dat iemand het op u heeft gemunt, inspecteur Hart, maar ik ben het niet.'
Banks en Michelle wisselden een blik van verstandhouding uit en Banks ging verder. 'Wil je nu heus dat we geloven dat je al die jaren met Harris hebt samengewerkt en geen idee had wat hij uithaalde?'
'Ik had zo mijn vermoedens, maar die stopte ik heel ver weg. Omwille van het korps. Omwille van John. Luister, je kunt een insect als Fiorino pletten, maar voordat je je hebt omgedraaid, heeft een ander zijn plaats alweer ingenomen. Je kunt prostitutie, porno en drugs evenmin aan banden leggen als seks en alcohol. Ze zullen er altijd zijn. Het werk als politieagent was toen heel anders. Soms moest je wel vriendschappelijk omgaan met een paar akelige individuen als je je werk wilde doen.'
'En hoe past Graham Marshall in het geheel?'
Shaw keek verbaasd op. 'Graham Marshall?'
'Weet je wat er echt met hem is gebeurd? Of heb je dat ook al die jaren geprobeerd verborgen te houden?'
'Ik heb verdomme geen idee waar je het over hebt.' Shaw fluisterde bijna.
'Ik zal je eens een verhaaltje vertellen,' zei Banks. 'We kunnen het niet bewijzen, maar dit is wat er volgens inspecteur Hart en mij is gebeurd. Donald Bradford heeft Graham hoogstwaarschijnlijk vermoord. Hij bezat het soort mes dat daarvoor is gebruikt en Graham vertrouwde hem. Bradford hoefde alleen maar langs Wilmer Road te rijden rond de tijd dat Graham naar de overkant zou lopen om daar verder te gaan en hem vertellen dat er iets tussen was gekomen en dat hij in de auto moest stappen. Daarom nam hij zijn tas met kranten mee. Omdat hij dacht dat hij zijn krantenwijk later nog zou afmaken.'
'Wat kan Bradford in vredesnaam voor motief hebben gehad?'
'Nu wordt het iets ingewikkelder en daar heeft je baas een rol in gespeeld. Donald Bradford distribueerde pornoblaadjes en -films voor Carlo Fiorino. Fiorino had een flink netwerk van tijdschriftenhandela-

ren die voor hem werkten. Het verbaast me dat jij er niet van op de hoogte was, als waakzame agent.'
'Krijg de klere, Banks.' Shaw schonk nijdig zijn glas nog eens vol.
'Op de een of andere manier,' ging Banks verder, 'is Graham Marshall bij deze opzet betrokken geraakt. Misschien is hij per ongeluk op Bradfords voorraad gestuit of had hij laten merken dat hij geïnteresseerd was. Dat kan ik niet zeggen. Graham was echter een slimme jongen, hij was tenslotte niet voor niets in de buurt van de Krays en hun wereld opgegroeid, had niet voor niets een vader die als zware jongen klusjes voor hen opknapte, en hij wist wanneer hij zijn kans moest grijpen. Misschien werkte hij voor Bradford om extra geld te verdienen, want hij had altijd veel geld, misschien perste hij hem af. Hij was er hoe dan ook bij betrokken.'
'Je zei net zelf al dat je het niet kunt bewijzen.'
'Graham trok de aandacht van een van Fiorino's invloedrijkste klanten, Rupert Mandeville,' vervolgde Banks. 'Ik weet dat hij voor naaktfoto's heeft geposeerd, want ik heb een daarvan bij hem thuis gevonden. Ik weet niet of hij ook verder is gegaan dan dat, maar we kunnen wel bewijzen dat hij in het huis van Mandeville is geweest en we weten ook wat zich daar allemaal afspeelde. Seks met minderjarigen, drugs, noem maar op. Mandeville kon het zich niet veroorloven om een politieonderzoek aan zijn kont te krijgen. Hij was een belangrijke figuur en wilde de politiek in. Waarschijnlijk heeft Graham meer geld geëist of gedreigd dat hij alles aan de politie zou vertellen. Mandeville raakte in paniek, vooral omdat even hiervoor Geoff Talbot al op bezoek was geweest. Hij vroeg Fiorino om voor een oplossing te zorgen en Jet Harris manipuleerde het onderzoek naar de moord. Jij was ervan op de hoogte, jij wist dat er iets fout zat, dus heb je geprobeerd alle sporen uit te wissen om Harris' reputatie te beschermen. Klinkt het je bekend in de oren?'
'Je spreekt jezelf tegen, Banks. Als we toch allemaal zo corrupt waren als jij beweert, dan had het voor ons toch helemaal niets uitgemaakt als hij alles aan de politie had verteld? Waarom zouden we het risico nemen en dat joch laten vermoorden als Bradford wist dat we de uitkomst toch konden manipuleren?'
Banks keek even naar Michelle voordat hij verder ging. 'Daar heb ik me ook een tijd het hoofd over gebroken,' zei hij. 'Ik ben tot de conclusie gekomen dat hij moet hebben geweten aan welke agent hij het níét kon vertellen.'
'Wat bedoel je precies?'
'Graham was daadwerkelijk in het huis van Mandeville geweest. Stel nu

eens dat hij daar iemand had gezien? Iemand die daar niet behoorde te zijn, bijvoorbeeld een hoofdinspecteur van politie.'
'Dat is absurd. Zo was John helemaal niet.'
'O, nee? De feestjes van Mandeville trokken vogels van allerlei pluimage. Zijn vrouw beweert dat John Harris homoseksueel was. We weten niet of Mandeville en Fiorino erachter zijn gekomen en hem hebben gechanteerd, of dat ze hem simpelweg in de val hebben gelokt. Misschien liet hij zich juist wel in natura uitbetalen door Fiorino en Mandeville, in jonge jongens. Of in drugs. Het maakt niet uit. Waar het om gaat is dat Graham hem daar heeft gezien of wist dat hij erbij hoorde, er vervolgens iets over tegen Bradford heeft gezegd en duidelijk heeft laten merken dat hij ergens anders naartoe zou stappen met zijn verhaal.'
Shaw zag lijkbleek. 'John? Homoseksueel? Dat geloof ik niet.'
'Een van mijn vroegere schoolvrienden blijkt ook van de verkeerde kant te zijn,' zei Banks. 'Dat heb ik ook nooit geweten. John Harris had een verdomd goede reden om het geheim te houden. Ten eerste was het tot 1967 verboden en ten tweede werkte hij bij de politie. En je weet hoe moeilijk het zelfs tegenwoordig nog is voor agenten om er openlijk voor uit te komen. We zijn allemaal zulke verdomd stoere macho's dat we uit angst voor homo's in onze broek schijten.'
'Onzin. Dit is allemaal giswerk.'
'Wat John Harris betreft niet,' zei Michelle. 'Dat heeft zijn ex-vrouw me verteld.'
'Dan liegt die trut dat ze barst. Met alle respect.'
'Waarom zou ze liegen?'
'Ze had de pest aan John.'
'Het lijkt mij dat ze daar ook een goede reden voor had,' zei Banks. 'Maar weer even terug naar Graham. Hij dreigde dat hij alles zou vertellen. Ik weet niet waarom. Misschien uit hebzucht, maar het kan ook zijn dat Mandeville wilde dat hij meer deed dan alleen voor foto's poseren. Ik zou graag willen geloven dat Graham daar de grens trok, maar we komen er waarschijnlijk nooit meer achter. Het verklaart ook waarom hij in gedachten ergens anders was tijdens de vakantie in Blackpool, vlak voordat hij verdween. Hij moet zich hebben afgevraagd wat hij moest doen. Hoe dan ook, Graham besefte dat hij met deze informatie niet naar het plaatselijke bureau moest gaan. Bovendien had hij een foto als bewijs, een foto die kwalijke gevolgen kon hebben voor Rupert Mandeville. Hij vormde een bedreiging voor de hele organisatie. Zowel die van Mandeville als die van Fiorino. Daarom moest hij sterven.'
'Wat is er dan gebeurd volgens jou?'

'De opdracht om hem uit de weg te ruimen ging naar Donald Bradford. Bradford moest die ochtend als altijd om acht uur in de winkel zijn. Dan had hij anderhalf uur de tijd om Graham te ontvoeren en te vermoorden en het lichaam te verbergen. Zo'n diep gat graven neemt de nodige tijd in beslag, dus ik vermoed dat hij alles van tevoren had uitgestippeld, de plek had uitgekozen en het gat al had gegraven. Of anders had hij hulp en heeft een andere volgeling van Fiorino het lichaam begraven. Omdat Harris op de loonlijst stond, kon Bradford er tenminste vrij zeker van zijn dat niemand zijn gebrekkige alibi zou natrekken.'

'Wil je nu beweren dat John Harris opdracht heeft gegeven om die jongen te vermoorden omdat...'

'Dat weet ik niet. Dat denk ik niet. Volgens mij was het Fiorino of Mandeville, maar Harris moest er wel van op de hoogte zijn geweest, anders had hij het onderzoek niet in de verkeerde richting kunnen sturen. En dan is hij wat mij betreft net zo schuldig als de rest.'

Shaw deed zijn ogen dicht en schudde zijn hoofd. 'Niet John. Nee. Hij hield zich dan misschien niet altijd aan de regels en zag af en toe misschien wel eens iets door de vingers, maar moord? Nee. Niet de moord op een kind.'

'Toch zul je het moeten accepteren,' ging Banks verder. 'Het is de enige manier om latere gebeurtenissen te kunnen verklaren.'

'Latere gebeurtenissen?'

'Het gemanipuleerde onderzoek en de ontbrekende opschrijfboekjes en logboek. Ik weet niet wie van jullie ze heeft laten verdwijnen: jij, Harris of Reg Proctor, maar een van jullie zit hierachter.'

'Ik heb het niet gedaan. Ik heb alleen maar inspecteur Hart ervan proberen te weerhouden om al te diep in het verleden te gaan graven.'

'En je hebt Wayman op me afgestuurd.'

'Dat zal ik nooit toegeven.'

'Dat maakt ook niet uit,' zei Banks. 'Dan heeft Harris ze zelf meegenomen toen hij opstapte. Dat is ook wel logisch. Het was niet bepaald het grootste succes uit zijn carrière en hij wilde natuurlijk niet dat iemand in het bewijs zou gaan rondsnuffelen als Grahams lichaam ooit boven water kwam. Hij moest zich indekken. Ga in gedachten nog eens terug naar die periode. Jij was hier in de zomer van 1965. Reg Proctor en jij namen alle gesprekken in de buurt voor jullie rekening. Wat hebben jullie ontdekt?'

'Niemand wist iets.'

'Ik durf te wedden dat dat niet waar is,' zei Banks. 'Ik durf te wedden dat er bijvoorbeeld een of twee verwijzingen naar "vieze Don" in de op-

schrijfboekje hebben gestaan. Een van mijn vrienden herinnerde zich dat hij zo werd genoemd. En ik durf ook te wedden dat er geruchten de ronde deden over porno.'
'Misschien waren er wel een paar geruchten,' zei Shaw, en hij keek hem niet aan, 'maar meer dan dat waren het ook niet.'
'Hoe weet je dat?'
Shaw keek hem woest aan.
'Precies,' zei Banks. 'Dat weet je alleen omdat Harris dat tegen je heeft gezegd. Je was toen natuurlijk nog een broekie. Je twijfelde niet aan wat leidinggevenden je vertelden. Als er in je aantekeningen iets opdook wat je in de juiste richting kon sturen, naar Bradford, Fiorino, Mandeville, dan liet Harris dat links liggen, deed hij het af als pure speculatie, een gerucht dat nergens naar leidde. Je keek alleen naar de oppervlakte, precies zoals hij dat wilde. Daarom is het opdrachtenlogboek ook weg. Harris had de leiding over het onderzoek. Hij was degene die de dagopdrachten verdeelde. En we zouden snel genoeg hebben ontdekt dat die allemaal in dezelfde richting wezen: die theorie over een pedofiel die toevallig langskwam, een theorie die later aan kracht en aan geloofwaardigheid won door de arrestatie van Brady en Hindley. En wat eigenlijk nog belangrijker is: daarnaast zouden we ook hebben ontdekt in welke richting die opdrachten allemaal juist niet wezen. De waarheid.'
'Het is maar een theorie, meer niet,' zei Shaw.
'Dat klopt,' gaf Banks toe. 'Maar jij weet dat het waar is. We hebben die foto van Graham, die in het huis van Mandeville is gemaakt, we hebben Bradfords connectie met de pornohandel en het mogelijke moordwapen, en we hebben de ontbrekende opschrijfboekjes. Vertel jij me dan maar eens welke andere conclusie je eraan kunt verbinden.'
Shaw zuchtte. 'Ik kan gewoon niet geloven dat John zoiets zou doen. Ik weet dat hij Fiorino wel heel veel speelruimte gaf, maar ik dacht indertijd dat hij in ruil daarvoor informatie kreeg toegespeeld. Een eerlijke uitwisseling. Dat was het enige wat ik probeerde te beschermen. Die ruilhandel. En al die jaren dat ik hem heb gekend... Ik kan het echt nog steeds niet geloven.'
'Misschien kende je hem niet zo goed als je dacht,' zei Banks. 'Net zomin als ik Graham Marshall kende.'
Shaw keek naar Banks. Zijn ogen waren bloeddoorlopen en roodomrand. Toen keek hij naar Michelle. 'Wat vindt u hiervan?'
'Ik denk dat het waar is,' zei Michelle. 'Het is de enige logische verklaring. U wilde niet dat ik in het verleden ging spitten, omdat u bang was dat ik iets zou vinden wat een smet zou werpen op Harris' reputatie. U

vermoedde dat hij corrupt was, u wist dat hij Fiorino met rust liet in ruil voor informatie en er was iets aan de zaak-Graham Marshall wat u bleef dwarszitten. U wilde niet dat alles werd opgerakeld omdat u niet wist wat er dan zou worden onthuld.'

'Wat gaan jullie nu doen?' vroeg Shaw.

'Er zal een rapport geschreven moeten worden. Ik ga dit niet in de doofpot stoppen. Ik breng verslag uit van mijn bevindingen en de conclusies die daaraan kunnen worden verbonden bij de assistent-hoofdcommissaris. Hij is degene die beslist wat er verder gaat gebeuren. Het is heel goed mogelijk dat de media hier enige aandacht aan zullen besteden.'

'Wat gebeurt er dan met Johns reputatie?'

Michelle haalde haar schouders op. 'Dat weet ik niet. Als alles bekend wordt gemaakt en de mensen het geloven, dan zal zijn reputatie wel een deuk oplopen.'

'De ouders van die jongen?'

'Het zal voor hen ook niet gemakkelijk zijn. Maar is dat werkelijk beter dan in onwetendheid te blijven?'

'En ik?'

'Misschien wordt het tijd dat je met pensioen gaat,' zei Banks. 'Daar kom je ongetwijfeld al een tijdje voor in aanmerking.'

Shaw snoof verachtelijk en begon toen te hoesten. Hij stak een nieuwe sigaret op en pakte zijn glas. 'Misschien heb je wel gelijk.' Zijn blik gleed van Banks naar Michelle en weer terug. 'Ik had kunnen weten dat we zwaar in de problemen zaten toen die botten werden gevonden. Er stond bijna niets in, weet je, in die opschrijfboekjes. Het was eigenlijk zoals jullie al zeiden. Een hint of twee, een kleine aanwijzing hier of daar.'

'Het was genoeg geweest,' zei Banks. 'En laten we wel wezen, jij weet net zo goed als ik dat er in een dergelijk onderzoek eerst aandachtig wordt gekeken naar de naaste familie en vrienden. Als iemand dat toen had gedaan, hadden ze een of twee interessante feiten boven tafel gekregen, een paar aanwijzingen gevonden die nu helemaal niet werden nagetrokken. Je zoekt het altijd eerst dicht bij huis. Maar dat had niemand in dit geval gedaan. Wat op zichzelf al bijzonder vreemd is.'

'Omdat John het onderzoek manipuleerde?'

'Ja. Het team zal toen ongetwijfeld veel kleiner zijn geweest dan nu. Hij moet min of meer de absolute macht hebben gehad.'

Shaw liet zijn hoofd op zijn borst zakken. 'Niemand durfde ooit openlijk Jet Harris' oordeel in twijfel te trekken, dat is waar.' Hij keek op. 'Ik heb kanker,' zei hij, met een blik op Michelle. 'Daarom heb ik zo vaak vrij genomen. Mijn maag.' Hij trok een pijnlijk gezicht. 'Ze kunnen niet veel

meer voor me doen. Nou ja, misschien is met pensioen gaan zo'n gek idee nog niet.' Hij lachte. 'Kan ik genieten van mijn laatste maanden en een beetje tuinieren of postzegels verzamelen of iets anders vreedzaams.'
Banks wist niet wat hij moest zeggen. Michelle zei: 'Wat erg.'
Shaw keek haar nijdig aan. 'Ik hoef uw medelijden niet. Het kan u werkelijk helemaal niets schelen of ik blijf leven of sterf. En bij nader inzien zal uw leven een stuk verdraagzamer zijn zonder mij.'
'Desondanks...'
Shaw keek weer naar Banks. 'Was je maar nooit teruggekomen, Banks,' zei hij. 'Waarom ben je niet gewoon bij die schapenneukers in Yorkshire gebleven?'
'Je zou het toch niet begrijpen.'
'O, nee? Wees er maar niet zo zeker van dat ik zo corrupt ben als jij wel denkt. En rot nu maar op met jullie tweeën en laat me met rust, tenzij jullie me natuurlijk nog in staat van beschuldiging gaan stellen of me in elkaar willen slaan.'
Banks en Michelle keken elkaar aan. Ze hadden alles tegen Shaw gezegd wat ze wilden zeggen, dus vertrokken ze. In de auto keek Banks Michelle aan en hij zei: 'Geloof je hem?'
'Je bedoelt zijn bewering dat hij niet achter die inbraak en het bestelbusje zit?'
'Ja.'
'Ik geloof het wel. Hij leek echt geschokt bij de gedachte alleen al. Waarom zou hij daar nu nog over liegen?'
'Het is een ernstige misdaad. Dat lijkt me reden genoeg. Maar ik denk ook dat je gelijk hebt. Ik geloof niet dat hij erachter zit. Hij wilde alleen maar Harris' nagedachtenis beschermen.'
'Denk jij hetzelfde wat ik denk?'
Banks knikte. 'Rupert Mandeville.'
'Zullen we hem met een bezoekje vereren?'
'Wil je dat ik meega?'
Michelle keek Banks aan en zei: 'Ja. Ik heb het gevoel dat we bijna klaar zijn. Graham Marshall was jouw vriend. Je hebt het recht om erbij te zijn. Ik wil wel eerst even bij het bureau langs om een paar dingen na te kijken.'
'Hij vertelt ons toch niets.'
Michelle glimlachte. 'Dat zullen we nog wel eens zien. Het kan in elk geval geen kwaad om hem flink de stuipen op het lijf te jagen.'

19

Annie had in een mum van tijd Harrogate bereikt, waar ze op zoek ging naar het kleine rijtjeshuis vlak bij Leeds Road. Vernon Anderson deed de deur open en nam haar met een vragende blik mee naar zijn Spartaans ingerichte woonkamer. Ze bewonderde de ingelijste reproductie van Vermeer die boven de haard hing en ging toen in een van de leunstoelen zitten.

'Ik zie dat u verstand hebt van schilderijen,' zei Annie.

'Ik denk dat de liefde voor kunst in de familie zit,' zei Vernon. 'Hoewel ik moet bekennen dat ik niet zoveel lees als mijn zus Lauren. Ik ga liever naar de film.'

Op de lage tafel onder het raam lagen een paar loterijbiljetten op een krant die was opengeslagen op de pagina over paardenraces en om de namen van sommige paarden stond een rode cirkel.

'Geluk gehad vandaag?' vroeg Annie.

'Ach, u weet hoe dat gaat,' zei Vernon met een ondeugende grijns. 'Af en toe win je wat, af en toe verlies je wat.' Hij ging op de bank zitten en sloeg zijn benen over elkaar.

Het was Annie direct opgevallen dat Vernon Anderson niet echt op zijn zus leek. Hij had donker haar, kortgeknipte krulletjes die bij de slapen al iets weken, en hij was gedrongen, met een gespierd bovenlichaam en tamelijk korte benen. Hij had lange wimpers, kuiltjes, een onschuldige charme en een zangerige stem met een licht Wels accent en zou daardoor wel populair zijn bij de andere sekse, dacht ze. Niet dat die specifieke uiterlijke kenmerken haar veel deden. Als er al een gelijkenis was, dan lag die in de ogen; Vernon had dezelfde lichtblauwe ogen als Lauren. Hij droeg een spijkerbroek en een T-shirt met een Guinness-opdruk. En witte sokken met sandalen.

'Waar gaat dit over?'

'Ik ben bezig met het onderzoek naar de ontvoering van en moord op Luke Armitage,' zei Annie. 'Uw zus was zijn lerares.'

'Ja, dat weet ik. Ze is erg van streek door wat er is gebeurd.'

'Hebt u Luke zelf ooit ontmoet?'
'Ik? Nee. Ik had wel eens over hem gehoord, natuurlijk, of over zijn vader dan.'
'Martin Armitage?'
'Inderdaad. Ik heb een leuk bedragje overgehouden aan weddenschappen op de teams waar hij door de jaren heen voor heeft gespeeld.' Vernon grinnikte.
'Maar u hebt Luke nooit ontmoet?'
'Nee.'
'Heeft uw zus veel over hem verteld?'
'Ze praatte wel eens over school,' zei Vernon. 'Het is best mogelijk dat ze zijn naam een keer heeft laten vallen.'
'In welk verband?'
'Als een van haar leerlingen.'
'Maar ze heeft niet verteld hoe bijzonder hij was en dat ze hem privébijles gaf?'
'Nee.' Vernon keek haar achterdochtig aan. 'Wat wilt u eigenlijk weten?'
'Lauren zei dat ze bij u op bezoek was op de dag dat Luke verdween. Dat is afgelopen maandag een week geleden. Klopt dat?'
'Ja. Hoor eens, ik heb dit allemaal al verteld aan die andere agent die hier een paar dagen geleden is geweest.'
'Dat weet ik,' zei Annie. 'Dat was iemand van het lokale bureau die ons hielp. Het is niet altijd mogelijk om direct zelf te komen. Het spijt me dat ik u ermee moet lastigvallen, maar denkt u dat u het kunt opbrengen om alles nog eens met mij door te nemen?'
Vernon sloeg zijn armen over elkaar. 'Dat zal wel lukken. Als u het echt nodig vindt.'
'Graag.'
'Het was zoals ik die kerel een paar dagen terug ook al heb verteld. We hadden wat te veel gedronken en Lauren is blijven slapen.' Hij sloeg met zijn vlakke hand op de bank. 'Het ligt best lekker. En het is veiliger dan terug rijden.'
'Lovenswaardig,' zei Annie. Mensen maakten vaak nerveuze opmerkingen over drinken in combinatie met autorijden wanneer er politiemensen in de buurt waren, alsof dat de enige misdaad was die ze najoegen, de enige waarin ze geïnteresseerd waren. 'Waar hebben jullie wat gedronken?'
'Waar?'
'Welke pub?'
'O, nu begrijp ik het. We zijn niet naar een pub gegaan. Ze kwam hier eten en we hadden er wijn bij.'

'Wat voor wijn?'
'Een eenvoudige Australische chardonnay. In de aanbieding bij Sainsbury's.'
'Komt uw zus wel vaker op bezoek?'
'Regelmatig. Ik begrijp eigenlijk niet zo goed wat dat ermee te maken heeft. Mijn vader is ziek en moeder kan het allemaal niet zo goed meer aan. We hadden veel te bespreken.'
'Ja. Ik weet dat hij Alzheimer heeft. Wat erg voor u.'
Vernon zat haar met open mond aan te staren. 'U weet het al? Heeft Lauren u dat verteld?'
'Je staat er soms van te kijken hoeveel informatie je tijdens dit werk te horen krijgt. Goed, ik wilde even controleren of ik de tijden goed had genoteerd, voor het dossier, u begrijpt het wel. U zou er versteld van staan als u wist uit hoeveel papierwerk ons werk eigenlijk bestaat.'
Vernon glimlachte. 'Als ik me goed herinner, kwam ze hier om een uur of zes aan en dat was het eigenlijk. We aten om ongeveer halfacht.'
'Wat hebt u gekookt?'
'Ree in witte wijn. Recept van Nigella Lawson.'
Het klonk Annie, die vegetariër was, niet bepaald aanlokkelijk in de oren, maar smaken verschillen, dacht ze bij zichzelf. 'En ik neem aan dat er de nodige wijn bij werd geschonken om alles weg te spoelen?'
'Een paar flessen. Daarom is Lauren uiteindelijk ook blijven slapen. De wijn en de Grand Marnier.'
'Ook nog likeur. U hebt het er wel van genomen.'
'We zaten allebei een beetje in zak en as, weet u. Over mijn vader. Lauren is nog niet zo heel lang geleden even thuis geweest en hij herkende haar niet meer. Ik weet dat alcohol geen oplossing is als je problemen hebt, maar in moeilijke tijden grijp je er toch vaak naar.'
'Natuurlijk,' zei Annie. 'Hoe laat bent u zo'n beetje naar bed gegaan?'
'Ik? Dat weet ik niet meer precies. Het is een beetje wazig. Waarschijnlijk rond middernacht.'
'En uw zus?'
'Ik weet niet hoe laat zij is gaan slapen.'
'Maar ze is wel de hele nacht hier gebleven?'
'Natuurlijk.'
'Hoe weet u dat?'
'Ik weet nog dat ik een keer naar de wc ben geweest. Daarvoor moet je door de woonkamer lopen. Toen lag ze op de bank te slapen.'
'Hoe laat was dat?'
'Geen idee. Ik heb niet op mijn horloge gekeken. Het was wel donker.'

'Is het mogelijk dat ze een paar uur is weggeweest en daarna weer is teruggekomen?'
'Dan had ik dat wel gehoord.'
'Weet u dat heel zeker? Als u echt zoveel had gedronken, hebt u waarschijnlijk heel diep geslapen.'
'We hadden allebei veel gedronken.'
'Heeft er die avond nog iemand voor haar gebeld?'
'Nee.'
'Hoe laat is ze weer weggegaan?'
'De volgende ochtend rond een uur of elf.'
'Het moet een zware ochtend zijn geweest op uw werk, na al die drank. Of had u een vrije dag?'
'Ik ben momenteel werkloos, ook al gaat dat u niets aan. En ik kan goed tegen alcohol. Ik ben geen alcoholist, als u dat soms denkt.'
'Natuurlijk niet.' Annie zweeg even. 'Hebt u wel eens aanwijzingen gekregen die erop duidden dat Laurens relatie met Luke iets verder ging dan de gebruikelijke relatie tussen lerares en leerling?'
'Absoluut niet.'
'Ze praatte nooit liefkozend over hem?'
'Nu heb ik er genoeg van,' zei Vernon. 'Ik vind het prima dat u tijden komt controleren, maar het is heel iets anders als u hier gaat zitten suggereren dat mijn zus een verhouding had met die jongen.' Hij stond op. 'Ik heb u verteld wat u wilde weten. Gaat u nu alstublieft weg en laat me verder met rust.'
'Wat is er aan de hand, meneer Anderson?'
'Helemaal niets.'
'U lijkt een tikje opgewonden.'
'U zou u ook opwinden als iemand allerlei beschuldigingen rondstrooide.'
'Beschuldigingen? Ik probeer alleen zekerheid te krijgen dat uw zus Luke Armitage niet heeft ontmoet op de avond waarop hij is vermoord. Begrijpt u dan niet hoe belangrijk dit is? Als ze hem wel heeft ontmoet, heeft hij misschien iets tegen haar gezegd. Dan weet ze misschien waar hij naartoe is gegaan en wie hij daar zou ontmoeten.'
'Ik kan u jammer genoeg niet helpen. Lauren is de hele avond en nacht hier geweest.'
Annie slaakte een zucht. 'Oké. Nog één ding en dan laat ik u verder met rust.'
'Wat dan?'
'Ik heb gehoord dat u een strafblad hebt.'

Vernon liep rood aan. 'Ik vroeg me al af wanneer dat ter sprake zou komen. Dat speelde heel lang geleden. Ik heb de handtekening van mijn baas vervalst op een cheque. Daar ben ik niet trots op. Het was erg stom van me, maar ik was wanhopig. Ik heb er een zware prijs voor betaald.'
'Goed, dan is dat ook uit de weg geruimd,' zei Annie, die in zichzelf dacht dat het verbazingwekkend was hoever sommige mensen gingen wanneer ze wanhopig waren. 'Bedankt voor de moeite, meneer Anderson.'
Vernon zei niets en gooide de deur achter haar in het slot. Annie had gezien dat er een bookie aan de hoofdweg zat, direct nadat je vanuit Vernons straat de hoek omsloeg. Ze wierp een blik op haar horloge. Een kort bezoekje voordat hij dichtging. Uit ervaring wist ze dat het kantoor van bookies vaak vol rook hing, dus ademde ze diep in en ging naar binnen.

Als dit het gezicht van het kwaad was, dan was het opmerkelijk nietszeggend, dacht Banks toen Michelle en hij door een jongeman die meer het uiterlijk van een secretaris dan een butler had naar Rupert Mandeville werden gebracht. Mandeville deed Banks eigenlijk vooral denken aan oud-minister-president Edward Heath, die in 1965 de partij in de oppositie leidde. Hij was sportief gekleed in een witte cricketbroek, een beige shirt dat bij de kraag openstond en een lila trui met V-hals, en had dezelfde licht geschrokken, licht verwarde uitdrukking op zijn gezicht als Heath, hetzelfde zilvergrijze haar en dezelfde roze huid. Hoe kwam het, vroeg Banks zich af, dat iedere politicus die hij ooit had gezien een huid had die hem aan roze vinyl deed denken? Werden ze soms zo geboren?
De schapenvacht was verdwenen en had plaatsgemaakt voor een tapijt met een ingewikkeld midden-oosters patroon, maar de open haard was dezelfde als die op Grahams foto. Nu hij zich in de kamer bevond waar die foto vele jaren geleden was gemaakt, huiverde Banks. Wat was hier nog meer voorgevallen? Had Graham ook meegedaan aan seksuele handelingen? Met Mandeville? Hij besefte dat hij dat waarschijnlijk nooit te weten zou komen. Reconstructie van het verleden na zo'n lange tijd was een proces dat net zo gebrekkig en onbetrouwbaar was als het geheugen zelf.
Ze hadden inmiddels tenminste enig idee hoe Mandeville op de hoogte was gebleven van de vooruitgang die Michelle met haar onderzoek had geboekt, ook al konden ze niets bewijzen. Volgens een verslaggever van een plaatselijk nieuwsblad die Michelle vanaf het bureau had gebeld, had Mandeville overal spionnen zitten; daardoor was hij er ook in ge-

slaagd om zo lang te overleven in een wereld die zo meedogenloos was als de politiek. Er gingen ook geruchten dat hij machtige connecties bij de politie had, maar er werden nooit namen genoemd. Dat verklaarde waarom hij zoveel had geweten over het onderzoek naar Grahams dood en had beseft dat het een bedreiging voor hem begon te vormen.

Mandeville was de hoffelijkheid zelf, trok een stoel bij voor Michelle en bood hun iets te drinken aan, wat ze afsloegen. 'Het is vele jaren geleden dat de politie hier is geweest,' zei hij. 'Waar kan ik u mee van dienst zijn?'

'Was dat wellicht het bezoek dat Geoff Talbot aflegde?' vroeg Michelle. Zij had nog steeds de leiding over deze zaak, besefte Banks, en hij was alleen bij dit gesprek aanwezig omdat ze hem had uitgenodigd; daarom mocht zij ook de vragen stellen.

'Ik kan niet zeggen dat ik me de naam van die jongeman nog herinner.'

'Misschien de maand en het jaar nog wel: augustus 1965.'

'Zo lang geleden. De tijd vliegt.'

'En de reden voor dat bezoek?'

'Het was een vergissing. De politie heeft haar verontschuldigingen aangeboden en ik heb ze geaccepteerd.'

'Hoofdinspecteur Harris?'

'Ik moet opnieuw bekennen dat ik me de naam van de desbetreffende persoon niet meer herinner.'

'Neemt u het dan maar van mij aan.'

'Uitstekend. Ik meen enige vijandigheid in uw stem te ontwaren. Zou u zo goed willen zijn om me te vertellen waarom u hier bent en anders willen vertrekken?'

'We zijn hier om u enkele vragen te stellen in verband met het onderzoek naar Graham Marshall.'

'Ach, ja. Die arme jongen wiens skelet enkele dagen geleden is opgegraven. Tragisch. Maar ik begrijp niet wat dat met mij te maken heeft.'

'We willen graag een paar dingen oplossen, meer niet.'

'En ik ben de aangewezen persoon daarvoor. Hoe fascinerend!' Zijn grijsblauwe ogen glommen spottend.

Banks haalde de foto uit zijn koffertje en schoof hem over de tafel naar Mandeville, die er uitdrukkingsloos naar keek.

'Interessant,' zei hij. 'Maar nogmaals…'

'Herkent u deze jongen?' vroeg Michelle.

'Nee.'

'Herkent u dan wellicht de open haard?'

Mandeville wierp een blik op zijn eigen Adam-haard en keek haar glimlachend aan. 'Ik zou liegen als ik zei dat ik die niet herkende,' zei hij.

'Hoewel ik betwijfel of het de enige in zijn soort is.'
'Voor ons doel heeft hij anders genoeg bijzondere kenmerken,' zei Michelle.
'Foto's kunnen worden bewerkt, dat beseft u toch wel?'
Michelle tikte met een vinger op de foto. 'Wilt u beweren dat dit een nepfoto is?'
'Uiteraard. Tenzij iemand mijn huis tijdens mijn afwezigheid heeft gebruikt voor illegale doeleinden.'
'Laten we eens teruggaan naar 1965, toen deze foto is gemaakt, hier in deze kamer,' zei Michelle. 'U was vrij bekend vanwege uw feesten, is het niet?'
Mandeville haalde zijn schouders op. 'Ik was jong, rijk. Wat heb je aan rijkdom als je het niet een beetje met anderen kunt delen? Misschien was ik ook een beetje naïef.'
'Feesten voor mensen met uiteenlopende voorkeuren, variërend van drugs tot prostituees en minderjarige sekspartners, zowel jongens als meisjes.'
'Dat is absurd.'
'Deze jongen was veertien toen de foto werd gemaakt.'
'Bovendien was hij een vriend van mij,' zei Banks, en hij staarde net zolang naar Mandeville tot deze terugkeek.
'Ik leef oprecht met u mee,' zei Mandeville, 'maar ik begrijp nog steeds niet wat dit met mij te maken heeft.'
'U hebt hem laten vermoorden,' zei Michelle.
'Wat? Als ik u was, jongedame, zou ik heel voorzichtig zijn en goed nadenken voordat ik dergelijke beschuldigingen uitte.'
'Want anders? Anders laat u uw chauffeur misschien weer in mijn flat inbreken of mag hij nogmaals proberen me aan te rijden?'
Mandeville trok zijn wenkbrauwen op. 'Ik wilde u eigenlijk waarschuwen voor de mogelijke gevolgen van laster.'
'Ik heb braaf mijn huiswerk gedaan voordat ik hiernaartoe kwam,' zei Michelle. 'Even de achtergrond van uw werknemers opgevraagd. Derek Janson, uw chauffeur, heeft vijftien jaar geleden in de gevangenis gezeten wegens inbraak. Hij werd beschouwd als een soort expert in het openbreken van sloten. Ik ben ervan overtuigd dat hij ook heel goed een bestelbusje kan besturen.'
'Ik ben op de hoogte van Dereks verleden,' zei Mandeville. 'Het is heel moeilijk voor ex-gedetineerden om weer werk te vinden. U neemt het me toch hopelijk niet kwalijk dat ik mijn steentje bijdraag bij Dereks rehabilitatie? Ik vertrouw hem namelijk volledig.'

'Dat geloof ik graag. Toen we Graham Marshalls stoffelijke resten hadden gevonden en hadden ontdekt dat hij was vermoord, werd het onderzoek naar zijn verdwijning heropend, en u hebt alles gedaan wat in uw macht lag om dat tegen te houden.'
'Waarom zou ik dat doen?'
'Omdat hij die foto gebruikte om u af te persen en u Carlo Fiorino hebt gevraagd om hem uit de weg te ruimen. U betaalde Fiorino altijd zeer goed voor de diverse diensten die hij u verleende, dus deed hij zonder tegensputteren wat u vroeg.'
'Dit is werkelijk te gek voor woorden. U kunt dit absoluut niet bewijzen.'
'We hebben de foto,' zei Banks.
'Zoals ik al zei, foto's kunnen worden bewerkt.'
'Ze kunnen eveneens op echtheid worden gecontroleerd,' zei Banks.
Mandeville staarde hen aan en probeerde in te schatten hoeveel schade ze hem konden berokkenen. Hij stond op, legde zijn handen met de palm op tafel en hij boog zich naar hen toe. 'Tja,' zei hij, 'het is een spannend verhaal dat jullie samen in elkaar hebben gezet. Jammer dat het in de rechtszaal of waar dan ook geen stand zal kunnen houden.'
'Misschien hebt u gelijk,' zei Michelle. 'Maar u zult toch moeten toegeven dat het er niet goed voor u uitziet. Er blijft altijd wel iets in het collectieve geheugen hangen.'
'Ik heb zo mijn connecties, weet u.'
'Is dat een dreigement?'
'Ik verlaag me niet tot dreigementen.'
'Nee, dat laat u iemand anders doen.'
'Wat bent u nu van plan hiermee te gaan doen?'
'Ik ga ervoor zorgen dat u moet boeten voor wat u hebt gedaan. Om te beginnen gaan we even een babbeltje maken met meneer Janson.'
Mandeville liep naar de haard en leunde met een brede glimlach tegen de schoorsteenmantel. 'Derek zal u niets vertellen.'
'Je weet maar nooit. Bovendien hebben wij ook zo onze connecties, vooral met voormalige gedetineerden. En dan hebben we Geoff Talbots opschrijfboekje nog. Jet Harris heeft niet de moeite genomen om dat uit de archieven te laten verdwijnen. Was geen reden voor. Er werd geen onderzoek gedaan.'
'Ik weet niet waar u het over hebt.'
'Namen,' zei Banks. 'Talbot heeft de namen opgeschreven van de mensen met wie hij heeft gesproken toen hij hier was. Als we wat verder graven, vinden we ongetwijfeld een of twee mensen die zich die goede oude

tijd nog wel herinneren: feestgangers wellicht, of vaste gasten van de club.'
Mandevilles gezicht betrok en hij ging weer aan de tafel zitten. 'Ik waarschuw jullie,' zei hij. 'Als jullie deze gemene leugens over mij gaan verspreiden, kost het jullie je baan.'
Michelle was de kamer al uit en liep met grote passen naar de deur.
Banks bleef enkele seconden alleen met Mandeville in de kamer achter en maakte van de gelegenheid gebruik om zich naar hem toe te buigen en met een glimlach rond zijn lippen te fluisteren: 'En als inspecteur Hart ook maar íéts overkomt, al glijdt ze maar uit over een bananenschil, dan kom ik onmiddellijk terug om uw ruggengraat uit uw lijf te rukken en door uw strot te duwen, lord Mandeville.'
Hij zou er niet zijn hand voor in het vuur hebben durven steken, maar afgaand op de licht veranderende uitdrukking op Mandevilles gezicht meende hij te mogen concluderen dat hij hem heel goed had begrepen.

Het was inmiddels al avond geworden, het eind van een vermoeiende dag, en de schaduwen werden al langer, toen Lauren Anderson Annie voorging naar de vol met boeken staande woonkamer. Er klonk klassieke muziek, een of ander vioolconcert, maar Annie herkende het niet. Banks zou het wel hebben geweten, dacht ze. Lauren liep op blote voeten en had een lichtblauwe spijkerbroek aan met een mouwloos wit shirt. Haar schouders waren bleek en zaten vol sproeten, net als haar gezicht. Haar volle kastanjebruine haar was achter op haar hoofd vastgezet met een leren haarspeld. 'Waarom bent u hier?' vroeg ze. 'Weten jullie wie het zijn?'
'Ik denk het wel. Maar ga eerst even zitten en luister naar wat ik je te zeggen heb. Verbeter me maar als ik het fout heb.'
'Ik snap niet wat u bedoelt.'
'Wacht maar af. Ga alsjeblieft zitten, Lauren.' Annie sloeg haar benen over elkaar en liet zich in de leunstoel zakken. Tijdens de terugrit vanuit Harrogate had ze nagedacht over de beste manier om Lauren aan te pakken, waarna ze een paar telefoontjes had gevoerd en Winsome Jackman had opgepikt, die instructies had gekregen om voorlopig buiten in de auto te blijven zitten. Ze verwachtte geen moeilijkheden en het zou gemakkelijker zijn als ze eerst alleen met Lauren kon praten. 'We weten waar Luke is geweest even voordat hij overleed,' begon ze. 'Heeft hij het tegenover jou wel eens over een meisje gehad dat Liz Palmer heet?'
'Nee. Hoezo?'
'Weet je het zeker? Ze betekende heel veel voor Luke.'

Lauren schudde haar hoofd. 'Nee, dat kan niet waar zijn. Ik geloof je niet.'
'Waarom niet, Lauren? Waarom kan het niet waar zijn?'
'Luke... hij had geen... zo was hij niet. Hij wijdde zich helemaal aan de kunst.'
'Ach, hou toch op, Lauren. Hij was een wellustige tiener, net als al zijn leeftijdgenoten. Deze Liz was iets ouder dan hij en ze...'
'Nee! Hou op. Ik wil dit niet horen.'
'Wat is er aan de hand, Lauren?'
'Ik wil niet dat je Luke's nagedachtenis bezoedelt.'
'Bezoedelt? Wat is er mis met een vijftienjarige jongen die zijn maagdelijk verliest aan een oudere vrouw? Het is een eeuwenoude traditie, ook al houdt het in theorie in dat ze seks heeft gehad met een minderjarige. Wie trekt zich tegenwoordig nu nog iets van zulke onbeduidende regels en voorschriften aan? Vooral wanneer het de jongen is die minderjarig is en niet de vrouw. Nu weten we tenminste dat Luke wel het genot van seks heeft leren kennen voordat hij overleed.'
'Ik weet niet waarom,' zei Lauren, en ze keek Annie aan, 'maar ik ben ervan overtuigd dat je tegen me liegt. Er is helemaal geen "Liz".'
'Jawel, hoor. Ik kan je aan haar voorstellen als je dat wilt.'
'Nee.'
'Wat is er, Lauren? Jaloers?'
'Luke betekende heel veel voor me. Dat weet je. Hij was zo getalenteerd.'
'Er was echter nog meer, is het niet?'
'Wat bedoel je?'
'Jullie waren minnaars.'
Lauren aarzelde even, maar zei toen: 'En wat dan nog? Ga je me daarvoor dan arresteren?'
'Nee. Ik ga je arresteren voor moord.'
Lauren schoot overeind. 'Dat meen je niet.'
'En of ik dat meen. Het zit namelijk zo: Liz en haar vriendje wonen ongeveer vijf minuten hier vandaan en Luke was wat van streek toen hij hun flat verliet. Ik heb mezelf afgevraagd: waar zou hij naartoe gaan? Het heeft misschien even geduurd voordat ik het goede antwoord had gevonden, het enige juiste antwoord, maar dat kwam door het slimme rookgordijn dat jij had opgetrokken. De ontvoering. We dachten dat we op zoek waren naar een man of iemand dichter bij huis. Maar Luke kon helemaal niet naar huis zijn gegaan, want de laatste bus was al vertrokken en we hebben bij alle taxi's navraag gedaan. De verdenking viel nog even op zijn muziekleraar, Alastair Ford. Maar Luke had zijn huis ook

niet kunnen bereiken, want dat ligt veel te afgelegen en hij had geen vervoermiddel om er te komen. Dus blijf jij over, Lauren. Luke had geen uitgebreide vrienden- en kennissenkring. Bovendien was hij erg van slag. Jij bent degene met wie hij over zijn gevoelens kon praten. Hoe lang gingen jullie al met elkaar naar bed, Lauren?'
Lauren zuchtte. 'Sinds het begin van de zomervakantie, of net daarvoor eigenlijk. Het gebeurde gewoon. Het was zo... zo vanzelfsprekend. Ik heb heus niet geprobeerd hem te verleiden of zo.' Annie zag dat de tranen over haar gezicht rolden. 'We bekeken een aantal foto's. Prerafaëlieten. Hij zei dat ik veel op een van de modellen leek.'
'Elizabeth Siddal, Dante Gabriel Rosetti's eerste vrouw. Je lijkt inderdaad sprekend op haar, Lauren. Of op de schilderijen van haar. Een typische prerafaëlitische schoonheid, zei iemand.'
'Dus dat weet je?'
'Ik had veel eerder het verband moeten zien,' zei Annie. 'Mijn vader is kunstenaar en ik schilder zelf ook een beetje. Ik heb in al die jaren wel het een en ander opgepikt.'
'Hoe ben je erachter gekomen?'
'We hebben Luke's schoudertas gevonden in die andere flat. Ik heb zijn recente opmerkingen en aantekeningen gelezen en trof daar een aantal verwijzingen naar de klassieken aan die ik niet begreep. Er was één ding dat ik wel meteen begreep en dat was dat ze een seksueel getint karakter hadden, heel intiem waren, en een bepaalde prerafaëlitische schoonheid benadrukten. Er waren ook verwijzingen naar Ophelia, maar ik denk dat Luke niet Shakespeares Ophelia in gedachten had. Hij bedoelde John Everett Millais. Hij heeft Ophelia geschilderd met Elizabeth Siddal als model. Ze kreeg longontsteking omdat ze elke dag in een lauw bad poseerde als Ophelia die op de rivier wegdrijft. Heel romantisch. Ik begrijp alleen niet waarom. Waarom heb je het gedaan, Lauren? Waarom heb je hem vermoord? Wilde hij jullie relatie soms verbreken?'
'Je begrijpt er helemaal niets van. Ik heb hem niet vermoord. Je hebt er helemaal geen bewijs voor. Ik heb een alibi. Vraag het maar aan Vernon.'
'Ik heb Vernon al gesproken,' zei Annie, 'en ik vertrouw hem voor geen meter. Je broer heeft voor je gelogen, Lauren. Heel logisch. En ik durf te wedden dat hij je ook heeft geholpen om het lichaam te dumpen. Dat had je in je eentje niet gered. Verder is hij degene geweest die de kidnapping heeft bedacht. Dat had alle kenmerken van een idee dat achteraf was bedacht. Het was niet de werkelijke reden van Luke's verdwijning en dood. Je broer dacht dat hij wel een poging kon wagen en er iets aan kon verdienen, en hij was onervaren genoeg om slechts tienduizend pond te

vragen. Trouwens, je had hem waarschijnlijk wel over Luke verteld en gezegd dat zijn ouders lang niet zo rijk waren als iedereen dacht. Hij is een gokker, Lauren. En hij verliest te vaak. Hij heeft geld nodig. Ik heb zijn bookie gesproken. Je broer zit tot over zijn oren in de schulden. Wist je eigenlijk wat hij had gedaan nadat hij jou had geholpen?'
Lauren staarde naar haar schoot. Haar vingers waren ineengestrengeld en haar handen grepen elkaar zo stevig vast dat alle knokkels wit waren. Ze schudde haar hoofd. 'Ik geloof niet dat Vernon zoiets zou doen.'
'Vermoedde je ook niets, zelfs niet nadat je over die losgeldeis had gehoord?'
'Het verwarde me. Ik wist niet wat er aan de hand was. Misschien had ik wel een vermoeden, dat weet ik niet meer. Ik was te geschokt om er lang bij stil te staan.'
'Je moet weten,' vervolgde Annie, 'dat onze technische recherche minuscule bloedsporen heeft gevonden op de plek op de muur waar Luke in Hallam Tarn is gegooid. Minuscuul, maar genoeg om een DNA-profiel te kunnen maken. Ik denk dat dat profiel overeenkomt met dat van jou of je broer. Ik weet ook vrij zeker dat wanneer onze mannen hier komen en je huis uitkammen, ze sporen van Luke's bloed zullen aantreffen. Nu bewijst dat op zich nog niets, want we weten dat Luke op zijn neus is geslagen voordat hij hiernaartoe kwam, maar als we alles bij elkaar optellen, wordt de situatie waarin jij je bevindt steeds neteliger, Lauren.'
Lauren keek Annie aan met roodomrande, haast onverdraaglijk trieste ogen. 'Ik heb hem niet vermoord,' zei ze met een dun, afwezig stemmetje. 'Ik zou Luke nooit iets hebben aangedaan. Ik hield van hem.'
'Wat is er dan gebeurd, Lauren?'
Lauren pakte haar sigaretten en stak er een op. Toen keek ze Annie met een trieste blik aan en vertelde ze haar verhaal.

'Zou ik even alleen met uw man mogen praten?' vroeg Banks die avond aan mevrouw Marshall.
'Bill? Ik weet niet of hij je iets kan vertellen,' zei ze. 'Je weet dat hij niet kan praten.'
'Er zijn maar een paar dingetjes.' Banks keek naar de invalide man die hem agressief aankeek en beslist doorhad dat er over hem werd gepraat. 'Kan hij wel schrijven?'
'Ja,' zei mevrouw Marshall. 'Maar hij kan het potlood niet zo goed meer vasthouden. Hij grijpt het beet met zijn vuist en dan kan hij net een paar letters opschrijven.'

'Dat is uitstekend,' zei Banks. 'Hebt u misschien een schrijfblok en potlood voor me?'
Mevrouw Marshall haalde een schrijfblok met gelinieerd papier en een potlood uit een lade van het dressoir en overhandigde ze aan Banks.
'Kom,' zei Michelle, en ze greep haar hand en trok haar zachtjes mee naar de keuken. 'Laten we even wat thee zetten. Ik moet u een paar dingen vertellen.'
Banks en Michelle hadden afgesproken dat ze mevrouw Marshall een gekuiste versie van de gebeurtenissen zouden vertellen. Als de media diep genoeg groeven en het hele verhaal alsnog in het nieuws kwam, zou ze misschien meer te horen krijgen over haar zoons leven en dood dan haar lief was, maar dat was van later zorg. Nu kon Michelle nog volstaan met de uitleg dat Donald Bradford Graham had vermoord omdat hij iets had ontdekt over Bradfords criminele activiteiten.
Toen ze in de keuken waren en de deur achter zich hadden dichtgetrokken, legde Banks het schrijfblok en potlood op Bill Marshalls knie en ging hij tegenover hem zitten, zodat hij in de uitdrukkingsloze ogen kon kijken. 'Ik denk dat je wel weet waarom ik met je wil praten,' zei hij.
Bill Marshall liet niet merken of hij hem begreep.
'Je bokste vroeger toen je jong was met Reggie en Ronnie Kray,' zei hij. 'En toen je hier kwam wonen, sloot je je aan bij Carlo Fiorino en werkte je af en toe als zware jongen voor hem. Klopt dat? Kun je misschien knikken of iets opschrijven?'
Bill Marshall bleef roerloos zitten.
'Goed, als je het zo wilt spelen,' zei Banks. 'Uitstekend. Ik wil echt niet beweren dat je iets te maken had met Grahams dood. Je stond er helemaal buiten. Jij zou zoiets ook nooit hebben gedaan. Maar je wist wie het wel gedaan had, of niet?'
Bill Marshall bleef met een nietszeggende blik naar hem zitten staren.
'Kijk, het probleem met mensen als jij, Bill, is dat ze zich niets van de wet aantrekken. Jij moet niets van agenten hebben, hè? Altijd al zo geweest, vermoed ik. Net als mijn eigen vader. Wil je weten wat er volgens mij is gebeurd? Ik vertel het je toch, of je nu wilt of niet. Ik denk dat Donald Bradford helemaal geen jonge jongens wilde vermoorden. Maar hij had weinig keus. Fiorino heeft hem ertoe gedwongen. Graham was tenslotte zijn verantwoordelijkheid en Graham bevond zich in een positie waar hij veel schade kon aanrichten. Er stond gewoon te veel op het spel. Niet alleen hun organisatie, maar de hele toekomst. De stad breidde zich uit, werd een van die steden met een enorme nieuwbouwwijk. De bevolking zou zich in korte tijd vertweevoudigen. Wat een kans voor een man als

Fiorino. Hij leverde waren waar mensen altijd behoefte aan blijven hebben en tegen een goede prijs. Kun je me nog volgen?'

Marshall keek Banks woedend aan. Over zijn kin gleed wat speeksel. 'Fiorino moest ook niets van de politie hebben, tenzij hij ze kon omkopen, dus had hij andere mensen in dienst die het vuile werk voor hem opknapten. Even na de moord verkocht Bradford zijn zaak en verhuisde hij. Dat vond Fiorino niet leuk. Hij kon het niet hebben dat mensen zich aan zijn greep ontworstelden en uit de omgeving wegtrokken. Vooral niet wanneer ze zoveel wisten als Bradford en in korte tijd labiel en onbetrouwbaar werden. Bradford werd verscheurd door schuldgevoel over wat hij had gedaan. Bovendien zal hij misschien ook wat van Fiorino's spullen hebben meegenomen, maar dat is niet echt van belang. Wat echt zwaar woog, was dat Bradford zich buiten Fiorino's invloedssfeer bevond en niet langer betrouwbaar was. En hij wist te veel.'

Marshall reageerde nog altijd niet. Banks hoorde gedempte stemmen vanuit de keuken. 'Dus wat doet hij wanneer hij een probleem heeft met Bradford? Hij had natuurlijk best een huurmoordenaar kunnen inschakelen, denk ik. Maar hij kent jou. Dat is veel beter. Hij weet dat jij zelf voor een oplossing zorgt als er iets moet worden gedaan en niet naar de politie zal lopen. Dus vertelt hij je dat Bradford jouw zoon heeft vermoord, maar niet in opdracht van hem. Hij maakt je wijs dat Bradford een pervers mannetje is. En dan geeft hij je Bradfords adres. Fluitje van een cent. Nu kan hij alles met een gerust hart aan jou overlaten. Heb ik tot zover gelijk, Bill?'

Banks kon aan de woede en haat in Bill Marshalls ogen zien dat hij inderdaad gelijk had. 'Toen ben je naar Carlisle gegaan. Je hebt iedereen waarschijnlijk verteld dat je werk ging zoeken. Je brak in Donald Bradfords flat in en wachtte tot hij thuiskwam. Je wist dat Bradford een sterke kerel was, dus viel je hem van achteren aan met een knuppel. Ik verwijt je niets, Bill. Die man had je zoon vermoord. Ik zou precies hetzelfde willen doen als iemand een van mijn kinderen iets had aangedaan. Maar je had je vrouw dat jarenlange verdriet kunnen besparen. Je wist dat Graham dood was en je wist wie hem had vermoord. Je wist dan misschien niet waar het lichaam was, maar ik durf te wedden dat je daar gemakkelijk achter had kunnen komen. In plaats daarvan ben je naar Carlisle gegaan en heb je Donald Bradford vermoord, en zei je niets tegen je vrouw en dochter. Al die jaren hebben ze niet geweten wat er met Graham was gebeurd. Dat is werkelijk onvergeeflijk, Bill.' Banks gebaarde naar het schrijfblok. 'Wat heb je daarover te zeggen? Kom, zeg eens wat.'

Marshall bleef hem even aanstaren, maar greep toen het potlood, schoof zijn hand moeizaam over het blok en krabbelde wat op het papier. Toen hij klaar was, gaf hij het aan Banks. Drie woorden, in hoofdletters: ROT OP, SMERIS.

'Hij kwam inderdaad bij me, zoals je zei,' begon Lauren Anderson. 'Hij was er vreselijk aan toe. Hij was van streek, omdat... Nou ja, je weet waarom. Ik probeerde hem te kalmeren en we zijn naar de... We zijn samen op bed gaan liggen en ik heb hem vastgehouden. Ik had al besloten dat ik onze relatie moest verbreken. Ik had er tot op dat moment gewoon de moed nog niet voor gehad. Ik wist echter wel dat het zo niet verder kon. Iemand zou er uiteindelijk achter komen en dat zou het eind hebben betekend. Van mijn carrière, mijn reputatie... alles. Een jongen van vijftien en een vrouw van 29. Taboe. Toen ik dacht dat hij wat gekalmeerd was, bracht ik het onderwerp ter sprake, zei ik dat we elkaar misschien maar een tijdje niet moesten zien.'
'Had hij je verteld dat hij eerder op de avond hasj had gerookt?'
'Hasj? Nee. Dat heeft hij me nooit verteld. Dat moet dan de reden zijn geweest waarom hij zo gedesoriënteerd en opgewonden was. Ik had hem nog niet eerder zo gezien. Hij maakte me bang.'
'Hoe reageerde hij toen je hem vertelde dat je jullie relatie wilde verbreken?' vroeg Annie, die bedacht dat het niet eens zo lang geleden was dat zij hetzelfde tegen Banks had gezegd.
'Hij weigerde het te accepteren. Hij zei dat hij het niet zou kunnen verdragen als hij me kwijtraakte.' Lauren begon te huilen. 'Hij zei dat hij zelfmoord zou plegen.'
'Wat gebeurde er toen?'
Ze depte haar ogen met een papieren zakdoekje. 'Hij rende naar de badkamer. Ik wachtte een paar minuten, maar toen hoorde ik allerlei dingen uit het medicijnkastje in de wasbak vallen en ben ik naar hem toe gegaan.'
'Was de badkamerdeur op slot?'
'Nee.'
'Was hij op zoek naar valium?'
'Hoe weet je dat?'
'We weten dat hij even voor zijn dood valium heeft geslikt.'
'Mijn huisarts heeft het me voorgeschreven. Maar dat weet je dan waarschijnlijk ook al.'
Annie knikte. 'Ik heb het nagevraagd.'
'Hij had het potje al opengedraaid, stond met een paar tabletten in zijn

hand en die slikte hij door. Ik ging naar hem toe en wilde het potje van hem afpakken. We worstelden met elkaar, wat geduw en getrek, en toen viel hij. Zomaar. Hij was op zijn sokken en de tegels zijn erg glad. Zijn voeten gleden onder hem weg en hij viel met zijn hoofd tegen de zijkant van het bad. Ik heb van alles geprobeerd. Reanimatie, mond-op-mond-beademing. Ik heb gevoeld of ik een hartslag kon vinden, heb aan zijn borst geluisterd en zelfs een spiegel voor zijn mond gehouden. Het had allemaal geen zin meer. Hij was dood. Overal bloed.'

'Wat deed je toen?'

'Ik wist niet wat ik moest doen. Ik raakte in paniek en ik wist dat mijn leven kapot zou zijn als dit bekend werd. Ik wist niet waar ik naartoe moest, dus toen belde ik Vernon. Hij zei dat hij direct zou komen en dat ik niets moest doen tot hij er was. De rest weet je.'

'Wat hebben jullie met Luke's mobiele telefoon gedaan?'

'Die is in de auto uit zijn zak gevallen. Vernon heeft hem meegenomen.'

Dat verklaarde het telefoontje naar Armitages mobiele telefoon. Vernon had Martins nummer op Luke's telefoontje opgezocht. Hij had niet kunnen weten dat het heel onwaarschijnlijk was dat Luke zijn stiefvader ergens voor zou bellen.

'Was je op de hoogte van de losgeldeis?'

Lauren schudde haar hoofd. 'Nee. Daar zou ik nooit mee hebben ingestemd. En zoals ik al zei, ik was veel te geschokt om erbij stil te staan. Als ik al iets dacht, dan was het dat het een heel wrede grap moest zijn. Het spijt me vreselijk wat er is gebeurd.' Ze greep Annies pols vast. 'Je moet me geloven. Ik zou Luke nooit iets hebben aangedaan. Ik hield van hem. Als ik niet zo ongevoelig en egoïstisch was geweest en niet had geprobeerd een eind te maken aan onze relatie toen hij zo van slag was, of hem gewoon had vastgehouden zoals hij wilde, was dit misschien allemaal niet gebeurd. Ik heb dat moment in mijn gedachten al zo vaak opnieuw beleefd. Ik kan niet slapen. Ik weet niet hoe ik ooit mijn werk weer moet oppakken. Niets lijkt er nu nog toe te doen.'

Annie stond op.

'Wat ga je nu doen?'

'Ik ga mijn partner halen die buiten in de auto zit te wachten en dan zorgen we ervoor dat we zeker weten dat je weet wat je rechten zijn voordat we je meenemen naar het politiebureau voor een officiële verklaring. Verder zullen we een bericht naar de politie in Harrogate sturen om je broer te laten oppakken.'

'Wat gaat er nu met me gebeuren?'

'Dat kan ik je niet zeggen, Lauren,' zei Annie. Op dit soort momenten

had ze een gruwelijke hekel aan haar werk. Stel je niet aan, hield ze zichzelf voor. Lauren Anderson had Luke dan misschien niet opzettelijk vermoord, maar ze was medeverantwoordelijk voor zijn dood, samen met Liz Palmer en Ryan Milne. Alle volwassenen die hierbij betrokken waren hadden beter moeten weten, hadden moeten beseffen dat ze niet straffeloos mochten spelen met de gevoelens van een verwarde, onzekere vijftienjarige. Ze hadden allemaal alleen aan zichzelf gedacht en hadden Luke voor hun eigen doeleinden gebruikt. Ook al was dat doeleinde, in Laurens geval tenminste, liefde geweest. Een romantische verbeelding en het ontluikende seksuele verlangen van een tiener konden een gevaarlijke combinatie vormen.
Misschien, dacht Annie, zou ze zelf iets van haar menselijkheid verliezen als ze helemaal geen medelijden kon opbrengen voor een vrouw in Laurens positie. Voordat ze Banks had ontmoet was ze hard op weg geweest om gevoelloos en cynisch te worden, maar een van de dingen die ze van de samenwerking met hem had geleerd, was hoe ze dat kon voorkomen. Lauren zou er waarschijnlijk met een lichte straf van afkomen, dacht Annie. Als Luke inderdaad tijdens een worsteling om het leven was gekomen waarbij ze juist had geprobeerd hem ervan te weerhouden een overdosis valium te nemen en als Lauren inderdaad niet op de hoogte was geweest van de mislukte losgeldeis van haar broer, dan zou haar geen al te zware straf boven het hoofd hangen.
Lauren zou wel haar baan kwijtraken en net als Norman Wells door een aantal mensen als een verschoppeling worden beschouwd, als de verleidster van en verderfelijke invloed op de jeugd. Luke's ouders, Robin en Martin, zouden het moeilijk krijgen wanneer alles bekend werd. Want dit zou een proces worden dat veel publiciteit genereerde, daar twijfelde ze geen moment aan. De zoon van Neil Byrd, een beroemd model en een atleet. Aan het mediacircus ontsnappen was onmogelijk. Jammer dat ze Liz en Ryan niet konden vervolgen, dacht Annie toen ze Lauren, die met gebogen hoofd naast haar liep, naar de auto escorteerde. Ze hadden net zoveel, zo niet meer schuld aan het gebeurde als Lauren. Het was echter niet aan haar om daarover te oordelen.

'Jet Harris corrupt? Ik geloof er niets van,' zei Arthur Banks die avond in The Coach and Horses. Banks had hem daar mee naartoe genomen om hem het hele verhaal te vertellen en nu zaten ze met hun glazen in de sombere, halflege pub. Banks voelde een heftig verlangen naar een stoot nicotine door zich stromen, net zo krachtig als de schreeuwende behoefte aan lucht, maar hij verdrong het gevoel. Per dag blijven bekijken.

Een slechte gewoonte per keer aanpakken. Het zou voorbijgaan. Mensen beweerden dat de hunkering mettertijd minder hevig werd. Anderen beweerden dat je nooit helemaal van de verslaving zou afkomen. Hij kende mensen die tien jaar niet hadden gerookt, maar toch weer waren bezweken. Per dag blijven bekijken.
Arthur Banks keek zijn zoon ongelovig aan. 'Wordt dit bekendgemaakt?' vroeg hij.
'Waarschijnlijk wel,' zei Banks. 'We overhandigen de pers natuurlijk niet vrijwillig alle verslagen, maar ze hebben zo hun eigen methodes. Hangt af van de belangstelling van de media.'
'O, de media hier zullen best geïnteresseerd zijn. Jet Harris, homo en corrupte smeris.' Hij keek Banks achterdochtig aan. 'Je weet zeker dat dit niet in de doofpot wordt gestopt?'
'Pa,' zei Banks. 'We stoppen nooit iets in de doofpot. Ik in elk geval niet en inspecteur Hart evenmin. Dit onderzoek heeft heel veel van haar geëist. Ze werkt pas een paar maanden bij de divisie en stoot nu al een legende van zijn voetstuk. Hoe populair denk je dat dat haar zal maken hier in de buurt?' Het had Michelle ook bijna haar leven gekost, dacht Banks. Van nu af aan zou ze veilig zijn, daar was hij van overtuigd, en niet vanwege zijn melodramatische dreigement. Nu Mandeville wist dat er meer mensen op de hoogte waren, kon hij moeilijk iedereen intimideren of vermoorden. Hij zou erop moeten vertrouwen dat de tijd al zijn geheimen voorgoed had verborgen.
'Waarom vertel je dit aan mij?' vroeg Arthur Banks.
Banks nam een slok bier. 'Pa, mam en u hebben me nooit echt een kans gegeven, vanaf het moment dat ik bij de politie ging. Jullie kijken altijd alleen naar de negatieve kanten van mijn werk. Ik wil dat u beseft dat niet iedereen bij ons corrupt is, dat sommigen van ons het werk heel serieus nemen. Ook als dit nooit bij het grote publiek bekend wordt, dan nog weet u in elk geval de waarheid en u weet dat ik het u heb verteld.'
Arthur Banks keek zijn zoon even zwijgend aan en zei toen: 'Ben je er ook achter gekomen wat er al die jaren geleden met je vriend Graham is gebeurd?'
'Ja. Nou ja, inspecteur Hart heeft het meeste werk verricht. Ik heb een paar gaten kunnen opvullen.' Banks boog zich naar voren. 'Maar ik ben er inderdaad achter gekomen, pa. Dat is mijn werk. Ik ga niet voor stakende mijnwerkers lopen zwaaien met biljetten van vijf pond, ik sla verdachten niet in hun cel in elkaar, ik verknoei het onderzoek naar de moord op zwarte jongeren niet en ik steel evenmin in beslag genomen drugs om ze op straat te verkopen. Ik hou me voornamelijk bezig met

papierwerk. Soms vang ik een moordenaar. Soms faal ik ook, maar ik zet me altijd volledig in.'
'Wie heeft het gedaan?'
Banks vertelde het hem.
'Donald Bradford! Je zou denken dat dat de eerste was die ze hadden nagetrokken.'
'Dat was ook de reden waarom wij het vermoeden kregen dat er iets scheef zat.'
'En Rupert Mandeville. Dat zal een fraaie krantenkop worden.'
'Als we tenminste bewijzen tegen hem kunnen vinden. U moet wel bedenken dat het al heel lang geleden is en dat het niet erg waarschijnlijk is dat hij een bekentenis aflegt.'
'Maar toch... Dat vriendje van je, die Graham, dat was geen lieverdje, hè?'
'Waarom zegt u dat?'
'Dat dacht ik. Ik heb hem altijd een onbetrouwbaar jong gevonden. Net als zijn vader.'
'Graham ging inderdaad wel eens het verkeerde pad op, maar dat is nog geen reden om hem te vermoorden.'
'Natuurlijk niet.' Pa Banks zweeg even en bekeek zijn zoon met een onderzoekende blik. Toen verscheen er een mager glimlachje rond zijn lippen. 'Je bent gestopt met roken, hè?'
'Ik had het eigenlijk aan niemand willen vertellen.'
'Er is maar weinig wat je vader niet opmerkt.'
'Pa, hebt u wel geluisterd naar wat ik zei?' vroeg Banks. 'Ik probeer u al jaren duidelijk te maken dat ik een fatsoenlijke baan heb, een baan om trots op te zijn, net als u.'
'En Jet Harris, de lokale held, was een corrupte smeris?'
'Ja.'
'En dat ga jij bekendmaken.'
'Dat is wel de bedoeling, ja.'
'Tja,' zei Arthur Banks, en hij wreef in zijn handen. 'Dat is dan in orde. Ik neem aan dat je nog wel een biertje lust? Ik trakteer deze keer.'
Banks keek op zijn horloge. 'Eentje dan,' zei hij. 'Ik heb een afspraakje.'

Was het de tijd van mijn onschuld
Of het verloren land van Oz?
Was het een domme illusie,
Een zomer die nooit is voltooid?

Liep ik door de velden met het kind op mijn arm
En het goudgele graan boven ons?
Voelde ik dat mijn hart brak onder het gewicht?
Was mijn slapende jongen een last, zwaar als lood?

Ik hoor hem nog huilen toen hij net geboren was
Zie nog zijn hand, een spin die me niet liet gaan
Die me niet liet gaan, niet liet gaan,
De pijn sneed door mijn hart en bracht me verdriet.

Durft een dromer de realiteit onder ogen te zien?
De verantwoordelijkheid van een man te dragen?
Kan een moordenaar ooit een minnaar worden
Of is hij voor eeuwig verdoemd?

Je kunt me niet volgen waar ik nu ga
Zoek me niet op de plekken waar ik ooit was
Luister niet naar demonen die ik heb gehoord
Kijk niet in het duister dat ik heb gezien.

Een veld en een jongen en lang goudgeel graan
Een eeuwigheid gevangen in een dag
Moeilijk te krijgen, moeilijk te houden,
Het vlucht altijd bij mij vandaan

Was het de tijd van mijn onschuld
Of het verloren land van Oz?
Was het een domme illusie,
Een zomer die nooit is voltooid?

Banks lag laat op die avond in bed op zijn discman naar Neil Byrds cd te luisteren, na een etentje met Michelle en een telefoontje van Annie. *Een onvoltooide zomer* was het eerste nummer op de cd, hoewel de hoestekst vermeldde dat het het laatste nummer was dat Byrd had opgenomen, slechts enkele weken voordat hij zelfmoord pleegde. Banks luisterde naar de subtiele wisselwerking tussen woorden en muziek, tegen een achtergrond van akoestische gitaarmuziek en contrabas, waarin fluit- en vioolklanken verweven waren, net als op Van Morrisons *Astral Weeks* en voelde de wanhoop en de verslagenheid van de zanger. Hij begreep het nummer niet, snapte niet wat de gekwelde zinnen betekenden, voelde

alleen dat ze gekweld waren.
Dit was een man aan het eind van zijn Latijn. Hij dacht aan zijn kind of aan zijn eigen jeugd. Of beide.
Banks durfde zich bijna niet voor te stellen wat dit nummer voor Luke Armitage had betekend toen hij het, verward door de sterke hasj, voor het eerst had gehoord in de flat van Liz en Ryan. Annie had gelijk. Die klootzakken hadden niet gevoellozer kunnen zijn. Of stommer. Het was ongetwijfeld nooit in hun benevelde hoofd opgekomen dat ze er enorme schade mee konden berokkenen. Het enige waar zij aan hadden gedacht, was dat Luke zich moest openstellen voor zijn vaders muziek, ter bevordering van hun eigen carrière, en iedereen wist dat drugs de deur naar ontvankelijkheid openzetten.
Banks herinnerde zich het citaat van Rimbaud dat in zilverkleurige verf op Luke's zwarte muur stond geschreven: *Le Poëte se fait voyant par un long, immense en raisonné dérèglement de tous les sens.*
Was Luke een ziener geworden? Wat had hij gezien? Had hij geprobeerd zichzelf van het leven te beroven met de diazepam of had hij alleen geprobeerd de pijn te verdoven?
In Banks' gedachten waren Luke Armitage en Graham Marshall één geworden. Weliswaar waren ze op verschillende manieren gestorven en om verschillende redenen, en bovendien in een heel andere tijd, maar ze waren allebei een kind geweest dat verloren was geraakt in een volwassen wereld waar behoeftes en emoties veelomvattender waren dan die van hen, veel krachtiger en ingewikkelder dan zij konden bevatten. Graham had geprobeerd het spel van de volwassenen mee te spelen en had verloren, Luke had op de verkeerde plekken naar liefde en acceptatie gezocht. Ook hij had verloren. Ook al was zijn dood volgens Annie een ongeluk, het was wel een tragisch ongeluk, waaraan vele handelingen vooraf waren gegaan en elke handeling was als een deur geweest die achter Luke was dichtgevallen op zijn tocht naar het noodlot.
Banks legde de discman op het nachtkastje, draaide zich om en probeerde te slapen. Hij verwachtte niet echt dat het hem zou lukken. Het lied had een enorm gevoel van troosteloosheid en eenzaamheid bij hem opgeroepen, waardoor hij hevig verlangde naar iemand om vast te houden en hij wenste nu dat hij bij Michelle was gebleven nadat ze de liefde hadden bedreven. Bijna had hij zijn mobiele telefoon tevoorschijn gehaald om haar te bellen, maar het was al na twee uur in de ochtend, veel te laat. Hoe zou ze trouwens reageren als hij zo vroeg in hun relatie al een dergelijke afhankelijkheid toonde? Ze zou er waarschijnlijk als een speer vandoor gaan, net als Annie. En terecht.

Hij hoorde zijn vader in de kamer naast hem snurken. Ze hadden zich tenminste min of meer met elkaar verzoend. Hoewel Arthur Banks nooit iets zou toegeven, was zijn houding tijdens hun gesprek in de pub die avond veranderd. Banks kon zien dat zijn vader trots op hem was, omdat hij erin was geslaagd de moord op Graham op te lossen, hoewel hij zelf had volgehouden dat Michelle het meeste werk had gedaan, en ook omdat hij niet van plan was Jet Harris' rol in het geheel te verdoezelen. Trots, waarschijnlijk voor het eerst in zijn leven.
Het was vreemd om weer thuis in zijn oude bed te liggen. Toen hij op het randje van de slaap zweefde, meende hij dat hij zijn moeder hoorde roepen dat het ochtend was en dat hij moest opstaan om naar school te gaan: 'Schiet eens op, Alan, anders kom je nog te laat!' In zijn droom strikte hij de das van zijn schooluniform, rende hij naar beneden om snel een schaaltje cornflakes te eten en zijn melk op te drinken, greep hij zijn schooltas en holde hij naar de anderen die op straat stonden te wachten. Toen hij buitenkwam, stonden Dave en Paul en Steve en Graham allemaal op hem te wachten met een cricketbat, de bal en de wickets. De zon scheen fel aan de helderblauwe hemel en de lucht was warm en zoet. Ze hoefden niet naar school. Ze hadden vakantie. Ze zouden cricket gaan spelen in het park. 'Het is zomer, stommerd,' zei Graham, en ze lachten hem allemaal uit. Een onvoltooide zomer.

Dankbetuiging

Ik zou graag de volgende mensen willen bedanken, omdat ze de verschillende versies van het manuscript tijdens het schrijven hebben gelezen en van commentaar voorzien: Dominick Abel, Robert Barnard, Liz Cowen, Dinah Forbes, Trish Grader, Sheila Halladay, Maria Rejt, Erika Schmid en Anya Serota.

Veel mensen hebben me geholpen met research en mijn speciale dank gaat uit naar: Margaret Brown, Clare Ellis, hoofdinspecteur Philip Gormley, Jenny Mogford van www.peterborough.net en inspecteur Claire Stevens.